IACOCCA

LEE IACOCCA & WILLIAM NOVAK

IACOCCA

EEN AMERIKAANSE CARRIERE

Derde druk

UITGEVERIJ MINGUS
BAARN

Een briefkaart of telefoontje naar onze uitgeverij is voldoende om u te verzekeren van regelmatige informatie over nieuwe uitgaven uit ons fonds.
Postbus 108, 3740 AC Baarn, tel. 02154-17241.

CIP-GEGEVENS KONINKLIJKE BIBLIOTHEEK, DEN HAAG

Iacocca, Lee

Iacocca : een Amerikaanse carrière / Lee Iacocca & William Novak ; [vert. uit het Engels door Ab Dienaar]. –
Baarn : Mingus. – Ill.
Vert. van: Iacocca. – New York : Bantam Books, 1984. – Met reg.
ISBN 90-6544-076-2
SISO 383.2 UDC 67:629. 113/.115(73)+929 Iacocca, Lee UGI 530
Trefw.: Iacocca, Lee ; levensbeschrijvingen / autoindustrie ; Verenigde Staten van Amerika.

Omslagontwerp: Studio Myosotis
Foto omslag: Anthony Loew, © 1984

Published by arrangement with Bantam Books, Inc., New York
Verspreiding voor België: Uitgeverij Baart pvba, Antwerpen

Voor mijn geliefde Mary,
voor je moed…
en je toewijding aan ons drieën.

INHOUD

OPENHARTIG GEZEGD

DANKBETUIGING

Het is gebruikelijk voor een schrijver om alle mensen te bedanken die hem hebben geholpen met zijn boek. Maar omdat dit een autobiografie is, wil ik beginnen met het bedanken van een paar mensen die mij in mijn leven hebben geholpen – mijn trouwe vrienden die me niet in de steek hebben gelaten toen mijn wereld ineenstortte: bisschop Ed Broderick, Bill Curran, Vic Damone, Alejandro de Tomaso, Bill Fugazy, Frank Klotz, Walter Murphy, Bill Winn en Gio, mijn kapper. En tevens mijn dokter, James Barron, die me hielp geestelijk en lichamelijk op de been te blijven.

Ik wil de mensen bedanken die, al waren ze al gepensioneerd, me bij Chrysler een handje kwamen helpen – Paul Bergmoser, Don DeLaRossa, Gar Laux, Hans Matthias en John Naughton – en jonge doorzetters als Jerry Greenwald, Steve Miller, Leo Kelmenson en Ron DeLuca, die een goedbetaalde en veilige baan in de steek lieten om er eens flink tegenaan te gaan en een stervende onderneming te redden.

In mijn achtendertig auto-industriejaren was ik gezegend met drie secretaresses, met wie ik het bijzonder heb getroffen. De eerste was Betty Martin, een vrouw met zoveel talent dat ze veel hogere Ford-medewerkers in de schaduw stelde. De tweede, Dorothy Carr, ging weg bij Ford op de dag dat ik werd ontslagen en ging, louter uit loyaliteit, mee naar Chrysler, hoewel ze haar pensioen daarmee in gevaar bracht. En de derde, mijn tegenwoordige secretaresse, Bonnie Gatewood, die al heel lang bij Chrysler werkt, is evengoed als beide anderen.

Ik ben dank verschuldigd aan mijn oude vrienden bij Ford, de enkelen die gedurende die donkere dagen mijn vriend bleven: Calvin Beauregard, Hank Carlini, Jay Dugan, Matt McLaughlin, John Morrissey, Wes Small, Hal Sperlich en Frank Zimmerman.

Ik wil mijn editor, Nessa Rapoport, bedanken en de mensen van Bantam die zo hard hebben gewerkt, met name Jack Romanos, Stuart Applebaum, Heather Florence, Alberto Vitale en Lou Wolfe en dan natuurlijk mijn waardevolle medewerker William Novak.

En uiteraard mijn dochters, Kathi en Lia, die voor mij alles betekend hebben en nog steeds betekenen.

VERANTWOORDING

Waar ik ook kom, overal stellen de mensen mij dezelfde vragen. Waaraan dankt u uw succes? Waarom heeft Henry Ford u ontslagen? Hoe heeft u bij Chrysler een ommekeer teweeggebracht?

Nooit had ik een kort bevredigend antwoord op deze vragen bij de hand, zodat ik de gewoonte aannam te zeggen: 'Als ik mijn boek schrijf, kunnen jullie het lezen.'

In de loop der jaren heb ik die frase zo vaak herhaald, dat ik geen andere keuze meer had dan het boek te schrijven waarover ik al zoveel gepraat heb.

Waarom ik het geschreven heb? In ieder geval niet om beroemd te worden. De televisiereclame voor Chrysler heeft mij al meer in de publiciteit gebracht dan ik ooit voor wenselijk heb gehouden.

Ik heb het ook niet geschreven om rijk te worden. In materieel opzicht heb ik alles wat een mens zich maar wensen kan. Daarom schenk ik iedere cent die ik aan dit boek verdien aan het Joslin Diabetes Centrum in Boston.

Evenmin heb ik dit boek geschreven om wraak te nemen op Henry Ford voor mijn ontslag. Dat heb ik al gedaan op die beproefde Amerikaanse manier: door het uit te vechten op de markt.

De waarheid is dat ik dit boek geschreven heb om de feiten vast te leggen en mijn eigen gedachten te ordenen, om het verhaal van mijn leven bij Ford en bij Chrysler te vertellen zoals het werkelijk is verlopen. Terwijl ik aan dit boek werkte en in gedachten mijn leven nog eens overdeed, moest ik denken aan al die jonge mensen die ik ontmoette tijdens mijn lezingen aan universiteiten en economische hogescholen. Als dit boek hen een realistisch beeld kan geven van de opwindende uitdaging van het grote zakenleven in het Amerika van vandaag en hen een idee geeft van wat de moeite waard is om voor te vechten, dan zal alle inspanning niet vergeefs zijn geweest.

VOORWOORD

U staat op het punt het levensverhaal te lezen van een man die meer dan zijn deel heeft gekregen van het succes, maar die ook heel slechte tijden heeft gekend. Echter, als ik terugkijk op mijn achtendertig jaar actief zijn in de auto-industrie, dan heeft de dag die ik mij het meest levendig herinner niets te maken met nieuwe auto's, promoties of winsten.

Ik begon mijn leven als de zoon van immigranten en werkte mijzelf omhoog tot president-directeur van Ford Motor Company. Toen ik die plaats bereikt had, stond ik aan de top. Maar het noodlot zei: 'Wacht, we zijn er nog niet met jou. Nu zal je ondervinden hoe het voelt om van de hoogste berg gegooid te worden.'

Op 13 juli 1978 werd ik ontslagen. Acht jaar was ik president-directeur van Ford geweest en tweeëndertig jaar had ik bij die onderneming gewerkt. Ik had nooit ergens anders gewerkt. Nu zat ik plotseling zonder baan. Ik voelde me hopeloos.

Officieel zou mijn dienstverband over drie maanden eindigen. Maar volgens de voorwaarden in mijn ontslagbrief zou ik aan het eind van die periode gebruik mogen maken van een bureau tot ik een nieuwe baan had gevonden.

Op 15 oktober, mijn laatste dag op kantoor en bij toeval op mijn vierenvijftigste verjaardag, reed mijn chauffeur mij voor de laatste keer naar het Wereldhoofdkantoor in Dearborn. Voor ik van huis ging, kuste ik mijn vrouw, Mary, en mijn twee dochters, Kathi en Lia. Mijn gezin had verschrikkelijk geleden in die laatste, bewogen maanden bij Ford en dat vervulde mij met woede. Misschien was ik zelf verantwoordlijk voor mijn lot. Maar hoe zat het met Mary en de meisjes? Waarom moesten zij dit doormaken? Zij waren de onschuldige slachtoffers van de despoot wiens naam boven het gebouw stond.

Zelfs vandaag nog is het hun verdriet dat mij bijblijft. Het is als met de leeuwin en haar welpen. Als de jager beseft wat goed voor hem is, laat hij de kleintjes met rust. Henry Ford deed mijn kinderen lijden en dat vergeef ik hem nooit.

De volgende dag stapte ik in mijn auto en reed naar mijn nieuwe kantoor. Het was een somber magazijngebouw aan de Telegraph Road, op slechts een paar kilometer afstand van het Wereldhoofdkantoor. Maar voor mij was het alsof ik een andere planeet bezocht.

Ik wist niet precies waar het bureau was en het kostte een paar minuten voor ik het juiste gebouw had gevonden. Toen ik het eindelijk gevonden had, zag ik zelfs geen plek om te parkeren.

Het bleek dat er genoeg mensen waren om me de weg te wijzen. Iemand had de media gewaarschuwd dat de zojuist onttroonde president van Ford vanmorgen hier zou komen werken, zodat zich een klein groepje had verzameld om mij welkom te heten. Een televisiereporter hield mij een microfoon voor en vroeg: 'Hoe voelt u zich bij uw komst naar deze opslagplaats na acht jaar aan de top te hebben gestaan?'

Ik kon het niet opbrengen hem te antwoorden. Wat moest ik zeggen? Eenmaal veilig buiten het bereik van de camera, mompelde ik de waarheid: 'Ik voel me als een hoop stront.'

Mijn nieuwe kantoor was niet veel meer dan een hokje met een klein bureau en een telefoon. Dorothy Carr, mijn secretaresse, was er al. Ze had tranen in haar ogen. Zonder een woord te zeggen, wees ze naar het gebarsten linoleum op de vloer en naar de twee plastic koffiebekers op het bureau.

Gisteren nog hadden zij en ik gewerkt in een overdadig luxe omgeving. Het kantoor van de president-directeur had de afmeting van een suite in een groot hotel. Ik had er mijn eigen badkamer en zelfs een appartement om in te wonen. Als hooggeplaatst Forddirecteur werd ik verzorgd door bedienden in witte jasjes die de hele dag ter beschikking stonden. Ik had eens een keer familieleden uit Italië meegenomen om te laten zien waar ik werkte en zij dachten dat ze overleden waren en in de hemel waren terechtgekomen.

Vandaag echter had ik net zo goed zelf een paar miljoen kilometer in de ruimte kunnen zijn. Enkele minuten na mijn komst kwam de magazijnmeester langs voor een beleefdheidsbezoek. Hij bood aan om koffie te halen uit de automaat op de gang. Het was een vriendelijk gebaar, maar de ongerijmdheid van mijn aanwezigheid hier bracht ons beiden in verlegenheid.

Voor mij was dit Siberië. Ik was iemand die verstoten was naar de verste uithoek van het koninkrijk. Ik was zo verbluft dat het een paar minuten vergde voor ik besefte dat er geen reden was om hier te blijven. Thuis had ik telefoon en de post kon me gebracht worden. Nog voor het tien uur was, was ik alweer vertrokken om er nooit meer terug te komen. Deze laatste vernedering was veel erger dan het ontslag. Ik wilde iemand vermoorden... maar ik wist niet precies wie: Henry Ford of mezelf. Moord of zelfmoord hebben nooit tot de werkelijke mogelijkheden behoord, maar ik begon wel iets meer te drinken... en nog veel meer te beven. Ik voelde me echt alsof ik uit elkaar getrokken werd.

Er zijn op ons levenspad duizenden kleine zijweggetjes en een paar heel grote splitsingen. Dat zijn de ogenblikken waarop men zich rekenschap geeft: het uur van de waarheid. Nu was zo'n ogenblik voor mij gekomen en ik vroeg me af wat ik doen moest. Zou ik de brui eraan geven en stil gaan leven? Ik was vierenvijftig. Ik had al veel bereikt. Financieel was ik veilig. Ik kon het me veroorloven de rest van mijn leven te gaan golfen.

Maar mijn gevoel zei dat dat niet goed was. Ik wist dat ik de brokstukken moest oprapen en verdergaan.

In ieders leven zijn er momenten waarop er iets constructiefs wordt geboren uit tegenspoed. Er zijn ogenblikken waarop de dingen er zo slecht uitzien dat je jezelf bij de schouders moet pakken en heen en weer schudden. Ik ben ervan overtuigd dat het die morgen in het magazijn is geweest die me de stoot heeft gegeven om een paar weken later het presidentschap van Chrysler te aanvaarden.

Het persoonlijk verdriet had ik kunnen dragen, maar de opzettelijke belediging in het openbaar was te veel voor me. Ik zat vol woede en stond voor een eenvoudige keus. Ik kon die woede tegen mezelf richten, maar dan met rampzalige gevolgen; of ik kon iets van die energie benutten en proberen er iets positiefs mee tot stand te brengen.

'Word niet krankzinnig,' waarschuwde Mary. 'Zet ze het betaald.' In tijden van grote spanning en tegenspoed is het altijd het beste om actief te blijven en je woede en energie om te zetten in iets positiefs.

Het bleek dat ik van de hel in het vagevuur terechtkwam. Een jaar nadat ik mijn aanstelling had getekend, raakte Chrysler op de rand van een bankroet. Er zijn heel wat dagen geweest waarop ik mij afvroeg hoe ik me in zo'n rotzooi had kunnen begeven. Ontslagen worden bij Ford was al erg genoeg. Maar met het schip vergaan bij Chrysler was meer dan ik verdiende.

Gelukkig herstelde Chrysler zich op het randje van de dood. Vandaag ben ik de held. Maar vreemd genoeg is alles te danken aan dat ene ogenblik van de waarheid in het magazijn. Met vastberadenheid, met geluk en met de hulp van een heleboel goede mensen was ik in staat uit de as te herrijzen.

Laat me nu mijn verhaal vertellen.

MADE IN AMERICA

I
De familie

Nicola Iacocca, mijn vader, kwam in 1902, op twaalfjarige leeftijd in dit land aan... arm, alleen en bang. Hij zei vaak dat de enige zekerheid die hij had toen hij hier aankwam, was dat de wereld rond moest zijn. Dat had hij alleen te danken aan die andere Italiaanse jongen, Christoffel Columbus, die hem bijna op de kop af 410 jaar geleden was voorgegaan.

Toen de boot de haven van New York binnenvoer, keek mijn vader om zich heen en zag het Vrijheidsbeeld, dat grote symbool van hoop voor miljoenen immigranten. Bij zijn tweede oversteek, toen hij het beeld terugzag, was hij Amerikaans staatsburger met alleen een hart vol verwachting en zijn moeder en zijn jonge vrouw aan zijn zijde. Voor Nicola en Antoinette was Amerika het land van de vrijheid... de vrijheid om te worden wat je wilde, als je het maar ernstig genoeg wilde en bereid was ervoor te werken.

Dit was de enige les die mijn vader aan zijn gezin meegaf. Ik hoop dat ik hetzelfde voor mijn gezin heb gedaan.

Toen ik in Allentown, Pennsylvanië, opgroeide, vormde ons gezin zo'n hechte eenheid dat het soms net was of we een enkele persoon waren die uit vier delen bestond.

Mijn ouders zorgden er altijd voor dat mijn zuster Delma en ik onszelf belangrijk en bijzonder voelden. Niets was te veel werk of te veel moeite. Mijn vader was steeds met een dozijn dingen tegelijk bezig, maar had altijd tijd voor ons. Mijn moeder spande zich tot het uiterste in om de maaltijden te koken waar we van hielden... alleen om ons blij te maken. Ook vandaag nog, wanneer ik op bezoek ga, maakt ze mijn twee lievelingsgerechten: kippesoep met kleine lamsvleesballetjes en ravioli, bestrooid met geraspte kaas. Van alle grote Napolitaanse koks op de wereld moet zij een van de beste zijn.

Mijn vader en ik waren heel vertrouwelijk met elkaar. Ik deed hem graag een plezier en hij was altijd ontzettend trots op mijn prestaties. Als ik op school een opstelwedstrijd won, was hij in de wolken. Als ik op latere leeftijd promotie maakte, belde ik direct mijn vader op en dan rende hij de deur uit om het aan al zijn vrienden te vertellen. Iedere keer dat ik bij Ford een nieuwe auto uitbracht, wilde hij de eerste zijn die erin reed. Toen ik in 1970 tot president-directeur van de Ford Motor Company werd benoemd, wist ik niet wie van ons beiden het meest opgewonden was.

Zoals zoveel Italianen van geboorte waren mijn ouders heel openlijk met het tonen van hun gevoelens van hun liefde, niet alleen thuis, maar ook in het openbaar. De meesten van mijn vrienden zouden hun vader nooit knuffelen. Ik vermoed dat ze bang waren dat ze dan niet sterk en onafhankelijk zouden lijken. Maar ik kuste en knuffelde mijn vader bij iedere gelegenheid... niets scheen vanzelfsprekender.

Hij was een rusteloze, vindingrijke man die altijd nieuwe dingen probeerde. Op zeker ogenblik kocht hij een paar vijgebomen en slaagde erin ze te laten groeien in het rauwe klimaat van Allentown. Hij was ook de eerste in het dorp die een motorfiets kocht, een oude Harley Davidson, waarmee hij door de stoffige straten van onze kleine stad reed. Ongelukkigerwijze konden mijn vader en zijn motorfiets niet erg goed met elkaar overweg. Hij viel zo vaak dat hij hem tenslotte van de hand deed. Als gevolg daarvan heeft hij nooit meer een voertuig vertrouwd op minder dan vier wielen.

Dankzij die vervloekte motorfiets mocht ik geen fiets hebben toen ik groter werd. Als ik wilde fietsen moest ik er een lenen van een vriend. Anderzijds liet mijn vader mij autorijden zodra ik zestien was. Dat maakte mij tot het enige kind in Allentown dat rechtstreeks van een driewieler naar een Ford overstapte.

Mijn vader was gek op auto's. Hij had zelfs een van de eerste T-Fords. Hij was een van de weinigen in Allentown die kon autorijden en hij was altijd aan het prutsen aan auto's en aan het nadenken wat hij eraan verbeteren kon. Net als elke chauffeur uit die dagen kreeg hij veel lekke banden. Jarenlang was hij bezeten van het vinden van een manier om een paar kilometer verder te komen met een lekke band. Tot vandaag aan toe moet ik, als er nieuwe ontwikkelingen zijn in de bandentechnologie, altijd aan mijn vader denken.

Hij was verliefd op Amerika en hij achtervolgde de Amerikaanse Droom met alle kracht die in hem was. Toen de Eerste Wereldoorlog uitbrak, nam hij vrijwillig dienst... deels uit vaderlandsliefde en deels, zoals hij mij later bekende, om zijn lot iets meer in eigen hand te houden. Hij had hard gewerkt om in Amerika te komen en om genaturaliseerd te worden en hij was doodsbang bij het vooruitzicht naar Europa teruggezonden te worden om te vechten in Italië of Frankrijk. Gelukkig voor hem werd hij in Camp Crane gestationeerd, een trainingskamp van het leger op slechts een paar kilometer van zijn woonplaats. Omdat hij kon autorijden werd hij aangesteld om chauffeurs van ambulancewagens op te leiden.

Nicola Iacocca was naar Amerika gekomen vanuit San Marco, een plaats zo'n veertig kilometer ten noordoosten van Napels in de Italiaanse provincie Campania. In Amerika woonde hij kort in Garrett, Pennsylvanië, samen met zijn stiefbroer. Mijn vader ging in een kolenmijn werken, maar hij haatte dat werk zo verschrikkelijk dat hij na één dag wegliep. Hij zei vaak dat dit de enige dag in zijn leven was geweest waarop hij voor iemand anders had gewerkt.

Al spoedig verhuisde hij naar Allentown, waar hij nog een broer had. Tegen 1921 had hij voldoende geld overgehouden met werken in allerlei excentrieke baantjes, hoofdzakelijk als leerling-schoenmaker, om naar San Marco terug te keren om zijn moeder, die weduwe geworden was, naar Amerika te halen. Het kwam erop neer dat hij ook mijn moeder meebracht. Tijdens zijn verblijf in Italië werd deze eenendertigjarige vrijgezel verliefd op de zeventienjarige dochter van een schoenmaker. Na een paar weken waren ze getrouwd.

In de loop der jaren hebben nogal wat journalisten vermeld, of naverteld, dat mijn ouders op hun huwelijksreis naar het Lido in Venetië waren gegaan en dat ik Lido werd genoemd om die gelukkige week te herdenken. Het is een prachtig verhaal, maar het probleem is dat het niet waar is. Mijn vader maakte wel een uitstapje naar het Lido, maar dat was voor zijn huwelijk en niet erna. En aangezien hij toen in gezelschap was van de broer van mijn moeder, betwijfel ik of deze vakantie erg romantisch was.

De overtocht van mijn vader naar Amerika was niet gemakkelijk. Mijn moeder kreeg tyfus en bracht de hele overtocht door in de ziekenboeg van het schip. Tegen de tijd dat ze bij Ellis Island waren aangekomen, had ze al haar haren verloren. Volgens de regels van de wet zou ze naar Italië teruggezonden moeten worden. Maar mijn vader was een agressieve, vlug pratende, bedrijvige man die al geleerd had hoe hij de dingen in de Nieuwe Wereld naar zijn hand kon zetten. Op de een of andere manier slaagde hij erin de immigratiebeambten te overtuigen dat zijn jonge bruid slechts zeeziek was.

Drie jaar later, op 15 oktober 1924, werd ik geboren. Tegen die tijd had mijn vader een hot-dog cafetaria geopend, die het Orpheum Wiener House heette. Het was precies de goede onderneming voor iemand zonder veel geld. Alles wat hij nodig had om te beginnen waren een grill, een broodrooster en een paar stoelen.

Mijn vader heeft me altijd twee dingen ingeprent: ga nooit in de kapitaalintensieve business omdat het er altijd op uitdraait dat de banken jou bezitten. (Ik had meer aandacht aan dit speciaal advies moeten schenken.) En als het moeilijke tijden zijn, zorg dan dat je in de voedingsbranche zit, want hoe slecht het ook gaat, mensen moeten altijd eten. De Orpheum Wiener House bleef de hele Grote Depressie door overeind.

Later haalde hij mijn ooms Theodore en Marco in de zaak. Tot op de dag van vandaag maken Theodore's zonen Julius en Albert Iacocca nog steeds hot-dogs in Allentown. De onderneming heet Yocco dat zo'n beetje lijkt op de manier waarop de Hollanders in Pennsylvanië onze naam uitspreken.

Zelf was ik ook bijna in de voedingsbusiness gegaan. In 1952 overwoog ik ernstig bij Ford weg te gaan om een filiaalbedrijf van eethuizen te beginnen. De Ford-dealers werkten als onafhankelijke bedrijven en het leek mij dat iedereen die een filiaalbedrijf in eetzaken kon opzetten heel vlug rijk zou worden. Mijn plan was om tien snelbuffetten met één centraal inkooppunt te stichten. Dit was ver voor de McDonalds in Ray Kroc's hoofd opkwamen en soms vraag ik mij af of ik mijn ware roeping in het leven gemist heb. Wie zal het zeggen. Misschien was ik vandaag een half miljard dollar waard geweest en stond er op mijn reclameborden: 'Meer dan tien miljard maaltijden geserveerd.'

Een paar jaar later opende ik mijn eigen zaak, een broodjeswinkel in Allentown met de naam 'The Four Chefs'. Er werden Philadelphia kaas- en vleestosti's geserveerd. (Dat zijn dunne plakken rundvlees met gesmolten kaas tussen een Italiaans broodje.) Mijn vader zette de zaak op en ik verschafte het geld. Het ging heel goed... feitelijk veel te goed, want wat ik werkelijk nodig had was een schuilplaats voor de belasting. Het eerste jaar draaiden we 125.000 dollar waardoor mijn belastbaar inkomen op een zo hoog niveau kwam dat ik de zaak van de hand moest doen. 'The Four Chefs' was mijn eerste ervaring met de griezelige tariefindeling en de progressieve aard van onze belastingwetten.

Feitelijk zat ik al in de voedingsbusiness lang voor ik met auto's te maken kreeg. Toen ik tien jaar was, werd in Allentown een van de eerste supermarkten in ons land geopend. Na schooltijd en in de weekends gingen mijn vriendjes en ik met onze rode wagentjes voor de deur in de rij staan, net als een rij taxi's voor een hotel. Als de klanten naar buiten kwamen, boden wij aan voor een kleine fooi hun tassen naar huis te brengen. Achteraf gezien kan men zeggen dat ik in het eindtransport van de voedingsbusiness zat.

Als tiener had ik een weekendbaantje bij een fruithandel die gedreven werd door een Griek die Jimmy Kretis heette. Ik stond voor het ochtendkrieken op om de produkten van de groothandelsmarkt te halen. Hij betaalde me twee dollar per dag plus al het fruit en de groente die ik na een zestienurige werkdag naar huis kon sjouwen. In diezelfde tijd had mijn vader naast het Orpheum Wiener House nog andere zaken. Al heel in het begin kocht hij zich in in een nationale onderneming die U-drive heette, een van de eerste autoverhuurbedrijven. Uiteindelijk had hij een wagenpark van ongeveer dertig auto's opgebouwd, voornamelijk Fords. Mijn vader was ook goeie vrienden met ene Charly Charles, wiens zoon Edward Charles bij een Ford-dealer werkte. Later kocht Eddie zelf een Ford dealerschap en liet mij kennismaken met de fascinerende wereld van de autohandel. Toen ik vijftien was, had Eddie mij overtuigd dat ik in de automobielbranche moest gaan. Van die dag af was al mijn energie daarop gericht.

Waarschijnlijk is mijn vader verantwoordelijk voor mijn handelsinstinct. Hij bezat een aantal bioscopen. Een van zijn theaters, het Franklin, is tot op heden nog in gebruik. Oud-ingezetenen van Allentown hebben mij verteld dat mijn vader zo'n geweldig organisator was dat de kinderen die naar de zaterdagmatinee kwamen meer in opwinding raakten door zijn speciale aanbiedingen dan door de films. Nog steeds spreken de mensen over de dag waarop hij aankondigde dat de tien kinderen met de vuilste gezichten gratis toegang zouden krijgen.

Ik betwijfel of er vandaag nog kinderen in het Franklin komen. Hij wordt de 'Jenette' genoemd en in plaats van Tom Mix en Charley Chaplin worden er nu pornofilms gedraaid.

Economisch kende ons gezin zijn ups en downs. Zoals vele Amerikanen maakten we het goed in de jaren twintig. Mijn vader begon veel geld te verdienen in onroerend goed, naast zijn andere zaken. Een paar jaar lang waren we echt welgesteld. Maar toen kwam de depressie. Niemand die dit heeft meegemaakt kan dat ooit vergeten. Mijn vader verloor al zijn geld en bijna raakten we ons huis kwijt. Ik herinner me hoe ik aan mijn een paar jaar oudere zuster vroeg of we zouden moeten verhuizen en hoe we een andere plek om te wonen zouden kunnen vinden. Ik was toen pas zes of zeven jaar, maar de angst voor de toekomst staat mij nog steeds levendig voor ogen. Slechte tijden zijn onuitwisbaar... ze blijven je altijd bij.

In die moeilijke jaren was mijn moeder heel vindingrijk. Ze was een echte immigrantenmoeder, de ruggegraat van de familie. Een stuiver soepbenen legde in ons huis een lange weg af en altijd hadden we voldoende te eten. Ik herinner me dat ze vaak jonge duiven kocht... drie voor een kwartje... en zelf de vogels slachtte omdat ze de poelier, die garandeerde dat ze vers waren, niet vertrouwde. Toen de depressie erger werd, hielp ze in mijn vaders restaurant. Op zeker ogenblik ging ze werken in een textiel-atelier om overhemden te naaien. Wat er ook nodig was om overeind te blijven, ze deed het met een blij gemoed. Ook nu is ze nog steeds een mooie vrouw... die er veel jonger uitziet dan ik.

Zoals bij veel families uit die dagen, was ons vaste geloof in God een grote steun voor ons. Het scheen dat wij heel wat te bidden hadden. Iedere zondag moest ik naar de mis en eens in de een of twee weken ging ik ter communie. Het kostte mij een aantal jaren om volkomen te begrijpen waarom ik een oprechte biecht bij een priester moest afleggen alvorens ik ter communie kon gaan, maar als tiener begon ik het belang in te zien van deze meestal verkeerd begrepen rite in de katholieke Kerk. Ik moest niet alleen mijn tekortkomingen tegenover mijn vrienden overdenken, maar ze ook hardop uitspreken. In latere jaren voelde ik mezelf na een biecht volledig herboren. Ik begon zelfs aan weekendretraites deel te nemen waar jezuïten in een recht op de man af onderzoek van het geweten mij in harmonie wisten te brengen met de wijze waarop ik mijn leven leidde.

De noodzaak op regelmatige tijdstippen goed en kwaad af te wegen bleek de beste therapie die ik maar krijgen kon.

Ondanks de soms slechte tijden hadden we een boel plezier. Er was toentertijd geen TV dus waren de mensen meer op elkaar aangewezen. Op zondag, na kerktijd, hadden we altijd een huis vol familie en vrienden, die lachten, spaghetti aten en rode wijn dronken. We lazen toen ook veel boeken en natuurlijk verzamelden we ons elke zondagavond rond de Philoradio om naar onze geliefde programma's te luisteren met Edgar Bergen en Charley McCarthy en naar Inner Sanctum.

Voor mijn vader echter was de depressie de schok van zijn leven. Hij kon er niet overheen komen. Na jaren van inspanning had hij eindelijk een boel geld verdiend. En toen, bijna op slag, was het allemaal verdwenen. Toen ik klein was zei hij dikwijls tegen me dat ik naar school moest om te leren wat het woord 'depressie' betekende. Zelf had hij alleen de vierde klas lagere school afgemaakt. 'Als iemand mij geleerd had wat een depressie was,' zei hij dikwijls, 'zou ik niet de ene zaak met hypotheek belast hebben voor de volgende.'

Dat was in 1931. Ik was toen pas zeven jaar, maar zelfs toen wist ik dat er iets heel erg verkeerd gegaan was. Later, op college, zou ik alles leren van economische cycli en bij Ford en Chrysler zou ik leren hoe ze te doorstaan. Maar de ervaringen van onze familie gaven vroegtijdig een idee van de dingen die komen gingen.

Mijn ouders waren dol op fotograferen en ons familiealbum is veelzeggend voor mij. Vanaf mijn geboorte tot mijn zesde was ik uitgedost met satijnen schoentjes en geborduurde jasjes. Op mijn foto's als baby houd ik een zilveren rammelaar in de hand. Plotseling, rond 1930, lijken mijn kleren een beetje versleten. Mijn zuster en ik kregen geen nieuwe kleren meer. Ik begreep het niet echt en het was niet iets dat mijn vader kon uitleggen. Hoe kan je tegen een kind zeggen: 'Ik heb geen hemd, jongen, maar ik weet niet waarom.'

De depressie maakte een materialist van mij. Jaren later, toen ik afstudeerde, was mijn houding: 'Val me niet lastig met filosofie. Als ik vijfentwintig ben, wil ik tienduizend dollar per jaar verdienen en dan wil ik miljonair worden.' Ik stelde geen belang in een snobistische titel. Ik wilde geld verdienen.

Zelfs nu, als lid van de groep werkende rijken, stop ik mijn meeste geld in zeer conservatieve beleggingen. Niet omdat ik bang ben om arm te zijn, maar ergens in mijn achterhoofd is er de wetenschap dat de bliksem weer kan inslaan en dat mijn gezin niet genoeg te eten zal hebben.

Hoe ik er financieel ook voor sta, de depressie is nooit uit mijn bewustzijn verdwenen. Tot op de dag van vandaag haat ik verspilling. Als stropdassen van smal breed worden, bewaar ik al mijn oude dassen tot de mode weer smal wordt. Voedsel wegwerpen of een halve steak in de vuilnisbak gooien, maakt me nog steeds razend. Ik ben erin geslaagd iets van dat bewustzijn door te geven aan mijn dochters en ik merk dat ze geen geld uitgeven tenzij ze een goede koop doen... lieve hemel, ze gaan heel wat uitverkopen af.

Meer dan één keer tijdens de depressie werden de chèques van mijn vader teruggezonden met die dodelijke regel: 'Onvoldoende saldo'. Dat was altijd een zware slag voor hem omdat voor zijn gevoel een goede kredietwaardigheid essentieel was voor de integriteit van het individu of de onderneming. Hij predikte voortdurend zijn evangelie van financieel verantwoordelijkheidsbesef tegen Delma en mij en drong erop aan dat we nooit meer geld uitgaven dan we verdienden. Hij geloofde dat krediet gevaarlijk was. Niemand in onze familie mocht een credit-card hebben of ook maar iets op rekening laten schrijven... nooit.

In dit opzicht was mijn vader zijn tijd een beetje vooruit. Hij voorzag dat het kopen op afbetaling en het in de schuld staan het verantwoordelijkheidsgevoel van de mens met betrekking tot geld zouden ondermijnen. Hij voorspelde dat gemakkelijk krediet zich zou uitbreiden en onze hele samenleving zou saboteren en dat de consumenten in moeilijkheden zouden raken door net te doen alsof de plastic credit-card hetzelfde was als geld op de bank.

'Als je iets leent,' zei hij vaak tegen me, 'zelfs als het twintig cent is van een kind op school, schrijf het dan op zodat je niet vergeet het terug te betalen.' Dikwijls vraag ik mij af hoe hij gereageerd zou hebben als hij lang genoeg geleefd had om te zien hoe ik in 1981 een schuld aanging om de Chrysler Corporation te laten voortbestaan. Die lening was wel heel wat meer dan twintig cent; het totaal kwam op 1,2 miljard dollar. Hoewel ik aan mijn vaders advies dacht, had ik het grappige gevoel dat dit een lening was die ik mij zou kunnen herinneren, zelfs zonder het op te schrijven.

Men zegt dat mensen stemmen volgens hun portemonnee en zeker veranderden de politieke inzichten van mijn vader met zijn inkomen. Als we arm waren, waren we democraten. De democraten, zoals iedereen weet, waren de partij voor de gewone man. Zij geloofden dat als je hard wilde werken en geen luilak was, je in staat moest zijn je gezin te onderhouden en je kinderen op te voeden.

Maar als de tijden goed waren – voor de depressie en toen hij eindelijk weer voorbij was – waren we republikeinen. Per slot hadden we hard gewerkt voor ons geld en verdienden we het om het bij elkaar te houden.

Als volwassene maakte ik een soortgelijke verandering door. Zolang ik bij Ford was en het goed ging met de wereld was ik een republikein Maar toen ik de leiding bij Chrysler op me nam en een paar honderdduizend mensen plotseling met het verlies van hun banen werden bedreigd, waren de democraten degenen die voldoende pragmatisch waren om te doen wat noodzakelijk was. Als de crisis bij Chrysler was opgekomen onder republikeins bewind, zou de maatschappij te gronde zijn gegaan voor je nog Herbert Hoover had kunnen zeggen.

Wanneer de tijden moeilijk waren voor onze familie was het mijn vader die ons moed insprak. Wat er ook gebeurde, hij stond altijd voor ons klaar. Hij was een filosoof, boordevol kleine gezegdes en predikaties over hoe het in de wereld toeging. Zijn favoriete thema was dat het leven zijn ups en downs kende en dat ieder mens zijn eigen aandeel in de misère moest verwerken. 'Je moet een beetje verdriet in het leven aanvaarden,' zei hij als ik van streek was door een slecht cijfer op school of een andere teleurstelling. 'Je zult nooit weten wat geluk is tenzij je iets hebt om het ermee te vergelijken.'

Tegelijkertijd haatte hij het als hij zag dat een van ons ongelukkig was en zou hij altijd trachten ons op te beuren. Als ik me ergens zorgen over maakte zei hij: 'Vertel me eens, Lido, waarover was je een maand geleden zo van streek? Of verleden jaar? Zie je wel, dat weet je niet eens meer. Dus misschien is hetgeen waarover je je vandaag zorgen maakt niet eens zo erg. Vergeet het en denk aan morgen.'

In moeilijke tijden was hij altijd de optimist. 'Wacht nu maar even,' zei hij als de dingen er somber uitzagen, 'de zon moet weer gaan schijnen; zo gaat het altijd.' Vele jaren later, toen ik probeerde Chrysler te behoeden voor een bankroet, miste ik de bemoedigende woorden van mijn vader. Ik zou gezegd hebben: 'Hé, pa, waar is de zon, waar blijft 'ie nou.' Hij stond nooit toe dat wij ons aan de wanhoop overgaven en ik moet bekennen dat ik in 1981 meer dan één keer het bijltje erbij neer heb willen gooien. Ik hield mijn hersens bij elkaar door in die dagen te denken aan zijn geliefde gezegde: 'Nu ziet het er slecht uit, maar denk eraan, dit gaat ook voorbij.'

Hij stond erop dat je steeds je uiterste best deed, ongeacht wat je deed. Als we naar een restaurant gingen en de serveerster was onbeleefd, riep hij haar aan het eind van de maaltijd bij zich en gaf haar zijn kleine standaardspeech: 'Ik ga je nu een echte tip geven,' placht hij te zeggen. 'Waarom ben je zo ongelukkig in deze betrekking? Dwingt iemand je serveerster te zijn? Als je zo kribbig bent, laat je iedereen merken dat je niet van dit werk houdt. Wij willen graag een prettig uitje hebben en jij bederft het. Als je echt serveerster wilt zijn, dan zul je je moeten inspannen om de beste van de wereld te zijn. Anders moet je een andere baan zoeken.'

In zijn eigen restaurants ontsloeg hij onmiddellijk iedere bediende die onbeschoft tegen een klant was. Hij zei: 'Jij kunt hier niet werken, hoe goed je ook bent, want je jaagt de klanten weg.' Hij raakte de kern van de zaak en ik vermoed dat ik ook zo ben. Ik denk nog steeds dat alle talent van de wereld geen excuus kan zijn voor opzettelijke onbeschoftheid.

Mijn vader hield me altijd voor dat ik van het leven moest genieten en hij bracht in de praktijk wat hij predikte. Hoe hard hij ook werkte, hij zorgde er altijd voor dat er voldoende tijd voor ontspanning overbleef. Hij hield van bowlen, van pokeren en van goed eten en drinken, maar vooral van goede vrienden. Hij sloot altijd vriendschap met mijn collega's op mijn werk. Ik geloof dat hij tijdens mijn carrière bij Ford daar meer mensen kende dan ik.

In 1971, twee jaar voordat mijn vader overleed, gaf ik een groot feest voor de gouden bruiloft van mijn ouders. Ik had een neef die bij de United States Munt werkte en ik gaf hem opdracht een gouden penning te slaan die aan de ene kant mijn ouders afbeeldde en aan de andere kant het kleine kerkje in Italië waarin ze getrouwd waren. Op het feest kreeg iedere gast een bronzen uitvoering van de penning.

Later in dat jaar namen mijn vrouw en ik mijn ouders mee naar Italië om hun woonplaats te bezoeken en al hun oude vrienden en familie te ontmoeten. Wij wisten toen dat mijn vader leukemie had. Iedere twee weken kreeg hij een bloedtransfusie en hij verloor steeds meer aan gewicht. Op een gegeven ogenblik waren wij hem een paar uur kwijt en vreesden we dat hij het bewustzijn had verloren of in elkaar was gestort. Eindelijk troffen we hem aan in een winkeltje in Amalfi waar hij opgewonden bezig was souvenirs van aardewerk te kopen voor al zijn vrienden thuis.

Tot aan het allerlaatst, in 1973, probeerde hij van het leven te genieten.

Hij danste niet zoveel meer en at niet meer zo goed, maar hij was zeker heel moedig en vastbesloten te blijven leven. Toch waren de laatste paar jaren ellendig voor hem en voor ons allemaal. Het was moeilijk om hem zo kwetsbaar te zien en nog moeilijker om dat te aanvaarden.

Als ik nu terugdenk aan mijn vader, herinner ik mij hem alleen als een man met een grote vitaliteit en een tomeloze energie. Ik was eens in Palm Springs voor een vergadering van Ford-dealers en ik nodigde mijn vader uit voor een korte vakantie. Toen de vergadering afgelopen was, gingen een paar van ons golfspelen. Hoewel mijn vader nog nooit van zijn leven op een golflinks was geweest, vroegen we hem mee te gaan.

Zodra hij de bal geraakt had, begon hij erachter aan te rennen... zeventig jaar en de hele afstand hardlopen. Ik moest hem steeds waarschuwen: 'Pap, kalm aan; golfen is een spel waarbij gewandeld wordt.'

Maar zo teken ik mijn vader voor u. Hij predikte altijd: 'Waarom wandelen als je kunt rennen?'

2
De schooljaren

Ik was elf jaar voor ik wist dat wij Italianen waren. Tot dan wist ik wel dat we uit een ander land kwamen, maar niet hoe het heette – zelfs niet waar het lag. Ik herinner me dat ik echt op de kaart van Europa heb gezocht naar plaatsnamen als Dago en Wop.

In die tijd probeerde je, vooral als je in een klein stadje woonde, te verbergen dat je Italiaan was. Bijna iedereen in Allentown was van Pennsylvania-Hollandse afkomst en als kind kreeg ik al heel wat scheldwoorden te incasseren omdat ik anders was. Soms vocht ik met kinderen die me uitscholden, maar ik dacht altijd aan de waarschuwende woorden van mijn vader: 'Als hij groter is dan jij, vecht dan niet met hem. Gebruik dan je hoofd in plaats van je vuisten.'

Helaas bleef het vooroordeel tegen Italianen niet beperkt tot mijn leeftijdgenoten. Er waren ook zelfs een paar onderwijzers die mij Wopje noemden. Het probleem van mijn etnische afkomst kwam tot een uitbarsting op 13 juni 1933 toen ik in de derde klas zat. Ik ben zeker van die datum: 13 juni is de naamdag van de heilige Antonius. Mijn moeder heet Antoinette en Antonius is mijn middelste naam. Op die dag gaven we thuis dus een groot feest.

Ter gelegenheid daarvan bakte mijn moeder altijd pizza's. Ze is afkomstig uit Napels, de geboorteplaats van de pizza. Tot op de huidige dag maakt mijn moeder de lekkerste pizza's van het land, zo niet van de hele wereld.

Dat jaar hadden we een bijzonder fijn feest met onze vrienden en verwanten. Zoals gebruikelijk was er een groot vat bier. Hoewel ik pas negen jaar was, mocht ik er ook een slokje van drinken – zolang het thuis was en onder toezicht, was dat toegestaan. Misschien ben ik daarom nooit stomdronken geweest op de middelbare school of de universiteit. Bij ons thuis werd alcohol (meestal eigengemaakte rode wijn) als behorend bij het leven beschouwd – doch altijd in gematigde hoeveelheid.

Destijds was de pizza in dit land praktisch onbekend. Tegenwoordig behoort het gerecht met de hamburger en de gegrilde kip tot het meest geliefde voedsel van Amerika, maar toen had iemand die geen Italiaan was, er nog ooit van gehoord.

De dag na het feest begon ik tegen de kinderen op school op te scheppen. 'Jongens, wat een feest hebben wij gisteren gehad!'

'Oh ja?' vroeg er een. 'Wat voor feest dan?'

'Een pizza-party,' antwoordde ik.

'Een pizza-party? Wat is dat nou weer voor een stom spaghettivreterswoord!' Iedereen barstte in lachen uit.

'Stil nou eens,' zei ik. 'Houden jullie van taartjes?' Veel jongens waren nogal dik en dus wist ik dat ik veilig zat. 'Dat is nou een pizza; een taart met tomaten.'

Ik had me beter uit de voeten kunnen maken toen dat nog kon, want ze werden gewoon hysterisch. Natuurlijk hadden ze geen flauw idee waar ik het over had, maar ze begrepen dat het Italiaans was en dus slecht moest zijn. Het enige goede van dat incident was dat het gebeurde tegen het eind van het schooljaar. Na de zomer was het pizza-incident vergeten.

Ik vergat het echter nooit. Die kinderen groeiden op met mierzoete toetjes, maar ik had hen nooit uitgelachen omdat ze stroopwafels aan het ontbijt aten. Zie je soms tegenwoordig in Amerika overal eettentjes waar je stroopwafels kunt eten? De gedachte dat je later misschien een voorloper zal blijken te zijn geweest, biedt geen troost aan een jongen van negen jaar.

Ik was niet het enige slachtoffer van onverdraagzaamheid in mijn klas. Er zaten ook twee joodse kinderen in; met beiden was ik bevriend. Dorothy Warsaw was altijd de beste van de klas en ik was meestal nummer twee. Het andere joodse kind, Benamie Sussman, was de zoon van een orthodoxe jood die een baard had en een zwarte hoed droeg. In Allentown werden de Sussmans als paria's behandeld.

De kinderen hielden dit tweetal op afstand alsof ze lepralijders waren. Eerst begreep ik het niet, maar tegen de tijd dat ik naar de derde klas ging, begon het bij me te dagen. Als Italiaan werd ik iets hoger gerangschikt dan de joodse kinderen, maar niet veel. In Allentown heb ik nooit een zwarte gezien voor ik op de middelbare school zat.

Als je als kind bent blootgesteld aan onverdraagzaamheid laat dat z'n sporen achter. Ik herinner het me nog heel goed en nog steeds krijg ik er een vieze smaak van in mijn mond.

Helaas ben ik getuige geweest van veel vooroordelen, ook nadat ik Allentown had verlaten. Geen discriminatie door schoolkinderen, maar door mannen in posities met veel macht en prestige in de auto-industrie.

In 1981, toen ik Gerald Greenwald tot vice-voorzitter van Chrysler benoemde, kwam ik tot de ontdekking dat een dergelijke benoeming nog nooit had plaatsgevonden. Tot op dat ogenblik had geen jood ooit een topfunctie bereikt bij een van de grote autofabrikanten. Ik vind het moeilijk aan te nemen dat niemand onder hen daarvoor de kwaliteiten bezat.

Terugziend op mijn jeugd herinner ik me bepaalde episodes waarin ik werd gedwongen rekening te houden met de manier waarop de wereld der volwassenen in elkaar zat. Toen ik in de zesde zat, was er een verkiezing voor de functie van aanvoerder van de schoolpatrouillewacht. Alle patrouillewachten droegen een witte riem met een zilverkleurig insigne, maar de aanvoerder en de onderaanvoerder kregen speciale uniformen en insignes. Op de lagere school stond de aanvoerder van de schoolwacht gelijk met de aanvoerder van het rugbyteam op de middelbare school. Ik vond het denkbeeld zo'n uniform te dragen prachtig en ik was vastbesloten om captain te worden.

Toen de stemmen waren geteld, bleek dat ik het van een ander kind had verloren met tweeëntwintig tegen twintig. Ik was bitter teleurgesteld. De dag erop ging ik naar de zaterdagmiddagvoorstelling in de plaatselijke bioscoop waar meestal Tom Mix-films werden gedraaid.

In de rij voor me zat de grootste jongen van onze klas. Hij zag me toen hij zich op een gegeven ogenblik omdraaide en zei: 'Stomme spaghettivreter, je hebt de verkiezing verloren, hè?'

'Ja,' antwoordde ik, 'maar waarom scheld je me uit voor stom?'

'Omdat er maar achtendertig kinderen in de klas zitten en er tweeënveertig hebben gestemd. Kunnen jullie spaghettivreters dan niet eens tellen?'

Mijn tegenstander had valse briefjes in de stembus gestopt. Ik ging naar de onderwijzeres en zei dat sommige kinderen twee keer hadden gestemd. 'Laat het er maar bij zitten,' was haar reactie. Om een schandaal te vermijden, stopte ze het in de doofpot. Dat voorval maakte diepe indruk op me. Het was mijn eerste dramatische les dat het in 't leven niet altijd eerlijk toegaat.

In elk ander opzicht waren de schooljaren echter een zeer gelukkige tijd voor me. Ik was een vlijtige leerling en stond in een goed blaadje bij veel van mijn onderwijzers, die mij altijd uitkozen om de bordenwisser uit te kloppen, de borden schoon te vegen of de bel te luiden. Als u mij zou vragen naar de namen van mijn professoren aan de universiteit, kan ik er met moeite drie of vier noemen, maar nog altijd herinner ik me de onderwijzers die me op de lagere en de middelbare school hebben gevormd. Het belangrijkste wat ik op school heb geleerd, is hoe ik me moest uitdrukken. Van juffrouw Raber, onze onderwijzeres in de negende klas, moesten we iedere maandagmorgen een opstel van vijfhonderd woorden inleveren. Week in, week uit, moesten we dat vervloekte opstel maken. Aan het eind van het jaar hadden we geleerd hoe we ons schriftelijk moesten uitdrukken.

In de klas ondervroeg ze ons over het spel 'zeggingskracht in woorden' van de *Readers Digest*. Zonder enige voorafgaande waarschuwing scheurde ze die bladzijde uit het tijdschrift en liet ons de woordenschattest doen – tot de dag van vandaag zoek ik nog steeds de woordenlijst op in elk nummer van de *Readers Digest*.

Na enkele maanden van dit vraag- en antwoordspel kenden we al een heleboel woorden, maar hoe we ze konden gebruiken in zinsverband wisten we niet. Daarna liet juffrouw Raber ons voor de vuist weg spreken. Ik was er goed in en dat had tot gevolg dat ik lid werd van de debatteerclub die werd geleid door meneer Virgil Parks, onze leraar Latijn. Daar leerde ik uit het hoofd te spreken en ontwikkelde ik mijn spreekvaardigheid.

In het begin was ik doodsbenauwd. Ik had vlinders in mijn maag – en ook vandaag nog ben ik nerveus als ik aan een speech begin. De ervaring opgedaan in de debatteerclub was echter van beslissende betekenis. Je kunt nog zulke briljante ideeën hebben, maar als je ze niet aan anderen kunt overbrengen, kom je met je intelligentie nergens. Als je veertien bent, is er niets dat je spitsvondigheid beter traint dan het opsommen van argumenten voor de twee kanten van een vraagstuk. 'Moet de doodstraf worden afgeschaft?' was het voornaamste discussiethema in 1938 en ik moet zeker vijfentwintig keer zowel vóór als tégen hebben gepleit.

Het jaar erop bracht een keerpunt. Ik kreeg reumakoorts en de eerste keer dat ik door hartkloppingen werd geplaagd, ging ik bijna van mijn stokje van angst. Ik dacht dat mijn hart uit mijn borstkas sprong. De dokter zei: 'Maak je geen zorgen; leg er maar een ijskompres op.' Ik raakte in paniek. Waar was dat brok ijs goed voor? Misschien ging ik wel dood!

Destijds stierven er mensen aan reumakoorts. Het werd toen behandeld met berkenpastilles om de infectie uit je gewrichten te verdrijven. Ze waren zo sterk dat je elk kwartier pillen tegen maagzuur moest innemen om niet te hoeven overgeven. (Tegenwoordig hebben ze natuurlijk antibiotica.)

Bij reumakoorts is er altijd een bedreiging voor het hart. Maar ik had geluk. Hoewel ik bijna veertig pond aan gewicht verloor en zes maanden in bed moest blijven, herstelde ik ten slotte volledig. Nooit zal ik echter de ruwe spalken met de in wintergroenolie gedrenkte watten vergeten tegen de pijn in mijn knieën en enkels, ellebogen en polsen. Ze verlichtten de inwendige pijn door je uitwendig derdegraads brandwonden te bezorgen. Het klinkt nu primitief, maar Darvon en Demerol waren toen nog niet uitgevonden.

Voor ik ziek werd, was ik een tamelijk goede base-ballspeler geweest. Ik was een fanatieke aanhanger van de Yankees en Joe DiMaggio, Tony Lazzeri en Frankie Crossetti – alle drie Italianen – waren mijn uitverkoren helden. Net als de meeste jongens droomde ik ervan in de hoofdklasse te mogen spelen, maar mijn langdurige ziekte bracht in dat alles verandering. Ik gaf de sport eraan en ging schaken, bridgen en vooral pokeren. Ik ben nog steeds dol op poker en meestal win ik. Het is een geweldig spel om te leren wanneer je een voordeel moet uitbuiten, wanneer je moet passen en wanneer je moet bluffen. (Dat kwam jaren later uitstekend van pas bij harde vakbondsonderhandelingen.)

Maar toen ik op mijn rug lag, keerde ik me tot de boeken. Ik ging lezen als een bezetene – ik las alles waarop ik de hand wist te leggen. Ik hield vooral veel van de verhalen van John O'Hara. Mijn tante had *Afspraak in Samarra* voor me meegebracht. Voor die tijd een tamelijk vies boek en toen de dokter het naast mijn bed zag liggen, kreeg hij bijna een beroerte. Volgens hem was het geen boek dat een tiener met hartkloppingen behoorde te lezen.

Jaren later, toen Gail Sheeny mij voor *Esquire* kwam interviewen, noemde ik bij toeval *Afspraak in Samarra*. Ze maakte me erop attent dat het een roman was over directeuren van ondernemingen en vroeg me of ik dacht dat het boek de keuze van mijn carrière had beïnvloed. Hemel, nee! Alles wat ik me ervan herinner, is dat het mijn belangstelling voor seks opwekte.

Ik moet ook mijn portie leerstof goed hebben verwerkt; elk jaar ging ik op de middelbare school als een van de besten over met de hoogste cijfers voor wiskunde. Ik zat op de club voor Latijn en kreeg drie achtereenvolgende jaren een prijs als de beste leerling. Ik heb er de laatste veertig jaar geen woord van gebruikt, maar het hielp me bij mijn Engelse woordenschat en verder was ik een van de weinige kinderen die de priester tijdens de zondagsmis kon volgen. Toen paus Johannes overschakelde op Engels kwam daaraan een eind. Een goede leerling zijn, was voor mij van grote betekenis, maar het was niet genoeg. Ik was altijd volop betrokken bij activiteiten buiten het leerprogramma om. Op de middelbare school was ik actief in de toneelclub en in de debatteerclub. Na mijn ziekte, toen ik niet langer aan atletiek kon doen, werd ik aanvoerder van het zwemteam. Dat betekende dat ik de handdoeken droeg en de zwempakken uitspoelde.

Daarvoor, in de zevende klas, had ik een passie voor jazz en swing ontwikkeld. Dat was de periode van de grote bands en mijn vrienden en ik gingen er ieder weekend naar luisteren. Meestal bleef het voor mij alleen bij luisteren, hoewel ik tamelijk goed was in de shag en de lindy-hop. We gingen naar de Empire Ballroom in Allentown en naar Sunnybrook in Pottstown, Pennsylvania. Toen ik het me kon veroorloven bezocht ik hotel Pennsylvania in New York of Frank Daley's Meadowbrook op de Pompton Turnpike.

Een keer heb ik Tommy Dorsey gezien en Glenn Miller in de 'Slag van de Bands' – voor achtentachtig dollarcent. In die tijd leefde ik voor de muziek; ik was geabonneerd op *Downbeat* en *Metronome* en ik kende de naam van elke musicus bij alle grote bands.

Ik was begonnen saxofoon te spelen en ik werd zelfs gevraagd de eerste trompet te spelen in de schoolband, maar ik gaf de muziek op om me in de politiek te storten. Ik wilde klassevertegenwoordiger worden in de zevende en achtste klas en dat werd ik. In de negende stelde ik me kandidaat als vertegenwoordiger van de hele school. Jimmy Leiby, mijn beste vriend, was een genie. Hij werd mijn campagneleider en zette een echte politieke machinerie op poten. Ik won de verkiezing met een overweldigende meerderheid; het succes steeg me naar het hoofd... beter gezegd: ik was door het dolle heen.

Nadat ik eenmaal was gekozen, verloor ik echter het contact met mijn kiezers. Ik verbeeldde me dat ik een beetje boven de andere kinderen uitstak en ging me als een snob gedragen. Toen had ik nog niet geleerd wat ik nu weet – dat de vaardigheid om contacten te leggen het voornaamste is.

Als gevolg daarvan verloor ik de verkiezingen in het tweede semester. Dat was een vreselijke slag. Ik had de muziek opgegeven om in de leerlingenraad te komen en nu was mijn politieke loopbaan dus geëindigd omdat ik had vergeten handen te schudden en aardig te zijn. Het was een belangrijke les in leiderschap.

Ondanks al mijn activiteiten buiten het lesrooster slaagde ik er toch in als twaalfde te eindigen uit een jaargang van meer dan negenhonderd leerlingen. Om u te laten zien wat er van me werd verwacht, geef ik u de reactie van mijn vader. 'Waarom ben je niet als eerste geëindigd?' Als je hem hoorde, leek het wel of ik was gezakt.

Ik beschikte over een stevige ondergrond voor de universiteit toen het zover was. Lezen, schrijven en spreken in het openbaar waren de hoofdzaken en met goede leraren en het vermogen je te concentreren, kun je het daarmee behoorlijk ver brengen.

In later jaren, toen mijn kinderen me vroegen welke vakken ze moesten kiezen, adviseerde ik hen altijd letteren te studeren. Ik geloof weliswaar in het belang van geschiedenis, doch het kon me weinig schelen of ze alle data en plaatsnamen van de Burgeroorlog kenden. De sleutel tot het verkrijgen van een solide ondergrond blijft lezen en schrijven.

Plotseling, midden in mijn laatste jaar, viel Japan Pearl Harbor aan. De toespraken van president Roosevelt hadden onze woede gewekt en heel de natie schaarde zich rond de vlag. Als bij toverslag was heel Amerika opgezweept en tot eenheid gesmeed. Uit die crisis leerde ik iets dat me mijn hele leven is bijgebleven: soms is een hoeveelheid tegenspoed noodzakelijk om mensen samen te binden.

Zoals de meeste jonge mensen kon ik in die decembermaand van 1941 niet wachten tot ik werd opgeroepen. Ironisch genoeg heeft de ziekte die mij bijna het leven had gekost mijn leven gered. Tot mijn enorme teleurstelling werd ik als een 'F4' gekwalificeerd – een uitstel van militaire dienst op medische gronden – wat betekende dat ik niet bij de luchtmacht kon komen en aan de oorlog deelnemen. Hoewel ik heel behoorlijk was hersteld en me prima voelde, had de legerleiding besloten niemand te nemen die reumakoorts had gehad. Maar ik voelde me niet ziek en toen ik mijn eerste medische onderzoek kreeg voor een levensverzekering, zei de dokter: 'Je bent een gezonde, jonge vent. Waarom ben je niet overzee?'

De meeste van mijn jaargenoten werden opgeroepen en velen van hen sneuvelden. Wij waren van de jaargang '42 en de jongens die toen zeventien of achttien waren, werden in een legerkamp gestopt en vandaar uit de Atlantische Oceaan overgestuurd om van de Duitsers op hun donder te krijgen. Zo nu en dan kijk ik nog wel eens in het jaarboek van mijn school en schud ik mijn hoofd van ongeloof en verdriet bij het zien van al die leerlingen van de middelbare school in Allentown die overzee sneuvelden om de democratie te verdedigen.

Omdat de Tweede Wereldoorlog iets heel anders was dan Vietnam zullen jonge lezers niet helemaal kunnen begrijpen hoe het voelt als je niet bij machte bent je land te dienen wanneer je het hardst nodig bent. De vaderlandsliefde was tot koortshoogte gestegen en ik wilde niets liever dan met een bommenwerper boven Duitsland wraak nemen op Hitler en zijn troepen.

Om in de oorlog op medische gronden te zijn afgekeurd, leek me een schande en ik begon mezelf te zien als een tweederangs burger. De meeste van mijn vrienden en familieleden waren overzee om tegen de Duitsers te vechten en ik voelde me de enige jonge kerel in Amerika die niet aan de strijd deelnam. Ik deed maar het enige wat ik kon doen: mijn hoofd in de boeken begraven.

Ik had belangstelling gekregen voor techniek en bezocht diverse colleges die op dat terrein waren gespecialiseerd. Een van de beste van het land was Purdue. Ik vroeg een beurs aan en toen ik die niet kreeg, voelde ik me verpletterd. Cal. Tech., MIT, Cornell en Lehigh hadden evenwel ook technische scholen van topklasse. Ik koos ten slotte voor Lehigh omdat het vandaar slechts een half uur rijden naar huis in Allentown was en ik mijn familie dus niet toen al hoefde te missen.

De Lehigh universiteit in Bethlehem, Pennsylvania, was nauw verbonden met de Bethlehem Steel Company en de afdelingen voor metallurgie en chemie behoorden tot de beste van de wereld. Als je daar eerstejaars was, kon je dat vergelijken met het recruut zijn in een legerkamp. Iedere student die geen voldoende hoog gemiddelde haalde aan het eind van zijn tweede jaar werd beleefd verzocht te vertrekken. Ik volgde zes dagen per week colleges met inbegrip van een college statistiek, dat elke zaterdagmorgen om acht uur begon. De meeste jongens lieten dat schieten, maar ik kreeg een A – niet zozeer voor mijn kennis van de statistiek, doch eerder voor de volharding iedere week te komen opdraven, terwijl de andere jongens uitsliepen van hun zuippartij op vrijdagavond.

Ik wil hiermee niet zeggen dat ik geen plezier maakte gedurende mijn studietijd. Ik hield ervan de boel een beetje op stelten te zetten en ging volop naar voetbalwedstrijden en bierfuiven. Er waren ook uitstapjes naar New York en Philadelphia waar ik een vriendinnetje had zitten.

Ik voelde er echter weinig voor om, nu er een oorlog gaande was, een beetje met mijn duimen te gaan zitten draaien. Als kind had ik geleerd direct na schooltijd mijn huiswerk te maken, dan kon ik na het eten spelen. Toen ik college liep wist ik hoe ik me moest concentreren zonder afleiding van radio of andere dingen. Ik hield mezelf voor: nu ga ik de komende drie uur mijn uiterste best doen. Zijn die drie uur om, dan houd ik ermee op en ga ik naar de bioscoop.

De kunst je te concentreren en je tijd goed te gebruiken, is essentieel als je in zaken wilt slagen. Dat is trouwens in bijna alles het geval. Vanaf mijn studietijd heb ik altijd de hele week hard gewerkt en geprobeerd de weekends vrij te houden voor mijn gezin en de ontspanning. Uitgezonderd in periodes waarin de nood echt aan de man was, heb ik op vrijdagavond, zaterdag en zondag nooit gewerkt. Elke zondagavond gaf ik mezelf een injectie om weer aan de slag te gaan door het maken van een plan voor wat ik de komende week wilde volbrengen. In wezen is dat hetzelfde schema dat ik in Lehigh heb aangehouden.

Ik sta altijd verbaasd over het aantal mensen dat niet in staat blijkt zich aan hun schema's te houden. In de loop der jaren heb ik heel wat topfunctionarissen bij me gehad die me bekenden: 'Jongen, ik heb het afgelopen jaar zo hard gewerkt dat ik geen vakantie heb kunnen nemen.' In feite is dat helemaal niet iets om trots op te zijn en ik had dan ook altijd de neiging te antwoorden: 'Je bedoelt te zeggen, sufferd, dat je de verantwoordelijkheid kunt dragen voor een project van tachtig miljoen, maar dat je geen planning kunt maken er twee weken met je gezin tussenuit te trekken om wat plezier te hebben.'

Wil je je tijd goed gebruiken, dan moet je weten wat het belangrijkste is en je daar helemaal voor inzetten. Dat is ook een les die ik in Lehigh heb geleerd. Wanneer ik de volgende dag vijf colleges had, met inbegrip van een mondeling tentamen waarop ik niet al te onnozel voor de dag wilde komen, dan moest ik dat dus voorbereiden. Iedereen die in zaken problemen wil oplossen, dient vroeg te leren hoe hij prioriteiten moet stellen. Natuurlijk is de tijdsindeling anders; op college moest ik uitrekenen wat ik op één avond kon volbrengen en in zaken gaat het dikwijls over drie maanden of drie jaar.

Wat ik ervan heb begrepen, is dat je al vroeg in je leven een vaste ondergrond legt voor deze manier van positief denken of anders helemaal niet. Prioriteiten stellen en je tijd goed besteden zijn geen dingen die je op Harvard kunt leren. Formeel onderwijs kan je veel bijbrengen, maar heel wat van de essentiële vaardigheden in het leven moet je bij jezelf ontwikkelen.

Het was niet alleen het vermogen me te concentreren dat me op college hielp, ik had ook geluk. Naarmate steeds meer studenten werden opgeroepen, werden de klassen op Lehigh kleiner en kleiner. De docent die gewend was een college te geven voor vijftig studenten, stond opeens voor een werkgroep van vijf. Als gevolg daarvan kreeg ik een zeer exclusieve opleiding.

In een kleine klas krijgt iedereen overvloedig aandacht. Een hoogleraar kon zich veroorloven te zeggen: 'Vertel me maar eens waarom je dat ontwerp voor die machine niet voor elkaar kon krijgen, dan zal ik je helpen.' Door een toeval in de loop der geschiedenis kreeg ik dus een ontzettend goede opleiding. Direct na de oorlog, met de wettelijke regeling voor afzwaaiende soldaten, zou dezelfde jaargang in Lehigh misschien wel zeventig studenten tellen. Onder die omstandigheden had ik niet zoveel geleerd.

Ik werd ook aangespoord door de druk die mijn vader uitoefende en die typerend is voor emigrantenfamilies. Van ieder kind dat zo fortuinlijk was naar de universiteit te mogen, werd namelijk verwacht dat het het gebrek aan opleiding van zijn ouders zou compenseren. Het was mijn plicht mijn voordeel te doen met alle mogelijkheden die zij nooit hadden gehad en dus moest ik altijd de beste zijn.

Dat was echter gemakkelijker gezegd dan gedaan. Ik had het vooral in mijn eerste semester moeilijk. Toen ik er niet in slaagde op de lijst van de faculteitsvoorzitter geplaatst te worden, bemoeide mijn vader er zich mee – en gauw ook. Per slot van rekening, redeneerde hij, als ik dan op de middelbare school zo pienter was geweest om tot de besten bij het eindexamen te horen, hoe kon ik dan slechts enkele maanden later zo stom zijn. Hij veronderstelde dat ik maar zo'n beetje rondlummelde en ik kon hem niet aan zijn verstand brengen dat een universiteit iets heel anders was dan een middelbare school. Op Lehigh was iedereen goed – anders was je er gewoon niet.

In mijn eerste jaar zakte ik bijna voor natuurkunde. We hadden een hoogleraar die Bergmann heette, een Vietnamese immigrant met zo'n zwaar accent dat ik hem nauwelijks kon verstaan. Hij was zeer geleerd, maar miste het geduld om aan eerstejaars les te geven. Helaas waren zijn lessen verplicht voor iedereen die in werktuigconstructie wilde afstuderen. Op de een of andere manier moest ik hem, ondanks mijn moeilijkheden, te vriend houden. Als we over het universiteitsterrein wandelden, beschreef hij de laatste ontwikkelingen in de natuurkunde. Hij was vooral geïnteresseerd in atoomsplitsing, die zich toen nog in de sfeer van de science-fiction leek te bevinden. Mij klonk het allemaal als Grieks in de oren en ik begreep weinig van wat hij vertelde, ofschoon ik hem in grote lijnen kon volgen.

Er hing iets mysterieus rond Bergmann. Elke vrijdag brak hij pardoes de les af en verliet de campus tot de maandag erop. Pas jaren later ontdekte ik zijn geheim. Gezien de aard van zijn belangstelling had ik het natuurlijk moeten begrijpen. Hij bracht elk weekend in New York door om aan het Manhattan Project te werken. Met andere woorden: Bergmann die in Lehigh doceerde, werkte aan de atoombom.

Ondanks onze vriendschappelijke omgang en niettegenstaande de privé-lessen haalde ik niet meer dan een D voor mijn eerstejaars natuurkunde. Ik was op de middelbare school een goede leerling in wiskunde geweest, maar ik was eenvoudig niet voorbereid op de wereld van hogere rekenkunde en differentiaalvergelijkingen.

Op den duur werd ik wijzer en ik zwaaide van mijn hoofdvak werktuigkunde om naar bedrijfskunde. Al gauw kreeg ik betere cijfers. In mijn laatste jaar liet ik de moderne wetenschappen als hydraulica en thermodynamica vallen en stapte over naar handelscursussen zoals arbeidsproblemen, statistiek en boekhouden. In die vakken deed ik het veel beter en ik sloot mijn laatste jaar af met uitsluitend A's. Het was mijn doel gemiddeld 3,5 te halen waardoor ik met lof zou kunnen slagen. Ik haalde het op het nippertje – gemiddeld 3,53. Ze zeggen wel eens dat deze generatie prestatiegericht is, maar dan zou u ons eens hebben moeten meemaken.

Naast al die technische en handelsvakken studeerde ik ook vier jaar psychologie en psychologie-van-het-afwijkend-gedrag in Lehigh. Ik probeer niet geestig te zijn als ik zeg dat die cursussen misschien wel de meest waardevolle waren uit mijn studententijd. Het lijkt een misplaatste grap, maar het is waar: Ik heb meer gebruik gemaakt van de lessen in het omgaan met degenen in het zakenleven aan wie een schroefje los zat dan van alle technische lessen in het omgaan met de schroeven en moeren van automobielen.

Bij één cursus brachten we drie middagen en avonden per week door op de psychiatrische afdeling van het Allentown Ziekenhuis, dat zo'n acht kilometer van onze universiteit lag. We hebben ze allemaal gezien: de manisch-depressieven, de schizofrenen en ook de gewelddadige typen. Onze docent was professor Rossman. Als je hem zag omgaan met deze geesteszieke patiënten, dan zag je een meester aan het werk. De kern van de leerstof betrof niets minder dan de fundamenten van het menselijk gedrag. Hoe ontstonden de problemen bij die vrouw? Door welke motieven wordt die knaap gedreven? Wat brengt Sammy in beweging? Waarom gedraagt Joe zich op z'n vijftigste als een adolescent? Voor ons eindexamen maakten we kennis met een groep nieuwe patiënten. Onze opdracht luidde bij elk van hen binnen een paar minuten een diagnose te stellen.

Als resultaat van deze training was ik in staat mensen tamelijk vlug te taxeren. Dat is een waardevolle eigenschap; het belangrijkste wat een manager kan doen is namelijk het aanstellen van de juiste, nieuwe mensen.

Er zijn twee fundamentele gegevens over een kandidaat die je niet kunt opmaken uit een kort sollicitatiegesprek. Het eerste is of hij lui is en het tweede of hij een gezond verstand heeft. Er bestaat geen methode om na te gaan of hij pit in z'n lijf heeft en of hij, als het erop aankomt, over een dosis boerenslimheid beschikt.

Ik wilde dat er een apparaat bestond dat die eigenschappen kon meten, want daarin onderscheiden mannen zich van jongens.

Ik voltooide mijn studie aan Lehigh in acht opeenvolgende semesters waardoor ik geen zomervakantie had. Het was beter geweest dat ik wat vrije tijd had genomen om de natuur in te trekken zoals mijn vader me aanraadde. Er woedde echter een oorlog en terwijl mijn vrienden overzee vochten en sneuvelden, vond ik het nodig mij volledig in te zetten.

Naast mijn studie raakte ik betrokken bij vele andere activiteiten. Het meest interessant was de tijd die ik aan de schoolkrant, *The Brown and*

White, besteedde. Mijn eerste opdracht als verslaggever was het interviewen van een professor die een kleine auto had geconstrueerd die op houtskool liep. (Dat was natuurlijk vele jaren voor de energiecrisis.) Ik moet een vrij behoorlijk verhaal hebben geschreven, want het werd overgenomen door Associated Press en in een honderdtal kranten gepubliceerd. Op grond van dat artikel werd ik opmaakredacteur en ik merkte al spoedig dat de macht van de pers in die functie school. Jaren later las ik Gay Talese's boek over de *New York Times* waarin een van de redacteuren zegt dat de machtigste positie bij iedere krant niet ligt bij de redacteur van de opinie-pagina, maar veel meer bij de man die voor de koppen en de opmaak zorgt.

Dat was een les die ik al had geleerd. Als opmaakredacteur kwam ik er al gauw achter dat de meeste mensen de artikelen niet lezen, maar afgaan op de koppen en onderkoppen. Dat betekent dus dat degenen die daarvoor zorgen een enorme invloed hebben op de wijze waarop de lezers kennisnemen van het nieuws.

Bovendien moest ik de lengte van elke artikel bepalen op grond van de hoeveelheid ruimte die beschikbaar was. Ik kon dat ongestraft doen en dikwijls hakte ik een groot stuk af van een goed artikel, omdat ik ruimte nodig had voor de advertenties. Ook leerde ik hoe ik onze verslaggevers voor het blok kon zetten door een oordeelkundig gebruik van koppen en onderkoppen. Jaren later kon ik constateren wanneer ik door de koppenmakers van de invloedrijkste kranten te grazen was genomen.

Nog voor ik was afgestudeerd, verlangde ik er al naar bij Ford te gaan werken. Ik reed in een gekreukelde Ford '38 met een motor van 60 pk en daardoor kreeg ik belangstelling voor dat bedrijf. Meer dan eens schoot hij opeens uit de versnelling als ik een helling opreed. De een of andere anonieme functionaris op het hoofdkantoor van Ford in Dearborn, Michigan, had blijkbaar besloten dat er een zuinig brandstofverbruik werd verkregen als de V-8 motor was teruggebracht tot 60 pk. Dat was een prachtig idee als ze de auto bijvoorbeeld hadden bestemd voor het vlakke Iowa. Lehigh echter lag boven op een berg.

'Die jongens hebben me nodig,' zei ik vaak voor de grap tegen mijn vrienden. 'Wie zo'n slechte auto maakt, kan wel wat hulp gebruiken.'

Het bezit van een Ford was in die tijd een uitstekende manier om iets over auto's te leren. Tijdens de oorlog werden alle autofabrieken voor het fabriceren van wapens ingeschakeld; nieuwe auto's werden er niet gemaakt. Ook reserveonderdelen werden schaars.

De mensen zochten ernaar op de zwarte markt of op de autokerkhoven. Als je het geluk had een auto te bezitten, leerde je wel ervoor te zorgen.

De schaarste aan auto's door de oorlog was zo groot dat ik na te zijn afgestudeerd die Ford voor 450 dollar verkocht. Als u bedenkt dat mijn vader hem voor 250 dollar had gekocht, sprong ik er dus goed uit.

In mijn studietijd kostte de benzine slechts dertien dollarcent per gallon (4,5 liter). Als technisch student kreeg ik een C-kaart, wat betekende dat mijn studie van vitaal belang was voor de oorlogsinspanning. (Is dat niet ongelooflijk?) Het was niet zo vaderlandslievend als overzee zijn, maar het was tenminste een bewijs van goed gedrag. Het gaf aan dat ik een bijdrage zou leveren aan de verdediging van mijn land – eens.

Ik voerde ongeveer twintig sollicitatiegesprekken en ik kon letterlijk kiezen waar ik wilde werken. Het waren echter alleen auto's waarin ik belang stelde.

Aangezien ik nog steeds naar Ford wilde, maakte ik een afspraak met de man van de personeelswerving die, hoe bestaat het, Leander Hamilton McCormick Goodheart heette. Hij reed over het universiteitsterrein in een Mark I, een van die opzichtige Lincoln Continentals die eruit zagen alsof ze waren aangepast aan de wensen van de kopers. Die auto bracht echt mijn hoofd op hol. Een blik erop en een snuifje van de leren bekleding waren al voldoende om te bewerkstelligen dat ik de rest van mijn leven bij Ford wilde werken.

In die dagen was het Fords politiek om voor de personeelswerving vijftig universiteiten te bezoeken en aan elke universiteit één student uit te kiezen. Dat is me altijd een beetje dom voorgekomen. Indien Isaac Newton en Albert Einstein klasgenoten waren geweest, zou Ford dus slechts een van hen hebben kunnen aannemen. McCormick Goodheart praatte met verscheidene Lehigh-studenten, maar ik was degene die hij uitkoos en ik was in de wolken.

Na het eindexamen en voor ik aan het werk toog, ging ik met mijn ouders voor een korte vakantie naar Shipbottom, New Yersey. Toen we daar waren, kreeg ik een brief van Bernadine Lenky, hoofd afdeling plaatsing op Lehigh. Ze sloot een folder in waarin een beurs werd aangeboden voor post-doctoraal werk in Princeton; een toelage die collegegeld, boeken en zelfs zakgeld vergoedde.

Bernadine vertelde me dat er ieder jaar slechts twee van die beurzen werden toegekend en ze stelde me voor het te proberen. 'Ik begrijp dat je geen plannen had voor een post-doctorale studie,' zei ze, 'maar het lijkt me een buitenkansje.' Ik schreef naar Princeton om nadere gegevens te krijgen en zij vroegen naar mijn cijferlijsten. Voor ik het wist, had ik de Wallace Memorial Fellowship gewonnen.

Een blik op het universiteitsterrein was genoeg voor me om te weten dat ik daar wilde studeren. Ik bedacht dat een titel achter mijn naam geen kwaad kon voor mijn carrière.

Opeens had ik twee geweldige mogelijkheden. Ik belde McCormick Goodheart op om hem mijn dilemma voor te leggen. 'Als ze je op Princeton nemen,' zei hij, 'ga dan je gang en haal je graad. Wij houden wel een plaats voor je open tot je klaar bent.' Het was precies wat ik had gehoopt dat hij zou zeggen en ik was zielsgelukkig.

Princeton was een verrukkelijke plaats om te studeren. Vergeleken met het jachtige tempo op Lehigh heerste er een bijna ontspannen atmosfeer. Ik koos politiek en een nieuw vak – plastic. Net als op Lehigh was er ook op Princeton als gevolg van de oorlog een gunstige verhouding tussen het aantal hoogleraren en studenten. Een van mijn professoren,

Moody genaamd, was de beroemdste hydrologie-expert ter wereld. Hij had aan de Grand Coulee Dam gewerkt en aan nog vele andere projecten en toch zaten we maar met z'n vieren bij hem op college.

Eén keer ben ik naar een college van Einstein geweest. Ik begreep niet echt waar hij het over had, maar het was opwindend om in zijn nabijheid te zijn. De zalen voor degenen die voor hun promotie werkten, waren niet ver verwijderd van het Institute for Advanced Studies waar Einstein les gaf en af en toe kon ik een glimp van hem opvangen als hij aan het wandelen was.

Ik kreeg drie semesters om mijn proefschrift te schrijven, maar ik wilde zo graag bij Ford beginnen dat ik het in twee semesters klaar had. Mijn opdracht was het tekenen en met de hand vervaardigen van een hydraulische dynamometer. Een hoogleraar die Sorensen heette, bood aan met mij samen te werken en we maakten het apparaat met z'n tweeën. We koppelden het aan een machine die General Motors aan de universiteit had geschonken. Ik deed alle experimenten, schreef mijn proefschrift en liet het inbinden, zo trots was ik erop.

In Dearborn was Leander McCormick Goodheart intussen opgeroepen voor de militaire dienst. Stom genoeg had ik verzuimd met hem in contact te blijven tijdens mijn jaar in Princeton. Erger nog: ik had zijn belofte niet zwart op wit gekregen. Tegen de tijd dat ik klaar was op Princeton, liep er bij Ford geen mens rond die ooit van mij had gehoord.

Ten slotte kreeg ik Bob Dunham, de baas van McCormick Goodheart aan de telefoon en ik legde hem uit in welke precaire situatie ik was geraakt. 'De opleidingsgroep is vol,' zei hij, 'en we hebben onze vijftig gegadigden al bij elkaar. Maar gezien de omstandigheden lijkt me dat niet eerlijk. Als je direct hierheen kunt komen, maken we van jou nummer eenenvijftig.' De volgende dag bracht mijn vader me naar Philadelphia, waar ik op de Red Arrow naar Detroit stapte om aan mijn carrière te beginnen.

De treinreis duurde de hele nacht, maar van opwinding kon ik niet slapen. Toen ik op het station Ford-Street uitstapte – met een plunjezak over mijn schouder en vijftig dollar in m'n zak, vroeg ik aan de eerste de beste man die ik tegenkwam: 'In welke richting ligt Dearborn?'

Hij antwoordde: 'Het westen, jongeman. Loop maar in westelijke richting, een kilometer of zestien.'

DE FORD STORY

3
De eerste schreden

In augustus 1946 begon ik bij Ford als aankomend technicus. Ons opleidingsschema stond bekend als een rondgang omdat de stagiaires het hele fabricageproces doorliepen. We werkten in het hart van het bedrijf en bleven een paar dagen tot een week op elk van de afdelingen. Aan het eind werd van ons verwacht dat we vertrouwd waren met elke schakel in het fabricageproces van een auto.

De onderneming deed alles om ons praktische ervaring te laten opdoen. We werden in de beroemde River Rouge-fabriek geplaatst, het grootste fabriekscomplex ter wereld. De Ford Motor Company was eigenaar van kolen- en kalksteenmijnen en dus maakten we het hele proces van het begin tot het eind door – vanaf het delven van de grondstof tot het maken van staal en het veranderen van staal in auto's.

Onze rondgang omvatte de gieterij voor de proefmodellen, de gieterij voor de serieproduktie, de werkplaats voor gereedschappen en matrijzen, de ertsboten, het testcircuit, de smederij en de assemblagelijnen. Onze opleiding beperkte zich echter niet alleen tot de produktie. We brachten onze tijd ook door op de inkoopafdeling en zelfs in het hospitaal van de fabriek.

Het was de beste plek ter wereld om te leren hoe auto's metterdaad worden gefabriceerd en hoe het industriële proces werkt. De Rouge Plant was de trots van het bedrijf en er kwamen regelmatig delegaties uit andere landen op bezoek om te kijken hoe alles in zijn werk ging. Dat was lang voor de Japanners belangstelling toonden voor Detroit, doch ten slotte zouden ook zij duizenden pelgrimstochten naar de 'Rouge' maken.

Eindelijk kreeg ik de praktische toepassing te zien van alles wat ik in boeken had gelezen. In Lehigh had ik metallurgie gestudeerd, maar nu werkte ik aan de smeltovens en open vuren.

Op de afdeling gereedschap en matrijzen moest ik de machines bedienen waarover ik alleen had gelezen, zoals schaafbanken, freesbanken en draaibanken.

Ik stond zelfs vier weken aan de lopende band; daar was mijn taak het bevestigen van de kap op een draadbeschermer aan de binnenkant van een vrachtwagenframe. Het was geen zwaar werk, wèl oervervelend. Op een dag kwamen mijn ouders op bezoek en toen mijn vader mij in overall zag, moest hij lachen. 'Zeventien jaar ben je naar school geweest,' zei hij. 'Nu kun je zien wat er gebeurt met domoren die niet als eerste van de klas eindigen.'

Onze chefs waren heel geschikt, maar de arbeiders behandelden ons met achterdocht en wrok. Eerst dachten we dat de buttons die we op hadden met het opschrift 'Leerling technicus' er de oorzaak van waren. Toen we erover klaagden, kregen we insignes met het opschrift 'Administratie'. Dat maakte de zaak echter alleen erger.

Ik kwam er al spoedig achter wat er aan de hand was. In die tijd was de stichter, Henry Ford, al oud en de onderneming werd geleid door een paar van zijn schildknapen, meer speciaal door Harry Bennett die bekend stond als een vrij harde vent. De verhouding tussen de arbeiders en de leiding was afschuwelijk en de 'Leerling technici' met hun button 'Administratie' zaten er tussenin. Veel arbeiders waren ervan overtuigd dat we spionnen waren die erop werden uitgestuurd om hen in de gaten te houden. Het feit dat we net van de schoolbanken kwamen en nog niet droog achter onze oren, hielp niet.

Ondanks de spanningen deden we ons best zoveel mogelijk plezier te hebben. Het was een allegaartje van eenenvijftig jongelui van verschillende universiteiten dat bij elkaar huisde, en samen een biertje dronk. We trachtten zoveel mogelijk van het leven te genieten als we niet aan het werk waren.

Halverwege de opleiding hadden we een beoordelingsbijeenkomst met onze cursusleiders. Die van mij zei: 'Hi, Iacocca, werktuigbouwkunde, hydraulische dynamometers, automatische transmissie! 'Es kijken... we organiseren een nieuwe automatische transmissiegroep en daar plaatsen we jou bij.' Negen maanden was ik met dit programma bezig geweest en nu moest ik nog eens negen maanden. De dag waarop ik aankwam hadden ze me opgedragen een veer voor de koppeling te ontwerpen. Het had me een hele dag gekost er een gedetailleerde tekening van te maken en ik zei tegen mezelf: 'Waar ben ik in vredesnaam mee bezig? Is dit het nu waar ik de rest van mijn leven aan wil besteden?'

Ik wilde bij Ford blijven, maar niet in de techniek. Ik wilde graag dáár zijn waar het er echt op aan kwam – marktonderzoek of verkoop. Werken met mensen lokte me meer aan dan werken met machines. Natuurlijk waren mijn cursusleiders er niet mee ingenomen. De onderneming had mij per slot ingehuurd voor de techniek en er was veel tijd en geld aan mijn opleiding gespendeerd. En wilde ik nu in de verkoop?

Toen ik bleef aandringen, sloten we een compromis. Ik kondigde aan dat het geen zin had me mijn cursus te laten afmaken en dat de graad die ik in Princeton had behaald, gelijk stond met de opleiding van de tweede negen maanden. 'We willen je graag bij Ford houden,' werd me gezegd, 'maar je zult jezelf moeten verkopen als je in de verkoop wilt.'

Ik nam onmiddellijk contact op met Frank Zimmerman, mijn beste vriend bij de opleiding. Zimmie was als eerste tot de cursus toegelaten en hij was de eerste die afstudeerde. Evenmin als ik wilde hij de technische kant op en hij had zich in de verkoop van vrachtwagens in het district New York weten te smoezen. Toen ik oostwaarts trok om hem te bezoeken, waren we net twee kleine jongens voor het eerst in de grote stad. We renden naar de restaurants en nachtclubs en vergaapten ons aan de pracht en praal van Manhattan.

'Allemachtig,' dacht ik, 'hier moet ik absoluut terugkomen.' Ik was afkomstig uit het oosten en dus was ik hier echt thuis. De manager van het district New York bleek er niet te zijn toen ik op het kantoor kwam en dus moest ik een afspraak maken met zijn beide assistenten. Ik was zenuwachtig. Mijn achtergrond was de techniek, niet de verkoop. De enige manier om hier misschien een baan te krijgen, hing af van het maken van een geweldige indruk bij het gesprek.

Ik had een aanbevelingsbrief uit Dearborn bij me die ik een van hen overhandigde. De man stak een hand uit zonder op te kijken van de krant die hij zat te lezen. Een half uur lang bleef hij in *The Wall Street Journal* verdiept en keek niet één keer op.

De andere knaap was niet veel beter. Hij bekeek mijn schoenen en controleerde of mijn das recht zat. Daarna stelde hij me een aantal vragen. Ik voelde dat hij het niet leuk vond dat ik een universitaire opleiding had gehad en enige tijd in Dearborn had doorgebracht. Misschien dacht hij dat ik was gekomen om hem te controleren. In ieder geval was het duidelijk dat hij me niet zou aannemen. 'Bel ons maar niet op,' zei hij. 'Wij bellen jou wel.' Ik voelde me alsof ik zojuist mijn auditie op Broadway had verknoeid. Mijn enige hoop was het bij een ander districtsverkoopkantoor te proberen en dus maakte ik een afspraak voor een bezoek aan de manager van het verkoopkantoor in Chester, Pennsylvania, niet ver van Philadelphia. Deze keer had ik meer geluk. Niet alleen was de districtsmanager die dag aanwezig – hij was zelfs bereid me een kans te geven. Ik werd aangesteld in een nederig kantoorbaantje bij de autoverkoop. Mijn taak in Chester bestond uit het praten met inkoopagenten over de toewijzing van nieuwe auto's. Het was niet gemakkelijk. Ik was verlegen en onhandig en als ik de telefoon opnam, was ik doorgaans doodzenuwachtig. Mijn babbel oefende ik voor elk telfoontje steeds opnieuw en ik was altijd bang te worden afgewezen. Er zijn mensen die denken dat goede verkopers geboren en niet gemaakt worden; ik had echter geen natuurtalent. De meesten van mijn collega's gedroegen zich heel wat vlotter en meer ontspannen dan ik. De eerste twee jaar was ik veel te theoretisch en te vormelijk. Op den duur, toen ik wat meer ervaring had, ging het echter beter en nadat ik eenmaal de feiten beheerste, oefende ik me erin die naar voren te brengen. Niet lang daarna kreeg ik gehoor bij de mensen.

De kneepjes leren van het verkopersvak vergt tijd en inspanning. Je moet maar blijven en blijven oefenen tot ze een tweede natuur zijn geworden. Jonge mensen van deze tijd begrijpen dat niet altijd. Ze zien een succesvolle zakenman en staan niet stil bij de vele fouten die hij waarschijnlijk heeft gemaakt toen hij nog jong was. Fouten zijn een deel van het leven; je kunt ze niet vermijden. Je kunt alleen hopen dat ze niet te veel geld kosten en dat je niet twee keer dezelfde fout maakt.

Hier had ik, evenals op de universiteit, de tijd mee. Tijdens de oorlog waren er geen auto's gemaakt en dus bestond er tussen 1945 en 1950 een grote vraag. Iedere nieuwe auto werd verkocht tegen catalogusprijs, zo niet meer. Alle dealers zochten naar klanten die een gebruikte auto wilden verkopen want zelfs de meest versleten, oude auto kon met een aardig winstje worden doorverkocht.

Hoewel ik een nederige positie bekleedde, gaf het tekort aan auto's mij heel wat macht. Als ik de boel had willen oplichten, zou ik er voor mezelf een aardig slaatje uit hebben kunnen slaan. Er werd heel wat louche handel gedreven. Waar je ook keek, overal schoven districtsemployés auto's aan hun vriendjes toe om er giften of financiële gunsten voor terug te krijgen.

De dealers werden rijk. Er bestond niet zoiets als een prijslijst en dus betaalden de mensen wat op de markt werd gevraagd. Sommige jongens uit het district wilden een graantje meepikken en lapten de voorgeschreven reglementen aan hun laars. Ik, als idealistische, pas afgestudeerde, onervaren jongeman was erdoor geschokt.

Na verloop van tijd kwam ik achter de telefoon vandaan. Van mijn bureau ging ik naar de buitendienst en bezocht de dealers als reizende vertegenwoordiger van vracht- en personenauto's om hen adviezen te geven betreffende de verkoop. Ik genoot van elke minuut.

Eindelijk was ik van school af en in de echte wereld. Ik bracht mijn dagen door met het rijden in een splinternieuwe auto en deelde mijn pas ontdekte wijsheden uit aan een paar honderd dealers, die stuk voor stuk geloofden dat ik een miljonair van hen kon maken.

In 1949 werd ik zone-manager in Wilkes-Barre, Pennsylvania. Het werd mijn taak nauw samen te werken met achttien dealers. Dat was voor mij een kritische leertijd. De dealers zijn in dit land altijd essentieel geweest voor de auto-business. Terwijl ze een nauw werkcontact onderhouden met de moedermaatschappij, vormen ze het hart van het Amerikaanse ondernemersschap. Zij zijn degenen die de kern vertegenwoordigen van ons kapitalistisch systeem en natuurlijk zijn zij het die de auto's verkopen en onderhouden die de fabriek produceert.

Omdat ik rechtstreeks met de dealers begon te werken, wist ik wat ze waard waren. Later, toen ik tot de staf behoorde, heb ik hard gewerkt om hen tevreden te houden. Als je in deze business wilt slagen, moet je als een team samenwerken en dat houdt in dat de dealers en het hoofdkantoor van de onderneming aan dezelfde kant dienen te staan.

Ongelukkig genoeg hebben de meeste topfunctionarissen die ik heb gekend onvoldoende begrip voor dit beginsel. Op hun beurt waren de dealers gepikeerd, omdat ze zelden werden uitgenodigd aan de hoofdtafel mee te eten. Voor mij is het eenvoudig genoeg om te begrijpen: de dealers zijn de enige klanten die een onderneming heeft. Het is dus uitsluitend een kwestie van gezond verstand om zorgvuldig te luisteren naar wat zij hebben te zeggen, ook al vind je niet altijd leuk wat je krijgt te horen.

Gedurende mijn jaren in Chester leerde ik heel veel over de detailhandel in de autobranche en het meeste van een verkoopleider in Wilkes Barre, die Murray Kester heette. Murray was een echte vakman in het opleiden en motiveren van verkopers.

Een van zijn trucjes bestond uit het opbellen van iedere klant, dertig dagen nadat deze een nieuwe auto had gekocht. Murray placht dan te vragen: 'Wat vinden uw vrienden ervan?' Zijn strategie was eenvoudig. Zijn redenering was dat als je de klant vroeg wat hij van zijn auto vond, deze zich misschien verplicht voelde te veronderstellen dat er iets verkeerds mee was. Vroeg je hem daarentegen wat zijn vrienden ervan vonden, dan moest hij vertellen hoe geweldig de auto was.

Zelfs wanneer zijn vrienden de auto niet zo geweldig vonden, was hij niet in staat dat toe te geven... niet direct althans. Hij had nog heel lang de behoefte om zichzelf te rechtvaardigen en zich in te prenten dat hij een slimme koop had gedaan. Als je er werkelijk bovenop zat, vroeg je de klant naar de namen en telefoonnummers van zijn vrienden. Die konden per slot best geïnteresseerd zijn een zelfde auto aan te schaffen. Onthoud dit: Iedereen die iets koopt – een huis, een auto, aandelen of obligaties – zal zijn aankoop de eerste paar weken rechtpraten, zelfs als hij een foute koop heeft gedaan.

Murray was ook groot in het vertellen van verhalen. De meeste stof kreeg hij van zijn zwager, Henny Youngman. Op 'n keer bracht hij Henny uit New York mee om een verkopersbijeenkomst in het Broadway Hotel in Philadelphia toe te spreken. Henny warmde de zaal op en daarna introduceerde ik de nieuwe auto's. Voor de eerste keer hoorde ik bij die gelegenheid de fameuze woorden: 'Neem mijn vrouw... alsjeblieft.'

Ik volgde het voorbeeld van Murray en wende me eraan ook een paar tips aan de dealers te geven. Ik legde hen uit dat ze een koper moesten taxeren om de juiste vragen te kunnen stellen die tot een aankoop konden leiden.

Wilde iemand een rode auto met een open dak, dan verkocht je hem die natuurlijk. Veel klanten weten echter niet wat ze precies willen en een deel van het werk van de verkoper bestaat eruit hem te helpen daarachter te komen. Ik verklaarde dat het kopen van een auto niet veel verschilde van het kopen van een paar schoenen. Wanneer je in een schoenwinkel werkt, kijk je allereerst naar de maat van je klant en daarna vraag je of hij iets sportiefs zoekt of iets gekleeds. Precies hetzelfde geldt voor auto's. Je moet erachter komen waarvoor hij zijn auto wil gebruiken en wie van zijn gezin er ook in zal gaan rijden. Je moet ook proberen te achterhalen hoeveel hij kan besteden, zodat je het beste financieringsplan in elkaar kunt zetten.

Murray verkondigde altijd hoe belangrijk het afsluiten van de koop was. We ontdekten dat de meeste van onze mensen de inleidende stappen voor de verkoop prima uitvoerden, maar dat ze vervolgens zo bang waren voor een afwijzing, dat ze heel vaak een potentiële klant de deur uit lieten gaan. Ze konden zich er niet toe brengen eenvoudig te zeggen: 'Wilt u hier even tekenen?'

Terwijl ik in Chester werkte, kwam ik ook nog onder de invloed van een andere opmerkelijke man. Hij heeft meer invloed op mijn leven gehad dan wie ook, uitgezonderd mijn vader. Charlie Beacham was de regionale manager van Ford voor de hele oostkust. Evenals ik was hij opgeleid tot technicus, maar stapte later over naar de verkoop en het marktonderzoek. Als raadsman had ik niemand die beter was dan hij.

Charlie kwam uit het zuiden, een warme, briljante man, groot en imposant met een joviale glimlach. Hij was een groot stimulator – het soort kerel dat je de heuvel op kon jagen, zelfs als je zeer goed wist dat je daarbij het loodje zou leggen.

Hij bezat de zeldzame gave tegelijk onbuigzaam en edelmoedig te zijn. Bij een bepaalde gelegenheid had ik de slechtste resultaten behaald van alle dertien verkooprayons in ons district. Ik was terneergeslagen en toen Charlie me in de garage zag lopen, kwam hij naar me toe, sloeg z'n arm om mijn schouder en informeerde waarom ik zo neerslachtig was.

'Mr. Beacham,' antwoordde ik, 'er zijn dertien rayons en met mijn verkoop eindigde ik deze maand als nummer dertien.'

'Trek het je maar niet aan. Als dat alles is, iemand moet de laatste zijn,' zei hij en liep weg. Toen hij bij zijn auto stond, draaide hij zich om en voegde eraan toe: 'Als je maar niet twee maanden achter elkaar de laatste bent.'

Hij placht zich kleurrijk uit te drukken. Toen er op een keer sprake van was dat er nieuwe leerlingen uitgestuurd zouden worden voor een bezoek aan de dealers in Philadelphia – een tamelijk rauw stelletje – vond Beacham dat een slecht idee. 'Die kinderen zijn zo groen,' merkte hij op, 'dat de koeien ze in de lente gewoon zullen opeten.'

Hij kon recht op de man af zijn. 'Maak geld, jongen. Laat alles maar doodvallen, we zijn er om winst te maken, de rest is franje.'

Beacham had het vaak over elementaire wijsheden, over de dingen die je nu eenmaal vanzelf weet en die niet geleerd kunnen worden. 'Vergeet niet, Lee,' zei hij dan, 'het enige voordeel dat je als mens hebt, is je gezond verstand en het vermogen te redeneren. Dat is 't enige wat je voor hebt op de apen. Een paard is sterker en een hond is vriendelijker. Weet je dus het verschil niet tussen een schep paardestront en een schep vanilleijs – en heel wat jongens weten dat niet – dan is dat jammer, want dan zul je het nooit rooien.'

Hij accepteerde fouten, tenminste als je je er verantwoordelijk voor voelde. 'Denk eraan,' kon hij zeggen, 'iedereen maakt fouten. De moeilijkheid is dat de meeste mensen er niet voor willen uitkomen. Als een knaap de boel verpest, zal hij nooit toegeven dat het zijn schuld is als hij er onderuit kan. Hij zal proberen zijn vrouw de schuld te geven, zijn maîtresse, zijn kinderen, zijn hond, het weer, maar nooit zichzelf. Heb je er dus een puinhoop van gemaakt, kom dan niet bij me met uitvluchten. Kijk eerst in de spiegel en kom dan naar me toe.'

Tijdens bijeenkomsten van verkopers besteedde Charlie soms een paar minuten aan het opsommen van alle excuses die hij kort tevoren had gehoord voor het niet verkopen van auto's, zodat niemand in de verleiding kwam deze excuses aan te wenden. Hij had respect voor mensen die hun eigen tekortkomingen onder ogen zagen. Hij hield niet van lieden die altijd naar alibi's zochten of constant bezig waren met het uitvechten van de vorige oorlog in plaats van de volgende. Charlie was een straatvechter en een strateeg; hij dacht altijd vooruit, aan wat zijn volgende stap kon zijn.

Hij was verslaafd aan sigaren en zelfs nadat de dokter hem het roken had verboden, kon hij er geen afstand van doen. In plaats van hem op te roken hield hij een niet brandende sigaar in z'n mond en kauwde erop. Voortdurend haalde hij dan zijn zakmes te voorschijn om het uitgekauwde puntje eraf te snijden. Als de vergadering voorbij was, kreeg je de indruk dat er een konijn onder de aanwezigen was geweest door de tien of vijftien brokjes sigaar op het tafeltje, die sterk op konijnekeutels leken.

Charlie kon een strenge baas zijn als hij dacht dat de omstandigheden daarom vroegen. Aan het diner ter ere van mijn verkiezing tot president van Ford in 1970, had ik eindelijk de moed verzameld Charlie in het openbaar te zeggen wat ik van hem dacht. 'Er zal nooit een tweede Charlie Beacham zijn,' zei ik. 'Hij heeft een speciaal plekje in mijn hart – al heb ik soms gedacht dat hij dat plekje er eigenhandig uitsneed. Hij was niet alleen mijn raadsman, hij was tevens mijn kwelgeest, maar ik houd van hem.'

Toen ik meer zelfvertrouwen kreeg en meer successen boekte, gaf Charlie me de opdracht dealers te leren hoe ze vrachtwagens moesten verkopen. Ik produceerde zelfs een kleine handleiding met de titel: 'Aanstellen en trainen van verkopers van vrachtwagens'. Er viel niet meer aan te twijfelen dat ik de juiste keuze had gedaan toen ik de techniek liet schieten. Hierom draaide alles en ik was dolblij er middenin te staan.

Evenals op de universiteit was mijn succes in Chester niet alleen aan mezelf te danken. Ook hier had ik het geluk op het juiste ogenblik op de juiste plaats te zijn. Ford worstelde met een reorganisatie en het gevolg was dat er volop gelegenheden waren om vooruit te komen. Toen de gelegenheid er was, greep ik die ook aan. Al spoedig stuurde Charlie me verder weg.

Ik raasde langs de oostkust op en neer, van stad naar stad, als een reiziger die de benodigdheden van zijn vak met zich meezeult – diaprojectors, posters en grafieken. Op zondagavond reed ik naar een stad en zette daar een vijfdaagse cursus in elkaar voor de vrachtwagenverkopers van Ford in het rayon. Ik praatte de hele dag en zoals dat met alles gaat wat je vaak doet, ik kreeg er slag van.

Een deel van mijn werk bestond uit het voeren van heel wat interlokale telefoongesprekken. In die tijd kon je nog niet automatisch bellen en moest je altijd een telefoniste inschakelen. Als ze naar mijn naam vroegen en ik 'Iacocca' antwoordde, hadden ze er geen idee van hoe dat werd gespeld en dus was er altijd geharrewar voor er iets in orde kwam. Daarna vroegen ze naar mijn voornaam en als ik dan 'Lido' zei, barstten ze in lachen uit. Ten slotte dacht ik: Dit heeft geen zin. Van toen af ben ik mezelf Lee gaan noemen.

Voor mijn eerste trip naar het zuiden riep Charlie me bij zich op zijn kantoor. 'Lee,' begon hij, 'nu ga je naar mijn deel van het land en ik wil je een paar tips meegeven. Om te beginnen praat je veel te vlug voor die knapen daar en dus moet je langzamer gaan spreken. Ten tweede staat je naam hen niet aan. Ik wil dus dat je als volgt te werk gaat. Zeg dat je een gekke voornaam hebt – Iacocca – en dat je achternaam Lee is. Dat zullen ze in het zuiden leuk vinden.'

Ze vonden het leuk. Elke bijeenkomst begon ik met die opmerking en dat wekte enthousiasme op. Ik wist die zuiderlingen compleet te ontwapenen. Ze vergaten dat ik een Italiaanse yankee was en opeens werd ik geaccepteerd als een ouwe jongen.

Ik werkte hard op die reizen met de trein naar plaatsen als Norfolk, Charlotte, Atlanta en Jacksonville. Ik leerde de dealers en verkopers van het hele zuiden kennen. Ik at meer gort en jus met vetkraaltjes dan ik kon verdragen, maar ik was gelukkig. Ik wilde omgaan met mensen in de auto-business en dat had ik nu eindelijk bereikt.

4
De krentenwegers

Na een paar jaar in Chester kreeg ik een lichte terugslag. In het begin van de jaren vijftig was er sprake van een kleine teruggang en Ford nam het besluit drastisch in te krimpen. Een derde van de verkopers werd ontslagen, onder wie sommigen van mijn beste vrienden. Ik vermoed dat ik het geluk had daaraan alleen te ontsnappen door een verlaging in rang, maar ik voelde me niet gelukkig. Een tijd lang was ik er beroerd aan toe en het was toen dat ik begon te denken over de voedingsbranche.

Wie echt gelooft in wat hij doet, moet echter volhouden, ook wanneer je tegenstand ontmoet. Nadat ik was uitgemokt, verdubbelde ik mijn inspanning en ging nog harder werken. Binnen een paar maanden had ik mijn oude baan terug. Tegenslag is een vanzelfsprekend onderdeel van het bestaan en je moet oppassen met de manier waarop je reageert. Wanneer ik te lang had gemokt, was ik misschien ontslagen.

Tegen 1953 had ik me opgewerkt tot assistent-verkoopleider in het district Philadelphia. De auto's blijven van de lopende band rollen of de dealers ze nu wel of niet afnemen en je moet er iets aan doen. Je zult moeten terugvechten en vlug ook. Je moet produktie maken of je zit zo in de moeilijkheden.

Als het regent, giet het en in 1956 regende het hard. Dat was het jaar waarin Ford het veiligheidspakket introduceerde, waaraan voorrang werd verleend boven prestatie en paardekrachten. Het pakket bevatte een schokdempend dashboard. De fabriek had ons een film toegezonden om aan de dealers te vertonen. Verondersteld werd dat deze film liet zien hoeveel veiliger de nieuwe dashboardbekleding was voor het geval de passagier er met zijn hoofd tegenaan sloeg. Om dit te illustreren, vertelde iemand in de film dat de bekleding zo dik was, dat je er van de tweede verdieping een ei op kon laten vallen dat zou terugstuiten zonder te breken.

Ook ik kon er niet omheen. In plaats van de verkopers echter via de film in te lichten over de veiligheidsbekleding, wilde ik het veel dramatischer aanpakken door er in werkelijkheid een ei op te laten vallen. Bij deze regionale verkopersbijeenkomst zat er ongeveer elfhonderd man in de zaal toen ik aan mijn verkooppraatje over de fantastische, nieuwe veiligheidsbekleding begon. Ik had stroken bekleding op het toneel aangebracht en ik klom op een hoge ladder met een doos verse eieren.

Het eerste ei viel naast de bekleding en spatte op de houten vloer uit elkaar. Mijn gehoor schaterde het uit. Ik richtte zorgvuldig bij het tweede ei, maar mijn assistent die de ladder vasthield, koos juist dit ogenblik om een beweging in de verkeerde richting te maken. Het gevolg was dat het ei op zijn schouder viel en ook dit werd met een woest applaus beloond.

Het derde en vierde ei kwamen precies terecht waar het de bedoeling was, ongelukkig genoeg braken ze echter bij het neerkomen. Met het vijfde bereikte ik eindelijk het gewenste resultaat – en kreeg een staande ovatie. Die dag leerde ik twee lessen. De eerste was dat je nooit eieren moet gebruiken bij een verkoopdemonstratie, en de tweede dat je nooit voor je klanten moet verschijnen alvorens te hebben gerepeteerd wat je gaat zeggen of gaat doen – om de verkoop van de produkten te bevorderen.

Ik had die dag volop ei op mijn gezicht gekregen en het bleek een profetisch symbool te zijn voor onze auto's van 1956. De veiligheidscampagne was een flop; ook al werd deze door de dealers goed ontvangen en gestimuleerd, de consumenten reageerden er niet op.

Terwijl de verkoop van de 1956-Fords overal slecht liep, was ons district het slechtste van het land. Kort na het eispektakel kwam ik met een nieuw en, naar ik hoopte, beter plan. Ik nam het besluit dat iedere koper van een 1956-model zou mogen volstaan met een aanbetaling van twintig procent, gevolgd door drie jaar maandelijkse betalingen van $ 56.

In die tijd kwam het financieren van nieuwe auto's juist op gang; '56 voor '56 sloeg in als een bom. Binnen drie maanden verhuisde het district Philadelphia van de laatste plaats in het land naar de eerste.

In Dearborn vond Robert S. McNamara, vice-president van Ford – die staatssecretaris van defensie onder het Kennedybewind zou worden – het plan zo goed dat hij het als onderdeel van de marktstrategie voor het hele land gebruikte. Later schatte hij dat er daardoor 75.000 auto's meer waren verkocht.

Zo werd ik na een voorbereiding van tien jaar van de ene dag op de andere een succes. Opeens was ik bekend en werd er zelfs op het landelijk hoofdkantoor over mij gesproken. Ik had tien jaar in de werkkuil gezeten, maar nu krabbelde ik eruit. Mijn toekomst leek opeens veel zonniger. Als beloning werd ik districts-manager van Washington D.C.

Temidden van al deze opwinding trad ik ook nog in het huwelijk. Mary McLeary was receptioniste geweest bij de assemblagefabriek van Ford in Chester. Acht jaar geleden hadden we elkaar voor het eerst ontmoet op een receptie in het Bellevue Stratford Hotel in Philadelphia ter gelegenheid van de introductie van de 1949-modellen. Jarenlang hadden we afspraakjes. Ik was echter voortdurend op reis, waardoor het een moeizame, langdurige verkering werd. Tenslotte trouwden we op 29 september 1956 in de katholieke St. Roberts kerk in Chester.

Mary en ik hadden maandenlang gezocht naar een huis in Washington, doch nauwelijks hadden we het gekocht of Charlie Beacham riep me bij zich en zei: 'Je wordt overgeplaatst.' Ik antwoordde: 'Je maakt zeker een geintje. Volgende week ga ik trouwen en we hebben al een huis gekocht.'

'Dat spijt me,' zei hij, 'maar als je je salaris wilt beuren, ligt je cheque in Dearborn.' Niet alleen moest ik Mary dus vertellen dat we hals over kop naar Detroit moesten verhuizen, maar ik moest haar tijdens onze huwelijksreis ook meedelen dat ik na onze thuiskomst niet meer dan een nacht in ons mooie huis in Maryland bij haar kon zijn en dan weer weg moest.

Charlie Beacham, die zelf was bevorderd tot hoofd van de personen- en vrachtwagendivisie van Ford, haalde me naar Dearborn als manager van de afdeling marktonderzoek vrachtwagens. Binnen een jaar was ik hoofd van de afdeling marktonderzoek personenauto's en in maart 1960 nam ik beide functies over.

De eerst keer dat ik Robert McNamara, mijn nieuwe baas, ontmoette, spraken we over stoffering. Hoewel ik verheugd was over mijn promotie naar het landelijk hoofdkantoor, maakte ik me zorgen over het hoge bedrag dat we in ons nieuwe huis in Washington hadden gestoken. McNamara deed zijn best me gerust te stellen met de belofte dat de onderneming het huis van me zou kopen. Helaas hadden Mary en ik al tweeduizend dollar in de stoffering gestoken, wat in die dagen een aanzienlijk bedrag was. Ik hoopte dat Ford mij voor dat bedrag schadeloos zou stellen, maar dit keer schudde McNamara het hoofd. 'Alleen het huis,' zei hij, 'maar maak je niet druk, we zullen die tapijten wel in de bonus verrekenen.'

Dat klonk me geruststellend in de oren, maar toen ik op mijn kantoor terug was, begon ik na te denken. 'Kalm aan,' zei ik tegen mezelf. 'Ik weet niet eens hoe hoog die bonus zal zijn zonder de vloerkleden, hoe kan ik er dan zeker van zijn dat ik er goed afkom?' Terugkijkend lijkt het hele incident belachelijk en McNamara en ik hebben er later hartelijk om gelachen. In die tijd was ik echter niet uit op prestige en macht, maar op geld.

Robert McNamara was elf jaar eerder bij Ford gekomen als een van de 'pientere boys'. Toen Henry Ford II in 1945 uit de marine kwam om de reusachtige maar kwijnende onderneming van zijn grootvader over te nemen, had hij het meest behoefte aan talentvolle managers. Zoals het lot wilde, viel de oplossing van zijn probleem hem zomaar in de schoot. En hij was slim genoeg de gelegenheid aan te grijpen.

Kort na het einde van de oorlog kreeg Henry een ongewoon raadselachtig telegram van een groep van tien jeugdige luchtmachtofficieren. Ze wilden graag een gesprek met hem hebben over een belangrijk onderwerp dat over management ging. Zo stelden ze het in hun telegram. Als referentie noemden ze de staatssecretaris van defensie. Deze tien officieren die het statistisch controlebureau van de luchtmacht hadden geleid, wilden hun werk als team voortzetten – ditmaal in de privé-sector.

Henry Ford nodigde hen uit naar Detroit te komen en daar legde hun aanvoerder, kolonel Charles (Tex) Thorton, hem uit dat zijn mannen de kostprijsefficiency bij Ford zouden kunnen verbeteren zoals ze dat ook bij de luchtmacht hadden gedaan. Thorton maakte ook duidelijk dat hij Henry een koppeltransactie aanbood. Indien Henry er wat voor voelde, moest hij het hele stel aannemen. Henry ging er heel verstandig mee akkoord. Hoewel geen van deze mannen ervaring had op automobielgebied, zouden twee van hen, McNamara en Arjay Miller, later president bij Ford worden.

De luchtmachtofficieren kwamen bij Ford in dezelfde tijd dat ik als aankomend technicus begon. Zij voltooiden een eigen rondgang voor hun opleiding, maar in plaats van alles over de fabricage te leren zoals wij, bestudeerden zij de administratie en de leiding van de onderneming. De eerste vier maanden besteedden ze aan het doorlopen van de ene afdeling na de andere en ze stelden zoveel vragen dat we ze de quiz-boys gingen noemen.

Later, toen hun succes bij Ford merkbaar werd, raakten ze bekend als de 'pientere boys'.

Robert McNamara onderscheidde zich opvallend van de andere knappe jongemannen en ook van zijn mededirecteuren bij Ford. Er waren mensen die meenden dat het hem aan warmte ontbrak en ik geef toe dat hij een beetje koel overkwam. In ieder geval: lachen deed hij niet gauw, behalve wanneer hij samen was met Beacham. Charlie werkte ontspannend op hem en ofschoon er tussen beide mannen geen groter verschil denkbaar was, konden ze – misschien juist daarom – geweldig goed met elkaar opschieten. Ook al had McNamara de reputatie een menselijke robot te zijn, in werkelijkheid was hij zowel een vriendelijke man als een trouwe vriend. Zijn intelligentie was echter zo indrukwekkend en gedisciplineerd dat de rest van zijn persoonlijkheid er dikwijls door werd overschaduwd.

Hij was niet altijd gemakkelijk in de omgang en zijn hoge maatstaven van persoonlijke integriteit konden je soms stapelgek maken. Op een keer had hij een auto nodig met een ski-rek voor een skivakantie die hij had gepland. 'Geen probleem,' zei ik, 'ik monteer het rek op een van de wagens van de zaak in Denver en daar haal je hem gewoon op.' Maar daar wilde hij niets van horen. Hij stond erop dat we een auto huurden van Hertz, dat hij extra zou betalen voor het ski-rek en dat hij een rekening kreeg. Hij weigerde resoluut een auto van de zaak voor zijn vakantie, ook al leenden wij als een hoffelijk gebaar honderden auto's uit aan andere VIP's.

McNamara beweerde altijd dat de baas katholieker moest zijn dan de paus – en volkomen zuiver op de graat. Hij predikte een zekere gereserveerdheid en hij bracht in praktijk wat hij zei. Hij was nooit 'een van de jongens'.

Terwijl de meeste topfunctionarissen uit de auto-industrie een woning in de buitenwijken van Grosse Pointe en Bloomfield Hills hadden, woonden McNamara en zijn vrouw in Ann Arbor, dichtbij de universiteit van Michigan. Bob was een intellectueel en hij gaf in zijn sociale contacten de voorkeur aan academici en niet aan mensen uit de autobranche. Ook in de politiek was hij onafhankelijk. In een wereld die automatisch de republikeinen uit de big business steunden, was McNamara zowel een liberaal als een democraat.

Hij was een van de intelligentste mensen die ik ooit heb ontmoet met een fenomenaal IQ en een staalhard verstand: een mentale gigant. Met zijn verbazingwekkend vermogen feiten in zich op te nemen, onthield hij alles wat hij leerde. McNamara wist evenwel meer dan reële feiten – hij overzag ook de hypothetische mogelijkheden. Als je met hem sprak, merkte je dat hij alle terzake doende details voor elk denkbaar scenario al had overdacht. Hij leerde me nooit een beslissing te nemen zonder op z'n minst een keuze te kunnen maken uit vanille en chocolade. En stond er meer dan honderd miljoen dollar op het spel, dan was het prima als er ook nog aardbeiensmaak beschikbaar was.

Wanneer het erop aankwam grote bedragen uit te geven, berekende McNamara de consequenties van iedere mogelijke beslissing. Anders dan alle anderen die ik heb leren kennen, kon hij een dozijn verschillende plannen in zijn hoofd hebben en alle feiten en cijfers opspuiten zonder ook maar zijn aantekeningen te raadplegen.

Niettemin leerde hij mij toch al mijn ideeën op schrift te stellen. 'Jij bent altijd zo praktisch,' zei hij vaak tegen me. 'Jij kunt alles aan iedereen verkopen, maar nu staan we op het punt honderd miljoen dollar uit te geven. Zet vanavond thuis je geweldige idee op papier; kun je dat niet, dan heb je het nog niet echt doordacht.'

Het was een waardevolle raad en ik heb sindsdien zijn aanwijzing altijd opgevolgd.

Wanneer een van mijn mensen een idee heeft, vraag ik hem altijd het op papier te zetten. Ik wil niet dat iemand me een plan verkoopt louter op grond van zijn melodieuze stem of krachtige persoonlijkheid. Dat kun je je echt niet veroorloven.

McNamara en de overige pientere boys maakten deel uit van een nieuwe generatie managers; ze brachten bij Ford iets waaraan de onderneming dringend behoefte had: financiële controle. Vele jaren was dit terrein bij Ford het zwakke punt geweest en dat dateerde al vanaf de tijd dat de oude Ford gewend was zelf de boekhouding te voeren door bij wijze van spreken wat cijfers op de achterkant van een envelop te krabbelen.

Naast de pientere boys nam Henry Ford II tientallen afgestudeerden van de Harvard Business School aan. Mensen als wij, van de verkoop, de produktie-planning en het marktonderzoek, zagen de financiële plannenmakers als halfzachten, als mannen met middelbare bedrijfsadministratie die een elitair groepje vormden binnen de onderneming. Ze waren binnengehaald om de puinhoop op te ruimen en deden hun werk goed. Tegen de tijd dat ze klaar waren hadden ze echter bij Ford ook de meeste macht in handen.

In de zakenwereld spreekt men dikwijls over financiële specialisten als over de krentenwegers. McNamara was de grootste krentenweger van allemaal en hij belichaamde zowel de kracht als de zwakheid van zijn soort. Op zijn best – en Bob was de beste van hen – hadden de krentenwegers een scherp financieel inzicht en een indrukwekkend analytisch vermogen. In de tijd voor de komst van de computer *waren* deze jongens de computer.

Naar hun aard neigen financiële specialisten ertoe defensief, behoudzuchtig en pessimistisch te zijn. Aan de andere kant van de scheidslijn staan de jongens van de verkoop en het marktonderzoek – agressief, speculatief en optimistisch. Zij roepen altijd: 'Laten we het doen!', terwijl krentenwegers je altijd waarschuwen waarom je het niet moet doen. In elke onderneming heb je beide partijen nodig voor het evenwicht; de natuurlijke spanning tussen beide groepen schept namelijk een eigen systeem van wederzijdse controle.

Zijn de krentenwegers te zwak, dan zal de onderneming op een bankroet afgaan; zijn ze te sterk, dan zal de onderneming niet goed reageren op de markt of niet concurrerend blijven. Dat gebeurde bij Ford in de jaren zeventig. De financiële specialisten begonnen zichzelf te beschouwen als de enige verstandige mensen in het bedrijf. Hun houding was: als we hen niet tegenspreken, zullen die clowns ons kapotmaken. Ze zagen het als hun opdracht de maatschappij te redden van de wilde dromers en radicalen die Ford met hun geldverspilling zouden verzieken. Wat ze over het hoofd zagen, was hoe vlug de dingen in de auto-industrie kunnen veranderen. Terwijl de onderneming op de markt ten onder ging, wilden zij geen nieuwe stappen ondernemen vóór de begrotingsvergadering van het volgend jaar.

Robert McNamara was anders. Hij was een goed zakenman, maar hij had de mentaliteit van een behartiger van consumentenbelangen. Hij geloofde sterk in de idee van een gebruiksauto, een auto die tot doel had tegemoet te komen aan de eenvoudige behoeften van de mensen. Hij beschouwde de meer luxe modellen als lichtzinnig en accepteerde ze alleen vanwege de hogere winstmarges die ze in het vooruitzicht stelden. McNamara was echter zo'n bekwaam manager en zo waardevol voor de onderneming, dat hij bleef opklimmen in het bedrijf, ondanks zijn ideologische onafhankelijkheid.

Hoewel hij zijn oog hield gericht op het presidentschap bij Ford, verwachtte hij nooit het te zullen bereiken. 'Ik kom niet op die plaats,' zei hij eens tegen me, 'omdat Henry en ik het niet met elkaar eens zijn.' Hij had gelijk met zijn beoordeling en ongelijk met zijn voorspelling, al denk ik niet dat hij het op de lange termijn bij het verkeerde eind had. Bob was een sterke persoonlijkheid die hard vocht voor de dingen waarin hij geloofde. Henry Ford had, zoals ik uit eigen ondervinding zou leren, de gemene hebbelijkheid zich van sterke leiders te ontdoen. McNamara werd op 10 november 1960 president en ik werd diezelfde dag bevorderd tot vice-president en algemeen directeur van de Ford-divisie om zijn opengevallen plaats in te nemen. Onze aanstellingen vielen samen met de verkiezing van J.F.K. Een paar dagen later, toen Kennedy zijn kabinet samenstelde, vlogen vertegenwoordigers van de nieuwgekozen president naar Detroit voor een ontmoeting met Bob McNamara die o.a. professor was geweest aan de Harvard Business School. Hij kreeg de post van staatssecretaris van financiën aangeboden. Hij weigerde, maar Kennedy was duidelijk van hem onder de indruk. Toen J.F.K. hem later defensie aanbood, zei Bob ja.

In 1959 had McNamara zijn eigen keuze van een auto op de markt gebracht. De Falcon was de eerste Amerikaanse middelgrote auto en om een goede opmerking van de mensen van Subaru aan te halen – hij was goedkoop en gemaakt om goedkoop te blijven. De wagen was ook een groot succes; alleen al in het eerste jaar werden er 417.000 van verkocht. Dit resultaat was ongeëvenaard in de geschiedenis van de automobielindustrie en meer dan genoeg om McNamara's presidentschap bij Ford waar te maken.

McNamara geloofde in een eenvoudig vervoermiddel zonder tierlantijnen en met de Falcon bracht hij zijn ideeën in de praktijk. Hoewel ik geen cent gaf om de vormgeving – ik geloof niet dat de auto ook maar enige stijl bezat – moest ik zijn succes bewonderen. Dit was een auto met een prijs die concurrerend was ten opzichte van de kleine importauto's, die sterk in opkomst waren en die al tien procent van de Amerikaanse markt hadden veroverd. In tegenstelling tot de importauto's kon de Falcon zes passagiers vervoeren, waardoor hij groot genoeg was voor de meeste Amerikaanse gezinnen.

Wij bij Ford waren niet de enigen die de importauto's uitdaagden. In dezelfde tijd kwam General Motors met de Corvair uit en Chrysler bood de Valiant aan. De Falcon was echter met gemak de winnaar, deels omdat er het laagste prijskaartje aan hing.

Behalve een goede prijs bood de Falcon tevens waar voor zijn geld. Hoewel in 1960 een zuinig brandstofverbruik beslist geen hoge prioriteit genoot, was de Falcon een zuinige auto. Belangrijker was dat hij een goede reputatie kreeg als een auto zonder pech, rammeltjes of mankementen. Door zijn eenvoudige ontwerp waren reparaties, indien nodig, betrekkelijk goedkoop. Verzekeringsmaatschappijen waren bereid kortingen te geven aan Falconeigenaars.

Ondanks zijn enorme populariteit leverde de Falcon niet zoveel geld op als we hadden gehoopt. Als zuinige, kleine auto was zijn winstmarge beperkt en hij bood ook niet veel extra's waarmee we onze inkomsten een stuk hadden kunnen opvijzelen.

Na mijn bevordering tot hoofd van de Ford-divisie begon ik mijn eigen ideeën te ontwikkelen over een auto die zowel populair zou zijn als ons veel geld kon opbrengen.

Binnen een jaar zou ik de gelegenheid krijgen deze ideeën in praktijk te brengen.

5
De sleutel tot het ondernemersschap

Op zesendertigjarige leeftijd was ik algemeen directeur van de belangrijkste tak van de op een na grootste onderneming ter wereld. Tegelijkertijd was ik praktisch onbekend. De helft van het personeel bij Ford wist niet wie ik was; de andere helft kon mijn naam niet uitspreken.

Toen Henry Ford me in december 1960 op zijn kantoor ontbood, was het alsof ik voor God werd gedaagd. We hadden elkaar een paar maal de hand geschud, doch dit was de eerste keer dat we een echt gesprek voerden. McNamara en Beacham hadden me al gezegd Henry te hebben overgehaald mij tot hoofd van de Forddivisie te benoemen, maar me tevens gevraagd me van de domme te houden. Ze wisten dat Henry de indruk zou willen wekken dat het zijn idee was. Ik was opgewonden door de promotie. Aan de ene kant werd ik plotseling belast met de leiding van de elite-afdeling van het bedrijf, maar aan de andere kant besefte ik dat ik in een delicate positie werd geplaatst: Henry Ford had me persoonlijk de kroonjuwelen toevertrouwd. Ik had echter ook op de weg naar boven een honderdtal oudere en meer ervaren mensen voorbijgestreefd. Sommigen van hen, wist ik, waren jaloers op mijn succes en daar kwam nog bij dat ik nog steeds geen geloofsbrieven kon laten zien als iemand die iets had gemaakt. Op dat tijdstip van mijn carrière was er geen auto waar de mensen naar konden wijzen en zeggen: 'Die heeft Iacocca gemaakt.'

Ik bleef op het terrein dat ik kende: de menselijke kant van de autobusiness. Ik moest erachter komen of al mijn ervaring in de verkoop en het marktonderzoek kon worden toegepast op het werken met mensen. Ik moest alles toepassen wat ik had geleerd van mijn vader, van Charlie Beacham en door eigen ervaring en gezond verstand. Het tijdstip was aangebroken om de proef op de som te leveren.

Een van mijn eerste ideeën kwam uit Wall Street. De Ford Motor Company was nog maar vier jaar eerder landelijk op de beurs gekomen, in 1956. Nu waren wij het eigendom van een grote groep aandeelhouders die hevig waren geïnteresseerd in onze gezondheid en produktiviteit. Evenals andere ondernemingen die publiek bezit waren, zouden wij de aandeelhouders iedere drie maanden een gedetailleerd financieel overzicht moeten geven. Viermaal per jaar hadden ze een greep op ons door deze kwartaalrapporten en viermaal per jaar betaalden wij hen een dividend uit onze winsten.

Als onze aandeelhouders een kwartaaloverzicht ontvingen, waarom dan niet onze staf, vroeg ik me af. Ik begon het management-systeem te ontwikkelen dat ik ook vandaag nog gebruik. In de loop der jaren heb ik mijn mensen op sleutelposities – en zij op hun beurt hun ondergeschikten, enzovoort, tot onder aan de ladder – een paar fundamentele vragen gesteld: 'Wat is jullie doel voor de komende negentig dagen? Welke plannen hebben jullie, welke prioriteiten en welke verwachtingen? En hoe denk je te werk te gaan om het doel te bereiken?'

Oppervlakkig gezien mag deze werkwijze een harde methode lijken om werknemers aansprakelijk te stellen tegenover hun bazen. Natuurlijk is dat zo, maar het is ook veel meer dan dat, want het kwartaaloverzichtsysteem stelt de werknemers verantwoordelijk tegenover zichzelf. Niet alleen dwingt het elke bedrijfsleider zijn eigen doel te overdenken, maar het is ook een effectieve manier om de mensen eraan te herinneren dat ze hun droom niet uit het oog mogen verliezen.

Iedere drie maanden komt elke bedrijfsleider samen met zijn onmiddellijke chef om zijn eigen voltooide plannen te bekijken en om een lijst op te stellen van zijn plannen voor de volgende termijn. Is er overeenstemming over deze plannen bereikt, dan zet de bedrijfsleider ze op papier en plaatst de chef er zijn handtekening onder. Zoals ik van McNamara heb geleerd, is de regel om iets op te schrijven de eerste stap op de weg naar de verwerkelijking. In een gesprek kun je je er met alle denkbare vaagheden en onzin vanaf maken, zonder het zelfs te beseffen. Het op papier zetten van je gedachten dwingt je echter in bijzonderheden te treden. Op deze wijze is het moeilijker jezelf – of wie dan ook – voor de gek te houden.

Kwartaaloverzichtsysteem klinkt bijna te eenvoudig – maar het werkt. Het werkt om verschillende redenen. Ten eerste stelt het een man in de gelegenheid zijn eigen baas te zijn en zijn eigen doel te bepalen. Ten tweede levert hij meer werk af en is hij beter gemotiveerd. Ten derde helpt het om nieuwe ideeën naar boven te laten borrelen. Het kwartaaloverzicht dwingt de managers er even bij stil te staan wat ze tot stand hebben gebracht en zich te realiseren wat ze vervolgens tot stand willen brengen en hoe ze denken dat te bereiken. Ik heb nooit een betere methode gevonden om een frisse aanpak bij het oplossen van problemen te stimuleren.

Nog een voordeel van het systeem van kwartaaloverzichten – vooral in een grote onderneming – is dat het de mensen ervoor behoed in vergetelheid te raken. Het is uiterst moeilijk verloren te raken in een bedrijf als je elk kwartaal door je chef wordt gecontroleerd en indirect door zijn baas en de baas van zijn baas. Op deze manier worden de goeden niet uit het oog verloren – en wat even belangrijk is – krijgen de slechten niet de kans zich te verbergen.

Ten slotte, en misschien is dit wel het belangrijkste van alles, dwingt het systeem van kwartaaloverzichten tot een dialoog tussen de manager en zijn baas. In een ideale wereld zou het misschien niet nodig zijn een speciale structuur in het leven te roepen om dit soort wisselwerkingen te laten plaatsvinden. Maar als een bedrijfsleider en zijn baas het niet al te goed met elkaar kunnen vinden, moeten ze tenminste vier keer per jaar bij elkaar gaan zitten om te beslissen wat ze in de maanden die voor hen liggen samen tot stand willen brengen. Er is geen manier waarop ze deze samenkomsten kunnen ontlopen en op den duur, als ze elkaar geleidelijk beter leren kennen, verbetert hun relatie in de meeste gevallen.

Tijdens deze kwartaalbijeenkomsten is het de verantwoordelijkheid van de baas te reageren op de plannen van elke chef. De baas kan bijvoorbeeld zeggen: 'Ik denk dat je een beetje te hoog mikt, maar als jij denkt dit alles in negentig dagen te kunnen klaarspelen, waarom zou je het dan niet proberen?' Of: 'Dit is een verstandig plan, maar er worden enkele prioriteiten gesteld waarmee ik het niet eens ben. Laten we er eens over praten.' Hoe de discussie ook verloopt, de rol van de baas begint te veranderen. Geleidelijk wordt hij een minder autoritaire figuur en meer de adviseur en oudere collega.

Als ik de chef ben van Dave kan ik beginnen met te vragen wat Dave in de komende drie maanden hoopt te bereiken. Hij kan me bijvoorbeeld meedelen dat hij ons aandeel in de markt een half procent wil verhogen. Op dat punt aangeland, zeg ik: 'Prima, hoe wil je dat bereiken?'

Voor ik deze vraag stel, moeten Dave en ik het eens zijn over het speciale doel waarvoor hij zich inzet. Dat is echter zelden een probleem. Als er tussen ons verschil van mening bestaat, draait dat meestal eerder om het 'hoe' dan om het 'wat'. Veel managers laten hun mensen niet graag achter de bal aanrennen; het zou u echter verbazen hoe hard een goed geïnformeerde en gemotiveerde knaap kan rennen.

Hoe meer Dave voelt dat hij zijn eigen doel bepaalt, hoe waarschijnlijker het is dat hij dwars door de muur zal gaan om het te bereiken. Per slot heeft hij het zelf vastgesteld en heeft hij het fiat van zijn baas. En omdat Dave de dingen op zijn eigen manier wil doen, doet hij zijn uiterste best om te bewijzen dat zijn manier de verstandigste is.

Het kwartaaloverzichtsysteem werkt ook goed als Dave tekortschiet. Meestal hoeft de baas dan niets te zeggen, meestal komt Dave er zelf mee op de proppen omdat zijn falen zo pijnlijk duidelijk aan het licht komt.

Volgens mijn ervaring zal de knaap die niet is geslaagd als de negentig dagen voorbij zijn, doorgaans zelf verontschuldigend komen uitleggen dat hij zijn doel niet heeft bereikt, nog voor de baas iets zegt. Gebeurt dat een aantal kwartalen achter elkaar dan begint de man aan zichzelf te twijfelen. Hij gaat inzien dat het zijn probleem is – niet de fout van de chef.

Zelfs dan is er meestal nog tijd genoeg om bepaalde constructieve maatregelen te nemen. Vaak zal de man uit zichzelf zeggen: 'Ik kan mijn baan niet aan, het groeit me boven het hoofd. Kun je me niet ergens anders plaatsen?'

Het is voor iedereen veel beter als een werknemer zelf tot deze beslissing komt. Elke ondernemer is goede mensen kwijtgeraakt alleen omdat ze op de verkeerde plaatsen waren gezet, mensen die veel meer bevrediging en succes hadden gehad als ze naar een andere functie zouden zijn overgeplaatst, in plaats van te worden ontslagen. Het is duidelijk dat hoe eerder je zo'n probleem kunt opsporen, hoe groter de kansen zijn het op te lossen.

Zonder een geordend systeem van overzichten kan een chef die op een bepaalde plaats niet goed functioneert een wrok tegen zijn baas ontwikkelen. De chef kan zich inbeelden dat de reden van zijn falen in het bereiken van zijn doel is gelegen in het feit dat zijn baas een rancune tegen hem koestert. De bedrijfsleiding had heel vaak geen methode dat te ontdekken voor het te laat was.

Normaal ben ik geen voorstander van het overplaatsen van mensen en ik sta sceptisch tegenover de gangbare modegril mensen door de verschillende afdelingen van een bedrijf te laten circuleren alsof de bekwaamheden uitwisselbaar zijn. Dat zijn ze niet. Het is alsof je van een cardioloog zegt: 'Hij is een geweldige hartchirurg. We zullen hem de volgende week eens een bevalling laten doen.' De arts zou de eerste zijn om je te vertellen dat verloskunde een totaal ander soort werk is en dat het hebben van deskundigheid op een bepaald gebied zich niet laat vertalen in vaardigheid op ander terrein. Datzelfde gaat ook in de zakenwereld op.

Bij Ford en later bij Chrysler heb ik altijd getracht de mensen die voor me werkten zover te krijgen dat ze mijn kwartaaloverzichtsysteem gebruikten. 'Het is de manier waarop ik de zaken controleer,' legde ik uit, 'en ik zal je laten zien hoe het werkt. Ik zeg niet dat je het op mijn manier moet doen, maar als je het niet gebruikt, moet je wel iets anders bedenken dat dezelfde resultaten oplevert.'

Na dit systeem vele jaren te hebben toegepast, heb ik geleerd op te passen voor twee mogelijke problemen. Ten eerste is de eetlust van sommige mensen groter dan hun maag. In sommige gevallen is dat een verhulde zegen, omdat het erop wijst dat de knaap zich inspant en voor hem kan zelfs een gedeeltelijk succes heel belangrijk zijn. Iedere chef die zijn geld waard is, heeft liever te maken met mensen die te veel willen proberen dan met mensen die dat te weinig doen.

Het andere probleem is de neiging van de baas om zich er te vlug mee te bemoeien. Zelf was ik toen ik opklom een van de ergsten. Ik kon de verleiding niet weerstaan iemand in de haren te vliegen, maar ik heb geleerd geduld te oefenen. Voor het grootste deel is het kwartaaloverzichtsysteem zelfregulerend; het werkt het beste als ik niet tussenbeide kom. Wanneer het vanzelf draait, bindt het de mensen op een constructieve manier aan elkaar en stevent het af op de juiste en overeengekomen doeleinden. Meer kun je niet eisen.

Als ik met één woord de kwaliteiten moest opsommen die iemand tot een goede manager maken, zou ik zeggen dat het allemaal neerkomt op zelfverzekerdheid. Je kunt de ingewikkeldste computers gebruiken en alle statistieken en cijfers verzamelen, maar uiteindelijk moet je alle informatie samenbrengen, een tijdschema opstellen en handelen.

Ik nam het besluit nooit onbesuisd te handelen. In de pers word ik wel eens afgeschilderd als een temperamentvolle leider, iemand die 'uit de heup schiet' en in een opwelling reageert.

Zo nu en dan mag ik die indruk wekken, doch als dat beeld werkelijk juist zou zijn, had ik in zaken nooit succes geboekt. Op een zeker punt moet je in vertrouwen de sprong echter wagen. Ten eerste omdat zelfs een juiste beslissing fout is als hij te laat wordt genomen. Ten tweede omdat in de meeste gevallen niet zoiets als zekerheid bestaat. Er zijn tijden waarin zelfs de beste manager lijkt op de kleine jongen met de grote hond die wacht om te zien waar de hond heen wil zodat hij hem er naar toe kan brengen.

Wat is voldoende informatie voor degene die de beslissingen neemt? Het is onmogelijk dat in een getal uit te drukken, maar het is duidelijk dat je – als je tot actie overgaat op basis van slechts 50 procent van de gegevens – een slechte kans maakt. Als dat het geval is moet je heel veel geluk hebben – of met een paar briljante ingevingen voor de dag komen. Er zijn ogenblikken waarop zo'n gok nodig is, maar zeker is het niet de manier om een bedrijf te runnen.

Tegelijkertijd zul je nooit voor 100 procent weten wat je weten moet. Zoals zoveel industrieën tegenwoordig is ook de auto-industrie constant in beweging. Voor ons in Detroit is het altijd een grote uitdaging uit te puzzelen wat de klanten over drie jaar aantrekkelijk zullen vinden. Ik schrijf deze woorden in 1984 terwijl we onze modellen voor 1987 en 1988 al aan het uitdenken zijn. Op de een of andere manier moet ik proberen te voorspellen wat er over drie of vier jaar verkocht kan worden en dat terwijl ik vandaag zelfs niet met enige zekerheid kan zeggen wat het publiek de volgende maand wil.

Wanneer je niet alle gegevens tot je beschikking hebt, moet je soms op je ervaring afgaan. Telkens als ik in een krant lees dat Lee Iacocca ervan houdt vanuit de heup te schieten, zeg ik tegen mezelf: 'Akkoord, misschien heeft hij al zolang geschoten dat hij deze keer aardig weet hoe hij het doel moet raken.'

Tot op zekere hoogte heb ik altijd intuïtief gehandeld. Ik houd ervan om in de loopgraven te zitten. Ik was nooit iemand die eindeloos bezig was vanachter een bureau de strategie uit te stippelen.

Er is echter een nieuwe generatie zakenmensen, meestal lieden met M.B.A., die op hun hoede zijn voor intuïtieve beslissingen. Ze hebben voor een deel gelijk. Normaal gesproken is intuïtie geen goede basis om een zet te doen. Maar veel van die knapen gaan te werk volgens het tegenovergestelde principe. Ze schijnen te denken dat elk probleem in kaart kan worden gebracht en tot een studie-object gemaakt. Dat mag misschien gelden voor de school, maar in het zakenleven dient er iemand te zijn die zegt: 'Oké, jongens, het is zover. Maak je klaar om over een uur op te rukken.' Als ik geschiedenisboeken lees over de Tweede Wereldoorlog en over D-day komt altijd dezelfde gedachte in me op: Eisenhower had het bijna verknoeid omdat hij bleef aarzelen. Ten slotte zei hij echter: 'Hoe het weer er ook uitziet, we moeten nu gaan. Nog langer wachten, kan zelfs nog gevaarlijker zijn. Voorwaarts dus!'

Hetzelfde geldt in het zakenleven. Er zullen altijd mensen zijn die nog een of twee maanden extra research willen doen over de vorm van het dak van de nieuwe wagen.

Terwijl de research wellicht goede diensten zou kunnen bewijzen, kan deze de produktieplannen totaal verstoren. Na een zeker ogenblik, wanneer alle relevante gegevens binnen zijn, ben je afhankelijk geworden van de wet van de verminderde opbrengsten. Daarom is het nemen van enig risico essentieel.

Ik besef dat dit niet voor iedereen is weggelegd. Er zijn mensen die 's ochtends niet zonder paraplu van huis gaan, ook al schijnt de zon. Helaas wacht de wereld niet altijd op je terwijl je probeert je verliezen van tevoren te calculeren. Soms moet je gewoon een kans wagen en je fouten al doende corrigeren.

In de jaren zestig en in een groot deel van de jaren zeventig kwamen die dingen er niet zo op aan als tegenwoordig. In die tijd was de auto-industrie een kip met gouden eieren. We verdienden geld bijna zonder dat we ernaar streefden. Maar vandaag kunnen weinig zaken zich de luxe van een traag besluitvormingsproces veroorloven, of het nu gaat om iemand die op een verkeerde plaats zit of om een nieuwe serie auto's voor over vijf jaar.

Ongeacht wat er volgens het boekje behoort te gebeuren, worden de meeste belangrijke beslissingen door individuen genomen en niet door commissies. Mijn politiek is altijd geweest: het hele proces door democratisch te zijn tot het punt waarop de beslissing valt. Dan word ik een meedogenloze bevelhebber die zegt: 'Oké, ik heb iedereen aangehoord. Nu gaan we dit doen.'

Je hebt altijd commissies nodig omdat de mensen daarin hun kennis en plannen met anderen delen. Maar als commissies individuen gaan vervangen – en Ford heeft tegenwoordig meer commissies dan General Motors – dan begint de produktie terug te lopen.

Samenvattend: Niets in deze wereld staat stil. Ik houd ervan op jacht te gaan waar alles voortdurend in beweging is. Je kunt op een eend richten en hem op de korrel krijgen, maar altijd is de eend in beweging. Om de eend te raken, moet je je geweer bewegen. Een commissie die voor een essentiële beslissing staat, kan echter niet altijd vlug reageren als de gebeurtenissen dat vragen. Tegen de tijd dat de commissie klaar is om te schieten, is de eend weggevlogen.

Behalve dat ze besluitvormers zijn, moeten managers ook kunnen motiveren. Toen ik algemeen directeur was van Ford Division werd ik uitgenodigd om te spreken voor de Sloan Fellows op de school voor bedrijfskunde. Deze vormen een zeer getalenteerde groep met een eerste klas leerprogram waarin ze een week naar Europa gaan om de Gemeenschappelijke Markt te bestuderen, een week naar Wall Street, een week naar het Pentagon, enzovoort.

Iedere donderdagavond kwam er een gastspreker uit de zakenwereld of de industrie met de studenten samen. Toen ze mij in 1962 uitnodigden een voordracht te houden voor een van die bijeenkomsten, was ik vereerd maar ook een beetje nerveus.

'Maak je maar niet druk,' werd me gezegd, 'de studenten komen na het diner in de lounge bij elkaar. Jij zegt een paar woorden over de autobusiness en zij stellen je een paar vragen.'

Ik sprak dus over het fabriceren en verkopen van auto's en nodigde hen daarna uit vragen te stellen en commentaar te geven. Van een dergelijke uitgelezen groep verwachtte ik een paar zeer abstracte en theoretische vragen en ik was dan ook verrast toen iemand vroeg: 'Hoeveel mensen werken er bij de Ford Division?'

'We hebben ongeveer elfduizend mensen in dienst,' antwoordde ik.

'Mooi,' zei hij. 'U brengt vandaag en morgen hier in Cambridge door. Wie motiveert die elfduizend mensen tijdens uw afwezigheid?'

Het was een buitengewoon belangrijke vraag en ik herinner me nog steeds het gezicht van de jongeman die hem stelde. Hij sloeg de spijker op de kop: management is niets anders dan het motiveren van andere mensen.

Het sprak vanzelf dat ik de namen van de elfduizend mensen die voor me werkten niet allemaal kon kennen. Er moest dus naast het kwartaaloverzichtsysteem iets zijn dat hen allen aanspoorde.

De enige manier waarop je mensen kunt motiveren, is door contact met hen te onderhouden. Al was ik dan op de middelbare school lid geweest van de debatteerclub, ik was bang voor spreken in het openbaar. De eerste jaren van mijn werkende leven was ik nogal naar binnen gekeerd.

Dat was echter voor ik een cursus spreken in het openbaar volgde aan het Dale Carnegie Instituut. In die tijd was ik nog maar kort aangesteld als de landelijke directeur opleiding bij Ford. De onderneming stuurde een aantal van ons naar Dale Carnegie om de fijne kneepjes van het spreken in het openbaar te leren.

De cursus begon met de poging ons uit onze schulp te halen. Er zijn mensen, en daar was ik er eentje van, die voor twee toehoorders de hele dag kunnen praten, maar als ze voor een heel gezelschap een speech moeten afsteken, nerveus worden.

Ik herinner me dat één oefening eruit bestond twee minuten voor de vuist weg te spreken over een onderwerp waarvan we niets afwisten. Bijvoorbeeld het Zenboeddhisme. Je mocht beginnen met te zeggen dat je niet wist wat het was, maar dan moest je doorgaan; al gauw vond je dan wel iets om te zeggen. Het ging erom je te trainen terwijl je daar stond.

We leerden op het instituut de grondbeginselen van het spreken in het openbaar en die pas ik nog steeds toe. Zo dien je er bijvoorbeeld aan te denken dat, al beheers jíj je onderwerp nog zo goed, je gehoor er niets van afweet. Je begint dus met uit te leggen waarover je het zult hebben. Vervolgens vertel je je verhaal en ten slotte vat je samen wat je hen hebt verteld. Van dat beginsel ben ik nooit afgeweken.

Een andere techniek die ik leerde, was dat je je gehoor altijd moet vragen iets te doen voor je eindigt... het geeft niet wat het is. Schrijven aan hun vertegenwoordiger in het congres, de buurman opbellen, een bepaald voorstel overwegen; met andere woorden: ga niet zonder om de order te hebben gevraagd.

In de loop der weken begon ik me meer ontspannen te voelen en al gauw kreeg ik de neiging op te staan en te spreken zonder dat het me was gevraagd. De uitdaging beviel me goed. Alles draaide erom je minder geremd te maken en in mijn geval werkte dat zeker. Als ik eenmaal begon te spreken, kon ik er niet genoeg van krijgen. Ik ben er zeker van dat er lieden zijn die graag willen dat ik daar niet zo verzot op zou zijn.

Ook vandaag nog geloof ik heilig in het Dale Carnegie Instituut. Ik heb aardig wat ingenieurs gekend met schitterende ideeën die er moeite mee hadden ze aan anderen uit te leggen. Het is altijd jammerlijk als een man met grote talenten niet in staat is de raad van bestuur of een commissie te vertellen wat er in z'n hoofd zit. Vaak zou een cursus op Dale Carnegie alle verschil van de wereld voor hem uitmaken.

Niet iedere manager hoeft een spreker of schrijver te zijn. Meer en meer kinderen komen echter van school af zonder de elementaire vaardigheid zich duidelijk te kunnen uitdrukken. Ik heb tientallen introverte mannen op kosten van de onderneming naar Dale Carnegie gestuurd.

Ik zou alleen graag een instituut willen vinden waar mensen konden leren luisteren. Een manager moet als het erop aankomt evenveel luisteren als praten. Te veel mensen beseffen niet dat echte communicatie in beide richtingen gaat.

In de ondernemerswereld moet je iedereen aanmoedigen een bijdrage te leveren aan het gemeenschappelijk welzijn en naar voren te komen met suggesties om de dingen beter te doen. Je hoeft niet elke suggestie over te nemen, maar als je niet naar die man toegaat om te zeggen: 'Hé, dat was een geweldig idee,' en hem daarbij een schouderklopje geeft, zal hij nooit met een tweede komen aandragen. Dat soort communicatie laat mensen merken dat ze werkelijk meetellen.

Wil je de mensen die voor je werken motiveren, dan moet je in staat zijn goed naar hen te luisteren. Precies daar ligt het verschil tussen een middelmatige en een grote onderneming.

Het meest bevredigende voor een manager is wanneer hij iemand ziet die door het systeem is geëtiketteerd als gewoon of middelmatig en die zich heeft ontplooid, alleen omdat een ander luisterde naar zijn problemen en hem hielp die op te lossen.

Natuurlijk is het meer gebruikelijk met je mensen contact te onderhouden door ze als groep toe te spreken. Spreken in het openbaar is de beste manier om een grote groep te motiveren, doch het is volkomen verschillend van een privé-gesprek, alleen al omdat het veel voorbereiding vergt. Je kunt er niet omheen – je moet je huiswerk maken. Een spreker kan nog zo goed zijn geïnformeerd, maar als hij niet precies heeft doordacht wat hij die dag tegen dat gehoor wil zeggen, heeft hij niet het recht beslag te leggen op de kostbare tijd van andere mensen.

Het is van belang de mensen in hun eigen taal toe te spreken. Als je dat doet, zullen ze roepen: 'Hé, hij zegt precies wat ik dacht!' En als ze je gaan respecteren, volgen ze je tot aan de dood toe. De reden waarom ze je volgen, is niet omdat je hen het een of ander mysterieus leiderschap verschaft; het is omdat je hen volgt.

Dat is wat Bob Hope doet als hij iemand vooruit stuurt om zijn gehoor te verkennen, zodat hij grappen kan maken die precies op hun situatie slaan. Als je naar de televisie kijkt, begrijp je niet altijd waarover hij het heeft. Niettemin waardeert een gehoor het wanneer een spreker de moeite heeft genomen het een en ander over de aanwezigen aan de weet te komen. Niet iedereen kan zich permitteren iemand vooruit te sturen, maar de les is duidelijk: spreken in het openbaar wil niet zeggen onpersoonlijk spreken.

Hoewel ik waarschijnlijk zeker twee uur lang voor de vuist weg kan praten, heb ik altijd een geschreven tekst voor me. Voor de vuist weg spreken is veel te vermoeiend. Ik sluit een compromis door een voorbereide tekst te gebruiken en er vanaf te wijken als ik daaraan behoefte heb.

Wanneer ik een gezelschap bij Chrysler toespreek, ben ik minder geneigd grappig te zijn, dan wanneer ik aan een diner aanzit. Met mijn eigen mensen stel ik me tot doel zo recht op de man af te zijn als maar mogelijk is. Ik heb ondervonden dat de beste manier om hen te motiveren is hen het speelplan voor te leggen zodat ze er allemaal aan kunnen deelnemen. Ik moet mijn eigen doelstellingen uitleggen zoals de andere stafleden deze met hun chefs kunnen bespreken. Als ze die doeleinden bereiken, moeten ze niet alleen met vriendelijke woorden worden beloond. Geld en bevordering zijn de tastbare middelen waarmee een onderneming kan zeggen: je bent een waardevolle kracht.

Als je een man opslag geeft, is dat het tijdstip om zijn verantwoordelijkheden uit te breiden. Terwijl hij in een goede stemming is door de beloning voor wat hij heeft gepresteerd, kun je hem tegelijkertijd motiveren er nog een schepje bovenop te gooien. Verg altijd meer van hem als hij opgewekt is en wees nooit te streng als hij in de put zit.

Is hij uit zijn doen door zijn eigen falen, dan loop je het risico hem ernstig te kwetsen en hem de impuls zich te verbeteren te ontnemen. Of zoals Charlie Beacham placht te zeggen: 'Als je een man lof wilt toezwaaien, doe het dan schriftelijk, maar wil je hem de mantel uitvegen, doe het dan via de telefoon.'

Charlie Beacham predikte altijd tegen alles in je eentje doen: 'Jij wilt alles zelf doen,' zei hij dan. 'Jij weet niet hoe je moet delegeren. Begrijp me niet verkeerd. Je bent de beste man die ik heb. Misschien ben je wel zo goed als twee mannen bij elkaar. Maar zelfs al is dat zo, dan zijn het nog maar twee medewerkers. Je hebt nu honderd mensen die voor je werken. Wat gebeurt er als je er tienduizend hebt?'

Hij had een vooruitziende blik... bij de Ford Division had ik er elfduizend. Hij leerde me niet te trachten alles zelf te doen, maar hoe ik andere mensen een doel moest geven. Je bent misschien in staat het werk van twee mensen te doen, maar je kunt geen twee mensen zijn. In plaats daarvan moet je je ondergeschikte inspireren en hem op zijn beurt zijn mensen laten stimuleren.

Op een keer, tijdens een diner met Vince Lombardi, de legendarische rugby-coach en een persoonlijke vriend van me, vroeg ik hem naar zijn formule voor succes. Ik wilde precies van hem horen hoe je een team naar de overwinning kunt leiden. Wat hij me die avond vertelde is evenzeer van toepassing in de zakenwereld als op sportgebied.

'Je moet beginnen met het aanleren van de grondslagen,' zei Lombardi. 'Een speler moet de elementaire beginselen van het spel kennen en hoe hij op zijn plaats dient te spelen. Vervolgens moet je hem in 't gareel houden. Dat is discipline. De mannen moeten als één team optreden, niet als een zooitje individuen. Voor prima donna's is geen plaats.'

'Maar er zijn een heleboel coaches,' vervolgde hij, 'met goede clubs die de beginselen kennen en ruimschoots discipline hebben, maar toch de wedstrijd niet winnen. Dan kom je op het derde ingrediënt: een team dat samenspeelt, moet voor elkaar zorgen. Ze moeten van elkaar houden. Elke speler moet aan de ander denken en bij zichzelf zeggen: Als ik die man niet blokkeer, breekt Paul zijn benen. Ik moet mijn taak goed vervullen, zodat hij de zijne kan doen.'

Die avond zei Lombardi ook nog: 'Het verschil tussen middelmatigheid en grootheid is het gevoel dat de jongens voor elkaar hebben. Dat noem je teamgeest. Wanneer de spelers doortrokken zijn van dat speciale gevoel, weet je dat je een winnend team hebt.'

Daarna barstte hij bijna schuldbewust uit: 'Maar, Lee, waarom vertel ik je dat? Jij bestuurt een onderneming en het is hetzelfde of je nu een rugbyteam leidt of een bedrijf. Een auto wordt immers niet door één man gemaakt!'

Lombardi zei me dat hij graag een bezoek aan Ford zou brengen om te zien hoe auto's worden gemaakt. Ik beloofde hem in Detroit te zullen uitnodigen, maar kort na ons diner kwam hij met een fatale ziekte in het ziekenhuis terecht. Ik had hem slechts een paar maal ontmoet, maar zijn woorden zijn me bijgebleven. 'Elke keer als een rugbyspeler zich inzet voor het spel, moet hij zich helemaal geven – van zijn voeten tot zijn hoofd. Ieder deel van zijn lichaam moet meedoen. Sommigen spelen met hun hoofd en het staat vast dat je slim moet zijn, wil je nummer één worden, waarin dan ook. Het belangrijkste is toch dat je met je hart speelt. Heb je het geluk een knaap te vinden met een heleboel verstand en een heleboel hart, dan komt hij nooit als tweede het veld af.'

Lombardi had natuurlijk gelijk. Ik heb heel wat lieden zien komen die intelligent en getalenteerd waren, maar in teamverband ongeschikt. Dit zijn de managers van wie de mensen zeggen: 'Ik vraag me af waarom hij het niet verder heeft gebracht.' We kennen allemaal zulke mensen, mensen die alles in huis schijnen te hebben en toch nooit veel vooruitkomen. Ik heb het nu niet over de mensen die niet echt vooruit willen komen, over hen die gewoon lui zijn. Ik denk aan de strebers die wisten wat ze wilden, leerden, een goede baan kregen, hard werkten en van wie toch niets terechtkwam.

Als je met die mensen praat, vertellen ze je dikwijls dat ze tegenslag hebben gehad of misschien een baas die hen niet mocht. Ze presenteren zich graag als slachtoffers. Je moet je echter afvragen waarom ze alleen tegenslag hadden en waarom nooit meevallers. Zeker, geluk speelt een rol. Maar een hoofdoorzaak waardoor bekwame mensen niet vooruitkomen, is dat ze niet goed met hun collega's samenwerken.

Ik ken iemand die zijn hele leven in de autobranche heeft gezeten. Hij heeft een goede opleiding en is zeer evenwichtig. Als strateeg is hij briljant en waarschijnlijk een van de waardevolste mensen in zijn onderneming. Toch heeft hij nooit een hoge functie bereikt omdat hij niet de kunst verstond met mensen om te gaan.

Ik houd me maar aan mijn eigen carrière. Ik heb heel wat mannen meegemaakt die intelligenter waren dan ik en die veel meer van auto's afwisten. Toch heb ik ze uit het oog verloren. Waarom? Omdat ik zo'n harde ben? Nee. Op den duur kom je niet ver door mensen grof te behandelen. Je moet weten hoe je met ze moet praten; rechtuit en eenvoudig.

Er is één opmerking die ik niet graag zie in het beoordelingsrapport van een leidinggevend persoon en die luidt: Hij heeft moeite in de omgang met mensen.

Voor mij betekent dat voor die man de doodsteek. Daarmee is zijn rol uitgespeeld, denk ik dan. Kan hij niet met mensen omgaan? Dan zit hij met een levensgroot probleem, want we hebben hier alleen mensen... geen apen, geen honden, alleen mensen. En als hij niet met zijn collega's kan opschieten, hoe kan hij dan iets goeds voor ons doen? Als topfunctionaris bestaat al zijn werk uit het motiveren van andere mensen. Kan hij dat niet, dan is hij aan het verkeerde adres.

Verder hebben we nog de prima donna. Niemand is op dit type gesteld, hoewel hij getolereerd kan worden als hij voldoende talenten bezit. Bij Ford was er een directeur die zijn werkruimte in antieke stijl wenste te hebben. Hij diende een verzoekschrift in om het vertrek te laten opkalefateren voor 1,25 miljoen dollar. (Dat was voor een kamer en een gedeelde badkamer.) Toevallig zag ik het antwoord van Henry Ford en ik begreep hoe boos hij was geweest uit de notitie die hij op het memo had gekrabbeld. Die luidde simpelweg: Deze directeur weet heel veel van de autobranche, maar zijn stijl maakt hem volgens mij ongeschikt als manager.

Ik herinner me een ander geval van vele jaren geleden, toen Ford een topfunctionaris aanstelde om orde op zaken te stellen op de afdeling marktonderzoek. Deze man bewerkte tenslotte zijn eigen ontslag door iets ongehoords te doen – hij benoemde zijn eigen public-relationsdeskundige. Hij probeerde het te doen voorkomen of de man erbij kwam als adviseur, maar de waarheid kwam al gauw aan het licht. De voornaamste zorg van deze directeur was dat zijn eigen successen in de pers werden vermeld. Geen wonder dus dat het niet lang duurde.

Aan de andere kant is een zekere mate van reclame maken voor jezelf gewoon en zelfs nodig. Ik heb managers meegemaakt die te verlegen en te bang waren om met de pers om te gaan of die niet wilden dat iemand wist hoeveel ze hadden gedaan. Hoewel General Motors dit soort optreden met enig succes heeft aangemoedigd, is het niets voor mij. Als je topfunctionarissen niet een beetje ijdelheid hebben, hoe kan je bedrijf dan van zich laten spreken en concurrerend blijven?

Er is een wereld van verschil tussen een sterk ego, hetgeen essentieel is, en een te groot ego – dat destructief kan zijn. De man met een sterk ego kent zijn eigen kracht. Hij is vol zelfvertrouwen. Hij heeft een idealistische voorstelling van wat hij kan presteren en hij gaat recht op zijn doel af.

Een knaap met een te groot ego is altijd op zoek naar erkenning; hij heeft er constant behoefte aan op de schouder te worden geklopt. Zo'n man verbeeldt zich een tree hoger te staan dan de anderen en hij praat neerbuigend tegen de mensen die voor hem werken.

The Wall Street Journal heeft eens geschreven dat ik een ego had zo groot als een wolkenkrabber, maar als dat inderdaad waar zou zijn, geloof ik niet dat ik effectief had kunnen werken in een business die zo sterk afhankelijk is van het vermogen met andere mensen samen te werken.

Ik heb al gezegd te geloven in het op papier zetten van de dingen, maar ook dat kan worden overdreven. Er zijn mensen die het leuk schijnen te vinden een onderneming in een papierwinkel te veranderen. Voor een deel ligt dit aan het karakter. Er zijn altijd situaties op elk kantoor waarbij bepaalde mensen er sterke behoefte aan hebben zich te dekken door een memo voor een dossier te produceren. Het is waar dat het noteren van je ideeën meestal de beste manier is ze te doordenken. Dat betekent echter niet dat alles wat je opschrijft onder je collega's moet circuleren.

De beste manier om een idee te ontwikkelen, geschiedt in het samenspel met je mededirecteuren. Dat brengt ons weer bij het belang van teamwork en goede contactuele eigenschappen. De stimulerende werking van twee of drie mensen die bij elkaar gaan zitten, kan ongelooflijk zijn – en dat heeft een grote rol gespeeld bij mijn eigen succes.

Ik ben er dus een groot voorstander van dat directeuren tijd spenderen aan het met elkaar praten – niet altijd op formele vergaderingen, maar zomaar onverwacht om elkaar te helpen de problemen op te lossen.

Mensen die me bij Chrysler bezoeken, zijn vaak verbaasd dat ik geen computer-terminal op mijn bureau heb staan. Ze vergeten wellicht dat alles wat uit een computer komt er door iemand ingestopt moet zijn. Het grootste probleem in het Amerikaanse zakenleven van vandaag is dat de meeste directeuren te veel informatie krijgen. Het duizelt hen en ze weten niet wat ze ermee aanmoeten.

De sleutel tot succes is niet informatie. Het gaat om mensen. Het soort mensen naar wie ik zoek om de topfuncties te bezetten zijn de vlijtige bevers: mannen die trachten meer te doen dan van hen wordt verwacht. Zij steken altijd de helpende hand uit naar degenen met wie ze samenwerken, zodat ze hun taak beter kunnen vervullen. Zo zitten ze in elkaar.

Er zijn er ook die zich houden aan de dagtaak van negen tot vijf. Zij willen hun gangetje gaan en verlangen dat hen wordt verteld wat ze moeten doen. 'Ik doe niet mee aan de carrièrejacht,' zeggen ze. 'Dat is slecht voor mijn hart.' Maar als je echt ergens bij bent betrokken, flink aanpakt en daar opgewonden van raakt, wil dat heus niet zeggen dat je binnen de kortste keren aan overspanning doodgaat.

Tracht dus mensen te vinden met dat soort stuwkracht. Veel heb je er niet nodig. Met vijfentwintig van zulke mensen zou ik de Verenigde Staten kunnen regeren.

Bij Chrysler heb ik er een stuk of twaalf. Wat die managers sterk maakt, is dat ze weten hoe ze moeten delegeren en motiveren. Ze weten hoe ze de knelpunten kunnen opsporen en prioriteiten stellen. Het is het soort mannen dat zegt: 'Vergeet het maar, dàt duurt nog tien jaar. Eérst gaan we dit doen.'

6
De Mustang

Mijn jaren als algemeen directeur van de Ford Division waren de gelukkigste van mijn leven. Voor mijn collega's en voor mij was dit de tijd waarin wij in vuur en vlam stonden. We werden begeesterd door een combinatie van hard werken en grootse dromen.

In die periode kon ik 's ochtends niet wachten om aan het werk te gaan en 's avonds wilde ik er niet mee ophouden. Voortdurend speelden we met nieuwe ideeën en probeerden we op het circuit nieuwe modellen uit. We waren jong en eigenwijs. We voelden ons kunstenaars die op het punt stonden de schoonste meesterwerken voort te brengen die de mensheid ooit had gezien.

In 1960 heerste er optimisme in het hele land. Met Kennedy in het Witte Huis woei er een frisse wind door de U.S.A. Hij voerde de onuitgesproken tijding mee dat alles mogelijk was. Het opvallend contrast tussen het nieuwe decennium en de jaren vijftig, tussen John Kennedy en Dwight Eisenhower, kon in één woord worden samengevat: jeugd.

Voor ik mij echter aan de verwezenlijking van mijn eigen jeugddromen kon wijden, waren er andere zaken die de aandacht vroegen. Na het spectaculaire succes van de Falcon had Robert McNamara ingestemd met de ontwikkeling van weer een nieuwe auto; een in Duitsland geproduceerde kleine wagen die bekend stond als de Cardinal. Volgens schema moest hij in het najaar van 1962 worden geïntroduceerd en toen ik de Ford Division overnam, behoorde het tot mijn verantwoordelijkheden toezicht te houden op de produktie ervan.

Omdat McNamara zich inzette voor een zuinig brandstofgebruik en elementair transport, werd de Cardinal ontworpen als het Amerikaanse antwoord op de Volkswagen. Evenals de Falcon was het een kleine, eenvoudige, goedkope auto. Beide modellen waren het toonbeeld van McNamara's diepgewortelde overtuiging dat een auto een vervoermiddel was en geen stuk speelgoed.

Na een paar maanden in mijn nieuwe functie vloog ik naar Duitsland om de voortgang te controleren van McNamara's auto. Ik was voor de eerste keer in Europa en dat alleen al was een sensatie. Toen ik echter eindelijk de Cardinal te zien kreeg, was ik in alle staten van verrukking.

Het was een prachtige auto voor de Europese markt met zijn 4-cilinder motor in V-vorm en zijn voorwielaandrijving. In de Verenigde Staten bleek het echter onmogelijk te zijn de driehonderdduizend eenheden te verkopen waarop we hadden gerekend. De Cardinal was te klein en had geen kofferbak. Het zeer zuinige brandstofgebruik was geen verkooppunt voor de Amerikaanse consument en daar kwam nog bij dat het uiterlijk van de auto afschuwelijk was. De Cardinal zag eruit alsof hij door een commissie was ontworpen.

Zoals gewoonlijk was McNamara zijn tijd vooruit – tien jaar om precies te zijn. Tien jaar later, na de oliecrisis, zou de Cardinal een wereldkraker zijn geweest.

In sommige industrieën is het een groot voordeel als je je tijd vooruit bent, maar niet in Detroit. Evenals de auto-industrie zich niet kan veroorloven te veel achter te blijven voor de consument, kan deze zich evenmin veroorloven ver vooruit te zijn. Te vroeg uitkomen met een nieuw model is even verkeerd als te laat.

Er bestaat een wijd verbreide mythe dat zij die de auto-industrie leiden het publiek kunnen manipuleren, dat ze het publiek kunnen vertellen welk soort auto's het moet aanschaffen en dat daarnaar wordt geluisterd. Wanneer ik dat hoor, kan ik niet nalaten te glimlachen en ik denk dan: als dat eens waar was!

Het is een feit dat we alleen kunnen verkopen wat de mensen willen kopen. We volgen het publiek meer dan dat we het leiden. Natuurlijk doen we ons best mensen te overreden ons produkt aan te schaffen, doch soms zijn onze grootste inspanningen niet voldoende.

In 1960 hoefde ik daaraan niet te worden herinnerd. De onderneming was nog steeds niet helemaal hersteld van het fiasco met de Edsel een paar jaar tevoren. Dit is niet de gelegenheid in te gaan op de uitlopende oorzaken van die trieste geschiedenis, maar laat het voldoende zijn op te merken dat de Edsel – waarmee McNamara noch ik iets van doen hadden gehad – op zo'n gigantische manier faalde, dat de naam 'Edsel' een synoniem is geworden voor 'mislukking'.

Toen ik uit Duitsland terugkeerde, stapte ik regelrecht naar Henry Ford en zei: 'De Cardinal is een misser. Opnieuw een misbaksel uitbrengen zo vlak na de Edsel, zal de onderneming de das omdoen. We kunnen ons eenvoudig geen nieuw model veroorloven dat geen aantrekkingskracht uitoefent op jonge mensen. Ik benadrukte dat jeugdaspect om twee redenen. Ten eerste werd ik me in toenemende mate bewust van de economische macht van de jonge generatie; een macht die onze industrie nog onvoldoende had onderkend. Ten tweede wist ik dat de baas graag van zichzelf dacht iemand te zijn die met de jeugd meeging en wist wat jonge mensen wilden.

Vervolgens hield ik een vergadering met het topmanagement en de raad van directeuren om te discussiëren over het lot van de Cardinal. Tijdens deze bijeenkomst kreeg ik de indruk dat de hele onderneming in de war was over de auto en dat de ouderen maar al te blij waren dat er een zichzelf overschattende jongeling was die de beslissing voor hen nam. Op die manier zou niemand van hen er verantwoordelijk voor zijn als het stopzetten van de Cardinal een gigantische fout bleek te zijn. Hoewel het bedrijf al 35 miljoen dollar in de auto had gestoken, maakte ik duidelijk dat hij niet verkocht zou worden en dat we onze verliezen zouden beperken door het te laten afweten.

Ik moet overtuigend hebben geklonken, want mijn beslissing werd geaccepteerd met slechts twee tegenstemmers: John Bugas, hoofd van de afdeling internationale activiteiten en Arjay Miller, hoofd van de afdeling financiën.

Hoewel Bugas een goede vriend was, wilde hij natuurlijk dat de Cardinal uitkwam omdat deze overzee werd gefabriceerd. Miller maakte zich zorgen omdat we al 35 miljoen hadden geïnvesteerd. Als een echte krentenweger zag hij voornamelijk het verlies van 35 miljoen in die sector.

Met de Cardinal uit de weg geruimd, kreeg ik de vrije hand om aan mijn eigen projecten te werken. Onmiddellijk bracht ik een groep briljante en creatieve jonge mensen van de Ford Division bij elkaar. Eens per week dineerden we samen om van gedachten te wisselen in de Fairlane Inn in Dearborn, anderhalve kilometer van de plaats waar we werkten.

We vergaderden in het hotel omdat veel mensen op kantoor hoopten dat we op ons gezicht zouden vallen. Ik was een jonge enthousiasteling, de nieuwe vice-president die zichzelf nog niet had bewezen. Mijn medewerkers hadden talent, maar bij de mensen van de onderneming waren ze niet bijster populair.

Don Frey, onze produktiemanager, tegenwoordig hoofd van Bell en Howell, was een sleutelfiguur in die groep. Hal Sperlich, die ook vandaag nog in een topfunctie bij Chrysler voor me werkt, was er ook een. De anderen waren: Frank Zimmerman van marktonderzoek, Walter Murphy, onze public relations-chef en tevens mijn trouwe vriend in alle jaren dat ik bij Ford werkte, en Sid Olson van J. Walter Thompson, een briljant auteur die toespraken had geschreven voor F.D. Roosevelt en onder andere de slogan 'Het arsenaal van de democratie' had bedacht.

De Fairlane Commissie, zoals we ons noemden, had heel wat in zijn mars. We waren ons vaag bewust dat de automarkt de komende paar jaar op zijn kop zou komen te staan, al was het dan onmogelijk om te weten hoe dat precies zou verlopen. We wisten eveneens dat General Motors de Corvair, een eenvoudige auto, onder handen had genomen en omgevormd tot een geweldig goed verkopende Corvair Monza door er simpelweg een paar sportieve accessoires aan toe te voegen. Bijvoorbeeld: kuipstoelen, een uitneembaar versnellingspookje, plus een kitscherige opknapbeurt van het interieur. Wij bij Ford hadden de mensen die over een Monza dachten niets aan te bieden, maar het was ons wel duidelijk dat die mensen een groeiende markt vertegenwoordigden.

Intussen ontving onze public relations-afdeling een gestadige stroom brieven van mensen die wilden dat we een nieuwe tweezits Thunderbird zouden uitbrengen. Dat was een verrassing voor ons; met die auto hadden we niet veel succes gehad en er waren in drie jaar slechts 53.000 eenheden verkocht. De post vertelde ons echter dat de smaak van de consument aan het veranderen was en we hielden ons voor: misschien was de Thunderbird zijn tijd vooruit geweest. We kregen sterk de indruk dat als de auto nog op de markt zou worden gebracht, we er heel wat meer van zouden verkopen dan 18.000 per jaar.

In die tijd bevestigden onze marktonderzoekers tevens dat het jeugdige beeld van het nieuwe decennium een hechte basis had in de demografische realiteit. De gemiddelde leeftijd van de bevolking daalde met ongewone snelheid en miljoenen tieners die waren geboren in de baby-hausse na de Tweede Wereldoorlog stonden op het punt de markt te overstromen. De groep twintig- tot vierentwintigjarigen zou in de jaren zestig met 50% toenemen. Verder zouden jonge volwassenen tussen de achttien en vierendertig op z'n minst de helft van de reusachtige toename van de vraag naar auto's – die voor de hele industrie was voorspeld – de volgende tien jaar voor hun rekening nemen.

De onderzoekers voegden er een duistere, maar interessante voetnoot aan toe: Niet alleen zouden er meer jongeren zijn dan ooit, ze zouden ook beter zijn opgeleid dan de voorafgaande generaties. We wisten al dat de universitair geschoolden veel meer auto's kochten dan hun minder ontwikkelde tegenhangers en onze toekomstverwachtingen gaven aan dat het aantal studenten aan universiteiten in 1970 zou zijn verdubbeld.

Er waren ook interessante veranderingen onder de oudere kopers van auto's. We begonnen nu een duidelijk waarneembare verschuiving te zien, tegengesteld aan de voorliefde voor zuinige auto's die kenmerkend was geweest voor het eind van de jaren vijftig en die de Falcon recordomzetten had bezorgd. De consumenten begonnen verder te kijken dan alleen naar sobere, puur functionele auto's; ze keken uit naar meer sportieve en luxe modellen – net als nu in 1984 gebeurt.

Nadat we al deze informatie hadden geanalyseerd, was de conclusie onvermijdelijk. Was de Edsel een auto geweest op zoek naar een markt die nooit werd gevonden, hier was een markt op zoek naar een auto. De normale gang van zaken in Detroit was het bouwen van een auto en dan naar kopers zoeken; nu verkeerden we in de positie om in tegenovergestelde richting aan het werk te gaan en een nieuw produkt voor een gretige, nieuwe markt te ontwerpen.

Elke auto die aantrekkingskracht kon uitoefenen op de jonge klanten, zou aan drie kenmerken moeten voldoen: een mooie vorm, een goede prestatie en een lage prijs. Een nieuwe wagen met deze drie kenmerken zou niet eenvoudig zijn, maar als we slaagden, maakten we kans op een groot succes.

We wendden ons nogmaals tot de research en kwamen nog iets meer te weten over de veranderingen in de markt voor nieuwe auto's. Ten eerste was er een enorme groei van het aantal gezinnen met twee auto's: auto nummer twee was typisch kleiner en sportiever dan de eerste. Ten tweede groeide het aantal auto's dat door vrouwen werd gekocht; zij gaven de voorkeur aan kleine, gemakkelijk te bedienen wagens. Ook alleenstaanden waren in toenemende mate vertegenwoordigd onder de kopers van nieuwe auto's en ook zij kozen kleinere en meer sportieve modellen dan hun getrouwde vrienden. Het werd ten slotte duidelijk dat de Amerikanen in de paar komende jaren meer geld hadden te besteden voor vervoer en genoegen dan ooit te voren.

Nadat we deze gegevens hadden verwerkt, gingen we de verkoopcijfers van de Falcon bekijken om te zien wat we over onze eigen klanten te weten konden komen. De resultaten waren verrassend. De Falcon werd dan wel op de markt gebracht als een laag geprijsde, zuinige auto, maar veel meer klanten dan we hadden verwacht, begonnen extra's te bestellen als witte banden, een automatische versnelling en een krachtiger motor. Dat was voor mij de eerste, vage aanwijzing voor een belangrijk gegeven met betrekking tot kleine auto's en die is vandaag nog even waar als twintig jaar geleden: de Amerikaanse koper van een auto heeft zo'n enorme behoefte aan zuinigheid dat hij er bijna alles voor wil betalen om die te krijgen.

De Fairlane Commissie begon een duidelijker beeld te krijgen van de auto die we wilden fabriceren. Hij moest klein zijn, maar niet te klein. De markt voor een tweezitter mocht dan groeien, maar was nog steeds beperkt tot zo'n honderdduizend kopers, hetgeen betekende dat de tweezitter voor de massa nooit aantrekkingskracht zou hebben. Onze auto moest dus plaats bieden aan vier personen. Terwille van de prestatie moest hij ook licht zijn: 1250 kg was onze limiet. En ten slotte moest hij goedkoop zijn. Ons doel was hem te verkopen voor niet meer dan 2500 dollar; met toebehoren.

Wat betreft de vormgeving wist ik wel zo'n beetje wat ik wilde. Thuis bladerde ik graag in een boek met de titel 'Auto Universum'; het bevatte de afbeeldingen van alle auto's die ooit waren gemaakt. Degene die er bij mij altijd uitsprong, was de eerste Continental Mark. Dat was ieders droomauto – althans de mijne, sinds Leander Hamilton McCormick-Goodheart er in 1941 mee was komen aanrijden in Lehigh. Wat de Mark onderscheidde was z'n lange motorkap en korte dak. De lengte van de motorkap gaf een indruk van temperament en prestatie en dat was waar de mensen naar zochten, dacht ik.

Hoe meer onze groep praatte, hoe concreter onze ideeën werden. Onze auto zou uiterlijk sportief moeten zijn en smaakvol van vormgeving met een vleugje nostalgie. Hij zou gemakkelijk herkenbaar moeten zijn en mocht geen gelijkenis vertonen met wat er te koop was. Hij moest gemakkelijk manoeuvreerbaar zijn, maar toch vier zitplaatsen hebben en voldoende ruimte voor een behoorlijke kofferbak. Het moest een sportwagen zijn, maar meer dan dat. We wilden een auto ontwerpen waarmee je op vrijdagavond naar de sportclub buiten de stad kon rijden, zaterdag naar een feestje en zondag naar de kerk.

Met andere woorden het was onze bedoeling verschillende markten tegelijk aan te trekken. We moesten onze basis voor potentiële kopers verbreden, want de enige manier om deze auto te produceren voor een fantastische prijs was door er ontzettend veel van te verkopen. Liever dan verschillende uitvoeringen van hetzelfde produkt, wilden we een basismodel ontwikkelen met een breed scala van extra's. We waren het erover eens dat dit de enige reële aanpak was. Op die manier kon de klant net zoveel zuinigheid, luxe of prestatie kopen als hij wilde – of zich kon veroorloven.

De vraag was echter of wij ons zo'n auto konden veroorloven. Een totaal nieuwe auto zou drie- tot vierhonderd miljoen dollar kosten. Het antwoord lag in het gebruik van onderdelen die al in ons produktiesysteem werden vervaardigd. Op die manier konden we een fortuin besparen. De motoren, versnellingsbakken en aandrijfassen voor de Falcon bestonden al en als we die dus konden aanpassen, hoefden we niet van nul af te beginnen. We konden de nieuwe auto als het ware op de rug van de Falcon bouwen en daarmee een smak geld besparen. Dan zouden we in staat blijken te zijn de nieuwe auto voor 75 miljoen dollar te ontwikkelen.

Het klonk allemaal geweldig, doch niet iedereen hield het voor mogelijk. Dick Place, een produktieorganisator, verkondigde dat het maken van een sportieve auto uit de Falcon, leek op het geven van valse tanden aan oma. Toch gaf ik Don Frey en Hal Sperlich opdracht met de idee te gaan spelen. Ze experimenteerden met verscheidene modellen, maar uiteindelijk was hun conclusie dat het ontwerp absoluut origineel moest zijn. Het chassis en de motor van de Falcon konden we houden, maar de auto moest een totaal nieuwe buitenkant krijgen... een broeikas, zoals we dat in Detroit noemen – dus voorruit, zijramen en achterruit.

Tegen het eind van 1961 hadden we een datum vastgesteld. De wereldtentoonsteling in New York zou in april 1964 worden geopend en dat leek ons de ideale plek om de auto te lanceren. De traditie wil dat nieuwe modellen in de herfst worden uitgebracht, maar wij hadden een zo opwindend produkt dat zo ànders was, dat we het midden in het seizoen durfden brengen. Alleen de wereldtentoonstelling zou het toneel zijn dat groot genoeg was voor onze dromen.

Er mankeerde nog een groot stuk aan onze legpuzzel: we hadden nog steeds geen ontwerp. Gedurende de eerste maanden van 1962 produceerden onze vormgevers niet minder dan achttien verschillende modellen in klei in de hoop dat een ervan de auto was die we bedoelden. Verscheidene van deze modellen waren hartveroverend, maar geen van hen leek ons precies het juiste.

Ik begon ongeduldig te worden. Als onze nieuwe auto in april 1964 klaar moest zijn, hadden we onmiddellijk een ontwerp nodig. Er restten ons nog 21 maanden waarin de idee moest worden goedgekeurd, overeenstemming moest worden bereikt voor de definitieve vormgeving, een besluit genomen over een fabriek, werktuigen gekocht, de toelevering geregeld en de dealers aangekaart voor de verkoop van het gerede produkt. Het was intussen al zomer 1962 en de enige manier waarop we nog op de wereldtentoonstelling konden mikken, vergde dat we op 1 september met een volledig goedgekeurd kleimodel voor de dag kwamen.

Met zo weinig tijd voor de boeg besloot ik een wedstrijd voor onze ontwerpers uit te schrijven. Op 27 juli ontbood Gene Bordinat, onze directeur vormgeving, drie van zijn beste vormgevers op zijn kantoor. Hij legde hen uit dat iedere studio zou deelnemen aan een nooit eerder gehouden competitie; het ontwerpen van tenminste één model voor de kleine sportauto waartoe we waren besloten.

De ontwerpers werd opgedragen hun kleimodel gereed te hebben voor een beoordeling van het topmanagement op 16 augustus. We vroegen zeer veel van deze mensen; normaal kun je een auto niet zo vlug ontwerpen, maar na twee weken dag en nacht werken, waren er zeven modellen waaruit op de dag des oordeels kon worden gekozen.

De duidelijke winnaar was ontworpen door Dave Ash, de assistent van de chef van de Ford studio, Joe Oros. Toen het ontwerp half klaar was, nodigde Joe me uit het te komen bekijken. Direct toen ik het zag, werd ik door één ding getroffen: het bruine kleimodel stond weliswaar op de grond, maar het was alsof het bewoog! Joe en Dave zagen hun auto als een katachtig wezen en noemden hem derhalve Cougar. Het model dat ze voor de show op 16 augustus hadden klaargemaakt, was wit geschilderd en had rode wielen. De achterbumper stak omhoog om de indruk van gejaagdheid te wekken. De gril aan de voorkant was versierd met een gestileerde poema waardoor het model een aureool kreeg van elegantie en kracht.

Onmiddellijk na de presentatie werd de Cougar naar de Ford studio's verplaatst voor een onderzoek naar de uitvoerbaarheid. Eindelijk was er een concreet voorstel om over na te denken; een auto hadden we echter nog steeds niet. Daarvoor was de toestemming nodig van de commissie vormgeving die was samengesteld uit de topdirecteuren van de maatschappij.

Ik wist dat ik een zware strijd tegemoet ging met mijn poging de Cougar te verkopen. Om te beginnen waren de andere directeuren er nog niet – zoals wij – van overtuigd dat de jeugdmarkt een realiteit was. En omdat ze de Edsel nog steeds voor ogen hadden, waren ze voorzichtig en niet geneigd alweer een nieuw model te introduceren. Om de zaak nog erger te maken: ze hadden zich al vastgelegd op een reusachtige uitgave voor de vernieuwing van de gewone produktielijn van Ford-produkten voor 1965. De vraag was of de onderneming zich nog een auto kon veroorloven – al was het er dan een die voor betrekkelijk weinig geld gefabriceerd kon worden.

Arjay Miller die spoedig de nieuwe president zou worden, verordende een studie van ons voorstel. Hij was tamelijk optimistisch over de verkoopmogelijkheden, docht maakte zich zorgen over 'kannibalisme' – het succes van de nieuwe auto zou wel eens ten koste kunnen gaan van de andere Ford-produkten, met name de Falcon. De studie die hij had bevolen, voorzag dat er van de Cougar 86.000 eenheden zouden worden verkocht. Een respectabel aantal, maar niet voldoende om de geweldige uitgave voor een nieuw model te rechtvaardigen.

Gelukkig was Henry Ford meer ontvankelijk voor het plan. Die ontvankelijkheid stond in scherp contrast met zijn oorspronkelijke reactie toen ik voor de eerste keer de idee voor een commissie van topfunctionarissen had beschreven. Midden in mijn verkoopverhaal had Henry plotseling aangekondigd: 'Ik ga weg,' en was de kamer uitgelopen. Ik had hem nog nooit zo kortaf over een nieuw idee meegemaakt en toen ik thuiskwam, zei ik tegen Mary: 'Ze hebben mijn teerbeminde project afgekeurd. Henry heeft me in de steek gelaten.'

Ik was totaal ondersteboven, maar de volgende dag kwamen we erachter dat Henry's plotselinge vertrek niets te maken had met mijn presentatie. Hij had zich niet goed gevoeld en wilde dus vroeg naar huis – zes weken bleef hij in bed met de ziekte van Pfeiffer. Toen hij terugkwam, was hij over alles veel positiever, met inbegrip van de plannen voor onze nieuwe auto.

Later, toen we bezig waren het prototype te bouwen, kwam Henry op een dag bij ons langs. Hij stapte in de auto en verkondigde: 'Het zit achterin een beetje krap, maak een paar centimeter meer beenruimte.'

Ongelukkig genoeg kan het twee centimeter verlengen van het interieur van een auto een zeer kostbaar grapje zijn. Twee centimeter extra had ook gevolgen voor de vormgeving en we waren dus allemaal tegen de wijziging. We wisten echter tevens dat Henry's besluiten niet bespreekbaar waren. Zoals hij ons graag hielp herinneren: zijn naam stond op het gebouw. Bovendien zouden we op dat ogenblik vijfentwintig centimeter hebben toegevoegd als dat het verschil was geweest tussen maken of niet maken van de auto.

Hoewel hij het destijds waarschijnlijk niet heeft geweten – en het nu misschien nog niet weet – speelde Henry ook een rol bij het bedenken van een naam voor de nieuwe auto. Voor we besloten hem de Mustang te noemen, had hij al een aantal andere namen gehad. In de eerste planning-stadia doopten we hem de Falcon-Special en nadat het Oros Ash-model werd aanvaard, heette hij de Cougar. Henry wilde hem de T-Bird II noemen, maar dat viel bij niemand in de smaak.

In een produktstrategievergadering gingen onze gedachten uit naar: Monte Carlo, Monaco, Torino en Cougar. Nadat we hadden ontdekt dat drie namen al stonden geregistreerd bij de Automobil Manufacturers Association, bleven alleen Torino en Cougar over. Ten slotte besloten we hem Torino te noemen, de Italiaanse spelling van de industriestad Turijn. Torino was ook in overeenstemming met het vage, buitenlandse tintje dat we met zoveel inspanning tot uitdrukking hadden getracht aan te brengen. Als een soort compromis hielden we de gestileerde poema als het embleem.

Terwijl we met de voorbereiding van de advertentiecampagne bezig waren, kreeg ik een telefoontje van Charlie Moore, een topfunctionaris op de afdeling public relations. 'Je zult een andere naam moeten bedenken voor je auto,' zei hij. Hij legde uit waarom: Henry zat midden in een echtscheiding en verkeerde veel in het gezelschap van Christina Vettore Austin, een gescheiden vrouw uit de Italiaanse jet-set die hij op een feestje in Parijs had ontmoet. Sommigen van Henry's ondergeschikten vonden dat het geven van een Italiaanse naam aan de auto aanleiding kon zijn voor ongunstige kletspraatjes, hetgeen de baas in verlegenheid zou kunnen brengen.

We moesten dus een andere naam verzinnen. Als het erom gaat een naam aan een auto te geven, ontstaat er altijd een strijd en dat heeft een goede reden. De naam is namelijk vaak het moeilijkste onderdeel van een auto om te bedenken. Het is gemakkelijker om de portieren en een dak te ontwerpen dan een naam te verzinnen, omdat de keuze altijd subjectief blijft. De emoties bij het proces van naamgeving kunnen dan ook hoog oplopen.

John Conley die voor J. Walter Thompson werkte, ons advertentiebureau, was een naam-specialist. In het verleden had hij vogelnamen bedacht voor de Thunderbird en de Falcon. Dit keer stuurden we hem naar de openbare bibliotheek van Detroit om namen van dieren te zoeken – vanaf aardvarken tot zebra. John kwam met duizend suggesties op de proppen en die brachten wij terug tot zes: Bronco, Poema, Cheetah, Colt, Mustang en Cougar.

Mustang was de naam geweest van een van de voorontwerpen van de auto. Merkwaardig was dat het ontwerp niet werd genoemd naar het paard, maar naar het legendarische jachtvliegtuig uit de Tweede Wereldoorlog. Hoe het ook zij: we vonden Mustang allemaal mooi en – zoals het advertentiebureau opmerkte – de naam had het avontuurlijke van grote, open vlakten en was zo Amerikaans als het maar zijn kon.

Thuis heb ik in mijn bibliotheek nog steeds een afgietsel van de matrijs van het embleem van de Cougar die de ontwerpers me in een klein kistje van walnotenhout toestuurden. Er zit een stukje perkament bij waarop staat geschreven: Maak er geen spelletje van en geef hem geen andere naam dan Cougar. Het was een verzoek dat ik niet kon inwilligen, we gebruikten echter een paar jaar later de naam Cougar voor een mooie, nieuwe auto in de Lincoln Mercury-serie.

Vanaf de dag waarop de Mustang werd geïntroduceerd, vonden de mensen het leuk erop te wijzen dat het paard-embleem op het front van de auto de verkeerde kant opkeek. Het galoppeerde met de klok mee in plaats van tegen de wijzers in zoals de paarden op de Amerikaanse renbanen doen. Mijn antwoord is dan altijd dat de Mustang een wild dier is, niet getemd. Maar ongeacht welke kant hij opdraafde, ik werd er steeds zekerder van dat hij in de goede richting ging.

Toen we het over de vormgeving eens waren, moesten we een paar fundamentele besluiten nemen wat het interieur betrof. We wilden tegemoetkomen aan klanten die luxe verlangden, doch we wilden niet die klanten afstoten welke meer geïnteresseerd waren in prestatie of zuinigheid en we wilden ook geen kale auto. De Mustang werd al gezien als de Thunderbird van de arme man; voor de arme man een Mustang uitbrengen had echter weinig zin. We kwamen tot de slotsom dat zelfs het goedkope model vergeleken moest kunnen worden met de meer luxe en motorisch sterkere uitvoeringen.

We rustten dus de standaarduitvoeringen uit met zaken als kuipstoelen, sierstrips, dichte wielen en een bekleding van stof. Daarnaast overwogen we een soort doe-het-zelf-auto die alle segmenten van de markt zou bestrijken. Kon een klant zich meer luxe veroorloven dan was het mogelijk extra accessoires en meer vermogen te kopen en zou hij toch gelukkig zijn omdat alle extra's, waarvoor hij normaal zou moeten betalen, zonder bijbetaling beschikbaar waren.

Lang voor de auto uitkwam, begonnen we met het marktonderzoek. Een van onze laatste peilingen was buitengewoon bemoedigend. We nodigden een selecte groep uit van vijftig echtparen uit de omgeving van Detroit om naar onze showroom te komen. Ieder van deze paren bezat al een auto in een standaarduitvoering en had een modaal inkomen, hetgeen betekende dat ze normaal gesproken geen kandidaten waren voor een tweede auto. We brachten hen in kleine groepjes naar ons vormgevings-atelier om het prototype van de Mustang te bekijken en we legden hun indrukken op de band vast.

We kwamen tot de ontdekking dat de 'witte boorden'-echtparen onder de indruk waren van de vorm van de auto, terwijl de arbeiders de Mustang als een symbool van status en prestige beschouwden. Toen we hen vroegen de prijs van de auto te schatten, raadde bijna iedereen een bedrag dat minstens duizend dollar te hoog lag, maar toen we informeerden of ze een Mustang zouden kopen, zeiden de meesten nee. Ze vonden hem of te duur, of te klein of te lastig te besturen.

Nadat we hen de echte prijs van de auto vertelden, gebeurde er iets grappigs. De meesten zeiden: 'Naar de bliksem met mijn bezwaren, ik wil hem hebben.' Plotseling verdwenen hun tegenwerpingen en kwamen ze met allerlei redenen aandragen waarom juist deze auto bijzonder geschikt voor hen was. Een man merkte op: 'Als ik die auto voor mijn deur parkeer, zullen al mijn buren zich afvragen waarmee ik mijn geld zo gemakkelijk heb verdiend.'

De conclusie lag voor de hand. Als we de Mustang op de markt brachten, moesten we de nadruk leggen op zijn lage prijs.

Het uiteindelijke prijskaartje weerspiegelde onze beslissing uit het begin om de prijs onder de 2500 dollar te houden. Het einde was: een auto die vier centimeter langer was dan we oorspronkelijk hadden gepland en 54 kilo zwaarder. We hielden ons echter aan de prijs: de Mustang werd verkocht voor 2368 dollar.

De voortekenen bleven goed. In januari 1964, slechts enkele weken voor de lancering, waren de economische omstandigheden ongewoon gunstig. Later zouden we ontdekken dat er in het eerste kwartaal van 1964 het hoogste aantal auto's in de geschiedenis was verkocht. Daar kwam bij dat het Congres op het punt stond een verlaging van de inkomstenbelasting af te kondigen; het besteedbare inkomen ging dus omhoog. Alles bij elkaar weerspiegelde de stemming in het land veel vertrouwen en optimisme.

Op 9 maart 1964, 571 dagen nadat de Oros Ash-Cougar was uitverkoren boven zijn zes mededingers, rolde de eerste Mustang van de lopende band. We hadden het zo georganiseerd dat er op zijn minst 8160 auto's zouden zijn geproduceerd voor de dag waarop hij uitkwam – 17 april – zodat elke Ford-dealer in het land tenminste een Mustang in zijn showroom had als de Mustang officieel werd gelanceerd.

We maakten zoveel reclame als we maar konden. We nodigden de redacteuren van universiteitskrantjes uit naar Dearborn te komen en schonken hen een Mustang om er een paar weken in te rijden. Vier dagen voor de Mustang officieel werd uitgebracht, nam een honderdtal persmensen deel aan een reusachtige rally van New York naar Dearborn in 70 Mustangs. De auto's demonstreerden hun betrouwbaarheid door de rit van 1000 km zonder problemen en in zeer korte tijd af te leggen. De pers uitte haar enthousiasme in een overweldigende, lyrische uitbarsting van woorden en foto's die in honderden kranten en tijdschriften op een prominente plaats verschenen.

Op 17 april werden de dealers overstroomd met klanten. In Chicago moest een dealer zijn showroom sluiten omdat de toeloop te groot was en een dealer in Pittsburgh meldde dat er zo'n samengeperste menigte opdrong dat hij zijn Mustang niet van de wasinstallatie kon afkrijgen. Weer een andere dealer in Detroit vertelde dat er zoveel bezitters van sportauto's waren komen kijken dat zijn parkeerplaats de indruk wekte alsof er een rally van buitenlandse auto's aan de gang was.

In Garland, Texas, had een Ford-dealer vijftien potentiële klanten die op één enkele Mustang achter zijn etalageruit boden. Hij verkocht hem aan de hoogste bieder – en de man stond erop de nacht in de auto door te brengen opdat niemand anders hem kon kopen terwijl zijn chèque werd gecontroleerd. Bij een dealer in Seattle werd de chauffeur van een cementwagen zo gefascineerd door de tentoongestelde Mustang, dat hij de macht over zijn stuur verloor en dwars door de ruit van de showroom reed.

De Mustang was voorbestemd een ongelooflijk succes te worden. In de eerste verkoopweek bezocht een nog nooit geëvenaard aantal van vier miljoen mensen de Ford-dealers. De ontvangst van de auto bij het publiek overtrof onze stoutste verwachtingen en de pers speelde een belangrijke rol in het creëren van dit enthousiasme. Door de onvermoeibare inspanning van Walter Murphy van public relations kwam de Mustang in dezelfde week op de omslag van zowel *Time* als *Newsweek*. Een verbazingwekkende publiciteitsstunt voor een nieuw handelsobject. Beide tijdschriften voelden dat we een troef in handen hadden en de publiciteit die zij er in de week van de introductie aan toevoegden, droeg ertoe bij dat hun voorspelling een zichzelf vervullende profetie werd. Ik ben ervan overtuigd dat alleen *Time* en *Newsweek* al zorgden voor de verkoop van een extra 100.000 auto's.

De beide omslagstory's hadden het effect van twee paginagrote advertenties. Na zijn lezers te hebben verteld dat mijn naam rijmde op: 'try-a Coke-ah', schreef *Time* dat: 'Iacocca een auto had gemaakt die meer was dan gewoon een nieuwe auto. Met zijn lange motorkap en korte achterkant, zijn flair van een Ferrari en open luchtinlaat, lijkt de Mustang op de Europese sportauto's die de Amerikaanse liefhebbers van sportwagens zo aantrekkelijk vinden. Toch heeft Iacocca het ontwerp van de Mustang zo flexibel gemaakt, zijn prijs zo redelijk en zijn extra's zo talrijk dat de auto mogelijk aantrekkingskracht uitoefent op twee derde van alle autokopers in de U.S.A. Met de lage prijs van 2368 dollar en met z'n vier zitplaatsen, in staat een klein gezin te herbergen, lijkt de Mustang voorbestemd een soort model A-sportwagen te worden – zowel voor de massa als voor de liefhebbers.'

Ik had het zelf niet beter kunnen zeggen.

De redacties van de autobladen waren niet minder enthousiast. 'Een markt die op zoek was naar een auto heeft deze nu gevonden,' zo begon de story in *Car Life*.

Zelfs het blad *Consumer Reports*, in het algemeen geen grote fan van Detroit, wees op de 'bijna volledige afwezigheid van armzalige zitruimte en slordige afwerking in een auto die in ijltempo was gefabriceerd'.

Toch hadden we er niet op gerekend dat de pers wel reclame voor ons zou maken. Op de dag van de lancering hadden we een advertentie van een hele pagina in 2600 kranten. We gebruikten wat ik zal noemen: de Mona Lisa-aanpak. Een eenvoudig profiel van de auto in witte uitvoering, met ernaast de prijs en de woorden 'DE ONVERWACHTE'. Als een produkt goed is, hoef je het niet overdreven aan te bevelen.

We overstroomden eveneens de televisienetten met Mustangreclame. J. Walter Thompson maakte een hele serie spots met het Walter Mittythema, gebaseerd op een James Thurber-figuur die droomt dat hij een autocoureur of een straaljagerpiloot is. In een van deze reclames verlaat Henry Foster, een conservatieve, goedaardige handelaar in antiek, zijn winkel met een lunchpakket bij zich. 'Heb je gehoord wat er met Henry Foster is gebeurd?' vraagt een dame in een andere winkel. Henry loopt de hoek om en stapt in zijn rode Mustang. Hij gooit zijn bolhoed weg en vervangt hem door een sportief tweed hoedje uit zijn tas. Daarna trekt hij zijn colbert uit waaronder hij een rood vest aan heeft. Tot slot verwisselt hij zijn ouderwetse bril voor een racebril.

'Er is iets gebeurd met Henry,' vervolgt de stem van de dame.

'Henry heeft nu een Mustang,' verkondigt een andere vrouw. Ze is jong, aantrekkelijk en wacht Henry op, gezeten in een groen weiland met een picknickmand en een fles wijn.

We voerden ook een indringende, landelijke promotie door de Mustangs tentoon te stellen op vijftien van de drukste luchthavens en in de hall van twintig Holiday Inn-hotels van kust tot kust. Bij de rugbywedstrijden van de universiteit van Michigan huurden we veel ruimte op het parkeerterrein en installeerden er grote borden met de tekst: Mustang Corral. Verder verzonden we rechtstreeks miljoenen brieven aan eigenaars van kleine auto's in het hele land.

Al na een week werd duidelijk dat we een tweede fabriek zouden moeten openen. Oorspronkelijk was aangenomen dat we van de Mustang 75.000 eenheden in het eerste jaar zouden verkopen. De voorspellingen omtrent de verwachtingen bleven echter groeien en nog voor de auto werd uitgebracht, was onze planning gericht op een verkoop van 200.000 auto's. Om zoveel auto's te maken, moesten we het top-management ervan overtuigen dat een tweede fabriek in San José, Californië, diende te worden overgeschakeld op de produktie van meer Mustangs.

Omdat we zo weinig auto's in voorraad hadden, was het moeilijk te achterhalen hoeveel we er konden verkopen. Een paar weken na de introductie van de Mustang organiseerde Frank Zimmerman een experiment in Dayton, Ohio, dat bekend stond als General Motors-stad omdat GM verscheidene fabrieken in die buurt bezat.

Op een bijeenkomst met de Ford-dealers in Dayton zei hij: 'Jullie zitten hier in een moeilijke markt met veel concurrentie en de Mustang verkoopt als de hel. We willen weten hoe goed hij verkoopt en dus geven we jullie tien auto's in voorraad en we zullen jullie nabestellingen honoreren zodra je ze binnen hebt.'

Het resultaat was verbazingwekkend. We kregen zoiets als tien procent van de hele automarkt in Dayton. Meer overtuiging hadden we niet nodig en in september schakelden we de fabriek in San José om.

Onze jaarlijkse capaciteit was nu 360.000 auto's en al spoedig schakelden we een derde fabriek in Metuchen, New Yersey, om. Deze twee omschakelingen hielden een groot risico in, maar we hadden schade geleden met de Falcon toen we onze verwachtingen te laag hadden gesteld en de capaciteiten ontbraken om alle auto's te kunnen fabriceren die we nodig hadden; deze fout mochten we geen tweede keer maken.

De mensen kochten record-aantallen Mustangs en de verkoop van extra's en accessoires verliep even goed. Onze klanten reageerden op de lange lijst extra's als hongerige houthakkers op Zweeds smorgasbröd. Meer dan 80 procent bestelde witte banden, 80 procent verlangde een radio, 71 procent nam de 8-cilindermotor en 50 procent de automatische transmissie. Iedere derde Mustang die werd verkocht, was uitgerust met een toerenteller en een klok waar een rally-pakket in was gebouwd. Voor een auto die 2368 dollar kostte, besteedden onze klanten gemiddeld 1000 dollar aan extra's.

Ik had me voor het eerste jaar een doel gesteld. Van de Falcon waren er in zijn eerste jaar 417.174 verkocht en dat getal wilde ik overtreffen. We hadden de slogan 417 op 417 (17 april was de geboortedag van de

Mustang). Laat in de avond van 16 april 1965 kocht een jongeman uit Californië een sportieve, rode Mustang convertible. Daarmee had hij de 418.812e Mustang gekocht en wij sloten ons eerste jaar dus af met een nieuw record.

De krentenwegers trokken zich in hun schulp terug en mopperden dat er blijkbaar meer dan één manier bestond om een auto te maken. Het was de vormgeving die het hem deed en dat was iets waarop ze niet hadden gerekend. Ze waren er echter niet te beroerd voor het geld te tellen toen dat tijdstip aanbrak; alleen al in de eerste twee jaar bracht de Mustang een netto-winst op van 1,1 miljard. En dat waren dollars van 1964!

Enkele weken na de introductie van de Mustang werden we al overstroomd met brieven van tevreden klanten. Ik lees altijd de klantenpost en dus weet ik maar al te goed dat de meeste mensen alleen naar de fabriek schrijven als er problemen zijn. Bij de Mustang schreven de mensen echter om hun dankbaarheid en enthousiasme tot uitdrukking te brengen. De enige klacht die ik kreeg, had te maken met de schaarste van de Mustang en de lange wachtlijst.

Een van mijn favoriete brieven kwam van een man uit Brooklyn, vier dagen na de lancering. 'Ik ben niet zo erg op een auto gesteld,' schreef hij, 'en zeker niet nu de meeste auto's zo kolossaal zijn geworden. New York is geen stad om er een auto op na te houden. Hondenbezitters sporen hun troeteldieren aan tegen de banden te plassen, kinderen uit de sloppen stelen de wieldoppen, agenten geven parkeerbonnen, duiven strijken op het dak neer en erger. De straten zijn altijd opgebroken, bussen verpletteren je, taxi's botsen tegen je op en een garage bij je huis kost een tweede hypotheek. Benzine is hier 30 procent duurder dan overal elders, de verzekeringspremies zijn ongelooflijk en de buurten met modezaken kom je niet door. Wall Street kun je niet in en naar New Yersey rijden is onmogelijk.'

Maar nu komt de laatste zin: 'Zodra ik het geld bij elkaar heb, koop ik een Mustang.'

Toen we een overzicht kregen van de Mustang-bezitters, kwamen we tot de ontdekking dat hun gemiddelde leeftijd 31 jaar was, doch dat een op de zes eigenaars behoorde tot de groep van 45- tot 54-jarigen, hetgeen betekende dat de auto niet alleen bij jonge mensen gewild was. Bijna twee derde van de kopers was gehuwd en meer dan de helft van hen had de universiteit bezocht.

Voor het eerste jaar voorbij was, waren er Mustang-clubs – honderden – zowel als Mustang-zonnebrillen, -sleutelhangers en -hoeden, naast speelgoed-Mustangs voor kinderen. Ik wist pas goed dat we ons doel hadden bereikt toen een bakker als reclame in zijn etalage zette: Onze warme broodjes vliegen weg als Mustangs.

Ik zou de rest van dit boek met gemak kunnen wijden aan Mustangverhalen; ik wil me echter beperken tot nog één. Tijdens een van mijn 52 reizen naar Europa lag ik op een zondagochtend te slapen in het vliegtuig van onze maatschappij, ongeveer boven de plaats waar de Titanic onderging. Beneden ons bevond zich een weerschip met aan boord een van iedereen verlaten, arme zielepoot die weerberichten aan vliegtuigen doorgaf. Toen onze mensen over het schip vlogen, vroegen ze over de radio: 'Hoe gaat het daar?'

'Ik kan me nauwelijks staande houden,' antwoordde de weerman. 'Het is zulk ruw weer; de golven zijn vier meter hoog.'

Ze kletsten nog wat en toen de man erachter kwam wie we waren, meldde hij onmiddellijk: 'Ik heb een Mustang gekocht. Is Iacocca aan boord?' Terwijl dit gesprek over en weer plaatsvond, passeerde een KLM-toestel onze route en die piloot zei: 'Hé, is dat het Ford-vliegtuig met Iacocca? Ik zou hem graag even willen spreken.'

Op dat ogenblik naderde een toestel van Pan American en mengde ook die piloot zich in het gesprek. Dit speelde zich allemaal af terwijl ik sliep. Onze piloot kwam binnen en zei: 'Er is telefoon voor u. We hebben op het ogenblik een schip en twee vliegtuigen die allemaal tegelijk met u willen praten.'

Mijn antwoord: 'Is er dan niets meer heilig... het is zondagmorgen. Nu zit ik midden in niemandsland en kan nog niet van die Mustang afkomen!'

Meestal beschouwt men mij als de vader van de Mustang, maar er waren, zoals bij elk succes, heel wat mensen die graag de lof hadden toegezwaaid gekregen. Een vreemdeling die in de omgeving van Dearborn aan de mensen zou vragen wie er verantwoordelijk was voor de Edsel, zou evenals de oude Diogenes met een lantaren moeten zoeken naar een eerlijk man. Daarentegen zijn er zoveel mensen die het vaderschap van de Mustang hebben opgeëist dat ik niet graag met de moeder in het openbaar gezien zou willen worden.

Men beweert dat aan alle goede dingen een eind moet komen en de Mustang vormt daarop geen uitzondering. In 1968 nam een van onze aandeelhoudsters het woord om een klacht te uiten. 'Toen de Thunderbird uitkwam,' zei ze, 'was het een mooie sportauto. U hebt hem zo opgeblazen dat hij zijn identiteit verloor. Hetzelfde gebeurt nu met de Mustang. Waarom kunt u een kleine wagen niet klein laten? U blijft hem opblazen en dan begint u opnieuw aan een kleine auto die weer wordt opgeblazen, enzovoort...'

Helaas had ze gelijk. Een paar jaar na zijn introductie was de Mustang niet langer een vurig paard. Hij was eerder een vet varken. In 1968 werd Bunkie Knudsen de nieuwe president van Ford. Onmiddellijk voegde hij aan de Mustang-serie een monster van een motor met dubbele paardekracht toe. Om die motor te dragen, moest de hele auto groter worden gemaakt. Tegen 1974 was de Mustang twintig centimeter langer, vijftien centimeter breder en bijna driehonderd kilo zwaarder dan het oorspronkelijke model uit 1965.

Het was niet meer dezelfde auto en onze teruglopende verkoopcijfers maakten dat heel duidelijk. In 1966 verkochten we 550.000 Mustangs. In 1970 was de verkoop gedaald tot 150.000, een rampzalige teruggang.

Onze klanten hadden ons in de steek gelaten omdat wij hun auto hadden verminkt. In plaats van de oorspronkelijke 2368 dollar zat de Mustang nu tegen de 3368 dollar aan en die prijsverhoging was niet helemaal toe te schrijven aan de inflatie.

Eind 1969 begonnen we met de plannen voor de Mustang II; de terugkeer naar de kleine auto die zo'n succes was geweest. Een groot aantal mensen in Detroit kon nauwelijks geloven dat we dit deden; immers een ongeschreven regel werd overschreden volgens welke een uitgebrachte auto alleen groter kon worden – nooit kleiner. Een kleinere Mustang maken stond gelijk met toegeven dat we een fout hadden begaan.

Natuurlijk hadden we dat. Voor een ontwerp voor de Mustang II wendde ik mij opnieuw tot Hal Sperlich die een hoofdrol had vervuld bij het creëren van de oorspronkelijke Mustang. Hal en ik vlogen naar Italië voor een bezoek aan de Ghia-ateliers in Turijn waar we Alejandro de Tomaso ontmoetten, het hoofd van het atelier. Binnen twee maanden arriveerde de Tomaso's prototype in Dearborn en waren we in het bezit van een geweldig ontwerp.

De Mustang II werd heel succesvol hoewel het niet zo'n treffer was als de eerste, maar dat kwam, zoals we maar al te goed wisten, omdat zo'n gigantisch succes zich moeilijk laat herhalen.

7
Nog een keer!

Het succes van de Mustang kwam blijkbaar zo snel dat ik al voor zijn eerste verjaardag een belangrijke promotie maakte. In januari 1965 was ik vice-president van de auto- en vrachtwagengroep van de onderneming. Nu werd ik belast met de produktieplanning en de marktanalyse voor alle auto's en vrachtwagens, zowel voor de Ford- als voor de Lincoln-afdeling.

Mijn nieuwe kantoor was gevestigd in het Glazen Huis zoals het wereldhoofdkantoor door iedereen bij Ford werd genoemd. Ik was nu een van de grote jongens en maakte deel uit van die uitverkoren kring van directeuren die dagelijks met Henry Ford de lunch gebruikten. Tot nu toe was Henry voor mij alleen de hoogste baas geweest en opeens zag ik hem bijna elke dag. Niet alleen maakte ik deel uit van de verheven atmosfeer bij het hoogste kader, ik was ook het nieuwe jongetje uit de buurt. De veelbelovende nieuwkomer die verantwoordelijk was voor de Mustang.

Bovendien was ik de speciale beschermeling van zijne majesteit. Nadat

McNamara in 1960 was weggegaan om zich bij de Kennedy-regering te voegen, had Henry mij min of meer geadopteerd. Vanaf het begin hield hij me scherp in het oog.

Als vice-president van een groep had ik een aantal nieuwe taken en verantwoordelijkheden, speciaal op het gebied van adverteren en promotie. Mijn hoofdopdracht was echter, zoals Henry me duidelijk maakte, om iets van de Mustang-zalf op de Lincoln-Mercury-afdeling te smeren.

Jarenlang was Lincoln-Mercury de zwakke zuster in de Ford-familie geweest, een last voor de rest van het bedrijf. De afdeling was in de jaren veertig op poten gezet, maar twintig jaar later stond hij nog steeds niet op eigen benen. Er was zelfs sprake geweest Lincoln te laten vallen en dat deel van de maatschappij te verkopen.

Dit was de afdeling die het betere soort dure auto's maakte. De maatschappij had gehoopt dat de klant die een produkt van de Ford Division had gekocht het na verloop van tijd hogerop zou zoeken bij een Mercury of een Lincoln, zoals de General Motors-klant van de Chevrolet of Pontiac overstapte naar een Buick of Oldsmobile.

Tot zover wat de theorie betreft. In de praktijk eindigden de meeste kopers met het verlaten van het schip. Zij die het zich konden veroorloven een duurdere auto aan te schaffen, stapten eerder over naar een Buick, een Oldsmobile of een Cadillac dan naar een Mercury of Lincoln. Alles wat wij deden, was het kweken van toekomstige klanten voor de dure auto's van GM.

Toen ik eens aandachtig rondkeek bij de Lincoln-Mercury Division, begreep ik waarom. De auto's waren eenvoudig niet aantrekkelijk genoeg. Het lag er niet aan dat ze niet goed waren, ze waren niet gedistingeerd. De Comet bijvoorbeeld was in feite niets anders dan een versierde Falcon terwijl de Mercury op een bovenmaatse Ford leek. Wat er aan de Lincoln-Mercury auto's ontbrak was een eigen stijl en identiteit.

In de loop der jaren was de verkoop weggekwijnd. Van de Lincoln was aangenomen dat hij zou concurreren met de Cadillac, maar hij werd voortdurend overtroefd door de Cadillac met zoiets als vijf tegen een. De Mercury onderging eenzelfde lot en was niet in staat slag te leveren met het Buick en Oldsmobile-duo van GM. In 1965 was de Lincoln-Mercury Division praktisch dood en dringend toe aan een wederopstanding.

Het zou gemakkelijk genoeg zijn de dealers de schuld te geven, maar dat was onrechtvaardig geweest. Die dealers die het tot 1965 hadden overleefd, moesten wel goed zijn; zij hadden immers niet het voordeel van een eersteklas produkt. Ze gingen evenwel gebukt onder een laag moreel en hadden een aansporing nodig plus een nieuw team van district-verkoopmanagers. En ze hadden iemand in het Glazen Huis nodig die hun belangen werkelijk kon behartigen.

Bovenal hadden ze echter behoefte aan nieuwe produkten. We togen direct aan de slag en in 1967 waren we gereed met twee nieuwelingen. De Mercury Cougar was een luxe sportauto, ontworpen om aantrekkingskracht uit te oefenen op de Mustang-rijder die in de markt was voor een wat luxueuzere auto. De Mercury Marquis was een grote, luxe wagen om te concurerren met de Buick en de Oldsmobile.

Het was tekenend voor onze problemen dat Gar Laux, het hoofd van de Lincoln-Mercury Division, zelfs niet wilde dat de Marquis de naam Mercury zou dragen. Wat hem betrof, was de naam Mercury een kus des doods en zo slecht dat hij zelfs een geweldige auto omlaag zou halen. Ik moest hem ervan overtuigen dat we met de start van de nieuwe Marquis bezig waren het beeld van Lincoln-Mercury op te vijzelen.

Om een gevoel van enthousiasme te creëren met deze twee nieuwe auto's was het belangrijk ze voor de dealers op de meest spectaculaire wijze te onthullen. Tot voor tien jaar was de jaarlijkse introductie van de nieuwe modellen van Detroit een grote gebeurtenis geweest, zowel voor de dealers als voor het publiek. Als de dag van de introductie naderde, verborgen de dealers hun nieuwe auto's onder lakens. In het hele land tuurden kinderen door de etalageruiten in de hoop een glimp van de nieuwe Fords of Chevy's op te vangen. Dat ritueel is tegenwoordig slechts een dierbare herinnering.

Ook de grote dealer-shows die wij elk jaar in Las Vegas organiseerden, zijn allang voorbij. Elke zomer boden we hen een feestelijk diner aan en spendeerden we miljoenen aan een spectaculaire show waarbij we onze modellen lanceerden. Auto's kwamen dan uit fonteinen te voorschijn, er sprongen meisjes uit, er waren rookbommen, lichtflitsen en allerlei duizelingwekkende voorstellingen. Deze shows waren soms beter dan die op Broadway, alleen waren hier de auto's de sterren.

We maakten ook gebruik van programma's om de dealers te stimuleren. De Grote Drie zwommen immers in het geld. Alles wat we deden was eersteklas. Als het erom ging indruk op de dealers te maken, kenden we geen grenzen. Velen van hen verdienden een miljoen dollar per jaar en zelfs de jongens die niet zo goed waren, ging het prima.

In de jaren zestig organiseerden we een groot aantal reizen als stimulans en bonus voor de dealers. Hoe rijk ze ook waren, er zat iets in een goed voorbereide reis naar een exotische plek dat moeilijk te overtreffen was. Die reizen waren altijd een groot succes en veel dealers raakten met elkaar bevriend, hetgeen het moreel nog verder opkrikte en hen doelgerichtheid gaf en het gevoel erbij te horen.

Soms ging ik mee als de officiële gastheer en voor mij waren die reizen een ideale gelegenheid om in korte tijd met veel dealers contact te krijgen. Het was ook de ideale manier werk en verstrooiing te combineren en Mary en ik hadden altijd veel plezier.

In september 1966 organiseerde Lincoln-Mercury een spectaculaire cruise voor de dealers die bepaalde verkoopcijfers hadden bereikt. We huurden het stoomschip 'Independance' voor 44.000 dollar per dag en voeren van New York naar het Caraïbisch gebied waar we onze nieuwe modellen zouden showen. Op de tweede dag verzamelden we bij zonsondergang alle dealers op het achterdek en op een vastgesteld tijdstip lieten we honderden heliumbalonnen op die naar de hemel stegen om de 1967 Mustang Marquis te onthullen. Samen met Matt McLaughlin die hoofd van de afdeling was geworden, introduceerde ik de auto en beschreef zijn kenmerken.

Twee avonden later onthulden we op het eiland St. Thomas de nieuwe Cougar. Op een strand, verlicht door bundels brandende toortsen, arriveerde een landingsvaartuig uit de Tweede Wereldoorlog dat zijn klep liet zakken. De toeschouwers stonden met open mond te kijken toen een glanzend witte Cougar het strand opreed. Het portier ging open, de zanger Vic Damone stapte uit en begon met z'n repertoire. Ik heb heel wat leuke dealerintroducties in mijn tijd gezien, maar deze spande de kroon.

De dealers hadden in jaren niets gehad om enthousiast over te raken. Ze waren stapelgek met de Cougar. Net als de Mustang had hij een sportief uiterlijk met zijn lange motorkap en korte dak. Zoals de dealers al hadden verwacht, werd hij onmiddellijk een succes en bepaalde spoedig het gezicht van de Lincoln-Mercury Division. Tegenwoordig is een Cougar in goede staat een verzamelaarsobject.

Veel lof voor deze opzienbare lanceringen komt toe aan Frank Zimmerman, ons eigen reclamegenie. Zimmie, die is gepensioneerd en in South Carolina woont, is een onvergetelijke figuur: dun als een riet, mateloos energiek en vol grappen.

Met Zimmie werken was een genot. Wèl een uitdaging op zichzelf omdat hij iedere vijf minuten een nieuwe idee had. Ongeveer tien procent van zijn ideeën waren voortreffelijk, doch onder de rest waren er die grensden aan het absurde.

Om reclame te maken voor de Cougar wilde Zimmie bijvoorbeeld een afgerichte beer hebben om de auto van New York naar Californië te rijden. Volgens het ene scenario moest er voorin een instructeur naast hem zitten en het andere plan was een dwerg onder het dashboard te laten kruipen die van een speciale stuurinrichting gebruik kon maken. Volgens Zimmies beschrijving moest de auto onderweg zo'n twaalf keer stoppen, dan kon het publiek eromheen drommen en de pers foto's maken. 'Denk eens aan de krantekoppen,' zei Zimmie. 'Beer rijdt poema van kust tot kust.'

Ik houd van gewaagde ideeën, maar deze was zelfs mij een beetje te wild. Een paar jaar later ontving Henry Ford een brief van een man die beweerde dat hij zijn paard had getraind een Lincoln Continental te rijden. Het paard toeterde zelfs door met zijn neus op de claxon te drukken. Henry gaf de brief aan mij door en ik weer aan Zimmie. Dat was het laatste wat ik ervan zag en waarschijnlijk was dat ook maar het beste.

Om reclame te maken voor de Cougar maakten we gebruik van een springlevend dier. Op voorstel van Kenyon en Eckhardt, het advertentiebureau voor Lincoln-Mercury, probeerden we wat voor de hand lag – een echte poema. Het kantoor van het bureau in New York werd opgezadeld met de afgrijselijk verantwoordelijke taak een getemde poema te zoeken en die te filmen boven een Lincoln-Mercury-reclame. Het was geen eenvoudige opdracht, maar binnen een maand hadden we een paar minuten kostbare film met een grommende poema boven de merknaam. De Ford Division had succes gehad met een wild paard; Lincoln-Mercury zou nu eens kijken wat een wilde kat kon doen.

De poema bleek zo'n geslaagd symbool te zijn dat het advertentiebureau voorstelde het teken van de kat te gebruiken om de hele afdeling te vertegenwoordigen. Dat deden we en het werd een beslissende stap bij het creëren van een nieuwe identiteit voor Lincoln-Mercury. Al heel gauw werd de poema die op de merknaam sprong even bekend als Fords ovalen plaatje en de vijfpuntige ster van Chrysler.

Wanneer je probeert reclame te maken voor een merknaam, is het je eerste taak duidelijk te maken waar het merk is te verkrijgen. Daarom werkt de boog van McDonald zo goed. Zelfs een klein kind weet dat je daarheen moet om een hamburger te eten. Vóór de Cougar op de merknaam verscheen, hadden de meeste mensen nog nooit van Lincoln-Mercury gehoord. Vandaag weet praktisch iedereen het.

Zimmie kwam intussen steeds met nieuwe promotievoorstellen. Op een gegeven moment zocht hij het land af naar mensen met dezelfde naam als beroemde ontdekkers, zoals Christoffel Columbus of Admiraal Bird. Als hij ze had gevonden, testte hij hen om op te treden in onze advertenties waarin bijvoorbeeld werd beweerd dat Christoffel Columbus zojuist de nieuwe Mercury had ontdekt.

Kenyon en Eckhardt hebben een knap stuk werk verricht met het adverteren van de Cougar. Wat de Marquis betrof, vonden we allemaal dat diens sterke verkooppunt lag in z'n soepele rijden. De Marquis had een nieuw niveau bereikt van geruisloos rijden wat als resultaat de meest trillingsvrije, luxueuze voortbeweging ter wereld gaf. Onze ingenieurs hadden de reclamemensen verteld dat het soepel rijden van de Marquis beter was dan dat van de duurdere auto's van de concurrentie. 'Bewijs dat maar,' was de reactie van het advertentiebureau en dus nodigden de ingenieurs een aantal reclamemensen uit om naar het circuit te komen. Ze blinddoekten hen en reden hen rond in Oldsmobiles, Buicks, Cadillacs en de Marquis. Op één na wezen allen de Marquis als de beste aan. Kenyon en Eckhardt maakten verscheidene reclamefilmpjes waarin geblinddoekte klanten – en in één geval chauffeurs – werd gevraagd auto's te rangschikken naar soepelheid en geruisloos rijden.

Niet lang daarna kwam het bureau met andere reclamespots die dit punt even sterk naar voren brachten. In een filmpje werd een vat met een gevaarlijk zuur op een bontjas gezet en in een ander draaide op de voorbank een grammofoonplaat. In een derde werd de rugbyspeler, Bart Starr, door een kapper geschoren en er was er ook nog een waarin een vat nitroglycerine op de achterbank werd vervoerd. Om te laten zien dat het echt was, lieten we de auto aan het eind ervan in de lucht vliegen.

In de meest opzienbarende TV-reclame had het bureau een Hollandse diamantslijper gefilmd die aan het werk was terwijl de auto over een vrij oneffen weg reed. Zij die te jong zijn om zich deze reclamespot te herinneren, hebben misschien de klassieke parodie erop gezien die in *Saturday Night Live* werd vertoond. In deze versie was de diamantslijper vervangen door een rabbi die een besnijdenis bij een kind verichtte terwijl ze in de regen over hobbelige landwegen reden. Neem van mij aan dat de spanning in het filmpje met de diamantslijper niets was vergeleken met de spanning in deze film.

Met de Marquis en de Cougar op poten gezet, stond de Mercury-lijn er goed voor. We hadden echter nog steeds niet iets speciaals in de duurdere klasse. We moesten een nieuwe Lincoln hebben die het de Cadillac lastig kon maken. Op een avond, toen ik in Canada was voor een vergadering en in mijn hotel niet in slaap kon komen, kreeg ik opeens een idee. Ik belde Gene Bordinat op, onze chef-ontwerper, en zei: 'Ik wil een Rolls Royce-grille op een Thunderbird.'

In die tijd hadden we een vierdeurs Thunderbird die steeds slechter werd verkocht. Mijn bedoeling was een nieuwe auto te maken waarvoor hetzelfde chassis, dezelfde motor en zelfs hetzelfde dak kon worden gebruikt, maar met net voldoende veranderingen, zodat de auto inderdaad nieuw leek en geen aftreksel van de T-Bird.

Terwijl ik me deze nieuwe, luxe auto trachtte voor te stellen, kwam er een goed voorbeeld uit het verleden in mijn herinnering. Jaren geleden, aan het eind van de jaren dertig, had Edsel Ford de Mark geproduceerd; een onopvallende, onderschatte, luxe auto die alleen werd gewaardeerd door een klein publiek met kennis van zaken. In het midden van de jaren vijftig had zijn zoon William Clay de Mark II gebouwd, een van de oorspronkelijke Mark afgeleid produkt. Beide auto's waren klassiekers, de Rolls Royces van de Amerikaanse automobielen. Het soort auto's waarvan de meeste mensen dromen, maar die slechts enkele uitverkorenen zich kunnen permitteren.

Ik stelde vast dat het tijd werd de Mark-lijn te doen herleven met een Mark III gebaseerd op onze Thunderbird, maar met voldoende veranderingen om hem een verjongd en ander aanzien te geven. De Mark III kreeg een zeer lange motorkap, een korte achterkant, een sterke V-8 motor en hetzelfde continentale reservewiel achterop dat deel had uitgemaakt van de vroegere Marks. Hij werd kolossaal en zeer gedistingeerd. Met gemengde gevoelens vernam ik dat een journalist hem vergeleek met een Duitse stafauto uit de Tweede Wereldoorlog.

We brachten de Mark III in april 1968 uit en in het allereerste jaar werd hij al beter verkocht dan de Cadillac Eldorado, hetgeen wij ons als doel op langere termijn hadden gesteld. De vijf jaren erop hielden we jaarlijks een show, deels omdat de auto voor een koopje was ontwikkeld. Het hele project kostte 30 miljoen dollar, een uitverkoopprijsje, omdat we in staat waren de bestaande onderdelen en ontwerpen te gebruiken.

Ons oorspronkelijk plan was de Mark III te lanceren bij Cartier, de voorname juwelier op de Fifth Avenue in Manhattan. De staf van Cartier toonde grote belangstelling en dus vloog Walter Murphy naar New York voor een ontmoeting. We wilden de smaakvolle elegantie van de auto benadrukken door de pers uit te nodigen voor een souper in de zaak van de juwelier. Toen Walter uitlegde dat we een paar muren zouden moeten afbreken en een stuk of twee etalageramen vergroten om de auto binnen te krijgen, moest Cartier er nog eens over nadenken. (Ze gingen er uiteindelijk mee akkoord dat we hun naam op het klokje van de Mark

III gebruikten.)

In plaats daarvan gingen we de Mark III in verscheidene steden lanceren. In Hollywood plaatsten we hem bij Camelot op een verhoogd platform, zodat de mensen een trap moesten bestijgen alsof ze eer gingen bewijzen aan een koning. In Detroit onthulden we de wagen tijdens een diner met Amerikaanse uitgevers van kranten. In plaats van de auto op een draaiend platform te zetten, zoals normaal bij de introductie van een nieuw model, lieten we de uitgevers op een draaiend toneel plaats nemen. Iedere keer als hun uitzicht veranderde, zagen ze een serie historische Lincolns en Marks. Ten slotte gingen de gordijnen open en daar stond de nieuwe Mark III. De uitgevers waren zo onder de indruk dat velen van hen er ter plekke een bestelden.

Vóór de Mark III leed de Lincoln-Mercury Division feitelijk verlies op iedere luxe auto. We verkochten niet meer dan 18.000 Lincolns per jaar, hetgeen niet genoeg was om de vaste kosten te dekken. In onze branche zijn die kosten enorm hoog. En of je nu één auto produceert of een miljoen, je hebt een fabriek nodig en je moet de matrijzen maken om de metalen platen te stanzen. Als je verwachtingen wat de omzet betreft niet kloppen en je je doel niet bereikt, moet je deze kosten uitsmeren over een kleiner aantal auto's. Eenvoudig gezegd: dan word je uitgekleed.

Het oude cliché is zeker waar: grotere auto's betekenen grotere winst. We verdienden evenveel aan het verkopen van een Mark als aan de verkoop van tien Falcons. Onze winst kwam neer op een verbazingwekkende 2000 dollar per auto. Bovendien kwam het geld zo snel binnen dat we het nauwelijks konden bijhouden. In ons beste jaar maakten we alleen al op de Lincoln een miljoen dollar en dat was het mooiste resultaat wat ik ooit in mijn carrière heb bereikt.

In 1971 volgde de Mark IV. Ford maakt deze serie nog steeds – ze zijn nu bij de Mark VII. De Mark brengt bij Ford het meeste geld binnen, zoals de Cadillac bij General Motors. De theorie van Alfred Sloan is: je moet iets voor iedereen hebben. Om je risico's te spreiden heb je altijd een auto voor de gewone man nodig – dat is wat de oude Henry Ford voor ogen had – maar daarnaast heb je ook hoger geprijsde auto's nodig omdat je maar nooit weet wanneer Jan-met-de-pet op straat komt te staan. Het schijnt dat er in de United States één ding is waarop je vast kunt rekenen en dat is dat tijdens een depressie de rijken steeds rijker worden. Voor hen dien je dus altijd wat snoepgoed in huis te hebben.

8
De weg naar de top

In 1968 was ik de uitgesproken favoriet om de volgende president van de Ford Motor Company te worden. De Mustang had bewezen dat ik iemand was om in het oog te houden en de Mark III maakte duidelijk dat ik geen man was die slechts eenmaal succes had. Ik was vierenveertig; Henry Ford had me onder zijn vleugels genomen en mijn toekomst had er nog nooit zo rooskleurig uitgezien.

Uitgerekend echter op het tijdstip waarop het leek dat niemand me meer kon tegenhouden, bood General Motors Henry een mogelijkheid waaraan hij geen weerstand kon bieden.

In die dagen had GM een hooggewaardeerde vice-president, Semon Knudsen, die iedereen kende als Bunkie. Knudsen was als ingenieur afgestudeerd aan het MIT en men had hem op zijn veerenveertigste hoofd van de Pontiac Division gemaakt. Hij was het jongste afdelingshoofd in de geschiedenis van GM – dat is het soort onderscheiding waarop in Detroit wordt gelet.

Een van de redenen van Knudsens aanzien was dat zijn vader president van GM was geweest en veel mensen verwachtten dat hij in de voetsporen van zijn vader zou treden. Toen echter, ondanks Bunkies grote reputatie als man voor de produktie, GM Ed Cole als de volgende president koos, begreep Bunkie dat hij het einde van zijn carrière bij GM had bereikt.

Zoals Avis Hertz in de gaten houdt en Macy Gimbel, hielden wij bij Ford General Motors altijd goed in het oog. Vooral Henry was een groot waarnemer en bewonderaar van GM. Voor hem was de plotselinge beschikbaarheid van Bunkie Knudsen een geschenk uit de hemel. Henry geloofde waarschijnlijk dat Knudsen de veelgeroemde wijsheid van GM in zijn genen had. In ieder geval liet hij er geen gras over groeien hem te benaderen. Toen Henry Ford hoorde dat Bunkie erover dacht ontslag te nemen, belde hij hem onmiddellijk op.

Henry kon Bunkie moeilijk vragen op zijn kantoor te komen; in het Glazen Huis valt er niets geheim te houden. Binnen een half uur zou de pers alles van het bezoek afweten. Bunkie thuis uitnodigen sloot hij eveneens uit, omdat hij besefte dat zijn buren in Grosse Point dat zouden merken. Henry die dol was op geheimzinnigheid, huurde dus een Oldsmobile bij Hertz, trok een regenjas aan en reed in zijn beste 007-stijl naar Bunkies huis in Bloomfield Hills.

Een week later sloten ze een overeenkomst. Knudsen zou onmiddellijk het presidentschap overnemen tegen een jaarsalaris van 600.000 dollar

– hetzelfde als dat van Henry.

Om ruimte te maken voor Knudsen moest Henry Arjay Miller zien kwijt te raken die de laatste vijf jaar onze president was geweest. Miller werd dus opeens naar boven geschopt om vice-voorzitter te worden, een nieuwe functie die speciaal voor deze gelegenheid werd geschapen. Een jaar later nam hij ontslag om deken van de Business School aan de Standord-universiteit te worden.

Bunkie werd in het begin van de winter van 1968 aangesteld toen ik met mijn gezin op skivakantie was. Midden in mijn vakantie werd ik opgebeld door Henry's kantoor met de vraag of ik de volgende dag wilde verschijnen. De maatschappij stuurde zelfs een DC 3 om me op te halen.

De dag na mijn terugkomst ging ik naar kantoor om de baas op te zoeken. Henry wist dat het een schok voor me was dat hij Bunkie als president binnenhaalde en wilde zijn motieven uitleggen. Hij was er zeker van dat de toevoeging aan ons team van een topfunctionaris van GM de komende jaren voor ons een groot voordeel zou betekenen. Hij deed z'n best mij te verzekeren dat Bunkies komst niet betekende dat mijn carrière was afgesloten. 'Jij bent nog steeds mijn zoon,' zei hij, 'maar je bent nog jong. Er zijn dingen die je moet leren.'

Zoals Henry het zag, zou Bunkie veel informatie over het GM-systeem meebrengen. Ik was twaalf jaar jonger dan Knudsen, hielp hij mij herinneren. Hij vroeg me geduld te oefenen, maakte me duidelijk dat hij me niet wilde kwijtraken en liet doorschemeren dat mijn geduld in de toekomst ruimschoots zou worden beloond.

Een paar dagen later kreeg ik een telefoontje van Sidney Weinberg, een van de oudere leden van de raad van bestuur en een legendarisch genie in Wall Street. Hij was jarenlang Henry's raadgever geweest, maar hij was ook erg op mij gesteld. Hij noemde me altijd Lehigh.

Tijdens een lunch in zijn flat in New York gaf Weinberg er blijk van te veronderstellen dat ik boos was over de komst van Knudsen. Hij adviseerde me rustig te blijven zitten. Sidney had dezelfde geruchten gehoord als ik; namelijk dat GM in het geheim blij was Knudsen kwijt te raken. Weinberg had het rechtstreeks uit de mond van een topfunctionaris bij GM gehoord: 'Jullie hebben een levensgroot probleem voor ons opgelost. We wisten niet wat we met Knudsen aan moesten tot die goeie, ouwe Henry hem oppikte. We kunnen jullie niet dankbaar genoeg zijn.'

'Als Bunkie net zo slecht is als ze beweren, komt jouw beurt gauw genoeg,' zei Sidney.

Ik was daar minder zeker van. In die dagen was ik bezeten van een dolle race naar de top en ondanks Henry's verzekeringen was de komst van Bunkie voor mij een geduchte klap. Ik had dolgraag president willen worden en ik was het er niet mee eens dat ik nog veel moest leren. In mijn ogen was ik al aan iedere test blootgesteld geweest die de maatschappij voor mij in petto had kunnen hebben en ik had alles met vlag en wimpel doorstaan.

Een paar weken lang overwoog ik serieus ontslag te nemen. Ik had een aantrekkelijke aanbieding gekregen van Herb Siegel, een afgestudeerde van Leligh die aan het hoofd van ChrisCraft stond. Hij wilde ChrisCraft uitbreiden tot een klein conglomeraat in de vrijetijds-business. Hij mocht me graag en had waardering voor hetgeen ik bij Ford had bereikt.

'Begrijp goed,' zei Herb, 'als je daar blijft, zul je altijd zijn overgeleverd aan de genade van Henry Ford en nu hij dom genoeg was je te passeren voor het presidentschap, zal hij je waarschijnlijk opnieuw laten vallen.'

Ik was in de verleiding gebracht en ik ging zelfs zover om naar huizen in New York en Connecticut te kijken. Mary lokte het idee naar het oosten terug te gaan ook aan. 'Alleen al omdat we daar verse zeevis kunnen krijgen,' merkte ze met een twinkeling in haar ogen op.

Uiteindelijk besloot ik toch bij Ford te blijven. Ik hield van de Ford Motor Company. Ik kon me echt niet voorstellen ergens anders te werken en met Henry op mijn hand zag de toekomst er nog steeds zonnig uit. Ik rekende er tevens op dat Bunkie niet zo goed zou bevallen als president en dat mijn beurt dus eerder vroeger dan later zou komen.

In Detroit was de verhuizing van Knudsen van GM naar Ford het gesprek van de dag. In onze branche is het verlaten van het schip om te gaan werken voor een concurrent tamelijk zeldzaam en het was bijna ongehoord voor GM waar men, zelfs naar de maatstaven van Detroit, de reputatie van 'inteelt', had.

Wat het geheel nog interessanter maakte, was dat Bunkie niet de eerste Knudsen was die bij Ford werkte. Meer dan een halve eeuw tevoren had Bunkies vader, William Knudsen, voor Henry's grootvader gewerkt. De oude Knudsen had de supervisie gehad over het oprichten van veertien model-fabrieken in twee jaar, met inbegrip van de beroemde River Rouge-fabriek. Na de Eerste Wereldoorlog werd hij uitgezonden naar Europa waar hij behulpzaam was bij de ontwikkeling van Ford-fabrieken overzee.

Na tot in de top van de maatschappij te zijn opgeklommen, kreeg Knudsen senior problemen met Ford senior die hem in 1921 ontsloeg. Toen Knudsen Ford verliet, verdiende hij 50.000 dollar per jaar, voor die tijd een reusachtig salaris. Een jaar later trad hij in dienst bij Generaal Motors.

Nu was de band tussen Ford en Knudsen weer hersteld. Detroit vond het benoemen van Knudsen prachtig en de pers beleefde er hoogtijdagen aan. Er zat ook een schitterend verhaal in: Henry Ford, de kleinzoon van de man die William Knudsen had ontslagen, bracht nu de zoon van Knudsen als president terug in het bedrijf.

Toen Bunkies aanstelling bekend werd gemaakt, waren veel van de topfunctionarissen bij Ford verontwaardigd dat een GM-man onze baas zou worden. Ik maakte me vooral bezorgd over de geruchten die de ronde deden dat Knudsen John Z. DeLorean zou meebrengen om mij op mijn nummer te zetten. (Toentertijd was DeLorean een creatieve, jonge spring in het veld die bij GM met Bunkie in de Pontiac Division had gewerkt.)

Mijn collega's en ik waren er tamelijk zeker van dat het systeem van de GM-bedrijfsvoering bij Ford niet goed zou werken. Maar zoals Henry het zag zou alleen al de aanwezigheid van Bunkie Knudsen in het Glazen Huis er voor zorgen dat iets van GM's grote succes op ons zou afstralen.

Dat is nooit gebeurd. Ford had zijn eigen manier om de dingen te doen. Wij hielden ervan snel te handelen en Bunkie scheen ons tempo moeilijk te kunnen bijhouden. Verder was het besturen niet zijn sterkste punt. Het werd me dan ook al gauw duidelijk dat GM waarschijnlijk goede redenen had gehad hem bij de presidentsbenoeming te passeren.

Knudsen koesterde altijd achterdocht tegenover mij. Hij nam aan dat ik voor zijn komst president had willen worden en dat ik daar ook na zijn verschijnen naar bleef streven. Op beide punten had hij gelijk. Gelukkig hadden we het allebei veel te druk om veel tijd te besteden aan bureaupolitiek; onze meningsverschillen betroffen vooral de vormgeving van de nieuwe modellen.

Direct na zijn entree bij Ford begon Knudsen de Mustang zwaarder en groter te maken. Hij was een race-maniak, maar hij had niet door dat de hoogtijdagen van het racen voorbij waren. Knudsen nam het eveneens op zich onze Thunderbird te wijzigen zodat hij op een Pontiac zou lijken, wat op een complete catastrofe uitliep.

Als leider had Bunkie weinig invloed in de onderneming. Hij slaagde er onder andere niet in iemand van de topmensen bij GM mee te nemen om hem te helpen zijn plannen te verwezenlijken. Niemand bij Ford voelde veel loyaliteit tegenover Knudsen en dus kwam hij zonder machtsbasis te zitten. Als gevolg daarvan voelde hij zich alleen staan in een hem vreemde atmosfeer, als iemand die nooit echt was geaccepteerd. Toen ik tien jaar later naar Chrysler overstapte, heb ik ervoor gezorgd die fout niet te maken.

De pers heeft meer dan eens geschreven dat ik een revolte tegen Knudsen leidde, maar met zijn mislukking heb ik weinig te maken gehad. Bunkie Knudsen probeerde Ford te runnen zonder gebruik te maken van het systeem. Hij negeerde de bestaande gezagsverhoudingen en vervreemdde mij en vele andere topmensen van zich door de gang van zaken te bepalen op die gebieden waar zíj de beslissingen behoorden te nemen.

Vanaf het begin zijn Ford en GM totaal verschillende ondernemingen geweest. Bij GM was er altijd een keurige clubgeest met tientallen commissies en verschillende niveaus van besluitvorming. Bij Ford heerste veel meer onderlinge wedijver. Wij namen de beslissingen veel vlugger met minder toezicht van bovenaf en met meer ondernemersspirit. In de trage, goed geordende wereld van GM had Bunkie gefloreerd. Bij Ford was hij als een vis op het droge.

Knudsen bleef slechts negentien maanden. Henry had een daverende publiciteitsstunt veroorzaakt door het inhuren van een GM-topman, maar hij ontdekte al gauw dat succes in de ene auto-onderneming niet altijd succes bij een andere garandeert.

Ik wilde dat ik kon zeggen dat Bunkie werd ontslagen omdat hij de Mustang verknoeide of omdat zijn ideeën allemaal verkeerd waren; de echte reden voor zijn ontslag berustte echter op niets van dit alles. Bunkie

Knudsen werd ontslagen omdat hij de gewoonte had de kamer van Henry zonder kloppen binnen te stappen. Ja, zo is het – zonder te kloppen.

Ed O'Leary, een van Henry's assistenten beweerde altijd: 'Daar wordt Henry stapelgek van. De deur gaat open en daar staat Bunkie.'

Natuurlijk was die kleine overtreding slechts de laatste druppel die de emmer deed overlopen in een relatie die vanaf het begin niet goed was. Henry was een koning die geen gelijken om zich heen kon verdragen, een feit dat Bunkie nooit begrepen scheen te hebben. Het enige dat je bij Ford nooit moest doen, was te dicht bij de troon komen. 'Bewaar bij Henry altijd afstand,' had Beacham me al jaren eerder geadviseerd. 'Denk eraan dat hij blauw bloed heeft en het jouwe gewoon rood is.'

De wijze waarop Henry Ford Bunkie Knudsen ontsloeg, is een verhaal op zichzelf en het maakt ook heel wat duidelijk over Henry als persoon. Op de maandagavond van het lange weekend van Labor Day, stuurde hij Ted Mecke, zijn vice-president public relations, naar Bunkies huis met de opdracht: Laat Knudsen weten dat hij op het punt staat te worden ontslagen.

Mecke kon er echter niet toe komen dat slechte nieuws over te brengen. Alles wat hij kon uitbrengen was: 'Henry heeft me gestuurd om je te zeggen dat het morgen op kantoor een beroerde dag zal worden.'

'Wacht even,' zei Florence Knudsen, een zeer wilskrachtige dame. 'Waarom ben je naar ons toe gekomen? Wie heeft je gestuurd? Wat is je boodschap? Ben je gekomen om mijn man zijn ontslag aan te zeggen?' Ze had de waarheid onmiddellijk geraden en Mecke bleef niets anders over dan het te bevestigen.

De volgende dag kwam Henry door de hal aangerend. Hij was op zoek naar een bondgenoot en hij wist dat ik blij zou zijn Knudsen te zien vertrekken. Henry had Bunkie echter nog steeds niet meegedeeld dat hij was ontslagen.

Ten slotte zei Mecke tegen Bunkie: 'Ik geloof dat Mr. Ford je wil spreken.'

Toen Bunkie Henry's kamer binnenstapte, vroeg Henry: 'Heeft Mecke met je gepraat?'

'Wat is hier, verdomme, aan de hand?' vroeg Bunkie. 'Ga je me de laan uitsturen?'

Henry knikte toen. 'Het ging eenvoudig niet,' zei hij. Die vage mededeling was Henry ten voeten uit.

Een paar minuten later kwam Henry mijn bureau binnen. 'Bunkie geeft een persconferentie,' zei hij.

'Wat is er gebeurd?' vroeg ik. Op dat ogenblik was ik al volkomen op de hoogte, maar ik wilde het uit zijn eigen mond horen.

Henry probeerde me te vertellen dat hij Bunkie zoëven had ontslagen, maar omdat ik naar hem stond te kijken, kon hij de woorden blijkbaar niet uit zijn keel krijgen. Ten slotte zei hij: 'Bunkie schijnt het niet te begrijpen – we hebben hier problemen.'

Het was net een film van de Keystone Cops... voor ik het wist stond Bunkie in mijn kamer. 'Ik geloof dat ik ontslagen ben,' zei hij, 'maar zeker weet ik het niet.'

Nauwelijks was Knudsen weg of Henry kwam terug en vroeg: 'Wat zei hij tegen je?'

Een paar minuten later keerde Henry opnieuw terug, nu met de vraag: 'Wat moeten we doen? Bunkie gaat een persconferentie geven op zijn kantoor.'

'Tja, hij zal toch iets moeten zeggen als hij de zak heeft gekregen,' antwoordde ik.

'Ja, natuurlijk is hij de laan uitgestuurd,' zei Henry, 'maar ik vind dat hij die persconferentie in een hotel moet geven en niet hier in dit gebouw.'

Deze hele episode vervulde me met gemengde gevoelens. Aan de ene kant was ik blij dat Bunkie weg was, maar tegelijk had ik medelijden met hem. Ik was het er niet mee eens dat iemand op deze manier zijn functie als president van de maatschappij moest beëindigen.

Henry Ford heeft het nooit kunnen opbrengen zelf iemand rechtstreeks te ontslaan. Hij had altijd een handlanger nodig om het vuile werk voor hem op te knappen.

Onwillekeurig vroeg ik me af: Is dit wat mij in de toekomst te wachten staat? 's Avonds praatte ik er met Mary over. 'Waarom pak je je biezen niet?' zei ze. Weer kwam ik in de verleiding en weer besloot ik te blijven.

Op de dag van Bunkies ontslag werd er druk feest gevierd en veel champagne gedronken. Op de afdeling public-relations bedacht een van onze mensen een gezegde dat al spoedig in de hele onderneming bekend werd. 'Henry Ford (de eerste) heeft eens gezegd dat geschiedenis bunk (= humbug) is, maar vandaag is Bunkie geschiedenis.'

Ook nadat Bunkie werd ontslagen, was Henry nog steeds niet bereid mij de functie aan te bieden. In plaats daarvan zette hij een driemanschap op de opengevallen plek. Ik werd belast met de activiteiten van Ford in Noord-Amerika, hetgeen mij de eerste onder gelijken maakte. Robert Stevenson werd directeur van Ford International en Robert Hampson ging de activiteiten leiden die niet op automobielgebied lagen.

Gelukkig had deze constructie geen lang leven. Op 10 december 1970, kreeg ik waarop ik had gewacht: het presidentschap van Ford.

Enkele dagen voor hij het aankondigde, kwam Henry naar mijn kamer om me te vertellen wat hij in zijn hoofd had. Ik herinner me dat ik toen dacht: Dit is het grootste Kerstgeschenk dat ik ooit heb gekregen. We zaten daar enige ogenblikken; hij met een sigaret, ik met een sigaar en bliezen elkaar de rook toe.

Zodra Henry de deur uit was, belde ik mijn vrouw op en daarna mijn vader in Allentown om het grote nieuws te vertellen. Tijdens zijn lange, actieve leven heeft mijn vader veel gelukkige ogenblikken gekend, maar ik ben er zeker van dat mijn telefoontje op die dag tot de allermooiste behoorde.

Toen ik president werd, had de Ford Motor Company ongeveer 432.000 werknemers in dienst. Onze loonsom bedroeg meer dan 3,5 miljard dollar. Alleen in Noord-Amerika maakten we bijna 2,5 miljoen auto's per jaar en 750.000 vrachtwagens. Overzee kwamen we met alles bij elkaar op nog eens 1,5 miljoen voertuigen. Onze totale verkoop in 1970 bedroeg 14,9 miljard dollar en we maakten een winst van 515 miljoen.

Hoewel 515 miljoen dollar niet valt te versmaden, vertegenwoordigde dit bedrag slechts 3,5 procent van de totale omzet. In het begin van de jaren zestig waren onze winsten nooit beneden de 5 procent gedaald en ik was vastbesloten ze weer op te krikken.

Zoals iedereen weet, zijn er maar twee manieren om geld te maken; meer goederen verkopen of de vaste kosten omlaag brengen. Ik was tevreden met onze verkoop – althans voor het ogenblik. Maar hoe nauwkeuriger ik onze activiteiten bekeek, hoe meer ik ervan overtuigd raakte dat we heel wat meer konden doen om onze onkosten omlaag te brengen.

Een van mijn eerste handelingen als president was het bijeenroepen van een vergadering van topfunctionarissen om een kostenbesparend programma op poten te zetten. Ik noemde het 'de Vier Vijftigjes' omdat het program tot doel had de bedrijfskosten met 50 miljoen dollar terug te brengen op elk van deze vier gebieden: tijd verknoeien, gecompliceerde produkten, ontwerpkosten en verouderde manieren van zaken doen. Indien we ons doel binnen drie jaar zouden bereiken, konden we onze resultaten met 200 miljoen dollar verbeteren – een winst van bijna 40 procent – nog voor we één auto meer hadden verkocht.

Er was volop ruimte voor verbeteringen. Het kostte ons bijvoorbeeld elk jaar twee weken om onze fabrieken voor te bereiden op de produktie van de modellen van het volgend jaar. In die weken stonden de fabrieken eenvoudig stil, wat inhield dat zowel de machines als de arbeiders niet werkten.

Door een meer omvattende computerprogrammering en een verstandiger planning bleek het mogelijk de omschakelingsperiode van twee weken tot twee dagen terug te brengen. Natuurlijk vindt een dergelijke verandering niet van de ene dag op de andere plaats. In 1974 hadden we het echter voor elkaar dat onze fabrieken in één weekend werden omgeschakeld – als de lopende band toch stil stond.

Een tweede gebied waarop we konden besparen, was het transport. De vrachtkosten bedroegen slechts een klein percentage van onze totale onkosten, maar met meer dan 500 miljoen dollar per jaar was het toch een bedrag dat nader bekeken diende te worden. Het was een punt waarover ik nog nooit had nagedacht, maar toen ik erin dook, ontdekte ik dat de spoorwegen gewoon een loopje met ons namen. Ze belastten ons voor het volume in plaats van voor het gewicht en daar was onze planning niet op afgestemd.

We begonnen de vrachtwagens dichter op elkaar te plaatsen. Ik herinner me dat we het ontwerp voor de bumpers vijf centimeter verkleinden om het mogelijk te maken dat er een paar wagens meer in een trein pasten. Met die enorme bedragen in het geding was lucht versturen het laatste wat ik wilde. Als je te maken hebt met bedragen van 500 miljoen voor transportkosten betekent zelfs een minuscule besparing van een half procent zo'n 2,5 miljoen.

Ik stelde ook een programma in werking dat werd genoemd: 'Stoot je Verliezen af'. In een onderneming zo groot als de onze waren tientallen activiteiten, die òf verliesgevend waren òf minimale winsten afwierpen. Ik heb altijd gemeend dat elke activiteit in een automobielonderneming kon worden gemeten aan zijn winstgevendheid. Iedere fabrieksdirecteur wist – of zou moeten weten – of zijn bedrijf geld opbracht voor de maatschappij of dat de onderdelen die hij maakte meer kostten dan waarvoor ze konden worden gekocht.

Ik kondigde dus aan dat de directeuren drie jaar de tijd kregen om hun afdelingen ofwel winstgevend te maken ofwel de zaak te verkopen. Een kwestie van gezond verstand, zoals de directie van een warenhuisketen zegt: 'We verliezen een ton in die boetiek daar, dus laten we hem sluiten.'

Veel van onze verliesgevende bedrijven maakten deel uit van Philco-Ford, het gereedschap- en elektronikabedrijf dat we in 1961 hadden gekocht. Philco was een verschrikkelijke miskleun waarin miljoenen dollar per jaar verlies werd geleden voordat het bedrijf na tien jaar winstgevend werd. Velen in het topmanagement hadden tegen de overname gepleit, maar Henry had er met alle geweld op gestaan. Bij Ford was het zo: wat Henry wìlde, kréég Henry ook.

In het begin van de jaren zeventig stootten we ongeveer twintig bedrijven af; er was er één onder die installaties voor wasserijen maakte. Ook vandaag weet ik nog steeds niet wat wij in 's hemelsnaam met installaties voor wasserijen moesten doen. Het kostte ons echter wel tien jaar om de kogel door de kerk te jagen bij deze onderneming, die ons nooit een cent had opgebracht.

Deze programma's om de onkosten omlaag te brengen en de verliezen af te stoten, waren voor mij een nieuw gebied. Tot nu toe had ik me geconcentreerd op verkopen, marktonderzoek en vormgeving. Als president was mijn eerste zorg echter gelegen in de weinig glansvolle taak honderden verschillende wegen te zoeken hoe de kosten verlaagd en de winsten verhoogd konden worden. Als gevolg daarvan kreeg ik eindelijk de achting van die ene groep die altijd wantrouwig tegenover me had gestaan – die van de krentenwegers.

Ik droeg nu zoveel verantwoordelijkheden dat ik een andere stijl van werken moest aanleren. Ik wilde het niet graag toegeven, maar het uithoudingsvermogen van de Mustang-jaren had ik niet meer. Toen zag ik er geen been in een hamburger als avondmaal te nuttigen en tot middernacht op kantoor te blijven.

De Ford Motor Company had bijna een half miljoen werknemers – over de hele wereld verspreid – en ik moest voor ogen houden dat ik slechts een van hen was. Het betekende soms dat ik niet in staat was een telefoontje te beantwoorden voor er weken waren verstreken. Ik vond echter dat het belangrijker was mijn geestelijke gezondheid te bewaren dan iedereen tijdens kantoortijd van dienst te zijn.

Ik plaats van elke avond in een andere auto naar huis te rijden om meer bekend te raken met onze verschillende produkten, had ik nu een chauffeur. Ik gebruikte de tijd om van en naar huis te rijden om mijn post te lezen en te beantwoorden, maar ik hield wel vast aan mijn oude, wekelijkse routine. Tenzij ik op reis was, wijdde ik mijn weekends aan mijn gezin. Mijn diplomatenkoffertje maakte ik niet voor zondagavond open; pas op dat tijdstip zat ik thuis in mijn bibliotheek om serieus stukken te lezen en plannen te maken voor de week die voor me lag. Op maandagmorgen was ik klaar om er tegenaan te gaan. Van de mensen die voor me werkten, verwachtte ik niet minder. Mijn mening was altijd dat het tempo van de baas het tempo van het team was.

Gedurende mijn jaren als president van Ford kwam ik herhaaldelijk in aanraking met mensen die zeiden: 'Ik zou die baan van jou niet willen hebben, voor geen geld van de wereld.' Ik heb nooit geweten hoe ik op dit soort opmerkingen moest reageren. Ik hield van mijn baan al zagen veel mensen die als een positie die je opvreet en die je dood betekent. Zo heb ik het echter nooit gezien, voor mij was het voortdurend boeiend.

In feite ondervond ik, na het presidentschap te hebben bereikt, een zekere inzinking. Ik had jaren besteed om de berg te beklimmen en toen ik dan eindelijk op de top was, vroeg ik me af waarom ik zo'n haast had gemaakt er te komen. Ik was pas midden veertig en ik had er geen idee van wat ik doen moest om dit nog eens te herhalen.

Zeker, ik genoot van mijn prestige en de macht van mijn positie, maar een publieke persoonlijkheid zijn, was bepaald geen genoegen. Dat werd me op dramatische wijze aan het verstand gebracht toen ik op een vrijdagmorgen naar mijn werk reed. De radio stond aan en ik luisterde met een half oor naar het programma dat plotseling werd onderbroken voor een speciaal bericht.

Een aantal van de topmensen uit het zakenleven kwam blijkbaar in aanmerking om vermoord te worden door de 'Manson familie'.

Dat vrolijke nieuws was afkomstig van Sandra Good, kamergenote van 'Squeaky Fromme', de jongedame die was gearresteerd omdat ze had geprobeerd president Ford in Sacramento te doden. Als je ooit vlug wilt worden wakker gemaakt, hoef je alleen maar te horen dat je op het lijstje met slachtoffers van iemand bent terechtgekomen.

Ik wil echter niet al te veel klagen over een van de beste banen ter wereld. Als Henry de koning was, dan was ik de kroonprins. En het leed geen twijfel dat de koning van me hield. Op een keer kwam hij met zijn vrouw Cristina bij ons thuis dineren. Mijn ouders waren er ook en Henry besteedde de helft van de avond om hen te vertellen hoe geweldig ik was en dat er zonder mij geen Ford Motor Company zou bestaan. Bij een andere gelegenheid nam hij me mee om me voor te stellen aan zijn goede vriend L. B. J. Henry zag me echt als zijn protégé en hij behandelde me ook als zodanig. Dat waren de dagen van de wijn en de rozen. Wij, die met elkaar het topmanagement in het Glazen Huis vormden, leefden het goede leven aan het koninklijke hof.

We maakten deel uit van iets dat boven de eerste klasse uitging – royal class misschien – waar we van alles het beste kregen. Bedienden stonden de hele dag voor ons klaar en we lunchten met zijn allen in de directie-eetzaal. En dat was geen gewone cafetaria, eerder een van de beste restaurants van het land. Tong uit Dover werd dagelijks uit Engeland overgevlogen en ongeacht het seizoen, smulden we van het heerlijkste fruit. Chocoladetaart, exotische bloemen – u noemt het maar – wij hadden het. Alles werd opgediend door beroepskelners in witte jasjes.

Aanvankelijk betaalden we de man twee dollar per lunch. De prijs was 1,50 geweest, maar de inflatie had hem opgedreven tot twee dollar. Toen Arjay Miller nog vice-president was, belast met de financiën, klaagde hij over de kosten. 'We zouden voor die lunches niet moeten betalen,' zei hij op zekere dag. 'Het voeden van werknemers is voor de maatschappij aftrekbaar, veel ondernemingen geven hun employés te eten zonder hen iets in rekening te brengen. Als we er zelf voor betalen, wordt het voor mij een niet aftrekbare uitgave.' We zaten allemaal in het 90 procent-tarief en als we dus twee dollar uitgaven, moesten we er twintig voor verdienen.

Op dit punt aangeland, raakten enkelen van ons aan het discussiëren over de vraag hoeveel deze lunches de maatschappij in werkelijkheid zouden kosten. Het kwam neer op 104 dollar per hoofd – en dat was twintig jaar geleden.

In die zaal kon je alles bestellen wat je maar wilde: van Rockefeller oesters tot gebraden fazant. Henry's standaard lunch was echter een hamburger; hij at zelden iets anders. Op zekere dag kwam hij naar me toe om te klagen dat zijn privé-kok thuis, die tussen de 30.000 en 40.000 dollar per jaar verdiende, nog niet eens een fatsoenlijke hamburger kon maken op de manier zoals hij hem graag wilde hebben – de manier waarop ze in de directie-eetzaal voor hem werden klaar gemaakt.

Ik houd van koken en dus was ik gefascineerd door Henry's klacht. Ik ging naar de keuken om met Joe Bernardi, onze Italiaans-Zwitserse chef-kok te praten. 'Joe,' zei ik, 'Henry houdt van de manier waarop jij hamburgers klaarmaakt. Kun je mij laten zien hoe je dat doet?'

'Tuurlijk,' antwoordde Joe, 'maar je moet een geweldige kok zijn om het goed te doen, let dus goed op.'

Hij liep naar de koelkast en pakte er een drie centimeter dikke, Newyorkse rauwe steak uit en gooide hem in de molen. Het gemalen vlees dat eruit kwam, werd door Joe tot een hamburger gekneed en vervolgens onder de grill gesmeten.

'Nog meer vragen?' zei hij.

Daarna keek hij me half lachend aan en voegde eraan toe: 'Het is verbazingwekkend wat je kunt klaarmaken als je begint met een homp vlees van vijf dollar!'

9
Problemen in het paradijs

Tot ik president werd, was Henry Ford voor mij altijd tamelijk onbereikbaar geweest. Nu lag mijn kamer echter direct naast de zijne in het Glazen Huis en zagen we elkaar veel, hoewel alleen tijdens vergaderingen. Hoe beter ik Henry Ford leerde kennen, hoe meer ik me zorgen maakte over de toekomst van de onderneming – en van mezelf.

Het Glazen Huis was een paleis en Henry regeerde er souverein. Als hij het gebouw betrad, stond de wereld op zijn kop. De koning was gearriveerd. Hooggeplaatste functionarissen treuzelden in de hal in de hoop hem tegen het lijf te lopen. Als ze geluk hadden, merkte Mr. Ford hen misschien op en zei: 'Hallo.' Soms verwaardigde hij zich zelfs een gesprekje.

Elke keer als Henry een vergadering binnenstapte, veranderde de atmosfeer op slag. Hij hield de macht over leven en dood van ons allen in zijn hand. Hij kon opeens roepen: 'Eruit met die vent!' – en hij riep dat vaak. Zonder behoorlijk gehoord te zijn, was er opnieuw een veelbelovende carrière bij Ford afgebroken. Het waren de oppervlakkige dingen die bij Henry telden. Hij was erg gesteld op uiterlijk. Als een knaap de goede kleren droeg en de juiste toon aansloeg, was Henry geïmponeerd. Maar zonder het juiste vernisje van goede manieren kon je het wel vergeten.

Op een dag gaf Henry me opdracht een bepaalde chef te ontslaan, die volgens hem een 'homo' was.

'Doe niet zo dwaas,' zei ik, 'die knaap is een goede vriend van me. Hij is getrouwd en heeft een kind. We eten wel eens samen.'

'Gooi hem eruit,' herhaalde Henry, 'hij is een homo.'

'Waar heb je het over?' zei ik.

'Let maar 's op, zijn broek zit te strak.'

'Henry,' zei ik kalm, 'wat heeft de broek van die man er in 's hemelsnaam mee te maken?'

'Hij is van de verkeerde kant,' zei Henry. 'Hij gedraagt zich vrouwelijk. Gooi hem eruit.'

Uiteindelijk moest ik een goede vriend degraderen. Ik zette hem het Glazen Huis uit en stuurde hem met grote tegenzin de rimboe in. Het alternatief was echter hem te ontslaan.

Dit willekeurig gebruik van macht was niet slechts een karakterfout. Het was iets waarin Henry werkelijk geloofde.

In het begin van mijn presidentschap legde Henry me zijn filosofie van het leiding geven uit. 'Als een knaap voor je werkt, laat hij zich dan niet al te zeer op zijn gemak voelen. Hij mag zich niet behaaglijk op zijn stoel nestelen. Doe altijd het tegenovergestelde van wat hij verwacht. Houd je mensen een beetje bang en onzeker.'

Nu kun je je afvragen waarom in vredesnaam de voorzitter van de Ford Motor Company, een van de machtigste mannen ter wereld, zich als een verwende vlegel gedroeg? Waardoor was hij zo onzeker?

Misschien is het antwoord dat Henry Ford nooit voor iets in zijn leven heeft hoeven werken. Het kan zijn dat dit het noodlot is van rijke kinderen die hun geld erven. Hun pad gaat over rozen en ze vragen zich af wat er van hen zonder Daddy zou zijn terechtgekomen. Arme mensen klagen dat nooit iemand hen een kans gaf, maar de rijke jongen weet nooit of hij iets uit eigen kracht tot stand heeft gebracht. Niemand vertelt hem de waarheid. Men zegt hem alleen wat hij wil horen.

Ik had de indruk dat Henry Ford II, kleinzoon van de grondlegger van de Ford Motor Company, zijn hele leven bang was geweest dat hij de zaken zou verzieken.

Misschien scheen hij zich daardoor zo bedreigd te voelen en was hij altijd bedacht op paleisrevoluties. Wanneer hij twee mensen in de hal met elkaar zag praten, dacht hij meteen dat ze een samenzwering op touw zetten.

Ik wil hier niet de psychiater spelen, maar ik had een theorie over de oorzaak van zijn angsten. Toen Henry klein was, was zijn grootvader uitzinnig bang voor kidnappers. Dat soort kinderen groeide op achter dichte hekken, met lijfwachten en ze waren op hun hoede voor iedereen die niet tot de onmiddellijke familie behoorde.

Zo werd Henry in sommige zaken achterdochtig. Hij had er bijvoorbeeld een hekel aan ook maar iets op papier te zetten. Hoewel wij samen de maatschappij bijna acht jaar leidden, draagt bijna niets in mijn archieven uit die dagen zijn handtekening. Henry pochte er zelfs op dat hij nooit dossiers bijhield. Zo nu en dan verbrandde hij al zijn papieren.

'Die rommel kan je alleen maar kwaad doen,' placht hij te zeggen. 'Iedereen die er een eigen archief op nahoudt, vraagt om moeilijkheden. Het slot van het liedje is dat de verkeerde persoon het leest en dat jij of de maatschappij er de prijs voor moet betalen.'

Het werd nog erger na Watergate, dat een diepe indruk op hem had gemaakt. 'Zie je nou wel,' zei hij, 'zo zie je wat er kan gebeuren.'

Bij een van zijn zeldzame bezoeken aan mijn kamer keek hij naar mijn talloze plakboeken en dossiers en merkte op: 'Op 'n dag zul je hangen, omdat je al deze rommel bewaart.'

Hij zwoer bij het gezegde van zijn grootvader: 'Geschiedenis is flauwekul.' Het werd een obsessie voor hem. Zijn stelregel was: vernietig alles wat je kunt.

Op een keer, tijdens mijn presidentschap, poseerde Henry voor Karsh uit Ottawa, de beroemde, Canadese fotograaf. Zoals altijd was Karsh' werk imposant. De foto was zo flatteus dat Henry aan zijn vrienden en verwanten afdrukken met zijn handtekening stuurde.

Op een dag zag Henry's assistent, Ted Mecke, dat ik het portret stond te bewonderen.

'Hoe vind je de nieuwste foto van de baas?' vroeg hij.

'Buitengewoon mooi,' antwoordde ik. 'Tussen haakjes, ik heb geen enkele foto van Henry. Denk je dat ik een van deze kan krijgen?'

'Natuurlijk,' zei Ted, 'ik zal hem er een laten signeren.'

Een paar dagen later zei Mecke tegen me: 'Mr. Ford wilde de foto niet onmiddellijk signeren en dus heb ik hem bij hem achtergelaten.'

De volgende keer dat ik bij Henry binnenstapte, zag ik een van de afdrukken op zijn bureau liggen. 'Dat is een prachtfoto,' zei ik.

'Dank je,' antwoordde hij, 'eigenlijk is deze voor jou, maar ik heb me er nog niet kunnen zetten om hem te signeren.'

Hij kwam er nooit meer op terug en ik heb de foto nooit gekregen. Het ging gewoon de mist in. Voor Henry was het signeren van die foto een te intiem gebaar – zelfs voor zijn eigen president.

Henry scheen geen blijvende, tastbare herinneringen aan onze vriendschap te wensen – hoewel we toen nog steeds vrienden waren. Het was alsof hij wist dat hij zich op een dag tegen me moest keren en hij wenste geen enkel bewijs dat we eens op goede voet met elkaar hadden gestaan.

Zelfs in die eerste jaren hadden we onze meningsverschillen. Ik deed echter altijd mijn best mezelf te beheersen. Wanneer ik grote problemen met hem had, zette ik die opzij. Als we ernstige meningsverschillen hadden, zorgde ik er voor dat ik ze uitsluitend met hem onder vier ogen besprak wanneer ik meende dat hij echt naar me zou luisteren.

Als president kon ik me niet veroorloven energie te verspillen aan onbenullige twistgesprekken. Ik moest de grote lijnen in het oog houden. Waar zou de maatschappij over vijf jaar staan? Wat waren de belangrijkste trends waaraan we aandacht moesten schenken?

Na de Arabisch-Israëlische oorlog van 1973 en de daaropvolgende oliecrisis werden de antwoorden op deze vragen heel duidelijk. De wereld stond op z'n kop en we moesten onmiddellijk reageren. Kleine, zuinige auto's met voorwielaandrijving zouden de toekomst zijn.

Je hoefde geen genie te zijn om dit te voorzien. Alles wat je te doen had, was kennisnemen van de verkoopcijfers voor 1974, een verschrikkelijk jaar voor Detroit. De verkopen bij GM liepen terug met anderhalf miljoen auto's. Bij Ford werden er een half miljoen minder verkocht. De Japanners maakten de meeste, kleine auto's en die werden razend goed verkocht.

Overschakelen op de produktie van kleine auto's in de Verenigde Staten betekende een uiterst kostbaar voorstel. Er zijn echter tijden waarin je geen andere keuze hebt dan het doen van een grote investering. General Motors gaf miljarden dollars uit om de hele onderneming in te krimpen. Zelfs Chrysler investeerde een klein fortuin in zuiniger modellen.

Voor Henry betekenden kleine auto's een doodlopende weg. Zijn geliefkoosde uitdrukking was 'mini-auto, mini-winsten'.

Het is waar dat je geen geld kunt verdienen aan kleine auto's, tenminste niet in dit land. Dat wordt iedere dag duidelijker. De marges op kleine auto's zijn gewoon niet groot genoeg.

Maar dat betekende niet dat we ze niet moesten maken. Zelfs zonder het vooruitzicht van een tweede olietekort moesten we onze dealers tevreden blijven stellen. Als we hen niet de kleine auto's leverden die het publiek wilde, zouden de dealers ons laten vallen en contracten afsluiten met Honda en Toyota waar geld te verdienen viel.

Het is een eenvoudige waarheid in het leven dat je de onderkant van de markt moet bedienen. En als je een energiecrisis het hoofd moet bieden dan geeft dat argument de doorslag. Indien wij geen kleine auto's aanboden, was dat hetzelfde als het drijven van een schoenwinkel en dan tegen je klanten zeggen: 'Het spijt me, maar we hebben alleen maat 43 en groter.'

Kleine auto's schoten Henry in het verkeerde keelgat. Maar ik stond erop dat we een kleine wagen met voorwielaandrijving zouden maken – tenminste in Europa. Zelfs Henry kon begrijpen dat een kleine auto voor Europa verstandig was.

Ik zond Hal Sperlich, onze topproduktieplanner de oceaan over. In slechts duizend dagen zetten Hal en ik een compleet nieuwe auto in elkaar. De Fiësta was heel klein, met voorwielaandrijving en dwarsgeplaatste motor. Hij was fantastisch. Ik wist dat we een succesauto hadden.

Twintig jaar lang hadden de krentenwegers bij Ford ons de redenen voorgeschoteld waarom we zo'n auto nooit moesten bouwen. Zelfs de topmensen in onze Europese regio waren tegen de Fiësta. Mijn vice-president van internationale zaken zei me dat Phil Caldwell, toen president van Ford-Europa, er fel tegen was en opperde dat ik aan drugs verslaafd moest zijn, want de Fiësta zou nooit verkocht worden en zelfs als hij verkocht werd, zou hij nooit een cent inbrengen.

Ik wist echter dat we het moesten doen. Ik begaf me naar Henry's kamer en ging recht tegenover hem staan. 'Hoor 's,' zei ik, 'onze mensen in Europa willen deze auto niet. Jij moet dus achter me gaan staan. Ik wil geen geaarzel zoals je met de Edsel deed. Als je niet met hart en ziel achter me staat, laten we het dan maar vergeten.'

Henry zag het in. Uiteindelijk stemde hij ermee in om een miljard dollar te besteden om de Fiësta te maken. Dat was maar goed ook: de auto bleek een voltreffer te zijn. Of Henry het nu besefte of niet, het was in Europa zijn redding en voor ons herstel daar was de auto net zo belangrijk als de Mustang was geweest voor de Ford Division in 1960.

Sperlich en ik begonnen er onmiddellijk over te praten de Fiësta naar Amerika te halen voor het 1979-model. We zagen hoe de Japanse importen omhoog gingen. We wisten dat de X-cars met voorwielaandrijving van GM het goed deden. Chrysler introduceerde zijn Omni en Horizon en Ford had niets te bieden.

Zoals hij daar stond, was de Fiësta een beetje te klein voor de Amerikaanse markt. Hal en ik besloten dus hem te wijzigen door de zijkanten wat langer te maken om wat ruimte aan het interieur toe te voegen. We noemden onze auto de 'opgeblazen Fiësta'. Zijn codenaam was de Wolf.

In die tijd echter maakte een combinatie van Japanse handelsvoordelen en bijzonder hoge lonen het bijna onmogelijk voor een Amerikaanse onderneming om kleine auto's te fabriceren op concurrerende basis. Het zou ons vijfhonderdmiljoen dollar gekost hebben om nieuwe fabrieken te bouwen voor de viercylinder-motoren en de versnellingsbakken. Henry wilde de gok niet wagen.

Sperlich en ik waren echter te fel op dit project om het zonder slag of stoot op te geven. Er moest de een of andere weg gevonden worden om de Wolf te bouwen en toch winst te maken.

Op mijn volgende trip naar Japan organiseerde ik een bijeenkomst met het topmanagement van Honda. Toentertijd wilde Honda eigenlijk geen auto's maken. Ze bleven liever bij hun motorfietsen. Ze waren echter al uitgerust om kleine motoren te maken en wilden graag zaken met ons doen.

Ik kon uitstekend met Mr. Honda opschieten. Hij inviteerde me bij zich thuis en gaf een grote party met een enorm vuurwerk. Voor ik uit Tokio wegging, hadden we een overeenkomst opgesteld. Honda zou ons per jaar driehonderdduizend krachtbronnen leveren tegen een prijs van 711 dollar per stuk. Het was een fantastische mogelijkheid – 711 dollar voor een versnellingsbak en een motor in één blok, klaar om in iedere auto te plaatsen die we wilden maken.

Toen ik uit Japan terugkeerde, stond ik in vuur en vlam. De Wolf kon niet mis gaan. Dit zou de volgende Mustang worden. Hal en ik zetten een zwart en geel prototype in elkaar dat het helemaal was. Die wagen had ons land op zijn kop moeten zetten.

Toen ik Henry echter inlichtte over de overeenkomst met Honda sprak hij onmiddellijk zijn veto uit. 'Geen auto met mijn naam erop zal een Japanse motor onder de motorkap hebben,' zei hij. Dat was het einde van een geweldige mogelijkheid.

Al hield Henry dan niet van de Japanners, hij was dol op Europa. In eigen land was er, vooral na Vietnam, steeds minder respect voor autoriteit. Preciezer gezegd was er steeds minder respect voor de naam Ford. In Europa lag dat echter allemaal anders. Familiekapitaal betekende daar nog iets. Europa had nog steeds zijn oude klassesysteem. Het was het domein van de gearriveerde aristocratie, van paleizen en koninklijke families. In Europa was het nog steeds belangrijk wie je grootouders waren.

Op een avond bevond ik me met Henry in Duitsland op een kasteel aan de Rijn. Geld speelde geen rol als het erom ging Henry Ford gastvrij te onthalen. Toen we kwamen aanrijden, puilden mijn ogen uit mijn hoofd. Er stond een fanfarecorps – allemaal kerels in leren broeken – opgesteld om hem te verwelkomen. Toen Henry langzaam over de ophaalbrug schreed en de treden van het kasteel opliep, volgde de band vlak achter ons en bracht een serenade. Ik zat erop te wachten dat ze 'Heil de chef' zouden spelen.

Steeds als Henry Europa bezocht, werd hij ontvangen door mensen van koninklijken bloede. Hij ging vriendschappelijk met hen om, dronk met ze en hield ervan bij hen rond te hangen. Hij was zo dol op Europa dat hij het er dikwijls over had zich daar terug te trekken. Op een keer bij een party van de jet set in Sardinië verscheen hij met de Amerikaanse vlag op het zitvlak van zijn broek genaaid. Zelfs de Europeanen voelden zich gegeneerd, maar Henry dacht dat het juist een goede mop was.

Dat is de reden waarom mijn succes met de Fiësta wel eens een nagel aan mijn doodkist kan zijn geweest. In Amerika waren mijn successen niet bedreigend. Europa was echter zíjn domein. Toen ze mij gingen toejuichen in de grote ontvangsthallen van het Oude Land, werd hij ongerust.

Henry heeft het nooit met zoveel woorden gezegd, maar bepaalde gebieden waren absoluut taboe. Europa was er een van. Wall Street was er ook zo een.

In 1973 en begin 1974 begonnen we veel geld te verdienen, zelfs na de OPEC-crisis. Ons topmanagement ging naar New York om een groep van honderd grote bankiers en beursanalisten toe te spreken. Henry was altijd tegen deze bijeenkomsten gekant. 'Ik wil niet sjaggeren met informatie voor de beurs,' placht hij te zeggen. Iedere publieke onderneming hield echter bijeenkomsten met leden van de financiële wereld. Het was een routine-onderdeel van het zaken doen.

Toen Henry opstond om de vergadering toe te spreken, had hij een stevige borrel op. Hij begon er zelfs over te wauwelen dat het bedrijf uit elkaar viel. Ed Lundy, onze financiële topspecialist boog zich naar mij over en zei: 'Nou Lee, je moet verdomd goed je best doen. Probeer de zaak vandaag te redden anders lijken we op een stel idioten.'

Ik stond op en hield de toespraak die wel eens voor mij het begin van het einde kan hebben betekend.

De volgende dag riep Henry mij bij zich. 'Je praat te veel tegen mensen buiten het bedrijf,' zei hij. Wat hij bedoelde, was dat hij het goed vond dat ik met dealers of leveranciers sprak, maar dat ik me verre moest houden van Wall Street. Anders zou men wel eens kunnen denken dat ik het bedrijf leidde en dat zat hem niet lekker.

Dezelfde dag werden gelijksoortige bijeenkomsten, die voor Chicago en San Francisco waren gepland, afgezegd. 'Dat is dat,' zei Henry. 'Dat doen we nooit meer. We gaan de wereld niet meer vertellen wat we van plan zijn.'

Henry had er geen bezwaar tegen dat ik in de publiciteit stond – zolang het maar verband hield met ons produkt. Toen ik op de omslag van *New York Times Magazine* stond afgebeeld, stuurde hij een felicitatietelegram naar mijn hotel in Rome. Wanneer ik echter werd geprezen op zijn terrein, kon hij dat niet verdragen.

Bijna iedereen in deze wereld is wel verantwoordelijk voor iemand. Sommige mensen zijn verantwoordelijk voor hun ouders of hun kinderen, anderen voor hun echtgenoten of hun bazen of zelfs hun honden. Nog weer anderen zien zich verantwoordelijk tegenover God.

Henry Ford is echter nooit verantwoording aan iemand schuldig geweest. In een publieke onderneming is de voorzitter van het bestuur moreel verantwoordelijk tegenover zijn werknemers en aandeelhouders. Hij is wettelijk verantwoording schuldig aan zijn raad van directeuren, doch Henry scheen altijd zijn zin bij hen te krijgen.

In 1956 ging de Ford Motor Company naar de beurs, maar Henry heeft die verandering nooit echt aanvaard. Zoals hij het zag, was hij net als zijn grootvader de rechtmatige eigenaar en kon hij met de onderneming doen wat hij wilde. Als het om de raad van bestuur ging, geloofde hij in de methode van het kweken van champignons – gooi er wat mest op en houdt ze in het duister. Die houding werd natuurlijk nog aangemoedigd omdat Henry en zijn familie, met slechts 12% van de aandelen, beschikten over 40% van het stemrecht.

Zijn houding tegenover de overheid verschilde niet veel van die tegenover het bedrijf.

Op een dag vroeg hij mij: 'Betaal jij inkomstenbelasting?'

'Hou je me voor de gek?' antwoordde ik. 'Natuurlijk!' Hoe ik het ook inkleedde, ik betaalde 50% over alles wat ik verdiende.

'Nou,' zei hij, 'ik begin me zorgen te maken. Dit jaar betaal ik elfduizend dollar. Dat is de eerste keer in zes jaar dat ik iets betaald heb.'

Ik kon het niet geloven. 'Henry, hoe krijg je dat in vredesnaam voor elkaar?'

'Mijn advocaten zorgen daarvoor,' antwoordde hij.

'Hoor 'es,' zei ik, 'ik heb er niets op tegen gebruik te maken van de gaten in de wetgeving die de regering ons biedt. Maar de mensen die in onze fabrieken werken betalen bijna net zoveel als jij. Vind je niet dat jij jouw portie moet betalen? Wat denk je van de defensie van ons land? Wat vind je van het leger en de luchtmacht?'

Hij zag echter niet waarom het ging. Terwijl ik geen reden had om te geloven dat hij de wet overtrad, heette het spel volgens hem: neem de staat te grazen waar je maar kunt.

In al die jaren waarin we samenwerkten, zag ik hem nooit één cent van zijn eigen geld uitgeven. Op het laatst nam een groep aandeelhouders van Ford de vooraanstaande Newyorkse advocaat, Roy Cohn, in de arm om hen te vertegenwoordigen in een proces waarin Henry werd beschuldigd ondernemingsgelden te hebben aangewend voor alle mogelijke privé-uitgaven. Zijn reizen naar Londen bijvoorbeeld bracht hij aan de onderneming in rekening, hoewel hij daar in een eigen huis woonde. Daarbij week hij af van zijn gewoonte en vroeg mij wat de onderneming betaalde voor mijn suite in Claridge – alleen om te zorgen dat zijn declaraties niet uit de pas liepen.

Roy Cohn beschuldigde Henry er tevens van dat hij vliegtuigen van de maatschappij had gebruikt om zijn meubilair van Europa naar Detroit over te vliegen, om de honden en katten van zijn zuster te vervoeren wanneer zij vond dat haar lievelingen getrimd of gewassen moesten worden en om Dom Perignon-champagne en Château Lafite-wijn van het ene naar het andere huis te verplaatsen.

Ik weet niet of al deze beschuldigingen waar zijn, maar op een keer heb ik een open haard met een vliegtuig van de maatschappij van Londen naar Grosse Pointe voor hem meegenomen.

Henry was stapelgek op vliegtuigen. Op een gegeven ogenblik kocht de maatschappij van Nippon Airways een 727-straalvliegtuig dat Henry liet herscheppen in een luxueus toestel voor zijn privé-genoegen. De advocaten deelden Henry mee dat het ongepast was om het vliegtuig te gebruiken voor zijn vakantie en zijn snoepreisjes naar Europa – tenzij hij de trips zelf betaalde. Hij zou echter liever naar Europa zwemmen dan erin toe te stemmen de maatschappij uit zijn eigen zak terug te betalen.

Intussen gebruikte ik de 727 regelmatig voor mijn zakenreizen overzee. Dat vliegtuig werd een doorn in Henry's vlees. Hij kreeg de pest in als hij zag dat ik er gebruik van maakte terwijl hij dat niet mocht.

Op een dag gaf Henry plotseling de opdracht het vliegtuig te verkopen aan de sjah van Perzië voor vijf miljoen dollar.

De man die belast was met het toezicht op onze luchtvloot was geschokt. 'Zouden we er tenminste niet op laten bieden door andere gegadigden?' vroeg hij.

'Nee,' antwoordde Henry, 'ik wil dat dit vliegtuig nog vandaag de deur uit gaat.' Bij deze verkoop verloor de onderneming een hoop geld.

Na een intern accountantsonderzoek moest Henry vierendertigduizend dollar aan het bedrijf terugbetalen. Hij was betrapt met zijn hand in de koektrommel en zelfs zijn eigen accountants wilden hem niet de dans laten ontspringen. Henry's enige verdediging was zijn vrouw de schuld te geven, maar het feit dat hij toegaf dat er een fout was gemaakt, was op zichzelf al opmerkelijk.

Uiteindelijk werd de aanklacht van Roy Cohn buiten de rechtbank om geregeld. Hoewel de aandeelhouders niets kregen, incasseerde Cohn zijn rechtmatige honorarium voor zijn inspanning – zo'n 260.000 dollar. Opnieuw kwam Henry er weer eens goed van af.

Dit waren echter slechts kleinigheden vergeleken met het Renaissance Center.

RenCen, zoals het algemeen bekend staat, is een oogverblindend complex van kantoorgebouwen, winkels en 's werelds grootste hotel. Het was ontworpen als een tot in details uitgewerkt plan om het centrum van Detroit te redden. Deze stad was in toenemende mate naargeestig en gevaarlijk geworden, omdat meer en meer bedrijven naar de buitenwijken waren verhuisd.

Henry kwam tot het besluit dit monument ter ere van zichzelf te laten bouwen en er het geld voor bijeen te brengen. De officiële bijdrage van Ford bedroeg zes miljoen dollar – uit de fondsen van de onderneming natuurlijk. Het werd al spoedig verdubbeld tot twaalf miljoen en uiteindelijk kwam de financiering door de onderneming op 100 miljoen dollar. Zo luidde althans de officiële versie. Maar alles bij elkaar genomen, schat ik dat we waarschijnlijk nog een paar honderd miljoen in RenCen investeerden – indien je de kosten meerekent die waren verbonden met de verhuizing van honderden employés naar de binnenstad om te trachten die reusachtige kantoorgebouwen te vullen. Uiteraard werd slechts een klein gedeelte van onze enorme investering openbaar gemaakt.

Het geheel vervulde mij ronduit met afschuw. We hadden dat geld moeten gebruiken om met GM in de pas te blijven. GM stopte zijn geld niet in fraai onroerend goed, maar stak zijn winst in kleine auto's. Ik heb Henry dikwijls laten weten hoe ik erover dacht, maar hij negeerde mijn commentaar.

Henry's betrokkenheid bij RenCen zou volkomen anders zijn geweest wanneer hij te werk was gegaan als de Carnegies, de Mellons of de Rockefellers. Deze families hebben heel veel van hun geld besteed aan het publieke welzijn.

In tegenstelling tot de grote filantropen scheen Henry's edelmoedigheid te dikwijls voort te vloeien uit het geld van andere mensen – geld dat niet van hem was, doch van het bedrijf en zijn aandeelhouders. Het is niet verwonderlijk dat deze aandeelhouders nooit werden geraadpleegd.

Vanaf het allereerste begin was RenCen een mislukking. In 1974, toen het nog maar voor de helft was afgebouwd, bestond er al een tekort van 100 miljoen dollar.

Om de gaten te dichten, stelde Henry de vice-president die belast was met de inkoop, Paul Bergmosen, aan om het land rond te vliegen teneinde druk op andere ondernemingen uit te oefenen om in RenCen te investeren. Eenenvijftig bedrijven brachten het geld op; van hen waren er achtendertig afhankelijk van de auto-industrie en in het bijzonder van Ford vanwege hun orderportefeuille.

Bergmosen, 'Bergie', bezocht de leiding van bedrijven als U.S. Steel en Goodyear. Met een stalen gezicht diende hij tegen hen te zeggen: 'Ik ben hier niet in mijn functie van directeur-inkoop.' (Hoewel we ieder jaar voor miljoenen dollars contracten afsloten met deze bedrijven.) 'Ik kom hier als de persoonlijke vertegenwoordiger van Henry Ford en mijn bezoek heeft niets te maken met de Ford Motor Company.'

De directeuren van bedrijven als Budd, Rockwell en U.S. Steel barstten in lachen uit bij deze ontkenning van Bergie. Ed Speer, de hoofddirecteur van U.S. Steel merkte tegen Bergie op dat het enige juiste symbool van Renaissance Center een uit de kom gedraaide arm zou zijn.

Vanwege de naam Ford stemden sommige van de duurste zaken van de Verenigde Staten erin toe naar het RenCen te komen. Stuk voor stuk stonden ze er echter op dat onze onderneming garant zou staan. Dit leidde tot de ronduit belachelijke situatie dat Ford Motor Company verwikkeld raakte in een boetiek, een juwelierszaak of een chocolaterie en in de eerste paar jaar hun schulden moest dekken. En verliezen waren er.

Terwijl ik deze woorden schrijf, staat RenCen op de rand van een economische ineenstorting. Vandaag heeft het niet meer te bieden dan wat chaotische architectuur en een doodgewone winkelgalerij met een peperdure parking die alles verpest. Oh ja, er staat ook nog een kantoor van 2,7 miljoen dollar, voorzien van een wenteltrap en een open haard, dat gebouwd werd als een bureau voor Henry Ford in het centrum van de stad.

Ik vraag me dikwijls af waar de pers was. Er werd in die dagen veel gesproken over onderzoeksreportages, maar niemand in Detroit heeft gegraven naar het ware verhaal achter het Renaissance Center.

Een van de redenen is dat Henry altijd goed was voor kopij en dat iedereen zijn hart ophaalde aan zijn buitensporigheden. Bovendien waren wij belangrijke adverteerders. Niemand in Detroit – of waar dan ook – wilde het risico lopen zo'n grote klant te beledigen.

Zoals ik het zie, was Henry altijd een playboy. Hij werkte nooit hard. Hij had het druk met spelen. Hij was geïnteresseerd in Wein, Weib und Gesang.

In feite heb ik altijd gedacht dat hij vrouwen haatte – behalve zijn moeder. Toen Henry's vader stierf, stond Eleanor Clay Ford aan het hoofd van de familie en zij belastte Henry met de leiding van de fabriek. Ze hield hem wel een beetje aan de teugel.

Toen ze in 1976 stierf, stortte zijn hele wereld in elkaar. De enige vrouw in zijn leven voor wie hij respect had, was er niet meer. Henry was op en top een seksist die geloofde dat de vrouwen uitsluitend op de wereld waren gezet voor het genoegen van de mannen.

Hij beklaagde zich er eens tegen mij over dat de vrouwen op een dag de Ford Motor Company zouden overnemen en te gronde richten. Dit is wat bij Gulf Oil gebeurde, placht hij te zeggen. Hij voegde er aan toe dat de dertien kleinkinderen bij Ford nu meer stemrecht bezaten dan hij en zijn broer en zijn zuster samen. Hij voelde het als een treurige aangelegenheid dat er onder die dertien kleinkinderen zeven meisjes waren en slechts zes jongens. Dat was het probleem zei hij tegen me: vrouwen kunnen helemaal niets runnen.

Zoals meestal had Mary het wat hem betreft vanaf het begin bij het rechte eind. Dikwijls zei ze tegen me: 'Drank vernietigt alle remmingen en dan komt de ware man te voorschijn. Denk erom, deze man is gemeen.'

Feitelijk was Mary een van de weinige vrouwen aan wie hij geen hekel had. Op de party ter ere van de vijftigste verjaardag van een goede vriendin van ons, Katie Curran, voerden Henry en Mary een lange discussie terwijl iedereen langzamerhand aangeschoten raakte. In die tijd was Henry niet aan de drank en Mary dronk niet omdat ze suikerziekte had.

Ze spraken over de vergaderingen van het topmanagement die doorgaans in luxe vakantieoorden werden gehouden. Toen Mary opmerkte dat de vrouwen eveneens moesten worden uitgenodigd, was Henry het daar niet mee eens. 'Jullie meisjes proberen altijd elkaar te overtroeven,' zei hij. 'Het enige waar jullie om geven zijn kleren en juwelen.'

'Je ziet het helemaal verkeerd,' ging Mary er tegenin, 'als de vrouwen erbij zijn, gaan jullie mannen op tijd naar bed en rotzooien niet zomaar wat rond. De drankrekening zal de helft kleiner zijn en de volgende morgen gaan jullie naar de vergadering zoals van jullie wordt verwacht. Jullie zullen heel wat meer presteren als je de vrouwen laat meegaan.'

Hij luisterde echt naar haar. Na afloop zei hij tegen me: 'Jouw vrouw beschikt over gezond verstand.' Je moest Henry benaderen op een tijdstip waarop hij nuchter was. Dan moest je hem bij de arm pakken en er flink in knijpen. Mary kon dat, zonder moeilijkheden met hem te krijgen.

Henry wilde een ontwikkeld man zijn en een Europeaan. Hij wist hoe hij charmant moest doen. Hij wist zelfs iets af van wijn en kunst, maar bij alles was het alleen de buitenkant. Na de derde fles wijn waren de remmen los. Voor je ogen veranderde hij van Dr. Jekyll in Mr. Hyde.

Op gezellige bijeenkomsten hield ik me vanwege zijn drankzucht altijd op een afstand van hem. Beacham en McNamara, mijn twee leermeesters, hadden me beiden gewaarschuwd. 'Blijf uit zijn buurt,' was hun devies. 'Als hij dronken wordt, krijg je moeilijkheden om niets.'

Ed O'Leary gaf mij een gelijkluidend advies: 'Je zult nooit worden ontslagen omdat je een miljard dollar verliest. Je zult ontslagen worden op een avond waarop Henry dronken is. Hij zal je een spaghettivreter noemen en jullie zullen ruzie krijgen. Let op mijn woorden – die ruzie zal over niets gaan. Blijf dus altijd uit zijn vuurlijn.'

Dat heb ik geprobeerd, maar Henry begon zich te ontpoppen als meer dan alleen grof.

Voor mij kwam het keerpunt waarop ik de man zag zoals hij was in 1974, bij een stafvergadering die handelde over het gelijke kansenprogramma. Elke afdeling werd gevraagd te rapporteren over zijn vooruitgang bij het aanstellen en bevorderen van zwarten. Na de verslagen, die niet indrukwekkend waren, te hebben aangehoord, werd Henry boos. 'Jullie kerels bewijzen deze zaak alleen lippendienst,' zei hij tegen ons.

Hij zette zijn betoog voort en het werd een vurig pleidooi om ons meer voor de zwarten te laten doen. Hij zei zelfs dat de bonussen voor de staf spoedig zouden worden gekoppeld aan onze vorderingen op dat gebied. 'Op deze manier,' besloot hij, 'zullen jullie vast en zeker van je luie kont afkomen om te doen wat er voor de zwarte gemeenschap gedaan moet worden.'

Zijn ontboezemingen op deze vergadering waren zo ontroerend dat ze me letterlijk de tranen in de ogen brachten. 'Misschien heeft hij gelijk,' zei ik tegen mezelf. 'Misschien doen we inderdaad niet genoeg. Misschien ben ik te laks. Wanneer de baas er zo over denkt, geloof ik dat we er wat meer vaart achter moeten zetten.'

Toen de vergadering was afgelopen, gingen we met zijn allen naar het dakappartement om de lunch in de directie-eetzaal te gebruiken. Zoals gewoonlijk zat ik bij Henry aan tafel. Zodra we plaats hadden genomen, begon hij over de zwarten te oreren. 'Die verdomde roetmoppen,' zei hij. 'Ze rijden over de Lake Shore Drive langs mijn huis. Ik haat ze, ik ben bang voor hen en ik denk dat ik maar naar Zwitserland verhuis. Daar is er niet één te zien.'

Het was een van die momenten die ik nooit zal vergeten. Deze man had mij praktisch aan het huilen gemaakt en nog geen uur later ging hij tegen de zwarten te keer. Het was allemaal show geweest. Diep in zijn binnenste moest hij hen verschrikkelijk haten.

Dat was het ogenblik waarop ik besefte dat ik voor een echte schoft werkte.

Onverdraagzaamheid is al erg genoeg, had ik in Allentown geleerd, maar de kinderen op mijn school deden zich tenminste niet anders voor dan ze waren. Henry was niet alleen onverdraagzaam, hij was tevens schijnheilig.

In het openbaar trachtte hij de meest progressieve zakenman ter wereld te zijn, doch achter gesloten deuren toonde hij zijn minachtig voor bijna iedereen. Tot 1975 was de enige groep die door Henry niet belasterd was die van de Italianen. Het zou niet lang duren voor hij dat verzuim ging inhalen.

10
1975: het fatale jaar

In 1975 begon Henry met zijn opzettelijke, maand-voor-maandplan om mij te vernietigen.

Tot dan toe had hij me tamelijk met rust gelaten. In dat jaar begon hij echter pijn in zijn borst te krijgen en ging hij er slecht uitzien. Het was in die tijd dat Henry het besef kreeg dat hij sterfelijk was.

Hij gedroeg zich als een beest. Ik denk dat zijn eerste opwelling was: 'Ik wil niet dat die indringer de boel overneemt. Wat gebeurt er met de familie-onderneming als ik een hartaanval krijg en doodga? Voor ik het weet, sluipt hij hier op een avond binnen, verwijdert mijn naam van het gebouw en verandert hij deze plek in Iacocca Motor Company. En waar blijft mijn zoon Edsel dan?'

Als Henry vermoedde dat ik de kroonjuwelen zou stelen, moest hij me zien kwijt te raken. Hij had echter niet het lef de kwestie rechtstreeks aan te pakken of zelf het vuile werk te doen. Bovendien wist hij dat hij het nooit alleen voor elkaar zou krijgen. In plaats daarvan speelde hij de rol van Machiavelli, vastbesloten mij zo te vernederen dat ik zou weggaan.

Henry gooide zijn eerste bom toen ik afwezig was. In het begin van 1975 was ik een paar weken het land uit voor een bliksemtour door het Midden-Oosten. Ik maakte deel uit van een delegatie van ondernemers die door het weekblad *Time* daarheen waren gehaald om een beter inzicht te krijgen in de Israëlische en Arabische wereld.

Toen ik op 3 februari in de Verenigde Staten terugkeerde, was ik verbaasd mijn assistent, Chalmers Goyert, te zien die mij op J.F.K. Airport opwachtte.

'Wat is er aan de hand?' vroeg ik.

'We hebben grote moeilijkheden,' antwoordde hij.

En dat was zo. Ik luisterde aandachtig naar Goyert die in grote trekken de ongelooflijke gebeurtenis beschreef die tijdens mijn afwezigheid had plaatsgevonden. Een paar dagen eerder, toen een groepje uit ons midden een bezoek bracht aan koning Feisal van Saoedie Arabië, had Henry plotseling een vergadering van topmanagers bijeengeroepen.

De gevolgen van die vergadering werden ook nu nog gevoeld. Henry had zich zorgen gemaakt over de OPEC-situatie. De man die de eer toekwam na de Tweede Wereldoorlog een ommekeer bij de Ford Motor Company te hebben bewerkstelligd, was van angst zichzelf niet meer. De Arabieren waren tot de aanval overgegaan en daartegen was hij niet bestand.

Overtuigd dat er een ernstige depressie in aantocht was, gaf hij opdracht twee miljard dollar te bezuinigen op onze produktieplannen voor de toekomst. Met deze beslissing elimineerde hij op staande voet vele produkten die ons concurrerend zouden hebben gemaakt – waaronder onmisbare zaken als kleine auto's en voorwielaandrijving-technologie.

Tijdens de vergadering had Henry aangekondigd: 'Ik ben de Sewell Avery van de Ford Motor Company.' Dat was een onheilspellende vergelijking.

Sewell Avery was het hoofd geweest van Montgomery Ward, een ultra-conservatieve manager die besloten had geen geld meer toe te wijzen voor verdere ontplooiing na de Tweede Wereldoorlog. Hij was er zeker van dat de wereld en Amerika tot de ondergang waren gedoemd. Zijn besluit bleek een ramp te zijn voor Montgomery Ward omdat Sears was begonnen de boel af te breken.

Henry's aankondiging hield hetzelfde in voor ons.

Voor mij was het niet moeilijk de tekenen aan de wand te zien. Henry had gewacht tot ik duizenden kilometers ver weg was om de vergadering bijeen te roepen waardoor hij mijn macht en verantwoordelijkheid aan zich trok – en waarbij hij ook inging tegen alles waarin ik geloofde.

Henry heeft op die dag de onderneming een enorme schade toegebracht. De Topaz en de Tempo van Ford, de kleine auto's met voorwielaandrijving die eindelijk in mei 1983 op de markt werden gebracht, hadden al vier of vijf jaar eerder klaar moeten zijn toen het publiek schreeuwde om kleine wagens. Maar de reactie van Ford op de oliecrisis van 1973 werd zelfs niet *gepland* voor het 1979 was.

Ik was razend. OPEC had al duidelijk gemaakt dat we zonder kleine auto's ten dode waren opgeschreven. GM en Chrysler werkten met een bezeten snelheid om hun compacte auto's te lanceren en terwijl dit gaande was, stak het hoofd van de Ford Motor Company zijn kop in het zand. Iedere maand na de bestuursvergadering, je kon de klok erop gelijkzetten, kreeg ik bezoek van Franklin Murphy, de nestor van onze raad van bestuur, de vroegere kanselier van UCLA, voorzitter van het bestuur van de Los Angeles Times-Mirror Company – en oude vertrouwensman van Henry Ford.

Murphy gaf me altijd ernstige adviezen; niet over hoe ik het bedrijf moest besturen, doch hoe ik met Henry Ford moest omspringen. 'Hij staat onder grote druk,' zei hij me op een dag. 'Je moet vergevingsgezind zijn. Hij maakt een afschuwelijke tijd door met zijn vrouw.'

We wisten allemaal dat het huwelijk van Henry met Cristina stuk liep. Hij was onlangs aangehouden voor het rijden onder invloed in Santa Barbara – samen met zijn vriendin Kathy DuRoss, terwijl Cristina op pad was met haar boezemvriendin Imelda Marcos, de first lady van de Philippijnen.

Een paar dagen later lag ik thuis ziek met griep en miste ik dus noodlottigerwijze een vergadering over een verbazingwekkende gebeurtenis.

Op 14 februari, toen ik dus afwezig was, riep Henry een vergadering bijeen om de Indonesische situatie te bespreken. Henry had blijkbaar Paul Lorenz, een vice-president en een van de topfunctionarissen van onze onderneming, gemachtigd om een commissie van een miljoen dollar te betalen aan een Indonesische generaal. Als tegenprestatie kreeg Ford een contract van 29 miljoen dollar om vijftien grondstations voor satellieten te bouwen.

Toen echter het woord 'commissie' was uitgelekt, stuurde Henry twee van onze mensen naar Jakarta om de generaal te vertellen dat dit niet onze manier van zakendoen was.

Lorenz werkte voor mij. Toen ik van deze geschiedenis hoorde, riep ik hem op mijn bureau en zei: 'Paul, waarom heb je verdomme die generaal een miljoen dollar aangeboden?'

Paul was een zeer integer en bekwaam man. Hij was bovendien loyaal en een ander in moeilijkheden brengen, wilde hij niet. 'Het was een vergissing,' antwoordde hij.

'Een vergissing?' zei ik. 'Niemand geeft bij vergissing een miljoen dollar weg.'

Paul zweeg. Toen ik aanhield, zei hij: 'Je denkt toch zeker niet dat ik zoiets op eigen houtje doe, hè?'

'Wat bedoel je daarmee?' vroeg ik. 'Wil je daarmee zeggen dat iemand je dat heeft opgedragen?'

Paul antwoordde: 'Nou nee, maar de voorzitter gaf me zo'n beetje een wenk met te zeggen: "Zo worden die dingen daar gedaan."'

Nu is het waar dat Amerikaanse ondernemingen die zaken doen in de derde wereld-landen soms steekpenningen betalen, maar zover ik wist, zou zoiets bij Ford nooit kunnen gebeuren.

Zodra de pers lucht kreeg van de poging tot omkoping werd er in de onderneming intern een 'operatie doofpot' in elkaar gezet die op z'n minst even indrukwekkend was als wat er plaats had gevonden tijdens Watergate. Intern vond een zuivering van de dossiers plaats. Er werden zelfs vergaderingen gehouden om onze excuses waarom we het deden, te coördineren.

We hadden geen andere keus dan Paul Lorenz te ontslaan en zoals gebruikelijk werd mij de taak opgedragen dat te doen. 'Ik zal geruisloos verdwijnen als er geen stigma op mijn beoordelingsstaat rust,' zei hij tegen me. 'Je weet dat ik het niet gedaan zou hebben zonder toestemming op het hoogste niveau.' Ik kende Paul goed en ik geloofde dat hij de waarheid sprak.

Een paar dagen later legde Henry een soort bekentenis af. 'Ik denk dat ik bij Lorenz misschien de indruk heb gewekt dat het wel goed zat met de omkoperij,' zei hij tegen me. 'Het kan zijn dat ik die arme donder op een dwaalspoor heb gebracht.'

Anderhalf jaar later bekeek ik de overzichtslijst van de bonussen. Tot mijn ontsteltenis zag ik dat Henry had bepaald Paul Lorenz 100.000 dollar te geven.

'Ik heb die man ontslagen,' merkte ik tegen Henry op. 'Hoe kon jij hem dan een bonus van 100.000 dollar geven?'

'Nou ja,' antwoordde Henry. 'Het was geen kwaaie vent.' Het leek net alsof Watergate nog eens helemaal overgedaan werd – Lorenz nam de schuld op zich en de baas zorgde voor hem.

Ook hierin was de pers veel te mild voor Henry, evenals de rechtbank. Een paar jaar later werd ik op het Departement van Justitie ontboden om onder ede een verklaring over deze zaak af te leggen. Henry heeft nooit een dergelijke verklaring afgelegd. Waarom hij de dans ontsprong, weet ik niet.

Gedurende diezelfde winter maakten we ons verlies van het vierde kwartaal 1974 bekend, dat twaalf miljoen dollar bedroeg. Als het om verliezen gaat, was dit slechts een kleinigheid. Vergeleken met wat de auto-industrie in de jaren tussen 1979 en 1982 doormaakte, had een verlies van twaalf miljoen dollar aanleiding kunnen zijn om een feestje te vieren.

Toch was dit de eerste keer sinds 1964 dat de Ford Motor Company een kwartaalverlies had geleden. Henry had bovenop zijn slechte gezondheid en zijn ineenstortend huwelijk nog iets om zich zorgen over te maken. Als gevolg ervan werd hij nog achterdochtiger dan hij toch al was.

Als secretaresse had ik in die tijd Betty Martin, een geweldige vrouw. Wanneer het mannelijk superioriteitsgevoel niet in het systeem was ingebouwd, zou zij een vice-presidente zijn geweest – ze was beter dan de meeste kerels die voor mij werkten.

Betty wist altijd wanneer er iets verdachts gaande was. Op een dag kwam ze bij me en zei: 'Ik heb zoëven gehoord dat iedere keer als jij van de credit-card van de maatschappij gebruik maakt, dit aan het bureau van Mr. Ford wordt gerapporteerd.'

Een paar weken later merkte ze op: 'Je bureau ziet er vaak wanordelijk uit en dus probeer ik soms, voor ik naar huis ga, de boel een beetje voor je op te ruimen.' Ze voegde er nog aan toe: 'Ik herinner me altijd precies waar ik alles heb neergelegd, maar de volgende ochtend is alles verplaatst. Ik heb vaak gedacht dat je dit moest weten en ik geloof niet dat de werksters ooit iets aanraken.'

Toen ik thuiskwam, zei ik tegen Mary: 'Nu begin ik me zorgen te maken.' Betty Martin was een vrouw uit één stuk; ze had een hekel aan kletspraatjes. Zij zou me deze dingen niet hebben verteld, als ze niet had gedacht dat ze belangrijk waren. Er zat gedonder in de lucht en zoals gewoonlijk waren het de secretaresses die dit het eerst beseften.

Daarna werd alles hoe langer hoe vreemder. Op 10 april, tijdens onze maandelijkse vergadering van de raad van bestuur, reageerden wij op onze recente verliezen met een korting van twintig dollarcent op ons kwartaaldividend. Dat alleen al bespaarde ons 75 miljoen dollar per jaar.

Diezelfde dag echter verhoogde Henry de vergoedingen voor de directeuren van 40.000 naar 47.000 dollar per jaar. Zoiets noem ik neutraliseren van het bestuur.

Later in de maand kondigden we onze verliezen over het eerste kwartaal aan, elf miljoen dollar na belasting, hetgeen betekende dat we nu twee kwartalen achter elkaar verlies hadden geleden.

Henry was er na aan toe uit elkaar te barsten. Op 11 juli vertoonde hij zijn gekte in het openbaar. Die dag riep hij een vergadering bijeen van vijfhonderd topmanagers. Hij gaf vooraf geen aanduiding – zelfs niet aan mij – over het doel van deze buitengewone bijeenkomst. Toen iedereen in de gehoorzaal aanwezig was, hield Henry een speech waarin hij verkondigde: 'Ik ben de kapitein op dit schip.' Ons management, verklaarde hij, pakte de zaken helemaal verkeerd aan. Ik was de top-manager en dus bestond er geen twijfel over aan wie hij dacht. Het werd een vergadering zoals nog nooit eerder was gehouden. Henry raaskalde maar wat en was dikwijls onsamenhangend. Mensen die weggingen, vroegen elkaar: 'Hé, waar ging het allemaal over?'

Na deze vergadering begonnen we ons af te vragen of Henry zijn verstand aan het verliezen was. Iedereen werd nerveus. Het hele bedrijf leek bevroren; niemand deed iets. Wel waren de mensen druk bezig uit te zoeken waar Henry heen wilde – en aan welke kant ze moesten staan.

Hoewel de pers voor het grootste deel onwetend was van het gekrakeel, kregen onze dealers sterk de indruk dat er iets mis was. Op 10 februari 1976 werd er een vergadering gehouden door de dealers van de Ford Division in Las Vegas. De notulen luidden: 'Het schijnt dat er binnen de leiding teveel politiek wordt bedreven en dat verzwakt de effectiviteit van de leiders... Henry Ford II beschikt op dit ogenblik niet over die kwaliteit aan leiderschap die de dealers van hem verwachten.'

De dealers spraken ook hun bezorgdheid uit over het tekort aan nieuwe produkten en over het feit dat ze zich nu in een nadelige positie voelden met betrekking tot GM.

Tijdens mijn vechtpartijen met Henry lieten de dealers duidelijk merken dat ze aan mijn kant stonden. Dat maakte de zaak alleen maar erger. Iedere verklaring van steun van de kant van de dealers betekende meer ammunitie voor Henry. De Ford Motor Company was geen democratie en dus was het naakte feit van mijn populariteit onder de troepen voldoende om hem ervan te overtuigen dat ik gevaarlijk was.

Al deze gebeurtenissen waren echter slechts kleinigheden vergeleken bij het werkelijk grote nieuws van dat jaar.

In de herfst van 1975 ontbood Henry Paul Bergmoser bij zich die een limousine-verhuurbedrijf en een reisbureau in New York runde en onze programma's voor de aanmoedigingen van de dealers organiseerde.

'Ben jij niet bang voor Fugazy?' vroeg Henry. 'Ben jij niet bang dat je zult eindigen in de East River met een paar blokken cement aan je voeten?'

Kort daarna moest ik bij Henry komen. 'Ik weet dat Fugazy een goede vriend van je is,' zei hij, 'maar ik laat een volledig onderzoek naar hem instellen.'

'Wat zijn de moeilijkheden?' vroeg ik.

'Ik denk dat hij banden heeft met de mafia,' antwoordde Henry.

'Doe niet zo belachelijk,' zei ik. 'Zijn grootvader heeft het reisbureau in 1878 opgezet. Bovendien hebben Bill en ik gegeten met kardinaal Spellman. Hij staat op goede voet met onbesproken mensen.'

'Daar weet ik niets van,' zei Henry. 'Maar hij heeft een limousine-verhuurbedrijf. Limousine- en vrachtwagenbedrijven zijn altijd een dekmantel voor de mafia.'

'Maak je gekheid?' vroeg ik. 'Als hij zo bij de mafia betrokken is, waarom verliest hij dan zoveel geld?'

Die logica scheen bij hem niet over te komen en dus probeerde ik het langs een andere weg. Ik bracht hem in herinnering dat het Bill Fugazy was geweest die ervoor had gezorgd dat paus Paulus in een Lincoln reed in plaats van in een Cadillac toen hij een bezoek aan New York bracht.

Henry bleef evenwel onvermurwbaar. Als volgende kreeg ik van Fugazy te horen dat er dossiers uit zijn bureau waren gehaald, buiten hem om en hij was ervan overtuigd dat ook zijn telefoon werd afgetapt. Nooit werd er echter iets belastends tegen hem gevonden.

Al spoedig werd duidelijk dat de hele Fugazy-affaire niets anders dan een dekmantel was. Het eigenlijke object van Henry's onderzoek was niet Bill Fugazy, maar Lee Iacocca.

Het onderzoek dat de maatschappij ten slotte tegen de twee miljoen dollar kostte, begon in augustus 1975. Geïnspireerd door Watergate stelde Henry zelfs een speciale aanklager aan – Theodore Souris, een voormalig rechter bij het gerechtshof in Michigan.

Het onderzoek richtte zich eerst op een vergadering van Ford-dealers in Las Vegas. Wendell Coleman, hoofd van ons verkoopkantoor in San Diego, was belast met de onkostenrekeningen voor de bijeenkomst in Las Vegas. Hij werd ontboden voor een ondervraging waarbij ze, figuurlijk gesproken, de darmen uit zijn lijf trokken. Coleman was zo buiten zichzelf van woede door het gebeurde dat hij er een volledig verslag van maakte en het mij toezond.

Wendell Coleman moest op 3 december op het wereldhoofdkantoor komen waar hij werd 'geïnterviewd' door twee mannen van de financiële staf. Ze begonnen met hem op zijn rechten te wijzen. Daarna deelden ze hem mee dat dit geen accountantsonderzoek was van de Ford Division, maar veeleer een onderzoek dat gedaan werd op verzoek van het wereldhoofdkantoor. Ze verzochten hem met niemand in het bedrijf over het interview te praten.

Het vraaggesprek begon met een gedetailleerd overzicht van verschillende diners van Ford-dealers in Las Vegas. Er werd Coleman gevraagd of er vrouwen waren geweest op een feestje van topfunctionarissen in een duur restaurant, en speciaal of ik vrouwen bij me had. Vervolgens zaagden ze door over zaken als... of hij een grote fooi had gegeven aan de maître d'hotel... of Fugazy deel had uitgemaakt van de groep... of sommige chefs aan het gokken waren geweest en of Coleman hen geld voor dit doel had gegeven.

'Het was een heksenjacht,' vertelde Coleman me. 'Ze waren op zoek naar iets – wat dan ook. Gokken, meisjes, enzovoort.' Toen Coleman bezwaar maakte tegen de manier van ondervragen, vroegen ze hem zonder omwegen: 'Heb jij ooit geld aan Iacocca gegeven om te gokken?'

'Nee.'

Coleman had de indruk dat zijn ondervragers geloofden dat hij bereid was stapels bankbiljetten uit te delen aan topmanagers van de onderneming.

Onder het mom van een accountantsonderzoek naar de reiskosten en onkostenrekeningen van de topmensen, deed Henry niets anders dan een volledig onderzoek naar mijn zaken – en mijn privéleven. Het 'onderzoek van de boekhouding', bestond uit ongeveer vijfenvijftig vraaggesprekken, die niet alleen werden gehouden met Ford-managers, maar ook met velen van onze leveranciers, zoals U.S. Steel en Budd, alsook met onze reclame-bureaus.

Niettegenstaande de ongelooflijke inspanning slaagden de onderzoekers er niet in ook maar een enkel schadelijk feit over mij of mijn mensen boven water te halen. Er werd een compleet verslag aan Franklin Murphy uitgebracht die mij kwam opzoeken en zei: 'Je hoeft je nergens zorgen over te maken. De hele zaak is voorbij.'

Ik was razend. 'Waarom bemoeide een van jullie uit het bestuur er zich niet mee toen dit gaande was?' vroeg ik.

'Vergeet het maar,' antwoordde Frank. 'Je kent Henry immers; jongens onder elkaar. Hoe het ook zij, hij kwam binnen met een kanon, maar het bleek niet meer dan een proppeschieter te zijn.'

Na twee miljoen dollar te hebben uitgegeven zonder enig resultaat, zou dat voor een normaal mens misschien reden zijn geweest om zijn excuses aan te bieden. Een normaal mens had wellicht gezegd: 'Akkoord, ik heb een onderzoek ingesteld naar mijn president en een aantal van mijn vice-presidenten... ze zijn zo onschuldig als een pasgeboren baby. Ik ben trots op hen, want het onderzoek was meedogenloos.'

Dat was het zeker. In die maanden zagen we elkaar het gebouw uitlopen om te telefoneren. Henry was naar Japan gegaan; hij was helemaal bezeten van de nieuwe, hoogwaardige elektronische snufjes die hij daar had gezien. We waren allemaal bang dat we werden afgeluisterd. Bill Bourke, een van onze vice-presidenten, vertelde ons dat hij erbij was toen Henry een apparaatje van 10.000 dollar kocht waarmee hij de gesprekken in een ander gebouw kon opvangen. Niemand die Henry kende, twijfelde eraan dat dit waar was.

De uitwerking die dit alles had op ons topmanagement was nauwelijks te geloven. We gingen ertoe over de gordijnen te sluiten en op fluistertoon te praten. Ben Bidwell die later president bij Herz werd voor hij zich bij Chrysler bij mij voegde, zei vaak dat hij zelfs bang was om in de hal te lopen. Volwassen mannen liepen te trillen op hun benen, zo bang waren ze dat de koning hen ter dood zou veroordelen.

Het was allemaal niet te geloven. Een man die een fortuin had geërfd, maakte er een puinhoop van. Drie jaar lang veranderde hij de onderneming in een hel, alleen omdat hij daar zin in had. Hij speelde eenvoudig met de levens van mensen. Sommige knapen gingen teveel drinken; hun gezinnen vielen uiteen en niemand kon er iets tegen doen. Dit monster maakte amok. Zo was de atmosfeer in het Glazen Huis in 1975.

Toen was het ogenblik aangebroken waarop ik had moeten weggaan.

Zeker, Henry moet hebben verwacht dat ik de benen zou nemen. Oorspronkelijk had hij waarschijnlijk gedacht: ik vind wel iets over die knaap. Hij maakt almaar uitstapjes en leeft van het goede der aarde. Als ik diep genoeg graaf, kan het niet anders of ik stuit op smeerlapperij met geld.

Dat gebeurde echter niet. Toen het onderzoek eindelijk voorbij was, zeiden mijn vrienden: 'God zij dank, het is afgelopen.'

'Nee,' was mijn antwoord. 'Henry kwam er met lege handen uit. Hij staat voor joker. Nu beginnen de moeilijkheden pas echt.'

11
De kaarten op tafel

Ik vraag me dikwijls af waarom ik eind 1975 niet ben weggegaan. Waarom accepteerde ik het lot dat Henry mij had toebedacht? Hoe kon ik toestaan dat een mens mijn toekomst in elkaar trapte?

Achteraf begrijp ik niet hoe ik die jaren ben doorgekomen. Mijn leven verliep zo waanzinnig dat ik alles begon op te schrijven. Mary zei altijd: 'Leg het allemaal vast. Eens wil je er misschien een boek over schrijven. Niemand zal kunnen geloven wat we moeten doormaken.'

Waarom heb ik dus niet de benen genomen?

Ten eerste omdat ik hoopte, zoals iedereen doet die zich in een beroerde toestand bevindt, dat alles weer goed zou komen. Misschien zou Henry zijn verstand weer terugkrijgen of het bestuur zou flink van zich afbijten.

Een andere ontwikkeling waaraan ik dacht, was dat zijn broer Bill, die twee keer zoveel aandelen bezat als Henry, op een dag zou zeggen: 'Hoor 'es, mijn broer is gek geworden, we moeten hem vervangen.' Ik ben er zeker van dat Bill met die gedachte heeft gespeeld, hij heeft er echter nooit naar gehandeld.

Waarom bleef ik? Ten dele omdat ik mij niet kon voorstellen ergens anders te werken. Ik had mijn hele volwassen leven bij Ford doorgebracht en daar wilde ik blijven. De Mustang, de Mark III en de Fiësta, ze waren mijn kinderen. Ik had ook vele medestanders. De leveranciers bleven grote bestellingen ontvangen. De dealers zeiden: 'We hebben het nog nooit zo goed gehad.' Aan de managers werden riante bonussen uitbetaald.

Tenzij ik een soort swami was, die een magische greep op al deze mensen had, moest ik aannemen dat mijn populariteit te danken was aan mijn prestaties. Ondanks de moeilijkheden met Henry had ik veel bevrediging van mijn succes.

Ik heb nooit verwacht dat het tot een beslissende botsing zou komen, maar als het toch zover kwam, stond ik klaar om me te verweren. Ik wist hoe waardevol ik was voor het bedrijf. Op alle terreinen waarop het echt aankwam, was ik veel belangrijker dan Henry. In mijn naïviteit hoopte ik, omdat wij een publieke onderneming waren, dat de beste man zou winnen.

Ik was ook hebzuchtig. Ik genoot ervan president te zijn. Ik hield van de voorrechten die een president heeft, de speciale parkeerplaats, de privé-badkamer, de witgejaste bedienden. Ik was week geworden, verwend door het goede leventje.

Ik vond het bijna onmogelijk weg te lopen met een jaarlijks inkomen van 970.000 dollar. Hoewel ik de tweede man was bij de tweede onderneming van het land, verdiende ik in werkelijkheid meer dan de voorzitter van het bestuur van General Motors. Ik was zo begerig naar dat miljoen dollar per jaar dat ik de realiteit niet onder ogen wenste te zien.

Ik ben er absoluut van overtuigd dat van de zeven hoofdzonden hebzucht de ergste is.

Diep in mijn binnenste moet er een karakterzwakte hebben gezeten. De mensen zeggen van me dat ik zeer zelfverzekerd ben en als het erop aankomt zo hard als een spijker, maar waar bleven die eigenschappen toen ik ze werkelijk nodig had?

Misschien had ik moeten terugvechten. Mary wilde altijd dat ik Henry knock-out zou slaan. 'Als je het aan mij overlaat,' placht ze meer dan eens te zeggen, 'wil ik hem graag onderhanden nemen. Ik weet dat het je baan zou kosten, maar dan zouden we ons tenminste allemaal beter voelen.'

Henry was intussen nog steeds vastbesloten me weg te werken. Toen het onderzoek niet het gewenste resultaat opleverde, moet hij hebben gedacht: Die knaap loopt niet weg, ik moet dus iets anders proberen. Ik kan hem niet ontslaan omdat hij veel te populair is en dus moet ik hem het mes op de keel zetten. Ik neem hem steeds iets af zodat hij niet weet waar hij blijft.

Het bleek dat dit 'iets' echte mensen waren. Het gerucht ging dat Henry een lijst in zijn bezit had van de dikke vriendjes van Iacocca en al spoedig kwam ik tot de ontdekking dat het heel wat meer was dan een gerucht.

Zonder enige duidelijke aanleiding pakte Henry op een dag de telefoon en belde Leo-Arthur Kelmenson, president van Kenyon & Eckhart, het reclame-bureau dat werkte voor Lincoln-Mercury. 'Kelmenson,' brulde hij, 'gooi Bill Winn eruit!'

Bill Winn was een van mijn beste vrienden. Op Ann Arbor waren we kamergenoten geweest. Twee dagen voor Henry's telefoontje was Bill bij Kenyon & Eckhart aangenomen voor het voeren van speciale campagnes. Daarvoor had hij een eigen produktiemaatschappij gerund. Hij had dikwijls met ons samengewerkt bij onze jaarlijkse, spectaculaire shows voor de dealers en hij had altijd schitterend werk afgeleverd.

Toen Kelmenson mij het nieuws overbracht dat Bill was ontslagen, stond ik net op het punt een toespraak te houden voor een groep zakenlui die een conferentie hielden die werd gesponserd door de Michigan State University. Tijdens mijn praatje die avond moest ik steeds aan Bill denken.

Waarom Henry dat had gedaan, kon ik niet begrijpen. Bill Winn was in de omgang een heel gemakkelijke kerel; hij was nooit tegen de draad in. Henry kon geen ruzie met hem hebben gehad omdat hij hem nog nooit had ontmoet. Bovendien had Bill altijd uitstekend werk geleverd bij alles wat we hem in handen gaven.

Het begon tot me door te dringen dat Henry's despotische beslissing om Bill Winn te ontslaan niets anders was dan een lompe en indirecte aanval op Lee Iacocca.

De Bill Winn-affaire was het openingssalvo in een uitputtingsoorlog die in 1976 almaar escaleerde. Mocht ik daarover nog twijfels hebben gekoesterd, dan gaf Henry's volgende aanval op Harold Sperlich me alle bewijzen die ik nodig had.

Hal Sperlich is een van die legendarische Detroit-figuren van wie de mensen zeggen: 'Hij heeft benzine in zijn aderen.' Als technicus en produktieplanner werkte hij in de jaren zestig en zeventig met mij samen. Hij had een beslissende rol in de creatie van verscheidene nieuwe auto's – vooral in die van de Mustang en de Fiësta.

Hal bezit zoveel talenten dat het moeilijk is hem op de juiste manier te prijzen. Hij zou wel eens de beste autovakman in Detroit kunnen zijn. Hij is zo snel als de weerlicht en heeft een ongeëvenaard vermogen om tot de kern van een probleem te komen – als eerste.

Als president van Ford hoorde het tot mijn plichten de commissie voor de produktieplanning voor te zitten. Tijdens de vergaderingen zat Hal Sperlich aan mijn linker- en Henry aan mijn rechterzijde. Henry gaf zo nu en dan een knikje of bromde wat; veel zeggen deed hij nooit op deze vergaderingen. Zijn gebaren en geluiden spraken echter boekdelen. Feitelijk besteedden de mensen over het algemeen meer aandacht aan Henry's gezichtsuitdrukkingen dan aan de ideeën die op tafel werden gelegd.

Het was duidelijk dat Henry Sperlich of zijn voorstellen niet erg mocht. Hal was nogal kortaf en toonde niet veel eerbied voor de koning. Hij probeerde wel diplomatiek te zijn, maar iedereen kon zien wat er gebeurde: Sperlich die veel van auto's afwist en een ongelooflijk instinct bezat over wat de toekomst in petto had, bleef ons in de richting duwen van kleinere modellen en dat was het laatste wat Henry wilde horen.

Op een keer, na een vergadering van de commissie voor produktieplanning, riep Henry me bij zich op zijn kamer. 'Ik haat die verdomde Sperlich!' zei hij, 'en ik wil niet dat hij naast jou zit. Hij zit jou altijd in het oor te fluisteren en ik wil niet dat jullie op zo'n manier tegen mij samenspannen.'

Er was voor mij geen andere keus dan Sperlich te bellen en hem het nieuws mee te delen.

'Hal,' begon ik, 'ik weet dat het belachelijk klinkt, maar je mag niet langer naast me zitten.' Verder wilde ik niet gaan. Het was verreweg de waardevolste speler van het team en ik peinsde er niet over hem op de reservebank te zetten.

Het enige dat ik ten slotte kon doen om Hal te redden, was hem volkomen buiten het gezichtsveld van Henry te brengen. Ik droeg hem een aantal taken in Europa op en weldra werd hij een transatlantische pendelaar. Welk probleem zich ook voordeed, Hal ging erop af en klaarde het karwei. De Fiësta was zijn grootste succes, maar bijna alles wat hij aanraakte, veranderde in goud.

Kort daarop belde Henry me op en gaf me opdracht Hal Sperlich te ontslaan.

'Henry,' zei ik, 'je maakt een grapje. Hij is de beste man die we hebben.'

'Ontsla hem, nú,' zei Henry.

Het was halverwege de middag en ik stond op het punt van kantoor weg te gaan om een vliegtuig naar New York te pakken. Ik vroeg Henry dus of het niet kon wachten tot ik terug was.

'Als je hem nu niet de zak geeft, kun je samen met hem vertrekken,' was Henry's antwoord.

Ik wist dat het hopeloos was, maar toch probeerde ik hem tot rede te brengen. 'Sperlich heeft de Mustang gedaan,' zei ik. 'Hij heeft miljoenen voor ons verdiend.'

'Zit niet aan mijn kop te zeiken,' zei Henry. 'Ik mag hem niet en jij hebt niet het recht me te vragen waarom. Het is gewoon een gevoel van me.'

Hal nam het zwaar op. Hoewel we het beiden hadden zien aankomen, leef je toch altijd in de hoop dat het recht zal zegevieren als je je werk goed doet. Hal geloofde echt dat zijn capaciteiten voldoende waren om zich bij Ford te kunnen handhaven, zelfs al wist hij dat de baas hem niet mocht. Hij zag over het hoofd dat we in een dictatuur werkten.

'Het is hier een klotetroep,' zei ik tegen Sperlich, 'en waarschijnlijk kan ik beter met je meegaan. Ik sta hoger op de ladder dan jij, maar ik heb met dezelfde vuiligheid te maken. Wie weet, bewijst Henry je wel een dienst. In een meer democratische omgeving zal je talent erkend en beloond worden. Het is moeilijk er nu in te geloven, maar misschien zul je nog eens aan deze dag terugdenken en dankbaar zijn dat Henry je eruit heeft geschopt.'

Ik vermoed dat ik toen profetische woorden sprak. Kort nadat Hal was ontslagen, nodigde de president van Chrysler hem uit voor een lunch. Begin 1977 ging Hal bij Chrysler aan de slag. Hij speelde onmiddellijk een leidende rol bij de planning voor hun kleine auto's en hij bracht er alles ten uitvoer wat hij bij Ford tot stand had willen brengen.

Minder dan twee jaar later werkten Hal en ik weer samen. Vandaag is hij president van Chrysler en het is prachtig om te zien dat zijn auto's met voorwielaandrijving – vooral de T 115 mini-bestelwagens – gestaag aan Fords aandeel in die markt knabbelen.

In het begin van 1977 verklaarde Henry de oorlog. Hij haalde de bedrijfsadviseurs van McKinsey & Company binnen om de top van onze administratie te reorganiseren. Toen het project klaar was, legde een staffunctionaris van die onderneming een briefje op mijn bureau, waarvan de inhoud op het volgende neerkwam: Hou je taai, Lee, maar gemakkelijk zal het niet zijn. Je baas is een absolute dictator en ik snap niet hoe jullie jongens het bij hem uithouden.

Na maanden van studie en een paar miljoen aan honoraria bracht McKinsey zijn aanbeveling naar buiten. Het plan behelsde een driehoofdige bezetting van het bureau van de hoogste leiding, die de normale structuur van voorzitter en president moest vervangen.

De nieuwe regeling werd officieel in april ingevoerd. Henry bleef natuurlijk voorzitter en hoogste baas. Phil Caldwell kreeg de titel van vicevoorzitter terwijl ik president bleef.

We hadden ieder ons eigen terrein van verantwoordelijkheden, maar de voornaamste verandering – en de duidelijke reden voor de nieuwe regeling – werd uiteengezet in een memo van Henry dat luidde: 'Bij afwezigheid van de voorzitter is de vice-voorzitter de hoogste leidinggevende functionaris.' Met andere woorden: na Henry was Phil Caldwell de tweede man.

Nu Caldwell nummer twee was geworden, ontbrandde er tussen Henry en mij een openlijke strijd. Tot dan was er sprake geweest van een guerillatactiek, maar nu werd Henry brutaler. Die hele verandering in de top was niets anders geweest dan een truc, een kostbare truc, om mijn macht op een sociaal aanvaardbare wijze te ondergraven. Henry was erin geslaagd Caldwell boven mij te plaatsen zonder een regelrechte confrontatie.

Het was een klap in mijn gezicht. Bij elk diner trad Henry als gastheer op aan de eerste tafel, Caldwell aan de tweede tafel en werd ik naar de derde tafel doorgeschoven. Het was een publieke vernedering, zoiets als de vent aan de schandpaal in het hartje van de stad.

Hij verscheurde me van binnen, hij vernederde mijn vrouw en kinderen. Thuis wisten ze dat ik onder grote spanningen leefde ofschoon ik hen niet alle bijzonderheden vertelde. Ik wilde mijn gezin niet krankzinnig maken. Ik vermoordde mezelf, maar ik wilde niet zwichten. Het is misschien trots geweest of stompzinnigheid, maar met de staart tussen de benen afdruipen wilde ik niet. Het bureau van de opperste leiding was een driehoofdig monster. Het was lachwekkend dat Caldwell, die eerst onder mij had gewerkt, opeens, zonder aanwijsbare reden, alleen uit boosaardigheid, nu boven mij geplaatst was. Onder vier ogen zei ik tegen Henry dat de nieuwe regeling een grote vergissing was, doch op een voor hem typerende wijze probeerde hij me gerust te stellen met banale algemeenheden. 'Maak je geen zorgen, op den duur komt alles op zijn pootjes terecht.'

Hoewel ik inwendig kookte, verdedigde ik de nieuwe structuur in het openbaar door alle mensen die voor mij werkten te verzekeren dat de nieuwe regeling prima was.

Het zal niemand verbazen dat het nieuwe bureau van de hoogste leiding niet lang standhield. In juni 1978, veertien maanden nadat het werd opgericht, kondigde Henry opnieuw een wijziging in de leiding aan. In plaats van uit drie zou ons nieuwe team uit vier mensen gaan bestaan. De nieuw aangekomene was William Clay Ford, Henry's jongere broer. Deze Bill Ford werd binnengehaald om de Ford-familie in het bedrijf te handhaven voor het geval Henry ziek zou worden of doodgaan.

Nu was ik op de vierde plaats in de rangorde teruggevallen en bovendien moest ik in het vervolg geen verslag uitbrengen aan Henry, maar aan Phil Caldwell, die tot plaatsvervangend hoogste chef werd benoemd. Om de vernedering compleet te maken, nam Henry niet de moeite mij over de nieuwe herstructurering in te lichten, maar kreeg ik het pas te horen op de dag voorafgaand aan de bekendmaking.

Toen hij mij eindelijk het nieuws vertelde, merkte ik op: 'Ik denk dat je een fout begaat.'

'Het is mijn beslissing en die van het bestuur,' beet hij terug.

Het was de salami-tactiek: iedere keer een plakje. Er werd steeds een stukje van mij afgesneden en elke dag voelde ik dat er weer een deel van mijn lichaam weg was. Ik kondigde aan dat ik dit niet kon nemen.

Veertien dagen later, op 12 juni, had Henry een bijeenkomst met negen leden van het algemeen bestuur waarbij hij hen meedeelde dat hij op het punt stond mij te ontslaan. Ditmaal riep het bestuur hem een halt toe. 'Nee Henry,' zeiden ze, 'dit behandel je verkeerd. Kalm aan. We zullen met Lee praten om er iets op te vinden. Jij gaat naar hem toe en biedt je verontschuldigingen aan!'

De volgende dag kwam Henry naar mijn kamer; het was de derde keer in acht jaar. 'Laten we de strijdbijl begraven,' stelde hij voor.

Het bestuur had besloten dat ik met enkele van zijn leden zou samenkomen om te trachten de moeilijkheden glad te strijken. In de daaropvolgende weken had ik afzonderlijke ontmoetingen met Joseph Cullman, voorzitter van Philip Morris in New York en met George Bennett, president van de State Street Investment Corporation in Boston. Er school niets geheimzinnigs achter deze bijeenkomsten; het was hun idee. Ik vloog naar hen toe met het vliegtuig van de maatschappij en ik diende de onkostennota's in, zodat alles op papier werd vastgelegd.

De schijnvrede duurde een maand. Op de avond van de 12e juli had Henry een diner met de buitenleden van het bestuur, zoals elke maand na afloop van de bestuursvergadering. Opnieuw kondigde hij aan dat hij mij zou ontslaan. Nu beweerde hij dat ik tegen hem samenspande door achter zijn rug contact te zoeken met directeuren van buitenaf (die mij dus zelf voor een bespreking hadden uitgenodigd). Hij zei ook dat het tussen ons nooit had geboterd. Het scheen Henry Ford tweeëndertig jaar te hebben gekost om erachter te komen dat hij niet met mij kon opschieten.

Ook deze keer riepen verscheidene bestuursleden hem een halt toe. Ze wezen op mijn trouw en op mijn waarde voor de onderneming. Ze verzochten Henry mij opnieuw aan te stellen als de nummer twee.

Henry die niet was gewend dat het bestuur hem tegensprak, werd lijkbleek. 'Het is hij of ik,' snauwde hij. 'Ik geef jullie twintig minuten om je standpunt te bepalen.' Na die woorden stormde hij de deur uit.

Tot op dat ogenblik had hij niet de moed gehad de man te ontslaan die zoveel geld voor hem had verdiend; die de vader was van de Mustang, de Mark en de Fiësta en die bovendien zo populair was in het bedrijf. Ik vermoed dat hij het betwijfelde zijn zin te krijgen.

Uiteindelijk echter stak hij de lont in het kruitvat. Henry moet hebben gedacht: het heeft nu al drie jaar geduurd en nog is die ellendeling hier. Toen hij me niet zover had kunnen krijgen dat ik de benen nam, besloot hij tot de aanval over te gaan. Later zou hij wel een rechtvaardiging vinden.

Dezelfde avond kreeg ik een telefoontje van Keith Crain. Crain was de uitgever van *Automotive News*, het wekelijkse vakblad van de auto-industrie. 'Zeg dat het niet waar is,' zei hij.

Ik twijfelde er niet aan wat hij bedoelde. Crain was een goede vriend van Henry's zoon Edsel en ik neem aan dat Henry Edsel had opgedragen het nieuws te laten uitlekken. Op die manier kon ik via de pers van mijn ontslag kennis nemen.

Dat was Henry ten voeten uit. Hij wilde dat het nieuws van mijn ontslag me via een derde zou bereiken. Henry was een meester in het aandraaien van de duimschroeven. Op die manier hoefde de koning zijn handen niet vuil te maken aan smerige staatszaken.

De volgende morgen ging ik gewoon naar mijn werk. Op kantoor wees niets erop dat er wat mis was. Tegen lunchtijd begon ik me dan ook af te vragen of Keith Crain verkeerd was geïnformeerd. Tegen drie uur riep Henry's secretaresse me echter naar zijn kamer en ik dacht: Nu zullen we het hebben.

Toen ik het Heilige der Heiligen betrad, zaten Henry en zijn broer Bill aan een marmeren conferentietafel. 'Stront aan de knikker,' stond op hun gezicht te lezen. Ze waren gespannen en nerveus en ik was op een onverklaarbare manier rustig. Ik had al een tip gehad. Ik wist wat er ging gebeuren. Deze bijeenkomst was alleen om het officieel te maken.

Dat Bill bij het ontslag aanwezig zou zijn, had ik niet verwacht, maar het was verstandig. Zijn aanwezigheid was een manier me te laten weten dat het niet alleen Henry's beslissing was, doch een besluit van de hele familie. Bill was de grootste aandeelhouder van de maatschappij en dus betekende zijn aanwezigheid tevens een politieke boodschap. Indien Bill het eens was met de beslissing van zijn broer, zou ik nergens verhaal kunnen halen.

Henry wilde ook een getuige hebben. Normaal delegeerde hij het vuile werk aan andere mensen – vooral aan mij – als het om het verlenen van ontslag ging. Dit keer stond hij er alleen voor. Met Bill aan zijn zijde was het waarschijnlijk gemakkelijker voor hem om me de laan uit te sturen.

Door Bills aanwezigheid voelde ik me ook beter. Hij was niet alleen een grote fan van me, maar ook een goede vriend. Hij had me al beloofd dat als puntje bij paaltje kwam – en we wisten allebei dat het zover zou komen – hij voor me zou knokken. Ik wist echter dat ik niet absoluut op zijn steun kon rekenen. Bill was nog nooit van zijn leven tegen Henry in opstand gekomen. Toch bleef ik hopen dat hij tussenbeide zou komen.

Nadat ik aan tafel was gaan zitten, kuchte Henry en schraapte zijn keel. Hij had nog nooit iemand ontslagen en wist niet hoe hij moest beginnen. 'Er komt een ogenblik waarop ik de dingen op mijn eigen manier moet doen,' begon hij ten slotte. 'Ik heb besloten het bedrijf te reorganiseren. Het is een van de dingen waaraan ik een hekel heb, maar het moest toch gebeuren. Het is een goede samenwerking geweest –' ik keek hem ongelovig aan – 'maar ik vind dat je moet verdwijnen. Dat is voor de onderneming het beste.'

Gedurende de drie kwartier van ons samenzijn gebruikte hij geen enkele keer het woord 'ontslag'.

'Waar gaat het allemaal om?' vroeg ik.

Henry kon me echter geen reden opgeven. 'Het is iets persoonlijks,' zei hij. 'Meer kan ik er niet over zeggen. Het is nu eenmaal zo.'

Ik bleef echter aandringen, hem dwingen een reden te noemen, omdat ik wist dat hij geen goede reden had. Ten slotte haalde hij alleen de schouders op en verklaarde: 'Nou ja, soms mag je iemand gewoonweg niet.'

Nu had ik nog maar één kaart in handen om uit te spelen. 'Wat denkt Bill hiervan?' vroeg ik. 'Ik wil weten wat hij ervan denkt.'

'Ik heb de beslissing al genomen,' antwoordde Henry.

Ik was teleurgesteld, maar niet echt verbaasd. Bloed kruipt waar het niet gaan kan en Bill maakte deel uit van het vorstenhuis.

'Ik heb bepaalde rechten,' zei ik, 'en ik hoop dat daarover geen ruzie zal ontstaan.' Ik maakte me zorgen over mijn pensioen en een passende schadeloosstelling.

'Dat kunnen we regelen,' zei Henry. We kwamen overeen dat ik mijn ontslag bij de onderneming zou nemen met ingang van 15 oktober 1978 – mijn vierenvijftigste verjaardag.

Tot op dat ogenblik was de conversatie op tamelijk kalme toon gevoerd. Nu nam ik echter het heft in handen. Voor Henry's bestwil somde ik een lijst op van mijn prestaties die de Ford Motor Company ten goede waren gekomen. Ik hielp Henry eraan herinneren dat we juist de twee beste jaren van ons bestaan achter de rug hadden. Ik wilde hem precies voorhouden wat hij weggooide.

Nadat ik mijn relaas had beëindigd, zei ik: 'Kijk me aan.' Tot op dat moment was hij niet bij machte geweest me recht in de ogen te kijken. Mijn stem was luider geworden; ik besefte dat dit ons laatste gesprek zou zijn.

'Je timing deugt niet,' verklaarde ik. 'We hebben net 1,8 miljard dollar verdiend in het tweede achtereenvolgende jaar. Dat is 3,5 miljard in de afgelopen twee jaar. Let op mijn woorden, Henry: Je zult misschien nooit meer 1,8 miljard zien! En weet je waarom niet? In de eerste plaats omdat je er geen moer vanaf weet hoe we dit voor elkaar hebben gekregen.'

Dat was waar. Henry was een specialist in het uitgeven van geld, maar hij heeft nooit begrepen hoe het binnenkwam. Hij zat in zijn ivoren toren en kon alleen zeggen: 'Grote God, wat maken we een boel geld.' Hij was er elke dag om zijn gewichtigheid kenbaar te maken, maar hoe de bal moest worden gespeeld, wist hij absoluut niet.

Tegen het einde van het gesprek, deed Bill een oprechte poging om zijn broer van gedachten te laten veranderen, maar die poging was te mager en kwam te laat. Toen we Henry's kamer verlieten, stroomden Bill de tranen over het gezicht. 'Dit had nooit mogen gebeuren,' bleef hij herhalen. 'Hij is meedogenloos.'

Na wat gekalmeerd te zijn, merkte hij op: 'Je was zo beheerst binnen. Je bent tweeëndertig jaar bij ons geweest en hij gaf je niet eens een reden op. Je hebt hem werkelijk verslagen; in zijn hele leven heeft niemand hem zo aangepakt als jij hebt gedaan. Het verbaast me dat hij zich zo koest hield.'

'Dank je Bill,' zei ik, 'maar ik ben nu gestorven en jij leeft nog.'

Bill is een beste man, maar het zijn altijd de Fords tegenover de rest van de wereld geweest. Toch zijn hij en ik vrienden gebleven. Ik weet dat hij oprecht wilde dat ik president zou blijven – precies zoals hij oprecht geloofde dat er niets tegen gedaan had kunnen worden.

Toen ik op mijn kamer terug was, belde een aantal van mijn vrienden en collega's op om te informeren of het waar was. Dat het nieuws van mijn ontslag de ronde al had gedaan, was duidelijk. Voor de dag ten einde was, gaf Henry een duister memo uit aan de topfunctionarissen dat domweg luidde: Met onmiddellijke ingang bent u verantwoording schuldig aan Philip Caldwell.

Sommige mensen kregen het memo op hun bureau, doch de meesten vonden het op de voorbank van hun auto in de garage van de directeuren. Iemand vertelde me later dat Henry zelf naar beneden was gekomen om ze daar neer te leggen. Waarschijnlijk voor hem de enige manier waarop hij er zeker van kon zijn dat er geen terugweg mogelijk was.

Toen ik die avond het bureau verliet, voelde ik me opgelucht. 'Goddank is dat gezeik voorbij,' zei ik tegen mezelf in de auto. Als ik dan al ontslagen moest worden, was de timing in ieder geval goed. We hadden net de beste zes maanden van ons bestaan gehad.

Eenmaal thuis kreeg ik een telefoontje van Lia, mijn jongste dochter, die in een tenniskamp zat – de eerste keer dat ze van huis was. Ze had door de radio over mijn ontslag gehoord en ze was in tranen.

Wanneer ik op die afschuwelijke week terugkeek, herinner ik me het huilen van Lia door de telefoon het allermeest. Ik haatte Henry om wat hij me had aangedaan. Ik haatte hem echter nog meer om de manier waarop hij het deed. Er was geen gelegenheid geweest om er met mijn kinderen over te praten voordat de hele wereld het al wist en dat vergeef ik hem nooit.

Lia was niet alleen verdrietig, ze was ook boos omdat ik haar van tevoren niet had verteld dat ik op het punt stond te worden ontslagen. Ze kon niet geloven dat ik het niet had geweten.

'Hoe kon je het dan niet weten?' vroeg ze. 'Jij bent toch de president van een grote onderneming, die weet immers altijd wat er aan de hand is.'

'Deze keer niet, liefje.'

Lia kreeg een afschuwelijke week. Ik denk dat er enkele kinderen waren die er een sadistisch plezier in hadden dat de dochter van de president van Ford, een meisje dat van alles altijd het beste bezat, eindelijk haar verdiende loon kreeg.

Het werd al spoedig duidelijk dat Henry zijn besluit mij te ontslaan in een opwelling had genomen, zelfs al zou het op de lange duur toch onvermijdelijk zijn geweest. In diezelfde week had het bedrijf een informatiemap over de Mustang 1979 aan de pers gezonden. In de map zat een foto van mij waarop ik voor de nieuwe wagen stond. Toen de Mustang een paar weken later werd gelanceerd in het Dearborn Hyatt Regency was het echter Bill Bourke die de onderneming vertegenwoordigde.

Ze zeggen altijd: hoe hoger je staat, hoe dieper je valt. Die week stortte ik over een hele afstand omlaag. Ik begon me onmiddellijk te verplaatsen in iedere persoon die door mij was ontslagen.

Toen ik een paar maanden later bij Chrysler kwam, moest ik honderden leidinggevende functionarissen ontslaan om dat bedrijf in leven te houden. Ik heb mijn best gedaan om het met een zekere mate van meegevoel te doen, want voor het eerst van mijn leven wist ik hoe verschrikkelijk het is om te worden weggestuurd.

Na mijn ontslag was het net of ik ophield te bestaan. Uitdrukkingen als 'Vader van de Mustang' konden niet langer worden gebezigd. Mensen die voor me hadden gewerkt, collega's en vrienden, allen waren bang me tegen te komen. Gisteren was ik een held geweest, vandaag was ik iemand die, kostte wat het kost, ontweken diende te worden.

Iedereen wist dat Henry klaarstond om een grote zuivering te houden onder de Iacocca-aanhangers en iedereen die verzuimde de sociale contacten met mij te verbreken, liep kans ontslagen te worden.

Mijn vroegere vrienden belden me niet meer op omdat het mogelijk was dat mijn telefoon was afgetapt. Wanneer ze me bij een autoshow zagen, keken ze de andere kant op. De moedigsten kwamen naar me toe en gaven me gehaast een hand. Daarna verdwenen ze uit het gezichtsveld, voordat de fotograaf van de *Detroit Free Press* een plaatje kon schieten. Per slot was het mogelijk dat Henry de foto in de krant zag en dan zou hij de zondaar wel eens kunnen straffen omdat hij in het openbaar was gezien met de paria.

In de week waarin ik ontslagen werd, kreeg Walter Murphy, mijn naaste medewerker en directeur van public relations bij Ford, midden in de nacht een telefoontje van Henry.

'Hou jij van Iacocca?' wilde Henry weten.

'Natuurlijk,' antwoordde Walter.

'Dan ben je ontslagen,' zei Henry.

De volgende dag herriep Henry dit, maar het toont aan hoe gek hij was geworden.

Maanden later gaven Fred en Burns Cody, twee oude vrienden van me, een feestje te mijner ere. Er kwamen slechts een paar mensen van Ford en maar één van de hogergeplaatsten – Ben Bidwell. Hij nam een ontstellend groot risico. Toen Bidwell de volgende dag op het bedrijf kwam, werd hij op het matje geroepen. 'We willen weten wie er op dat feestje waren,' kreeg hij te horen.

Het hield niet op. De masseur van de onderneming, een goede vriend van me, bleef nog een jaar of twee bij me thuiskomen, totdat hij op een zondag niet meer kwam opdagen. Hij zei dat hij het te druk had en ik heb hem nooit meer teruggezien. Iemand moet hebben rondgebazuind dat hij mij bezocht om me een massage te geven en hij kon het zich niet veroorloven zijn baan te verliezen. Bijna vier jaar nadat ik was ontslagen, werd de chef-stewardess van de luchtvloot van de maatschappij overgeplaatst en in rang verlaagd, omdat ze nog steeds bevriend was met mijn vrouw en kinderen.

De pijn bleef nog lang nadat de daad was gedaan. Een van mijn beste vrienden in de onderneming was vijfentwintig jaar lang zeer intiem geweest met mijn gezin. Iedere vrijdagavond speelden we poker. Onze gezinnen gingen met elkaar op vakantie. Maar nadat ik was ontslagen, heeft hij me zelfs nooit meer opgebeld. En toen Mary in 1983 stierf, kwam hij zelfs niet op haar begrafenis.

Mijn vader beweerde altijd dat, als je bij je dood vijf echte vrienden hebt, je een pracht van een leven hebt gehad. In minder dan geen tijd heb ik geleerd wat hij bedoelde.

Het was een bittere les. Je kunt met iemand tientallen jaren bevriend zijn. Je kunt goede en slechte tijden met hem delen. Je kunt proberen hem te beschermen als de dingen slecht gaan en dan word je zelf door het ongeluk overvallen en hoor je nooit meer iets van die knaap.

Dat brengt je tot de meest wezenlijke vragen. Als ik het had kunnen overdoen, zou ik mijn gezin dan beter hebben kunnen beschermen? De druk waaronder zij gebukt gingen was verschrikkelijk. Je ziet hoe je vrouw achteruitgaat – Mary kreeg drie maanden na mijn ontslag haar eerste hartinfarct – en je gaat je afvragen wat je had moeten doen. Een wrede man en een wreed lot komen tussenbeide en veranderen je leven.

Na het ontslag was ik diep gekwetst en in die tijd had ik best een telefoontje kunnen gebruiken van iemand die zei: 'Laten we een kop koffie gaan drinken, ik vind het afschuwelijk wat er is gebeurd.' De meeste van mijn vrienden in het bedrijf lieten me echter in de steek. Dat was de grootste schok van mijn leven.

Tot op zekere hoogte kan ik hun houding begrijpen. Het was niet hun fout dat de onderneming een dictatuur was; hun banen waren werkelijk in gevaar als ze met mij bleven omgaan. Zij hadden hun hypotheken en kinderen waarover ze zich zorgen moesten maken.

Wat echter te zeggen van het bestuur? Deze knapen waren de illustere behoeders van de Ford Motor Company. Van hen werd verwacht dat ze voor tegenwicht zouden zorgen om te voorkomen dat er door de top een flagrant misbruik van macht werd gemaakt. Mij kwam het evenwel voor dat hun houding was: Zolang er voor ons wordt gezorgd, volgen wij de leider.

Toen Henry het bestuur liet kiezen tussen hem en mij, lieten ze hem de man ontslaan in wie ze zoveel vertrouwen stelden. Waarom? Misschien hadden ze het niet kunnen tegenhouden, doch sommigen hadden tenminste uit protest kunnen aftreden. Niemand heeft dat gedaan. Er is er niet één geweest die zei: 'Dit is schandelijk. Die man verdient voor ons een paar miljoen per jaar, als je hem ontslaat, ga ik ook weg.'

Dit is een van de raadsels die ik wil ontrafelen voor ik doodga. Hoe kunnen die bestuursleden 's nachts rustig slapen? Waarom kwamen Joe Cullman, George Bennet, Frank Murphy en Carter Burgess niet in het geweer? Ook vandaag nog kan ik niet begrijpen hoe de leden van het bestuur hun beslissingen tegenover zichzelf, of tegenover wie dan ook, kunnen verdedigen.

Nadat ik weg was bij Ford waren Joe Cullman, Marian Herskell en George Bennet de enigen die nog iets van zich lieten horen. Op de dag waarop ik de arbeidsovereenkomst met Chrysler afsloot, belde Marian me op om me geluk te wensen. Zij was een echte lady.

Ik bleef op goede voet staan met George Bennet van State Street Investment. Hij beweerde: 'Als ik flink was geweest, zou ik samen met jou zijn weggegaan, weet je, maar ik beheer een pensioenfonds voor Ford. Dat zou ik kwijtraken op hetzelfde ogenblik dat ik met jou meega naar Chrysler.'

Nadat Mary was overleden, kreeg ik een brief van Bill Ford en een kaartje van Franklin Murphy. Daarbij bleef het echter. Na al die jaren van samenwerking was dat het eerste en het laatste wat ik in die dagen van rouw ontving.

Tijdens de jaarvergadering die volgde op mijn ontslag, kwam Roy Cohen in verzet tegen Henry. 'Welke dienst heeft u de aandeelhouders bewezen met het ontslaan van Iacocca?' vroeg hij.

Met een lachje antwoordde Henry: 'Het bestuur steunde mij en beschouw dit als vertrouwelijke informatie.'

Mijn ontslag kreeg in de buitenwereld veel aandacht. Walter Cronkite bracht in *The CBC Evening News* de details. Zijn commentaar luidde: 'Het klinkt allemaal als iets dat wordt ontleend aan een van die opzienbarende romans over de auto-business.' *The New York Times* noemde op de voorpagina het ontslag: 'Een van de meest dramatische reorganisaties in de geschiedenis van de Ford Motor Company.' Gelet op onze turbulente geschiedenis wilde dat nogal wat zeggen.

Ik was vooral gelukkig met een redactioneel commentaar in *Automotive News*. Dat maakte melding van mijn jaarlijks inkomen van een miljoen dollar en meende dat 'hij in elk opzicht iedere cent ervan verdiende'! Zonder Henry regelrecht te bekritiseren, besloot het commentaar: 'De beste speler in het veld is nu een vrij man'.

Een aantal columnisten en schrijvers van redactionele commentaren vonden het ontslag verontrustend en moeilijk te geloven. Jack Egan schreef op de financiële pagina van de *Washington Post* dat de wijze waarop het ontslag had plaatsgevonden 'de vraag doet rijzen in hoeverre een zo grote onderneming als Ford Motor wordt gerund als een privéhertogdom door de grillen van één man'.

In Warren, Rhode Island, bracht de plaatselijke krant hetzelfde punt naar voren. Het blad haalde een stuk uit de *Wall Street Journal* aan dat mijn ontslag verklaarde door op te merken dat ik 'te dicht in de buurt van de Air Force One vloog'. De columnist schreef: 'Dat is nogal angstaanjagend als je bedenkt dat Ford in Amerika zo groot is, dat wat Ford doet iedereen aangaat. En wat er bij Ford gebeurd is kennelijk afhankelijk van een arrogante, oude man die aan niemand verantwoording schuldig is. Hij doet gewoon waar hij zin in heeft'.

Nicholas von Hoffman, de columnist van een krantencombinatie ging nog verder. Hij noemde Henry een 60-jarige adolescent en besloot: 'Als de baan van een man als Iacocca niet veilig is, wiens baan is dan nog wel veilig?'

12
De dag erna

Zodra ze het nieuws hoorden, kwamen de Ford-dealers in opstand. Vooral Ed Mullane, een dealer uit Bergenfield, New Yersey, die president was van de twaalfhonderd leden tellende Ford Dealer Alliance, was er ondersteboven van.

Mullane had al begrepen dat ik in moeilijkheden zat. Op eigen houtje had hij, om mij te steunen, een brief geschreven aan Henry en de overige directeuren. Henry schreef hem terug dat hij zich met zijn eigen zaken moest bemoeien. Op een keer liep ik langs de kamer van Henry en hoorde ik hem door de telefoon brullen: 'Iacocca, die hoerenzoon, is Mullane gaan opzoeken en heeft hem opgestookt dit te doen!' Natuurlijk had ik dat niet gedaan.

Na het ontslag voerde Mullane een campagne om me terug te krijgen en te bewerkstelligen dat er een dealer in de raad van directeuren werd opgenomen. Hij berekende dat de dealers gezamenlijk zo'n tien miljard dollar in hun zaken hadden geïnvesteerd en benadrukte dat ik de beste was om die investering te beschermen. Wat later in die zomer probeerde hij daadwerkelijk een georganiseerd protest van de kant van de dealers die tevens aandeelhouders waren, van de grond te krijgen, maar het plan ging als een nachtkaars uit.

Hoewel Mullane niet slaagde in zijn pogingen me terug te halen, waren er aanwijzingen dat het bedrijf zich, na mijn vertrek, zorgen maakte over de basis die het in zijn dealers bezat. De dag na mijn ontslag stuurde Henry een brief aan alle Ford-dealers in het land waarin hij trachtte hen de verzekering te geven dat ze niet zouden worden verwaarloosd.

'De onderneming heeft een sterk en ervaren managersteam. Onze activiteiten op de Noordamerikaanse automarkt worden geleid door bekwame directeuren die u allen bekend zijn en die volledig zijn afgestemd op uw behoeften en op de behoeften van de detailhandel.'

Als dat waar was, zou het natuurlijk niet nodig zijn geweest een dergelijke brief te schrijven.

Ik kreeg heel veel telefoontjes en brieven van onze dealers die mij steunden. Hun bezorgdheid en goede wensen betekenden veel voor me. In de pers word ik dikwijls afgeschilderd als 'veeleisend', 'onbuigzaam' en 'onbarmhartig', maar als dat waar was, geloof ik niet dat de dealers zich om me heen hadden verzameld. We hadden de nodige meningsverschillen, maar ik heb hen altijd eerlijk behandeld. Terwijl Henry er met de jet-set op uittrok en rotzooi schopte, schonk ik aandacht aan hen als mens. Ik heb ook heel wat van hen geholpen miljonair te worden.

Henry had intussen op kantoor Bill Ford en Carter Burgess, een bestuurslid, aangesteld om over mijn schadeloosstelling te beslissen. Ik maakte hen duidelijk hoeveel me toekwam, doch zij bleven tot aan het einde schooiers. Om te krijgen waar ik aanspraak op kon maken, nam ik Edward Bennet Williams, de beste advocaat die ik kende, in de arm. Uiteindelijk kreeg ik 75% van waar ik recht op had.

Wat mij, terugblikkend op deze periode, tegen de borst stuit, is dat Carter Burgess en Henry Nolte (Fords topadviseur) de mond vol hadden over banale algemeenheden: hoe ze fair wilden zijn, maar dat ze geen precedenten bij financiële regelingen konden scheppen omdat de belangen van de aandeelhouders beschermd dienden te worden. Bill zat daarbij voortdurend op z'n lippen te bijten.

Ik kreeg veel brieven van medewerkers die me steunden. Die brieven waren allemaal met de hand geschreven, zodat nergens was vastgelegd dat ze waren verstuurd. Er kwamen ook brieven van mensen die topfunctionarissen zochten en die probeerden mij aan een nieuwe baan te helpen.

Ik denk dat de ochtend van mijn verbanning naar het onderdelenmagazijn van grote invloed is geweest voor mijn besluit om twee weken later het presidentschap bij Chrysler te aanvaarden. Indien de vernedering van het pakhuis zich niet had voorgedaan, zou ik misschien een tijdje vrijaf hebben genomen, was ik golf gaan spelen of met mijn gezin op vakantie gegaan.

Ik was echter zo razend om wat er gebeurde, dat het een goede zaak mag worden genoemd dat ik onmiddellijk een nieuwe baan vond. Anders had ik mezelf kwaad gedaan en was ik in mijn eigen woede gestikt.

Een opmerkelijk lichtpuntje bij het ontslag was dat ik nu Pete en Connie Estes kon uitnodigen bij ons te komen dineren. Pete, die een paar deuren verder woont, was president van General Motors. In alle jaren dat we elkaar kenden, waren we nog nooit bij elkaar op bezoek geweest.

Zolang ik bij Ford werkte, moesten we beiden aan de ongeschreven regels gehoorzamen volgens welke knapen van Ford en GM niet samen gezien mochten worden bij het tennissen of golf spelen. Dat zou immers zeker betekenen dat wij prijsafspraken maakten of op andere wijze complotteerden om ons vrije marktsysteem omver te werpen. Managers van GM waren extra voorzichtig omdat hun bedrijf altijd al bedreigd werd te worden opengebroken omdat ze een monopolie vormden. Als gevolg daarvan zeiden degenen die machtsposities bekleedden bij een van de Grote Drie elkaar nauwelijks goedendag.

Deze verandering kwam vooral Mary ten goede; ze mocht Connie Estes graag en nu hoefden ze dus niet langer stiekem met elkaar om te gaan. Het klinkt vreemd, maar zo was nu eenmaal de voorgeschreven gedragslijn in Grosse Point en Bloomfield Hills in de jaren zeventig.

Mijn nieuw verworven vriendschap met Pete Estes was helaas van korte duur. Op het moment dat ik bij Chrysler in dienst trad, moesten we weer vreemden worden.

Niet lang nadat ik was ontslagen, verscheen in een van de kranten van Detroit een artikel waarin een zegsman van de Ford-familie werd aangehaald. Deze wist te vertellen dat ik was ontslagen omdat 'het mij aan charme ontbrak', omdat 'ik opdringerig was' en omdat 'een zoon van een Italiaanse emigrant die in Allentown, Pennsylvania, was geboren, toch te ver afstond van Grosse Point'.

Dat was gruwelijke laster, doch echt verrassend was het niet. Verduiveld... zelfs Henry's vrouw Christina bleef altijd een buitenstaandster. Iedereen van de familie noemde haar de 'Pizza-Koningin'!

Gelet op de wijze waarop Henry over Italianen dacht, waren deze commentaren daarmee in overeenstemming. De laatste jaren was hij ervan overtuigd geraakt dat ik met de mafia had te maken. Ik vermoed dat de film *De Peetvader* voldoende was om hem ervan te overtuigen dat alle Italianen banden hadden met de georganiseerde misdaad.

Hij zou gesidderd hebben als hij had geweten van het onverwachte telefoontje dat ik kreeg nadat het anonieme kranteberich was gepubliceerd. Een man met een Italiaans accent belde me thuis op en zei: 'Als het waar is wat we in de krant hebben gelezen, willen we iets doen aan dat hoerenjong. Hij heeft de eer van je familie door het slijk gehaald. Ik geef je een nummer op dat je kunt bellen. Wanneer je maar wilt, zullen wij z'n armen en poten voor je breken. Dan zouden we ons stukken beter voelen en jij in ieder geval.'

'Nee, dank je,' heb ik geantwoord, 'dat is mijn stijl niet. Als jullie mensen zoiets zouden doen, zou dat mij geen bevrediging geven. Wanneer ik op de gewelddadige toer wil gaan, zal ik hem met mijn eigen handen de benen breken.'

Gedurende het onderzoek in 1975 had Henry er voortdurend op gezinspeeld dat ik connecties met de mafia had. Voor zover ik weet heb ik nooit van mijn leven een lid van de mafia ontmoet. Nu bleek echter dat Henry een zichzelf vervullende voorspelling had gedaan. Opeens werd me een toegang geboden tot ongeveer de enige mensen op de wereld die hem een helse angst konden aanjagen.

Het is niet zo dat ik geloof in het 'toekeren van de andere wang'. Henry Ford heeft een groot aantal levens vernietigd. Ik nam echter wraak zonder mijn toevlucht tot geweld te nemen. Ik krijg door mijn pensioen nog steeds een heleboel geld van hem in handen, zodat ik 's morgens naar mijn werk kan gaan om te zien of ik hem de nek kan breken. Hij moet er stapelkrankjorem van worden.

Nadat de eerste schok van het ontslag wat was weggeëbd, begon ik erover na te denken wat er tussen Henry en mij was gebeurd. In bepaald opzicht doet het niet veel ter zake of je nu van een onderneming de president bent of de portier. Ontslagen worden is en blijft een verschrikkelijke klap en je begint je onmiddellijk af te vragen: Wat heb ik fout gedaan?

De illusie dat ik de nummer één zou worden, heb ik nooit gekoesterd. Indien ik de hoogste baas van een onderneming had willen zijn, waren er voldoende mogelijkheden voor me ergens anders heen te gaan. Zolang ik bij Ford bleef, wist ik dat een lid van de familie altijd aan het hoofd van het bedrijf zou staan en dat heb ik geaccepteerd. Zoals ik al zei, als de positie van hoogste baas een niet uit te roeien ambitie van me was geweest, zou ik allang geleden zijn weggegaan. Tot 1975 was ik echt bij Ford heel gelukkig.

Ik werd ontslagen omdat ik een bedreiging vormde voor de baas. Henry was erom berucht dat hij de nummer twee liet vallen onder onplezierige omstandigheden. Voor hem was het altijd de opstand van de boeren tegen hun heer en meester. Toch had ik me altijd vastgeklemd aan de gedachte dat ik anders was, dat ik slimmer was of meer geluk had dan de anderen. Ik had nooit verwacht dat het mij zou overkomen.

Ik had een beetje meer aandacht moeten schenken aan het verleden van de onderneming. Ik *wist* dat Ernie Breech de wei in was gestuurd en dat ik hem op zekere dag zou volgen. Ik *wist* dat Beacham iedere dag opmerkte: 'Deze man is een idioot en je doet er verstandig aan je voor te bereiden op slechtere tijden.'

Arjay Miller, Bunkie Knudsen en zelfs Henry's goede vriend, John Bugas, eindigden op dezelfde manier. Alles wat ik te doen had, was de geschiedenis in ogenschouw nemen en dan las ik mijn biografie.

Dan was er bovendien nog Henry's ziekte. Hij was ervan overtuigd dat als er iets met hem zou gebeuren, ik de familie zou manipuleren en de onderneming overnemen. 'Toen ik in januari 1976 angina kreeg, ontdekte ik plotseling dat ik "het eeuwige leven niet had",' zei hij tegen een journalist van *Fortune*. 'Wat gebeurt er met de Ford Motor Company als ik er niet meer ben? Ik kwam tot de conclusie dat Iacocca mij niet als voorzitter mocht opvolgen.'

De boosaardige man heeft die zin nooit uitgelegd; noch aan mij, noch aan het bestuur en waarschijnlijk niet eens aan zichzelf.

De Fords zijn een van Amerika's laatste, grote familie-dynastieën. In elke dynastie richt het sterkste instinct zich op zelfbehoud. Alles, *alles*: goed, kwaad of wat ook de dynastie zou kunnen raken, wordt een probleem in het brein van de man die aan het hoofd ervan staat.

Henry heeft er nooit twijfel over laten bestaan dat het zijn bedoeling was dat zijn zoon Edsel hem zou opvolgen en hij geloofde dat ik die plannen in de weg stond. Zoals een vriend van me het graag uitdrukte: 'Lee, je was niet betrokken bij het eerste Edsel-fiasco, maar het tweede heeft je vast en zeker de das omgedaan.'

Ik heb Henry na mijn ontslag nog maar één keer teruggezien. Viereneenhalf jaar later werden Mary en ik door Katharine Graham uitgenodigd op een van de feestjes die ter ere van de vijftigste verjaardag van *Newsweek* in verschillende steden van het land werden gehouden. In Detroit vond de viering – ironisch genoeg voor mij – plaats in de danszaal van het Renaissance Center.

Dit gebeurde een paar maanden voor Mary's overlijden. Ze voelde zich niet erg goed en dus bleef ik de hele avond aan haar zijde. We zaten aan een tafel met Bill Bonds, onze voornaamste nieuwslezer in Detroit en een prima kerel.

'Oho,' zei ik. Mary draaide zich om. 'Oho,' zei ze. Aan dit ogenblik had ik vaak moeten denken. Ik ben een vrij kalme man, maar ik had me altijd afgevraagd wat er zou gebeuren wanneer ik Henry zou tegenkomen als ik een paar borrels op had. Ik had me afgevraagd of ik dan door het dolle heen zou raken. In mijn fantasie had ik hem al zo dikwijls een schop gegeven op een plek waar het echt pijn doet, dat ik er absoluut niet zeker van was of ik me zou kunnen beheersen.

Onze ogen ontmoetten elkaar en ik wist dat hij drie mogelijkheden had: knikken, hallo zeggen en in de menigte verdwijnen. Dat zou betekenen dat hij op zijn stuk bleef staan.

Zijn tweede alternatief was dat hij naar me toe zou komen en een paar woorden zeggen. We zouden elkaar de hand kunnen geven en hij zou zelfs zijn arm om mijn schouder kunnen slaan. Dat zou beduiden: wat voorbij is, is voorbij. Het zou fatsoenlijk zijn geweest, maar dat was wel te veel verwacht.

Hij kon hem ook als de bliksem smeren en dat was dan ook wat hij deed. Hij greep zijn vrouw Kathy beet en nam de benen.

Dat is het laatste geweest wat ik van Henry zag.

Sinds 13 juli 1978 is er veel gebeurd. De littekens die Henry vooral bij mijn gezin veroorzaakte – zijn blijvend omdat de verwondingen diep waren. Toch hebben de gebeurtenissen van de laatste jaren een genezende uitwerking gebracht en dus ga je maar gewoon door.

DE CHRYSLER STORY

13
Aangezocht door Chrysler

Indien ik maar het flauwste idee had gehad van wat me te wachten stond toen ik bij Chrysler in dienst trad, zou ik er voor geen geld naar toe zijn gegaan. Het is een mooi iets dat God je niet een of twee jaar in de toekomst laat kijken, dan zou je namelijk wel eens ernstig in de verleiding kunnen komen een kogel door je hoofd te schieten. Hij is echter een barmhartig God: Hij laat je niet meer dan één dag tegelijk zien. Wanneer het slecht gaat heb je geen andere keus dan diep ademhalen, doorgaan en er het beste van maken.

Zodra het ontslag bekend was, werd ik benaderd door een aantal ondernemingen in andere takken van industrie, waaronder: International Paper en Lockheed. Charles Tandy, de eigenaar van Radio Shack, vroeg me bij hem te komen werken. Drie of vier hogescholen wilden me als rector hebben. Sommige van deze aanbiedingen waren zeer verleidelijk, maar ik had er moeite mee ze serieus in overweging te nemen. Ik had altijd in de auto-industrie gewerkt en daar wilde ik blijven. Volgens mij had het weinig zin in dit stadium van mijn leven van beroep te veranderen.

Als vierenvijftigjarige was ik te jong om met pensioen te gaan en te oud om in een nieuwe bedrijfstak te gaan werken. Bovendien zaten auto's me in het bloed.

Ik ben er nooit van uitgegaan dat alle bekwaamheden in het zakenleven onderling inwisselbaar zijn en dat de president van Ford net zo goed elk ander groot bedrijf zou kunnen leiden. Voor mij is dat hetzelfde als wanneer de saxofonist van een band op een dag van de dirigent krijgt te horen: 'Jij bent een goede musicus, waarom stap je niet over naar de piano?' Zijn antwoord: 'Maak 'm nou... ik heb twintig jaar saxofoon gespeeld, van een piano weet ik de ballen af.'

Ik kreeg één aanbod van een auto-onderneming. Renault in Frankrijk toonde belangstelling en wilde me inhuren als adviseur voor de hele wereld. Ik ben echter niet het type van een adviseur; ik bloei pas op als er gehandeld moet worden. Ik houd van regelrechte verantwoordelijkheden. Als het goed gaat, krijg ik graag waardering en als het niet goed gaat, aanvaard ik kritiek. Daarbij kwam dat de ondernemer in me onrustig werd. Tijdens deze interimperiode in de zomer van 1978 werd ik geobsedeerd door het idee dat ik 'Global Motors' noemde. Dit plan was dermate groot dat het nu niet bepaald een project was om in een vloek en een zucht uit te werken. Ik droomde van een samenwerkingsverband van autofabrieken in Europa, Japan en de Verenigde Staten. Samen zouden we een macht kunnen vormen die weerstand kon bieden aan de overheersende positie van General Motors. Ik zag mezelf al als de nieuwe Alfred Sloan, de man die GM tussen de beide wereldoorlogen reorganiseerde. Naar mijn mening was hij het grootste genie dat de auto-industrie ooit had gekend.

De partners die ik voor 'Global Motors' in mijn hoofd had waren: Volkswagen, Mitsubishi en Chrysler, hoewel het plan ook uitvoerbaar was met andere partners zoals Fiat, Renault, Nissan of Honda. Chrysler was echter in Amerika de logische keuze. GM was te groot om met een ander samen te gaan, dat dacht ik toentertijd althans. Ford kwam, om voor de hand liggende redenen, niet in aanmerking.

Chrysler kon een solide basis voor de constructie van 'Global Motors' verschaffen. Constructie was waarschijnlijk de enige sterke kant van Chrysler, maar het was wel een essentiële kwaliteit.

Ik vroeg een vriend van me – Billy Salomon van Salomon Brothers, de New Yorkse investeringsbank – na te gaan wat zo'n fusie met zich mee zou brengen. Al doende leerde ik veel over verscheidene autofabrieken; om het preciezer uit te drukken: over hun jaarcijfers. Zoals ik echter al spoedig zou ontdekken, bestaat er een gigantisch verschil tussen hoe een onderneming er op papier uitziet en hoe hij in feite draait.

Volgens Salomon Brothers zou het grootste obstakel voor 'Global Motors' worden: de Amerikaanse anti-trustwetten. Wat kunnen vijf jaar een verschil uitmaken! Op het ogenblik zegent het Witte Huis een samenwerkingsverband tussen General Motors en Toyota, de twee grootste autofabrieken ter wereld. In 1978 zou zelfs een fusie tussen Chrysler en American Motors onmogelijk zijn geweest. Een bewijs hoe de wereld verandert.

Vanaf het moment dat ik bij Ford was ontslagen, deed het gerucht de ronde dat ik naar Chrysler zou gaan. Ik was beschikbaar, Chrysler zat in moeilijkheden en dus trokken de mensen hun conclusies. De eerste openingszet kwam via Claude Kirk, de ex-gouverneur van Florida en een persoonlijke vriend van me. Hij verzocht me te gaan lunchen met Dick Dilworth en Louis Warren, twee bestuursleden van Chrysler. Dilworth beheerde het financiële imperium van de Rockefeller-familie en Warren was een Wall Street-advocaat die al vijfentwintig jaar met Chrysler was verbonden. Ik nam de uitnodiging aan. Om de een of andere reden herinner ik me nog wat we aten: mosselen in de schelp. Ze waren zo lekker dat ik er twee dozijn van at.

Het was een bijeenkomst om elkaar te leren kennen, zonder officieel tintje en onze conversatie bleef tamelijk algemeen. Dilworth en Warren beklemtoonden dat ze als privé-personen met me spraken en niet als officiële vertegenwoordigers van de onderneming. Ze uitten hun verontrusting over de auto-industrie en vooral over Chrysler. Voor het grootste deel was het echter een verkennend onderhoud, meer voor de gezelligheid dan voor het doen van zaken.

Met George Bennett was ik in contact gebleven en ik ontdekte al spoedig dat hij mijn enige echte vriend in het Ford-bestuur was.

George zat niet alleen bij Ford in het bestuur doch ook in dat van Hewlett-Packard. Bill Hewlett, de mede-oprichter van dat bedrijf en een aardige kerel, was lid van het Chrysler-bestuur. Hewlett wist dat Bennet en ik vrienden waren en toen ze elkaar spraken, was George zo fideel hem te vertellen hoe waardevol ik voor Ford was geweest.

Kort daarna werd ik opgebeld door John Riccardo, voorzitter van het bestuur van Chrysler. Hij en Dick Dilworth wilden een ontmoeting met me hebben in het Pontchartrain hotel, een paar blokken verwijderd van Henry's Renaissance Center. Doel van de bijeenkomst was 'in algemene termen praten over de mogelijkheid van mijn komst bij Chrysler'.

We hielden de ontmoeting zo geheim als we maar konden. Ik reed zelf naar het hotel en ging naar binnen door een zijdeur. Zelfs Gene Cafiero, de president van Chrysler, werd onwetend gelaten. Riccardo en Cafiero hadden zo openlijk ruzie gehad dat de hele stad ervan afwist.

Bij deze ontmoeting bleven zowel Dilworth als Riccardo nog steeds tamelijk in het vage. 'We denken aan het aanbrengen van veranderingen,' zei Riccardo. 'De zaken gaan niet goed.'

Verder wilden ze niet in bijzonderheden treden. Beiden probeerden mij een baan aan te bieden zonder er openlijk mee voor de dag te komen. Dat klonk mij als geleuter in de oren en dus zei ik recht op de man af: 'Waarover zitten we eigenlijk te praten?'

'Over je aanstelling,' antwoordde Riccardo. 'Voel je ervoor in de autobranche terug te komen?'

Ik zei dat ik, voor we in details traden, een aantal vragen had over de momentele gang van zaken bij Chrysler. Ik wilde precies weten waar ik me in begaf.

'Ik wil er niet blindelings instappen,' verklaarde ik. 'Ik moet weten hoe slecht de zaken ervoor staan. Wat is de huidige positie van het bedrijf? Hoeveel kasgeld is er? Wat is jullie produktieplan voor het komende jaar? Hoe zien jullie modellen voor de toekomst eruit? En wat ik vooral wil weten, is of jullie denken dat het nog een haalbare kaart is?'

Onze twee volgende bijeenkomsten vonden plaats in het Northfield Hilton, gelegen in een buitenwijk van Detroit. Riccardo schilderde een somber beeld van het bedrijf, doch een beeld waarvan ik dacht dat het binnen een jaar kon worden verbeterd. Ik geloof beslist niet dat John of wie dan ook bij Chrysler heeft geprobeerd mij een rad voor de ogen te draaien. Al heel gauw ontdekte ik dat een van de grootste problemen bij Chrysler was dat zelfs het topmanagement geen goed beeld had van wat er aan de hand was. Ze wisten dat Chrysler aan bloedverlies leed, maar ze beseften niet – en daar zou ik al spoedig achterkomen – wat de oorzaak was.

In die herfst was het een grote, moeilijke uitdaging voor me. Als ik van de bijeenkomsten naar huis kwam, besprak ik de zaken met Mary. Ze merkte op: 'Je zult niet gelukkig zijn als je iets anders doet dan auto's. Je bent te jong om thuis te zitten. Laten we die schoft van een Henry een klap toedienen die hem zal heugen.' Zo uitbundig was Mary altijd. Ik besprak het eveneens met mijn kinderen. Hun reactie was: 'Als het je gelukkig maakt, doe het dan.'

De enige vraag die overbleef, was of Chrysler het zich kon veroorloven – en ik bedoel niet uitsluitend financieel. Wat ik wilde was mijn eigen baas zijn. Op dit moment in mijn leven voelde ik er weinig voor om onder een ander te werken. Nummer twee was ik al te lang geweest. Indien ik de baan bij Chrysler aannam, moest ik binnen een jaar of zo de 'numero uno' zijn – anders ging het spel niet door.

Dat was mijn eerste voorwaarde nog voor ik over iets anders wenste te praten, niet alleen door mijn ervaring met Henry, hoewel dat er ook mee had te maken, maar ook omdat ik volledig de vrije hand wilde hebben om Chrysler te reorganiseren. Ik wist al dat mijn manier van doen volkomen anders was dan de hunne. Ik moest de volledige bevoegdheid hebben om mijn stijl van bedrijfsvoering en mijn politiek in te voeren, anders zou de overgang naar Chrysler op een eindeloze frustratie uitdraaien. Ik kreeg de indruk dat Riccardo wilde dat ik president zou worden, belast met de dagelijkse leiding en dat hij voorzitter en hoofddirecteur zou blijven. Toen ik hem echter duidelijk maakte wat ik wilde, kwam ik tot de ontdekking dat ik het verkeerd zag. 'Ik zal niet lang meer in deze baan blijven,' zei hij. 'Er is hier slechts plaats voor één baas en als je bij ons komt, zul jij dat zijn. Anders hadden we ons de moeite van al deze bijeenkomsten wel kunnen besparen.'

In zekere zin was dit een treurige kwestie omdat de raad van directeuren er zelfs niet op had aangedrongen contact met mij op te nemen. Hij deed het uit eigen beweging. Blijkbaar besefte hij dat de onderneming zwaar in moeilijkheden verkeerde en dat hij niet in staat was het bedrijf weer gezond te maken. Hij moest zich van Cafiero ontdoen om mij binnen te halen en hij begreep heel goed dat wanneer ik kwam, zijn dagen als voorzitter waren geteld. We kwamen overeen dat ik als president zou beginnen, maar dat ik voorzitter zou worden en de hoogste baas op 1 januari 1980. De zaken ontwikkelden zich echter zo dat Riccardo een paar maanden eerder aftrad en ik in september 1979 de baas werd.

John Riccardo en zijn vrouw Thelma waren een paar van de aardigste mensen die ik ooit heb ontmoet. Helaas was de crisis bij Chrysler zo ernstig dat ik hen niet echt heb leren kennen. Eén ding was echter duidelijk: John offerde zichzelf op om het bedrijf te redden. Het ging hem boven het hoofd en dat besefte hij en hoewel dit het einde van zijn carrière betekende, trok hij zich terug om de overgang zo gladjes mogelijk te laten verlopen. Hij schakelde zichzelf uit om Chrysler weer tot leven te brengen. Een bewijs van waarachtig heldendom.

De volgende stap in het proces van het in dienst treden was een bijeenkomst met de commissie voor een compensatieregeling. Dat gebeurde in de Chrysler-suite van de Waldorf Towers in New York. Dit keer nam ik vanwege de geheimhouding de lift naar de vierendertigste verdieping waar Ford zijn suite had en liep toen de twee trappen op naar de Chrysler-verdieping. Riccardo volgde met een andere lift.

We dienden zo voorzichtig te zijn want als Iacocca – die nog steeds in het nieuws was vanwege zijn ontslag bij Ford – werd gezien met Riccardo en het bestuur van Chrysler, zou ik al zijn aangesteld voor er enig besluit was genomen. Er lekte echter nooit iets uit. In het tijdschrift *New York* werd er vaag over gespeculeerd in de week voor de aankondiging, maar over het algemeen was de geheimhouding prima geregeld.

De aankondiging dat ik in november bij Chrysler ging werken, moet voor Henry een grote schok zijn geweest. In dergelijke situaties is het normaal dat de man die werd ontslagen, zijn pensioen krijgt en zich terugtrekt in Florida waarna er nooit meer iets van hem wordt gehoord. Ik bleef echter binnen de stadsmuren en dat kwam hard bij hem aan. Nadat bekend was geworden dat ik naar Chrysler ging, vernam ik uit betrouwbare bronnen dat Henry iedere avond bezopen was. Hij dronk altijd al veel, maar men vertelde mij dat hij het in die periode echt te bont maakte. Het gerucht wilde dat hij elke avond twee flessen Château Lafitte-Rothschild soldaat maakte – voor 120 dollar per fles mag dat een duur slaapmutsje worden genoemd! Afgaand op ervaringen uit het verleden, stel ik me voor dat de aandeelhouders nog steeds de rekening betaalden.

Toen Henry mij de laan uitstuurde, omvatte de regeling met Ford o.a. een ontslaguitkering van 1,5 miljoen dollar, echter met één belangrijke bepaling. Het contract met Ford bevatte een concurrentie-clausule; het legde mij de beperking op dat wanneer ik voor een andere autofabrikant ging werken, ik dit geld zou verspelen.

'Maak je daarover niet druk,' zei Riccardo. 'Wij zullen het compenseren.' Toen mijn benoeming bij Chrysler bekend werd gemaakt, vond de pers het nodig er een hoop drukte over te maken dat ik een extraatje van 1,5 miljoen dollar had gekregen, alleen omdat ik bij Chrysler in dienst trad. In werkelijkheid kreeg ik geen stuiver. Ik had dat geld gedurende mijn vele jaren bij Ford verdiend als een mij toekomende schadeloosstelling voor pensioen en andere oudedagsvoorzieningen. Chrysler past dat gewoon bij. In feite kochten ze mijn contract af.

Bij Ford was mijn officiële salaris 360.000 dollar al kon dat bedrag in goede jaren door bonussen tot een miljoen dollar oplopen. Ik wist dat Chrysler mij niet meer kon betalen en dus deelde ik de commissie mede het salaris te accepteren dat ik verdiende toen ik werd ontslagen.

Helaas was Riccardo's salaris in die tijd slechts 340.000 dollar. Dat was een beetje genant want toen ik als president begon, was hij nog steeds voorzitter. Het was niet correct dat ik meer verdiende dan hij. Het bestuur loste het probleem op door Riccardo 20.000 dollar meer te geven, waardoor we dus evenveel verdienden.

Gewetensbezwaren over het verdienen van een hoog salaris heb ik nooit gehad. Ik geef niet veel geld uit, maar ik stel wel prijs op de waardering die een hoog salaris tot uitdrukking brengt. Waarom wil een man president worden? Geniet hij ervan? Misschien, maar het kan hem uitputten en snel oud maken. Waarom werkt hij dus zo hard? Opdat hij kan zeggen: 'Ziezo, ik sta aan de top. Ik heb iets bereikt.'

Mijn vader zei altijd: 'Wees voorzichtig met geld. Als je vijfduizend dollar hebt, wil je er tienduizend hebben en als je er tien hebt, wil je er twintig.' Hij had gelijk: wat je ook hebt, het is nooit genoeg.

Toch ben ik met hart en ziel ondernemer. Bij Ford was ik jaloers als ik zag hoe de dealers het grote geld maakten. Het ging er mij niet om dat ik geen royaal inkomen had. In een deel van de jaren zeventig stonden Ford en ik aangeschreven als de hoogstbetaalde zakenmensen van Amerika. Mijn vader en moeder vonden dat geweldig, een groot eerbetoon.

Ik ken echter in New York knapen die in onroerend goed doen en dat geld in één dag verdienen. Mijn inkomen is – anders dan dat van de grote handelaren – bij het publiek bekend en ik ontvang meer post en meer verzoeken om geld dan ik kan verwerken. Hetgeen me doet denken aan een andere zegswijze van mijn vader. 'Jij denkt dat geld verdienen moeilijk is? Wacht maar tot je het probeert weg te geven.' Dat is waar. Iedereen schrijft me en wil dat ik mijn rijkdom deel. Iedere universiteit, elk ziekenhuis, menig goed doel op deze aarde. Het vraagt een volledige dagtaak om dit goed te doen.

Toen ik bij Ford hard aan het werk was, wist ik nauwelijks dat Chrysler bestond. Het was GM die wij op de voet volgden en niemand anders. Over Chrysler dachten we niet eens na. Hun produkten stonden zelfs niet op de maandelijkse verkoopstaten die aantoonden hoe goed we het deden in vergelijking met de concurrentie.

Ik kan slechts twee gelegenheden bedenken waarbij we bij Ford gedwongen werden aandacht aan Chrysler te besteden. De eerste was het firma-embleem. In het begin van de jaren zestig maakte Lynn Townsen, Chryslers voorzitter, een uitgebreide tocht door het land om de Chrysler-dealers te bezoeken. Toen hij terugkwam, zei hij tegen een van zijn collega's verbaasd te zijn over het aantal Howard Johnson-uithangborden in de Verenigde Staten. Hij was nog meer verbaasd toen zijn collega hem antwoordde dat er feitelijk meer Chrysler-dealers in Amerika waren dan Howard Johnsons.

Townsend begon na te denken over de oranje daken waaraan de Hojo's waren te herkennen. Hij vond dat ook de Chrysler-dealers een symbool nodig hadden om de visuele aanwezigheid te benadrukken. De maatschappij gaf een New Yorkse firma opdracht een embleem voor Chrysler te ontwerpen en al spoedig doken overal de witte, vijfpuntige sterren tegen een blauwe achtergrond op.

Het Chrysler-embleem oogstte zoveel succes dat we bij Ford binnen een jaar waren gedwongen om te reageren. We hadden al ons beroemde blauwe, ovale schild; nu gingen we dat op de uithangborden van de dealers aanbrengen. We verknoeiden het. Chrysler gebruikte de ster met de naam van de dealer eronder. GM zette de naam van de dealer midden in het embleem. Ford-dealers kregen een schild waar Ford in stond en dan nogmaals Ford in blokletters ernaast. In dat embleem was echter geen plaats voor de naam van de dealer en dat gaf aanleiding tot klachten van menige dealer. Als Ford zijn naam tot twee keer toe kon gebruiken, had de dealer het recht minstens één keer te worden genoemd.

De tweede keer dat we Chrysler volgden, was toen ze in 1962 hun garantie uitbreidden. Tot dan had Ford de beste garantie gegeven – 12 maanden of 12.000 kilometer. In die tijd schonken we weinig aandacht aan Chryslers besluit de garantie op te schroeven tot 5 jaar of 50.000 kilometer. Binnen ongeveer drie jaar was het Chrysler marktaandeel dusdanig gestegen dat wij bij Ford met een soortgelijk program moesten komen.

De zogeheten garantie-oorlog tussen de grote drie autofabrikanten duurde ongeveer vijf jaar. Ten slotte hielden we er alledrie mee op omdat het te kostbaar werd. In die tijd waren onze auto's nog niet goed genoeg om ze vijf jaar garantie mee te geven.

Verder was er nog de grote reputatie die Chrysler genoot op het punt van de constructie. De ingenieurs bij Chrysler hebben altijd een trede hoger gestaan dan hun tegenhangers bij Ford en GM. Ik veronderstelde dat dit kwam door het Chrysler Engineering Institute en ik heb Henry altijd aangespoord zo'n instelling op te richten, maar hij wilde er niet aan. In de loop der jaren kochten we bij Chrysler een paar van hun beste mensen weg en verscheidenen van hen klommen bij Ford op tot de hoogste rangen.

Nadat Ford in het begin van de jaren vijftig Chrysler voorbij was gestreefd, vestigden we al onze aandacht op General Motors. Ik was en ben nog steeds een toegewijd GM-waarnemer. Zij vormen een natie op zichzelf en ik ben jaloers op hun enorme kracht.

Ik was vertrouwd met de geschiedenis van de auto-industrie en ik wist wel iets af van de oorsprong van de Chrysler Corporation en de man die de stichter ervan was. Toen de auto-bussines begon, was er maar één sleutelfiguur: Henry Ford. Met al zijn nukken en eigenaardigheden – en al zijn fanatisme – was de oorspronkelijke Henry Ford een vindingrijk genie. Hij begon met klungelen aan auto's en uiteindelijk leerde hij hoe hij ze in massaproduktie kon vervaardigen.

Henry Ford wordt dikwijls geëerd vanwege de lopende band, maar in werkelijkheid werd die door anderen uitgevonden. De oude man was inderdaad bereid tot vernieuwing toen hij in 1914 met zijn vijf dollar per dag begon. Vijf dollar was meer dan het dubbele van wat arbeiders verdienden en de publiciteit rond de aankondiging ervan was overweldigend.

Wat het publiek niet altijd heeft beseft, was dat Ford zijn aanbod aan de arbeiders niet deed uit edelmoedigheid of medegevoel. Over hun levensstandaard maakte hij zich geen zorgen. Zijn werkelijk motief voor de vijf dollar per dag heeft Henry Ford nooit verborgen: hij wilde dat zijn arbeiders genoeg verdienden om op den duur hun eigen auto te kunnen kopen. Met andere woorden: Ford schiep een middenklasse. Hij begreep dat de industrie – en derhalve de Ford Motor Company – alleen echt succesvol kon zijn als zijn auto's zowel voor de arbeiders als voor de rijken aantrekkelijk waren.

De andere centrale figuur in de industrie was Walter P. Chrysler. Hij was de vernieuwer op het gebied van de motoren, versnellingsbakken en mechanische onderdelen; op dit terrein is zijn onderneming altijd zeer sterk geweest. Walter P. ging in 1920 weg bij General Motors toen de voorzitter, William Durant, hem niet de vrije hand wilde laten om de Buick Division te runnen zoals hij het wilde. Deze man was de non-conformist naar mijn hart.

De rest van het verhaal had vooral mijn interesse. Drie jaar later dook Walter Chrysler – na een periode van non-activiteit – weer op om de Maxwell en Chalmers Motor Company, die op sterven na dood was, te reorganiseren. En wat deed hij? Hij kwam met nieuwe modellen waarvoor hij een agressieve reclamecampagne voerde. Hij stond zelfs in sommige advertenties. In 1925 had hij een schertsonderneming opgevijzeld tot de Chrysler Corporation.

Daarbij liet hij het echter niet. In 1928 kocht hij Dodge en Plymouth op. Nu was zijn onderneming een van de grote jongens en is dat sindsdien gebleven. Toen Walter Chrysler in 1940 stierf, was het bedrijf Ford voorbij gestreefd en nummer twee, na General Motors, met 25% van de thuismarkt in handen. Oh, wat zou ik die prestatie graag willen herhalen! Om 25% van de markt te veroveren en Ford te verslaan, zou ik graag alles geven.

Hoewel het bedrijf tegen het eind van de jaren zeventig een verschrikkelijk moeilijke tijd doormaakte, kon Chrysler bogen op een lange traditie op het gebied van vernieuwing in de techniek en de modellen. Frederick Zeder, Chryslers hoofdingenieur in de jaren dertig, was de eerste die er achter kwam hoe je de trillingen uit een motor kon halen. Zijn oplossing? Hij plaatste de motor op steunpunten van rubber. Zeder vond eveneens de hoge compressie-motor, het oliefilter en het luchtfilter uit.

Ik constateerde dat de technici van Chrysler de meest geavanceerde tank ter wereld hadden ontworpen. Hun ingenieurs in Alabama ontwierpen de eerste elektronische ontsteking voor auto's. Verder ontwierpen de mensen van Chrysler de eerste gesloten koppelomvormer voor een zuiniger benzineverbruik, de eerste elektronische voltage-regelaar, de eerste hydraulische remmen en de eerste computer onder de motorkap. Dat Chrysler de beste motoren en versnellingsbakken had, was me al bekend.

Aan het respectabele verleden van Chrysler kon dus niet worden getwijfeld en ik was er tevens van overtuigd dat het bedrijf een toekomst had. Er bestond al een solide dealer-organisatie en ze beschikten over technici die voor niemand hoefden onder te doen. De enige moeilijkheid was dat ze niet voldoende middelen kregen om goede produkten te maken.

Ik was overtuigd van mijn eigen kunnen; ik kende de autobusiness en ik wist dat ik er goed in was. In mijn hart vertrouwde ik er echt op dat het bedrijf binnen een paar jaar zou gonzen van activiteiten.

Het omgekeerde gebeurde echter. Alles stortte in elkaar. We hadden de Iraanse crisis en daarna de energiecrisis. In 1978 kon geen mens zich nog voorstellen dat het volgende voorjaar een puinhoop zou worden en dat de benzineprijs plotseling zou verdubbelen. En daar kwam dan nog eens de grootste economische teruggang sinds vijftig jaar bovenop.

Dat vond allemaal plaats nadat ik pas een paar maanden bij Chrysler in dienst was getreden. Ik ging me afvragen of dit nu mijn lot was. Misschien had God – de echte God, niet Henry – mijn ontslag bij Ford gewild. Poogde Hij mij iets te zeggen? Kon het zijn dat ik op het juiste ogenblik was ontslagen, vlak voor alles in elkaar stortte, en was ik te dom om in te zien hoe fortuinlijk ik was?

Uit alles bleek dat Chrysler er veel en veel erger aan toe was dan ik had aangenomen. Toen ik er eenmaal was en had besloten wat ik wilde gaan doen, heb ik echter nooit ernstig overwogen weg te gaan.

Dat is natuurlijk niet altijd de beste handelwijze; mensen gaan aan zo'n houding soms ten onder. Overspoeld en overrompeld door de gebeurtenissen houden ze desondanks vol, ook al stijgt het water hen boven het hoofd. Toen ik mijn baan aanvaardde, had ik er geen idee van dat het in de automobelbranche zo slecht zou kunnen gaan. Ik had ongelijk. Terugkijkend moet ik bekennen dat er bij Chrysler ogenblikken zijn geweest waarin ik de verdrinkingsdood nabij was.

14
Aan boord van een zinkend schip

Op 2 november 1978 luidden twee krantekoppen in de *Detroit Free Press*: 'Chrysler lijdt grootste verlies in zijn bestaan,' en: 'Lee Iacocca treedt in dienst bij Chrysler.' De timing was voortreffelijk. De dag dat ik aan boord stapte, had de maatschappij een verlies van 160 miljoen in het derde kwartaal bekend gemaakt; het grootste tekort in zijn geschiedenis. Nou ja, dacht ik, van hieraf kan het alleen maar beter gaan. Ondanks de enorme verliezen sloot Chrysler die dag op de beurs 3/8 hoger, hetgeen ik zag als een vertrouwensvotum voor het feit dat ik de leiding had genomen. Ha, ha!

Op mijn eerste dag had ik een beetje moeite het kantoor te vinden... eerlijk gezegd, wist ik niet precies waar het was. Dat het Chrysler-hoofdkantoor in Highland Park stond, vlak bij de Davison Expressway, was me bekend, doch verder moest ik naar de weg vragen omdat ik niet eens wist welke afrit ik diende te nemen.

Toen ik president bij Ford was, had ik een keer een bezoek aan Chrysler gebracht, maar in die dagen had ik een chauffeur en schonk ik weinig aandacht aan de route die we volgden. Elke drie jaar kwamen de topmensen van de Grote Drie bij elkaar voor wat wij topconferenties noemden. Dat gebeurde om een gemeenschappelijke strategie voor de loononderhandelingen voor te bereiden. Henry Ford en ik waren naar een van die bijeenkomsten in Highland Park gegaan. Lynn Townsend en John Riccardo van Chrysler voegden zich bij ons, alsmede de mensen van GM en een aantal advocaten. Tussen haakjes, de vakbond was boos over deze bijeenkomsten omdat ze er zeker van waren dat wij een complot tegen hen smeedden. Ze hebben nooit geweten dat de gesprekken altijd een voorbeeld van nutteloosheid waren. Als de meest kwetsbare fabrikant kon Chrysler zich nimmer de kans op stakingen veroorloven. Ons gepraat over onderhandelingen met de vakbond liep dan ook op niets uit.

Toen ik die morgen arriveerde, leidde Riccardo mij het gebouw rond en stelde me voor aan enkele chefs. Er was een bijeenkomst met een paar topmensen en zoals gebruikelijk stak ik een sigaar op. Riccardo merkte tegen zijn mensen op: 'Jongens, jullie weten dat ik altijd een bijgelovige afkeer heb gehad van roken tijdens vergaderingen. Vanaf vandaag is deze regel afgeschaft.' Ik beschouwde dat als een goed voorteken. Door alles wat ik over Chrysler had gehoord, leek me het afschaffen van sommige huisregels een superidee.

Nog voor de dag voorbij was, had ik een paar schijnbaar onbelangrijke dingen opgemerkt die me te denken gaven. Ten eerste bleek dat de kamer van de president waarin Cafiero werkte, werd gebruikt als een soort doorgang om van het ene bureau naar het andere te komen. Met stomme verbazing keek ik naar de personeelsleden die met een kop koffie in de hand dwars door de kamer van de president liepen. Ik begreep onmiddellijk dat hier een toestand van anarchie heerste. Chrysler had een portie orde en discipline nodig – en gauw ook.

Vervolgens was er het feit dat Riccardo's secretaresse een hoop tijd scheen te spenderen aan het voeren van privé-gesprekken over haar eigen telefoon. Wanneer secretaresses hun tijd verknoeien, weet je dat het ter plekke niet deugt. In de eerste weken van een nieuwe baan let je op roddelpraatjes. Je wilt weten in wat voor gemeenschap je terecht bent gekomen. Dit waren de signalen die ik mij herinner en samen met wat ze me over Chrysler hadden verteld, nam mijn ongerustheid toe. Wat stond me te wachten?

Het bleek dat mijn bezorgdheid gerechtvaardigd was. Al spoedig stuitte ik op de eerste belangrijke onthulling. Als onderneming functioneerde Chrysler in het geheel niet. Chrysler was in 1978 te vergelijken met het Italië van 1860: een verzameling kleine hertogdommen die elk door een 'prima donna' werden geleid. Het bedrijf was een mengelmoes van minirijkjes waarin niemand het ene moer kon schelen wat de ander uitvoerde.

Ik trof bij Chrysler vijfendertig vice-presidenten aan, elk met een eigen gebied. Er waren geen commissies gevormd, er bestond geen samenhang in de organisatie en er was geen vergadersysteem om mensen met elkaar te laten praten. Het was voor mij bijvoorbeeld niet te begrijpen dat de man die de technische afdeling runde niet voortdurend in contact stond met zijn tegenhanger bij de produktie. Het was echter wel zo. Een ieder werkte op zijn eigen houtje. Toen ik dat systeem in ogenschouw nam, werd ik er kotsmisselijk van en op dat ogenblik drong het tot me door dat ik diep in de moeilijkheden zat.

Deze mensen geloofden blijkbaar niet in Newtons derde bewegingswet – dat elke actie een gelijke en tegenovergestelde reactie oproept. In plaats daarvan werkten we met zijn allen in het luchtledige. Het was zo erg dat zelfs deze omschrijving geen recht doet aan de werkelijkheid.

Wanneer ik bijvoorbeeld een man van de technische afdeling bij me riep om hem uit te leggen dat we ontwerpproblemen hadden of er sprake was van een hapering tussen techniek en produktie, stond hij met zijn mond vol tanden. Het was best mogelijk dat hij de bekwaamheid bezat een briljant stukje techniek uit te vinden dat ons veel geld zou besparen. Hij had misschien met een prachtig nieuw ontwerp op de proppen kunnen komen. Er was echter één probleem: hij wist niet of de mensen van de fabricage het konden maken. En waarom niet? Omdat hij er nooit met hen over had gesproken!

Niemand bij Chrysler scheen te begrijpen dat een wisselwerking tussen de verschillende afdelingen in een bedrijf absoluut essentieel is. Mensen van de techniek en van de produktie behoren praktisch bij elkaar te slapen. Ze flirtten echter niet eens met elkaar!

Een ander voorbeeld: verkoop en produktie vielen onder dezelfde vicepresident. Voor mij was dat onbegrijpelijk omdat het twee enorm belangrijke functies waren die noodzakelijk gescheiden dienen te zijn. Om de zaken nog erger te maken: er bestond vrijwel geen contact tussen de beide afdelingen. De produktie-afdeling fabriceerde auto's zonder zich te laten informeren door de mensen van de verkoop. Ze fabriceerden ze domweg, verstopten ze op een opslagterrein en hoopten dan maar dat iemand ze eraf zou halen. Het resultaat was een gruwelijk grote voorraad en een financiële nachtmerrie.

Het contrast tussen Ford en Chrysler was ronduit verbazingwekkend. Niemand bij Chrysler scheen te beseffen dat je geen grote onderneming kunt runnen zonder het voorbereidende werk op vergaderingen. Elk lid van een team moet precies weten waaruit zijn taak bestaat en hoe die taak samenhangt met alle andere werkzaamheden.

In plaats van te trachten de losse eindjes aan elkaar te knopen en naar het geheel te kijken, moesten Riccardo en de man van de financiën, Bill McCagh, al hun tijd besteden aan het bezoeken van alle banken die Chrysler geld hadden geleend. Onafgebroken moesten ze van de ene bank naar de andere rennen om de leningen te continueren. Dat betekende dat ze zich bezig hielden met de dagelijkse zorgen, dat ze het oog gericht hielden op de volgende maand in plaats van op het volgend jaar.

Een paar maanden na mijn komst kwamen we zonder kasgeld te zitten en dat bezorgde me een geweldige schok. Voor ik bij Chrysler kwam, was ik me van een aantal problemen in het bedrijf vaag bewust. Deze varieerden van slechte bedrijfsvoering tot het beknibbelen op research en ontwikkeling. Het enige terrein waarin ik een zekere mate van vertrouwen had, was evenwel de financiële controle. Per slot wist iedereen in Detroit dat Chrysler door financiële specialisten werd geleid en we namen dus aan dat aan het financiële toezicht de hoogste voorrang werd verleend.

Tot mijn ontzetting ontdekte ik al gauw dat Lynn Townsend (die een paar jaar eerder met pensioen was gegaan) en John Riccardo van oorsprong accountants waren van het accountantsbureau Touche Ross in Detroit. Erger was dat ze geen financiële analisten hadden binnengehaald. Hun houding scheen te zijn: dat zaakje knappen we zelf wel op. In een zo groot bedrijf als Chrysler was dat echter een onmogelijkheid.

Geleidelijk aan ontdekte ik dat Chrysler geen algemeen systeem van financiële controle had en, om de zaak nog erger te maken, niemand scheen te begrijpen waar het bij financiële planning en budgettering om ging. Zelfs de meest elementaire vragen konden ze met geen mogelijkheid beantwoorden. De antwoorden nog daargelaten, deze mannen wisten niet eens hoe de vragen luidden.

Zodra ik bij Ford president was geworden, vroeg ik een lijst op van alle fabrieken waarop van elke fabriek de verhouding tussen opbrengst en investering was vermeld. Hierover bij Chrysler praten, betekende dat ik evengoed een vreemde taal had kunnen spreken. Ik kon niets achterhalen.

Het was waarschijnlijk de grootste schok die ik ooit in mijn zakencarrière heb moeten incasseren. Als ik eraan dacht, raakte ik totaal in de war en dat is nog maar heel zwak uitgedrukt. Ik wist al af van die beroerde auto's. Ik was me bewust van het lage moreel en de achteruitgaande fabrieken. Ik had er echter geen idee van dat ik niet eens de juiste cijfers zou kunnen bemachtigen om sommige fundamentele problemen bij Chrysler te lijf te gaan.

Lynn Townsend had altijd een goede reputatie als financiële specialist, maar ik denk dat zijn beslissingen, evenals die van vele zakenlieden, meer te maken hadden met de winsten in het volgende kwartaal dan met het welzijn van de onderneming op lange termijn. Chrysler was jarenlang bestuurd door mensen die niet echt van de auto-business hielden. Nu moest de prijs daarvoor worden betaald.

Het slot van het liedje was dat het bedrijf achter de trend aanliep. Als kleinste van de Grote Drie kon en moest Chrysler voorop lopen bij de ontwikkeling van nieuwe auto's. Onder Lynn Townsend kreeg de techniek, die altijd Chryslers grote troef was geweest, echter een lage prioriteit. Toen de winsten terugliepen, moesten techniek en produktontwikkeling daarvoor de prijs betalen.

In plaats van zich te concentreren op goede auto's, begonnen Lynn Townsend en zijn mensen aan een uitbreiding overzee. In hun ijver een internationale onderneming te worden, kochten ze ten dode opgeschreven maatschappijen op als Simca in Frankrijk en Rootes in Engeland. Op het gebied van internationale activiteiten waren ze verdwaalde kinderen. Ik begon te geloven dat er bij Chrysler mensen waren die niet eens wisten dat de Britten aan de linkerkant van de weg reden.

Lynn Townsend was altijd populair bij de aandeelhouders en net als zij werd ook hij rijk. Toch geloof ik niet dat hij iets begreep van de grondbeginselen van de auto-business. Op een gegeven ogenblik tijdens zijn bestuur bezat Chrysler net quitte spelende of verliesgevende bedrijven op alle continenten, uitgezonderd de Zuidpool.

Townsend deed bij Chrysler een paar goede dingen zoals bijvoorbeeld het stichten van Chrysler Financial, een nevenbedrijf, in het leven geroepen om krediet te verlenen aan zowel de dealers als de klanten. Tegenwoordig is Chrysler Financial een voorbeeld in zijn soort. Townsend verdiende dus zeker niet alle blaam voor Chryslers zwakke positie. Ik heb me vaak afgevraagd waar het bestuur was toen het allemaal mis begon te gaan.

Al bij de eerste bestuursvergadering die ik bijwoonde, begon ik het probleem te begrijpen. Chryslers raad van directeuren beschikte over nog minder informatie dan zijn tegenhanger bij Ford – en dat wil heel wat zeggen. Er bestonden geen grafieken en geen financiële overzichten. Riccardo stak een verhaaltje af dat genoteerd stond op de achterkant van een envelop. Dat mocht nauwelijks de manier worden genoemd om de onderneming, die op de ranglijst van grote ondernemingen in Amerika op de tiende plaats stond, te besturen.

Toen ik voorzitter werd, was ik heel voorzichtig in mijn benadering van de bestuursleden. Ik was echt niet zo gek om met de vinger te wijzen naar een groep mensen die me net had aangesteld en hen te vertellen dat het allemaal hun fout was. Een of twee keer echter vroeg ik het bestuur zo beleefd als ik kon: 'Hoe kon de bedrijfsleiding hun plannen door zo'n groep voortreffelijke zakenlieden geaccepteerd krijgen? Hebben jullie dan ooit informatie gekregen?'

Chryslers problemen bleven niet beperkt tot het topmanagement. In de hele onderneming waren de mensen bang en moedeloos. Niemand deed iets goed. Zoiets had ik nog nooit gezien. De vicepresidenten zaten geen van allen op de goede plaats. Townsend en zijn mensen hadden employés, die het goed deden op een bepaald gebied, naar willekeur op een andere plaats gezet. Hun houding was dat iemand met talent elke berg kon beklimmen. Na een paar jaar heen en weer schuiven, deed iedereen bij Chrysler werk waarvoor hij niet was opgeleid. En geloof me... dat was te merken.

De man die onderdelen en service in Zuid-Amerika deed, was begonnen als controleur. Hij haatte zijn werk. Toen ik hem moest laten gaan, was hij eigenlijk opgelucht. De knaap die de produktiewerkzaamheden voor Europa had geleid, werd naar Europa gestuurd als vice-president verkoop, ofschoon hij nog nooit in de verkoop had gezeten. Het was een hopeloze toestand.

Ik voelde me er ellendig door; deze mensen zouden op hun eigen terrein misschien geweldig goed zijn geweest. Ze probeerden hun hachelijke situatie te verklaren met de woorden: 'Ik heb nooit om deze baan gevraagd. U stelt me vragen waarop een controleur het antwoord weet, ik niet. Ik weet iets af van onderdelen en service. Je zou me een achterspeler kunnen noemen, maar ze hebben me op het middenveld opgesteld en hoe ik als middenvelder moet spelen, weet ik niet. Misschien kan ik het leren, maar dan heb ik meer tijd nodig.'

Ze wisten allemaal dat ik was gekomen om grote schoonmaak te houden en iedereen was bang dat hij het slachtoffer kon worden. Zekerheid in hun bestaan hadden ze niet en daartoe was alle reden. Over een periode van drie jaar moest ik drieëndertig van de vijfendertig vice-presidenten ontslaan. Dat was elke maand één.

In enkele gevallen probeerde ik een paar stafleden weer op de been te helpen, maar dat lukte me niet – ze konden zich niet aanpassen. Charlie Beacham zei vaak dat een knaap boven de eenentwintig zijn stijl of gewoonten nooit echt meer kon veranderen. Je denkt dat hij het wel kan, maar hij zit opgesloten in het beeld dat hij van zichzelf heeft. Niemand is nederig genoeg om nog te leren nadat hij volwassen is geworden.

Helaas had Beacham gelijk – zoals gewoonlijk. Toen Paul Bergmoser bij ons kwam, zei ik tegen hem: 'Probeer een paar van die mensen te redden.' Hij werkte zes maanden met hen samen en zei daarna tegen me: 'Het is onmogelijk. Deze lieden hebben de Chrysler-stijl aangeleerd om hun zaken te regelen. Ze zullen zich nooit aanpassen. Het is te laat.'

Moeilijkheden brengen doorgaans andere problemen met zich mee. Een knaap die niet erg zeker is van zichzelf in zijn werk, wil wel als laatste dat er iemand achter hem staat die wel over zelfvertrouwen beschikt. Hij denkt: Als mijn ondergeschikte te goed is, zet hij mij voor joker en zal me op den duur verdringen. Het gevolg is dat de ene incompetente manager de volgende meebrengt en allemaal verschuilen ze zich achter de zwakkeren van het hele systeem.

Begrijp me niet verkeerd. Ik wil niet beweren dat iemand die een accountantsopleiding heeft gehad zijn hele leven accountant moet blijven, ongeacht welke andere talenten hij misschien heeft. Ik bedoel alleen dat iedereen in het begin van zijn carrière een ontwikkeling als manager moet doorlopen. Hij moet in zijn functie voldoende tijd krijgen om te kunnen bewijzen dat hij dat speciale gebied beheerst.

Je mag de specialisatie niet overdrijven. Als je dat tot in het extreme doet, krijg je geen algemene bedrijfsleiders. Toch moet ook weer niet iedereen voor algemeen bedrijfsleider worden opgeleid.

Alle problemen bij Chrysler kwamen op hetzelfde neer: niemand wist wie de aanvoerder was. Er was geen team, slechts een verzameling van onafhankelijke spelers en velen van hen waren niet tegen hun functie opgewassen.

Nu is het één ding om dit alles uit te spreken en in theorie te begrijpen wat het betekent. Geloof me echter dat het heel wat anders is om het voor je ogen in kleuren en geuren te zien ontwikkelen. Het is heel erg om er getuige van te zijn dat een van de grootste ondernemingen ter wereld, waarin miljarden omgaan, zijn ondergang tegemoetgaat zonder dat iemand in staat is het tegen te houden. Dat was schokkend. Elke dag bracht opnieuw slecht nieuws.

De enige parallel die ik kon bedenken, was de situatie die Henry Ford II tweeëndertig jaar eerder onder ogen had moeten zien. Toen de jonge Henry uit de marine kwam om in dienst te treden bij het bedrijf van zijn grootvader, was de onderneming een puinhoop. Het verhaal gaat dat op een afdeling de uitgaven werden geschat door de facturen te wegen.

De Ford Motor Company was een ramp geworden omdat de oude man zo'n slecht beheer voerde. Van gezonde zakenpraktijken wist hij niets af. In die dagen werden bedrijven geleid door zwetsende ondernemers in plaats van door plannenmakers en managers.

Bij Chrysler was het echter nog erger. Chrysler kon zijn conditie niet toeschrijven aan zijn stichter, die een ander beroep had gehad. Het Chrysler fiasco vond plaats na dertig jaar naoorlogs, wetenschappelijk management. Dat een reusachtige onderneming in 1978 nog steeds kon worden gerund als een kruidenierszaakje was onbegrijpelijk.

Deze problemen waren niet plotseling ontstaan. In Detroits autokringen was Chryslers reputatie al jaren aan het afnemen. Het bedrijf stond bekend als een laatste toevlucht; wanneer iemand het ergens anders niet kon bolwerken, kon hij altijd nog naar Chrysler gaan. De stafleden van Chrysler hadden een betere reputatie als golfspeler dan als deskundigen op autogebied.

Dat het moreel in Highland Park op een laag pitje stond, was niet verwonderlijk. En als het moreel laag is, lekt de zaak als een mandje. Alle mogelijke geheimen begonnen naar buiten te sijpelen. Wanneer mensen ongerust zijn, vrezen dat de zaak bankroet zal gaan en hun baan op de tocht staat, is de kans dat er lekken ontstaan drie keer zo groot.

Industriële spionage in de autobranche is een zaak waaraan de pers graag aandacht schenkt en soms naar hartelust van geniet. Bij Ford was spionage af en toe een probleem geweest. Begin 1970 toonde een vriend van mij die bij Chrysler werkte, me een pak vertrouwelijk materiaal van Ford dat een van zijn mensen van een van de onzen had gekocht. Ik liet de papieren aan Henry zien en hij raakte er volkomen van overstuur. Hij probeerde iets in elkaar te zetten dat kon aantonen hoe ver deze industriële spionage ging en om na te gaan wat we eraan konden doen.

Het is echter onmogelijk dat soort zaken tegen te houden. We gingen ertoe over papiervernietigers te installeren en genummerde kopieën van bepaalde rapporten uit te reiken: nummer een was Henry, nummer twee Iacocca, enzovoort; maar zelfs dan ontstonden er lekken. Je kon de twaalf mensen die het rapport onder ogen hadden gehad, binnenroepen en zeggen: 'Iemand in deze kamer liegt,' maar daarmee bereikte je niets. Ik heb het een paar keer geprobeerd, maar ik heb de gaten nooit kunnen dichten.

Ik ken een paar gevallen waarin een onderneming zeer ver was gegaan om foto's, hoe onduidelijk ook, in handen te krijgen van de toekomstige modellen van een ander. Over het algemeen zijn dergelijke foto's voor de concurrentie niet erg bruikbaar. Ik heb bijvoorbeeld altijd aangenomen dat General Motors foto's in zijn bezit had van de Mustang, twee jaar voor de wagen op de markt kwam. En wat wisten ze dan eigenlijk nog? Ze zouden hem niet willen namaken voor gebleken was dat het een treffer was en ze konden constateren hoe goed hij werd verkocht.

Aan de andere kant zijn er soms technische ontwikkelingen gaande die nogal exclusief zijn. Je kunt een doorbraak hebben bereikt op het gebied van een zuiniger brandstofgebruik en dan heeft, voor je het weet, een ander jouw resultaten te pakken. Dat zijn dingen die echt pijn doen.

Bij Chrysler konden het slechte moreel en het uitlekken van geheimen uit de balans worden afgelezen. Die waren er de oorzaak van dat de maatschappij het zo slecht deed terwijl de rest van de auto-industrie het allerbeste jaar afsloot. GM en Ford rapporteerden recordverkopen en -winsten. Alleen GM verkocht al bijna 5,4 miljoen auto's terwijl Ford er 2,6 miljoen aan de man bracht. Chrysler stond, als gewoonlijk, op grote afstand als derde met minder dan 1,2 miljoen. Belangrijker nog was dat ons aandeel in de Amerikaanse markt in een jaar tijd was gezakt van 12,2 naar 11,1 procent – een geweldige achteruitgang. Ons aandeel in de vrachtwagenmarkt was net zo erg gedaald, van 12,9 naar 11,8 procent.

Nog erger was dat Chrysler de laatste twee jaar 7 procent van zijn trouwe klanten had verloren. Toen ik op het toneel verscheen was onze klantenbinding gezakt tot 36 procent. Ter vergelijking: bij Ford bleven 53 procent van degenen die reeds een Ford bezaten trouw en dat was al een enorme terugval. GM bleef altijd tamelijk stabiel op 70 procent.

We hadden het er zelfs moeilijk mee mensen te krijgen die onze produkten in overweging wilden nemen. De research bracht nu aan het licht dat twee derde van de mensen die aandacht aan ons besteedden, niet gelukkig met ons waren. Dat ze zouden terugkomen om nogmaals een Chrysler-produkt te kopen, was niet te verwachten.

Een ander punt dat me zorgen baarde, was dat Chrysler al lang bekend had gestaan als de auto voor wat oudere mensen. Toen ik aan boord stapte, was de gemiddelde leeftijd van de kopers van de Dodge en de Plymouth hoger dan die van de Buick-, Oldsmobile-, Pontiac-, ja zelfs van de Mercury-klanten. Onze overzichten toonden aan dat bezitters van een Chrysler het meest voorkwamen onder de wat oudere, minder geschoolde handwerkslieden – en meer waren geconcentreerd in de noordoostelijke en midden-westelijke industriestaten. Chrysler-produkten werden gezien als saai en vervelend. We hadden snel nieuwe auto's nodig. Als je in deze business stilstaat, wordt er gauw over je heen gelopen.

Gelukkig hoefde ik niet van nul af te beginnen. Chrysler had een lange traditie op het gebied van vernieuwingen, een traditie die ik maar al te graag wilde voortzetten. Nog maar enkele jaren terug wilden heel wat jonge mensen een Chrysler hebben omdat die toen zeer in trek was. Chrysler had Chargers en Dusters die sneller waren dan welke andere auto ook. Sportieve auto's, zoals de Dodge-Daytona, de Chrysler 300-serie, de Satellites en de Barracuda's, waren de wagens die in drommen bij de drive-in bioscopen en de hamburgerstalletjes stonden, vanaf Maine tot Californië.

Chrysler was eveneens verantwoordelijk voor het toppunt van de race-auto op de weg: de Road Runner met zijn sterke, 7 liter Hemi-motor. Tegen het eind van de jaren zestig was dit een klassieker – luidruchtig, snel en bijna zo sterk als een locomotief. Elke avond reden deze krachtpatserige wagens de Detroit Woodward Avenue op en neer, waar zich dan zo nu en dan ook nog de professionele technici en de hooggeplaatste functionarissen uit de auto-industrie bijvoegden als ze op weg waren naar de buitenwijken.

Chrysler was echter zwak vertegenwoordigd in het zonnige zuiden onder de jongere en meer welgestelde autobezitters. Vooral in Californië stonden we er slecht voor – en dat is de streek waar het op aan komt. Hoewel de auto-industrie in Michigan was geboren, groeide hij op in Californië; daar was het eerste uitgestrekte netwerk van autowegen. En daar was de entree tot de markt voor de jongelui – met krachtige auto's, vierwiel-aandrijving en exotische velgen, met bestelwagens als woonmobiel en de verscheidenheid aan gedaanteverwisselingen die de oorspronkelijk in Michigan gebouwde auto had doorgemaakt.

Californië heeft ook een aantal zaken bijgedragen waarmee we in Michigan niet al te gelukkig waren. Een ervan is de sterke toename van importauto's. Californiërs kopen meer importauto's dan welke andere staat ook. Ten tweede zijn de normen voor de uitlaatgassen daar zo overdreven dat Californië bijna een vreemd land is geworden. Het is al meermalen gezegd, maar het verdient nog eens te worden herhaald: Californië is inderdaad de spiegel voor de toekomst. Soms vinden we niet alles even aangenaam als we in de spiegel staren, maar het zou heel dwaas zijn als we niet scherp opletten.

We moesten in Californië slagen, maar voor we daartoe in staat waren, dienden we het produkt te veranderen.

Het was niet alleen de vorm van de Chrysler-produkten die een slechte reputatie had. De maatschappij had het ook moeilijk met de kwaliteit. De ergste voorbeelden daarvan waren de Aspen en de Volaré, de opvolgers van de veel bejubelde Dart en Valiant. De Dart en de Valiant liepen altijd goed, die had men nooit mogen laten vallen. Ze werden echter vervangen door auto's die al na een jaar of twee stuk gingen.

De Aspen en de Volaré werden in 1975 gelanceerd. Daar hadden ze echter beter nog zes maanden mee kunnen wachten. Het bedrijf zat om kasgeld verlegen en hield deze keer de normale gang van zaken – ontwerpen, testen, fabriceren – niet in ere. De klanten die in 1975 Aspens en Volarés kochten, waren in feite Chryslers ontwikkelingstechnici. Toen de eerste auto's op de markt kwamen, waren ze nog steeds in hun ontwikkelingsfase.

Als ik terugkijk op de laatste twintig jaar, kan ik geen auto's bedenken die meer teleurstelling bij de klanten veroorzaakten dan de Aspen en de Volaré. De Edsel was een ander geval; de mensen wilden die gewoon niet. Deze auto's werden echter door de klanten in groten getale gekocht en ze kwamen bedrogen uit. De mensen kwamen op het model af; vooral op de stationcar, die hadden Ford en GM in 1976 nog niet.

De Aspen en de Volaré waren eenvoudig niet goed gemaakt. De motoren sloegen af als je op het gaspedaal trapte. De remmen weigerden. De motorkap vloog open. De klanten klaagden en er werden meer dan 3,5 miljoen auto's naar de dealer teruggebracht voor gratis reparatie – dat wil zeggen: gratis voor de klant – Chrysler moest de rekening betalen.

Maar zelfs als de auto's mechanisch in orde waren, begonnen ze te roesten. Het project van ontroesting van de bumper van de Volaré kostte ons 109 miljoen dollar – in 1980, juist toen we ons dat slecht konden veroorloven. De bumpers roestten door omdat men er niet voldoende aandacht aan had besteed ze roestvrij te maken. Het werd ons niet gevraagd ze terug te nemen, maar er rustte een verplichting op ons tegenover de klanten ze weer in orde te brengen. Ondanks onze service, daalde de tweedehandsprijs voor deze auto zeer scherp, hetgeen Chryslers naam veel kwaad deed.

Ford had een soortgelijk probleem gekend. In 1957 waren we met een prachtige auto gekomen, de Fairlane 500; een model dat als warme broodjes verkocht, doch evenals de Volaré was de Fairlane slecht gemaakt. Francis Emerson, mijn chef-verkoop voor het district Philadelphia, moest een van de eerste exemplaren van de vierdeurs uitvoering showen aan onze hoofdvertegenwoordiger. De auto was zo slecht geconstrueerd dat de achterportieren opensprongen als hij over een oneffenheid in de weg reed. Hij loste het probleem op door de portieren van binnen met een waslijn vast te maken. 'Ik maak een dolle tijd mee met het demonstreren van die auto,' zei hij. 'De mensen vinden de vorm mooi, maar ik kan ze niet achterin laten zitten.'

In die tijd was het voor de typische Ford-klant gebruikelijk iedere drie jaar zijn auto in te ruilen. In 1960, toen we opnieuw met een mislukking waren uitgekomen, dacht ik: nu zitten we goed in de penarie. Een koper zal één strop nog wel door de vingers zien, maar hoe zal het gaan met de klant die in 1957 een nieuwe auto kocht omdat hij het model mooi vond en daarna ontdekte dat het een rot auto was? Bleef hij ons trouw en kocht hij een Ford van 1960, dan werd hij twee keer achter elkaar belazerd. Die man komt nooit meer terug; hij stapt waarschijnlijk over naar GM of neemt een importauto.

De Volaré van 1975 hoorde tot diezelfde categorie. Natuurlijk kende ook GM z'n fiasco's – de Corvair bijvoorbeeld. Op dit punt ben ik het bij uitzondering eens met Ralph Nader: de Corvair was echt onveilig. De Vega met zijn platte aluminium-motor was eveneens een ramp. De Vega en de Corvair waren beiden rampzalige auto's, maar GM is zo groot en machtig dat ze wel een stuk of twee rampen kunnen hebben zonder al te grote schade te lijden. Het kleine Chrysler kon zich geen enkele mislukking veroorloven.

Ik kan niet over slechte auto's praten zonder een paar woorden te wijden aan de Ford Pinto. We brachten de Pinto uit in 1971. We hadden een kleine tweepersoons auto nodig en de Pinto was de beste die je onder de 2000 dollar kon kopen. Veel mensen moeten het daarmee eens zijn geweest – alleen in het eerste jaar verkochten we al meer dan 400.000 stuks. De auto was een groot succes en behoorde daarom in de categorie van de Falcon en de Mustang.

Helaas werd de Pinto betrokken in een aantal ongelukken waarbij hij, na een botsing tegen de achterkant, in brand vloog. Er kwamen rechtszaken van, honderden. In 1978 werd de Ford Motor Company in een grote rechtszaak in Indiana beschuldigd van doodslag door achteloosheid. Ford werd vrijgesproken, maar de schade die de onderneming werd toegebracht, was onmetelijk.

Er waren twee problemen met de Pinto. Ten eerste was de benzinetank achter de achteras geplaatst zodat er brandgevaar bestond als de achterzijde in botsing kwam. De Pinto was overigens niet de enige auto met dit probleem. In die tijd hadden alle kleine auto's de benzinetank achter de achteras en alle kleine auto's waren af en toe bij een brand betrokken.

De Pinto had echter een vulpijp aan de tank die bij een botsing soms los scheurde. Wanneer dat gebeurde, stroomde de benzine weg en kon in brand vliegen.

We verzetten ons tegen het aanbrengen van veranderingen en dat heeft ons veel kwaad gedaan. Zelfs Joan Claybrook, de lastige directeur van de National Highway Traffic Safety Administration en een beschermeling van Nader, zei op zekere dag tegen me: 'Het is jammer dat je niets aan de Pinto kunt doen. Hij is feitelijk niet slechter dan iedere andere kleine auto. Jullie hebben niet zozeer een technisch probleem dan wel een juridisch en public-relations-probleem.'

Wiens fout was dat? Een voor de hand liggend antwoord is dat het een fout was van het management van Ford, mezelf inbegrepen. Er zijn mensen genoeg die beweren dat de druk die van juridische zijde en van de public relations-kant wordt uitgeoefend in zo'n situatie een excuus biedt aan het management om omzichtig te werk te gaan in de hoop dat het probleem zal verdwijnen. Mij lijkt het echter juist het management te houden aan het in acht nemen van hoge normen en erop te staan dat ze doen wat plicht en gezond verstand eisen, ongeacht de druk die wordt uitgeoefend.

Er schuilt echter absoluut geen waarheid in de beschuldiging dat we probeerden een paar dollar uit te sparen en dat we bewust een gevaarlijke auto hadden gemaakt. De auto-industrie is vaak arrogant, maar niet harteloos. De mannen die de Pinto bouwden, hadden kinderen op de universiteit die in deze auto reden. Neem van mij aan dat niemand denkt: ik ga deze auto opzettelijk onveilig maken.

Op het laatst haalden we vrijwillig anderhalf miljoen Pinto's terug. Dat was in juni 1978, één maand voor ik werd ontslagen.

Intussen deed zich bij mijn komst bij Chrysler nog een tweede probleem voor. In mijn eerste week woonde ik een informele vergadering bij waar werd besloten tienduizend auto's uit het produktieschema te nemen. Een week later was er een meer formele vergadering; deze keer werden er 50.000 auto's aan het schema voor het eerste kwartaal 1979 onttrokken.

Ik was verbaasd en terneergeslagen. Wat voor een mentaliteit was dat als men tegen wil en dank auto's uit de produktie nam? Ik schrok toen ik ontdekte dat we geen bestellingen van dealers hadden om deze auto's te fabriceren en er geen ruimte was nog meer wagens te bergen op het reeds uitpuilende opslagterrein van de fabriek. Die voorraad stond bekend als Chryslers verkoopbank, wat niets anders was dan een excuus om de fabriek draaiende te houden als we geen bestellingen van de dealers kregen.

Met regelmatige tussenpozen berichtte de produktieafdeling hoeveel en welk type wagen ze zou gaan produceren. Daarna was het de taak van de verkoop ze aan de man te brengen. In mijn ogen was dat compleet achterstevoren. Het bedrijf had intelligente, afgestudeerde jongelui in dienst genomen die op hotelkamers met hun vingers in de telefoonschijf zaten om te proberen de 'ijzerwaren' uit de verkoopbank uit te venten. Dat systeem was al jaren in gebruik.

De meeste van deze overtollige auto's waren opgeslagen op reusachtig grote terreinen in de omgeving van Detroit. Ik zal nooit het bezoek vergeten aan de Michigan State Fairgrounds, volgestouwd met duizenden onverkochte Chryslers, Dodges en Plymouthen; een levend bewijs van de structurele zwakheid van het bedrijf. De omvang van de voorraad kon variëren, maar was meestal veel groter dan we ooit mochten hopen te verkopen.

In de zomer van 1979 toen Chrysler voor het eerst bij de regering aanklopte om hulp, bevatte de verkoopbank 80.000 onverkochte auto's. Op een gegeven moment was dit aantal 100.000 eenheden, een waarde van ongeveer 600 miljoen dollar aan gereed produkt. Erger was nog dat die auto's zomaar in de open lucht stonden en langzaam achteruit gingen.

Het maken van auto's was een gigantisch gokspel geworden. Het had niets meer te maken met een klant die zegt hoe hij zijn auto wil hebben of met een dealer die bestelt wat de klant waarschijnlijk zal vragen. In plaats daarvan was het de een of andere man op het districtskantoor die zei: 'Ik zet op die auto een stuurbekrachtiging en op die een automatische versnellingsbak. Ik maak duizend blauwe en duizend groene auto's.' Als een klant een rode wilde hebben, was dat natuurlijk jammer.

Er moest aan al die auto's natuurlijk iets worden gedaan en dus hielden de districtskantoren tegen het eind van de maand doorgaans een uitverkoop 'om de ijzerwaren weg te zetten'. De zone-vertegenwoordigers brachten op z'n minst elke maand een volle week achter de telefoon door om te proberen auto's uit de opslagplaats te krijgen. De dealers raakten daaraan gewend. Ze bemerkten al spoedig dat wanneer ze wachtten tot de laatste week van de maand, ze wel werden opgebeld door iemand van het districtskantoor die probeerde een stuk of tien auto's tegelijk voor een speciale prijs te verkopen. Op de een of andere manier wisten de dealers wel iets af te krijgen van de vastgestelde groothandelsprijs. Bij Ford werd er bij uitzondering uitverkoop gehouden als de voorraden te groot werden, hier echter was het een normale gang van zaken.

Net als de hond van Pavlov rekenden de dealers met deze verkopen. Ze wisten dat die dag zou komen en wachtten rustig af. Als de bel rinkelde, begon hun hart sneller te kloppen omdat ze hun auto's nu wat goedkoper konden kopen.

Ik besefte dat Chrysler nooit meer winstgevend zou worden, tenzij we van dit systeem verlost raakten – voorgoed. Ik besefte tevens dat dit niet gemakkelijk zou gaan. Heel veel mensen in de organisatie waren gewend geraakt aan de verkoopbank; ze rekenden erop en sommigen waren er zelfs aan verslaafd. Toen ik hen bezwoer dit systeem te zullen uitroeien, dachten ze dat ik droomde. Bij Chrysler was de verkoopbank zo groot en zo'n vast onderdeel van het zakendoen dat men zich moeilijk kon voorstellen hoe het leven er zonder dit systeem zou uitzien.

Ik praatte met de dealers, legde hen uit dat de verkoopbank de onderneming te gronde richtte. Ik zei hen dat er in onze fabriek geen plaats was voor een verkoopbank en dat dit begrip uit het woordenarsenaal van de onderneming moest worden geschrapt. Ik zei hen dat van nu af aan zij – niet wij – de last van de voorraad zouden moeten dragen. Ik maakte hen ook duidelijk dat we geen auto's meer zouden produceren zonder uitdrukkelijke opdrachten en dat beiden, zowel de onderneming als de dealers, er wel bij zouden varen als de zaken op de juiste manier werden aangepakt.

Het was echter niet voldoende onze werkwijze in de toekomst te verbeteren. We zaten immers nog steeds in onze maag met de bestaande hoeveelheid auto's in de verkoopbank. Ik legde de dealers uit: 'We kunnen die auto's en vrachtwagens niet verkopen aan Sears of J.C. Penny. Jullie zijn de enige klanten en jullie moeten die produkten op de een of andere manier van ons afnemen – en wel nu! Ik kan ze niet demonteren en terugleggen en jullie kunnen me niet laten zitten met een voorraad van een half miljard dollar – hoe dit ook ontstaan mag zijn – terwijl jullie de auto's uitkozen die je graag op de markt zou brengen en je van de rest geen donder aantrok.

Het gebeurde niet van de ene dag op de andere, maar uiteindelijk ruimden de dealers dat bezinksel op en raakten we de verkoopbank kwijt. Het was onvoorstelbaar moeilijk. De voorraden bij de dealers waren al groot en de rentestand was hoog. De dealers deden echter wat noodzakelijk was en binnen een paar jaar runden we onze fabrieken op basis van degelijke bestellingen van de dealers.

In ons nieuwe systeem gaan onze verkoopmensen met al onze dealers aan tafel zitten. Samen stellen ze een plan op voor de bestelling van de dealer voor de volgende maand en schatten ze zijn behoefte voor de daaropvolgende twee maanden. Zo krijgen we een definitieve verplichting van de dealer los en dat wordt ons produktieschema.

De dealer is van zijn kant over de brug gekomen en wij houden ons van onze kant aan de afspraak. Dat betekent dat we de bestelling goed uitvoeren, de dealer op de hoogte houden en op tijd een kwaliteitsprodukt leveren.

Tegenwoordig blijkt dit systeem onkreukbaar te zijn. We kunnen een dealer benaderen en hem voorhouden dat als hij wil meedoen met een bepaalde actie met korting, hij honderd auto's moet afnemen. Hij kan dit wel of niet doen. Er is echter geen mogelijkheid met het aantal te sjoemelen en aan het eind van de maand is er geen uitverkoop. Het gevolg is dat we niet dag in dag uit in een soort paniek werken. Tegenwoordig wordt – tenzij een klant verkiest een auto uit de voorraad van de dealer te kopen – de aankoop in een bestelling omgezet die hij binnen enkele weken kan komen ophalen.

De verkoopbank was al erg, maar ik merkte bovendien al gauw dat Chrysler 's werelds grootste verhuurbedrijf runde. In plaats van de auto's aan Herz en Avis te verkopen, werden ze in huurkoop gegeven. Iedere zes maanden kochten we de auto's terug. Zonder enig protest werden we tweedehands autohandelaar. Onze dealers wilden die auto's niet hebben en dus moesten we ze op veilingen dumpen. In mijn eerste jaar bij Chrysler, moest ik een verlies van 88 miljoen dollar op gebruikte auto's afschrijven.

We kozen voor het alternatief: het verkopen van de wagens aan de autoverhuurbedrijven, ook al was de winstmarge minimaal. Zij moesten zich maar zorgen maken hoe ze die wagens later konden kwijtraken. Zestigduizend occasions waren wel het laatste dat we nodig hadden.

De verhuurbedrijven zijn harde onderhandelaars, maar vooral voor Chrysler is het van essentieel belang in hun autoparken vertegenwoordigd te zijn. De gemiddelde Herz-auto is zo'n twee à drie keer per week de deur uit, hetgeen betekent dat ik twee of drie keer wekelijks een demonstratie geef met een van mijn auto's – aan mensen die misschien nooit eerder in een Chryslerprodukt hebben gereden. Ze gaan naar binnen om te vragen: 'Wie maakt deze auto?' We krijgen stapels post van mensen die een auto hebben gehuurd en zeggen: 'Waarom maken jullie geen reclame voor die auto? Waar hadden jullie hem verstopt? Ik heb een Reliant gehuurd om van Seattle naar San Francisco te rijden en ik stond er paf van.'

De huurauto's geven ons bekendheid. Ze trekken de aandacht van de jongeren in de markt, de meer welgestelden, de beroepsrijders, de meneer uit de betere kringen die uit traditie nog nooit de koop van een van onze auto's in overweging heeft genomen. We moeten veel meer doordringen in het zuidwesten en in Californië; vooral daar is de verhuur-business belangrijk.

Tussen de verkoopbank en de huurauto's en nog een aantal andere problemen door, moesten we bovendien 500 miljoen dollar afschrijven voor miskleunen van het management en dat zelfs nog voor we onze aandacht konden gaan richten op de belazerde markt die in die tijd heerste.

Er was zoveel te doen en er was zo weinig tijd. Ik moest vijfendertig kleine 'hertogdommen' elimineren. Ik moest een beetje eenheid en samenhang in het bedrijf scheppen. Ik moest de vele mensen zien kwijt te raken die niet wisten waar ze eigenlijk mee bezig waren. Ik moest hen vervangen, kerels vinden met ervaring die vlug konden handelen en ik moest zo gauw mogelijk een systeem van financiële controle instellen. Deze problemen waren urgent en de oplossingen wezen allemaal in dezelfde richting. Wat ik nodig had, was een goed team van ervaren mensen met wie ik kon samenwerken om een ommekeer te bewerkstelligen voordat dit bedrijf volledig in elkaar zou storten. Mijn hoogste prioriteit bestond uit het samenstellen van dit team voor het te laat was.

15
De opbouw van het team

Als het erop aankomt, zullen alle zakelijke ondernemingen worden teruggebracht tot drie woorden: mensen, produkten en winsten. De mensen zijn het belangrijkst; met de twee anderen kun je niet veel doen tenzij je een goed team hebt.

Toen ik bij Chrysler kwam, bracht ik mijn notitieboekjes van Ford mee, waarin ik de carrières had opgetekend van honderden leidinggevende functionarissen bij Ford. Nadat ik was ontslagen, had ik een gedetailleerde lijst opgesteld van alles wat ik uit mijn bureau wilde verwijderen. Die zwarte notitieboekjes waren duidelijk van mij, doch er kon geredeneerd worden dat ze aan de onderneming toebehoorden. Ik wilde geen enkel risico nemen. Henry en ik spraken niet met elkaar en dus ging ik met de lijst naar Bill Ford. Hij gaf me toestemming de boekjes mee naar huis te nemen. Ik nam die boekjes ter hand zodra ik merkte dat bij Chrysler dringend behoefte was aan eersteklas financiële specialisten. Enkele maanden eerder had ik, als president van Ford, onze financiële topman, J. Edward Lundy, gevraagd een lijst op te stellen van het beste financiële talent in het bedrijf. Lundy was oorspronkelijk een van de 'pientere boys' geweest en hij was, meer dan wie ook, verantwoordelijk voor het uitstekende, financiële systeem bij Ford.

Oppervlakkig gezien was mijn verzoek een routine-aangelegenheid, maar terugblikkend vraag ik me af of ik ergens onbewust heb gevoeld dat ik spoedig in een positie zou komen te verkeren waarin deze informatie van grote waarde zou zijn. Lundy's lijst bleek een godsgeschenk te zijn.

Ik sloeg mijn aantekenboekjes open om de namen te bestuderen. Lundy had de mensen in rangen ingedeeld: A, B en C. Er stonden ongeveer twintig namen op lijst A; of ik die allemaal wilde hebben, wist ik echter niet zeker. Ik had respect voor Lundy, maar zijn voorkeur en de mijne waren verschillend. Lijst A bestond uit eersteklas krentenwegers; wat ik zocht was nog iets meer dan dat.

Toen ik lijst B doornam, stuitte ik op de naam Gerald Greenwald. Hij was pas 44 jaar, maar had al veel gepresteerd. Ik had Greenwald bij een aantal gelegenheden ontmoet en vond hem sympathiek. Ik herinnerde me dat hij had geprobeerd van de afdeling financiën weg te komen. Op een keer had ik hem geholpen zijn kennis van zaken uit te breiden door hem naar Parijs te sturen om Richier over te nemen, een gereedschapconstructiebedrijf dat we hadden gekocht. De onderneming werd een mislukking, maar dat was niet de fout van Greenwald. Het was gewoon een slecht bedrijf dat we ten slotte moesten verkopen.

Vervolgens hadden we Greenwald naar Venezuela gestuurd. Hij was een agressieve bedrijfsleider en dat had als resultaat dat Fords marktaandeel in Venezuela zowel voor personen- als voor vrachtauto's hoger was dan van iedere andere dochteronderneming van Ford. In die tijd kostte in Venezuela een liter benzine een dubbeltje en ik plaagde Jerry altijd dat hij het onder zulke omstandigheden nooit fout kon doen. In Frankrijk had hij de kous op de kop gekregen; in Venezuela was het louter zonneschijn. De waarheid is dat hij in beide banen toonde over een gezond zakeninzicht te beschikken – hij was duidelijk meer dan een krentenweger.

Jerry's achtergrond is in de auto-industrie zeer ongewoon. Hij is joods, de zoon van een kippenboer uit St. Louis. Hij kreeg een uitstekende opleiding in de economie in Princeton en kwam daarna bij Ford. De bedoeling was dat hij zou gaan werken op de afdeling arbeidsverhoudingen.

'We hebben iets beters voor je,' werd hem gezegd. Greenwald werd geplaatst in een nieuwe afdeling-Edsel. Binnen een paar maanden bij dat fiasco dacht hij: ik kom zo van school; hoe kan ik zoveel geluk hebben?

Jerry bezit het talent en de kennis van een ondernemer die een probleem kan analyseren en er dan op afgaat om het op te lossen. Hij praat de dingen niet dood – hij handelt. Hij heeft altijd graag meer willen doen dan alleen financiën en uit zijn werk in Venezuela bleek duidelijk dat zijn talenten zich ook over andere gebieden uitstrekten. Ik wilde Jerry Greenwald hebben omdat hij een goede zakenman was... punt uit.

In december 1978 belde ik Greenwald in Venezuela op. Hij was met zijn vrouw naar een feestje en dus liet ik een boodschap voor hem achter. Toen ze thuis kwamen, raadde Glenda Greenwald onmiddellijk waarom ik had gebeld. 'Bel hem niet terug,' zei ze tegen haar man. De Greenwalds leidden een aangenaam leventje in Caracas waar Jerry een belangrijke Piet was. Het vooruitzicht naar Detroit te verhuizen om te gaan werken voor een falend bedrijf kon niet bijster aantrekkelijk zijn geweest.

Jerry belde echter wel terug en we spraken af elkaar in Miami te ontmoeten. Hij droeg een baard. Of hij bij Chrysler wilde komen werken, wist hij nog niet zo zeker en hij gaf zich veel moeite onze besprekingen geheim te houden.

Onze tweede bijeenkomst vond plaats in Las Vegas waar ik een ontmoeting had met Chrysler-dealers. Toen Jerry in het hotel arriveerde, schrok hij toen hij bemerkte dat er op hetzelfde tijdstip een Ford-bijeenkomst aan de gang was. Hij bleef de hele tijd op zijn kamer om te vermijden dat hij iemand die hij bij Ford kende tegen het lijf zou lopen. We praatten de hele avond met elkaar. Jerry moest de volgende ochtend vroeg op om zijn vliegtuig te pakken en om half zes belde hij naar mijn kamer. 'Ben je al wakker?' vroeg hij.

'Zeg, ben je gek geworden?' antwoordde ik. Hij zei dat hij de hele nacht niet had geslapen en me nog een paar vragen wilde stellen voor hij een beslissing kon nemen. Ik zei hem regelrecht naar mijn kamer te komen en in mijn kamerjas heb ik zijn twijfels aangehoord. 'Mijn hele leven heb ik gevochten tegen dat krentenwegers-syndroom bij Ford,' bekende hij, 'en bij Chrysler zou ik daar zo maar weer in verzeilen.'

Ik legde hem uit dat ik hem nodig had om de financiële controle op poten te zetten, maar dat hij als die klaar was, naar andere ondernemersactiviteiten kon overstappen. Toen hij mijn kamer verliet en al op de gang liep, riep ik hem na: 'Wacht even, Jerry, je kunt eerder president zijn dan je denkt.' Hij keek me sceptisch aan alsof ik hem een slechte mop probeerde te vertellen, maar het was me volle ernst. Binnen een paar jaar was Jerry de nummer twee bij Chrysler.

Nadat hij zich akkoord had verklaard met de overstap, vloog Jerry naar het Ford-hoofdkantoor in Dearborn om het nieuws over te brengen. Tot zijn verbazing nodigde Henry hem uit voor een gesprek. Zowel Henry als Bill Ford wisten dat Jerry veel waard was en ze probeerden hem over te halen niet bij Chrysler te gaan werken. Jerry legde Henry uit dat hij de spannende werkzaamheden die Chrysler hem bood niet voorbij kon laten gaan – de gelegenheid te worden betrokken bij het herstel van een grote, tanende onderneming. Juist Henry hoorde waardering te hebben voor zijn motivering, vond hij, omdat Henry een soortgelijke uitdaging had gekend toen hij in 1946 tot de onderneming van zijn grootvader toetrad. Dat snoerde Henry de mond, blijkbaar had die vergelijking doel getroffen.

Tot een van de eerste taken van Greenwald behoorde het op één punt samenbrengen van de te betalen rekeningen. Van Ford komend, kreeg hij waarschijnlijk de schok van zijn leven toen hij tot de ontdekking kwam dat de rekeningen vanuit zo'n dertig verschillende plaatsen werden betaald.

In de eerste paar dagen praatte hij eindeloos met de mensen die waren betrokken bij de leiding van de financiële controle. Het was te voorzien dat hij zou merken dat ze er geen idee van hadden hoe ze vanuit een financieel gezichtspunt moesten evalueren wat de bedrijfsleiding deed en dat ze de consequenties van onze collectieve beslissingen niet duidelijk konden maken. Hij beleefde een moeilijke tijd met het vinden van iemand die kon worden aangewezen ergens persoonlijk voor verantwoordelijk te zijn. 'Nou ja, iedereen is verantwoordelijk voor het controleren van de kosten,' kreeg hij te horen. Jerry wist precies wat dat betekende – in laatste instantie was niemand verantwoordelijk.

Een van de vele rampzalige toestanden die Greenwald aan het licht bracht, was de manier waarop bij Chrysler de kosten van de garantie, die tot 350 miljoen dollar per jaar opliepen, werden behandeld. Greenwald vroeg onmiddellijk een lijst van de tien voornaamste garantieproblemen en stelde een plan op om de defecten te corrigeren en de kosten te drukken. Tot zijn wanhoop merkte hij al gauw wat ik al wist: Bij Chrysler moest je, als je financiële gegevens nodig had om een probleem te lijf te gaan, eerst een systeem opzetten om die gegevens te krijgen.

Jerry liet me nooit vergeten dat hij meer wilde zijn dan een financieel controleur. Na een paar maanden toen ik zag hoeveel succes hij had, deed ik hem een aanbod. 'Als je iemand kunt vinden die net zo goed is

Pas getrouwd: mijn ouders, Nicola en Antoinette Iacocca, in 1923.

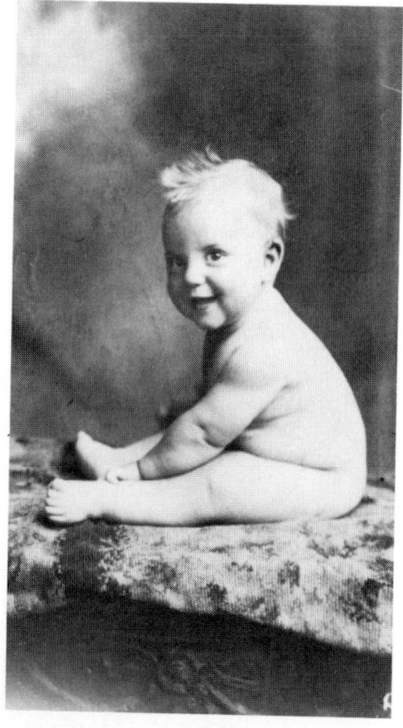

Nog maar net negen maanden.

In de mooie kleren van vóór de depressie, 1926.

Met mijn zuster Delma in 1927.

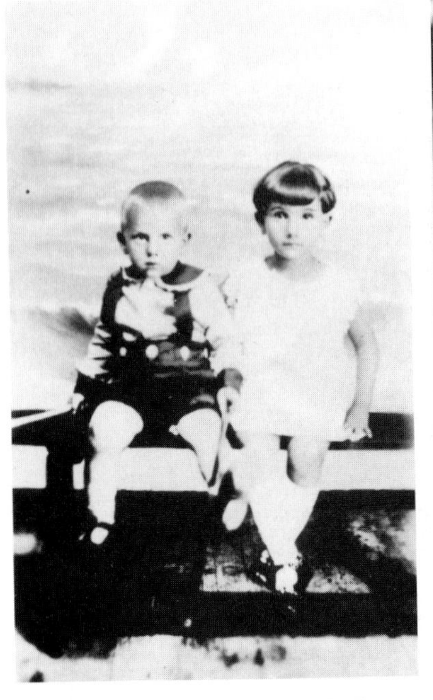

Leren rijden, 1929.

Met mijn vader, 1934.

Herrieschoppers in Lehigh, 1942 *(tweede van links)*.

Branieschopper op het Universiteitsterrein van Princeton, 1945.

Mijn eerste salarischeque van Ford – na aftrek van belasting!

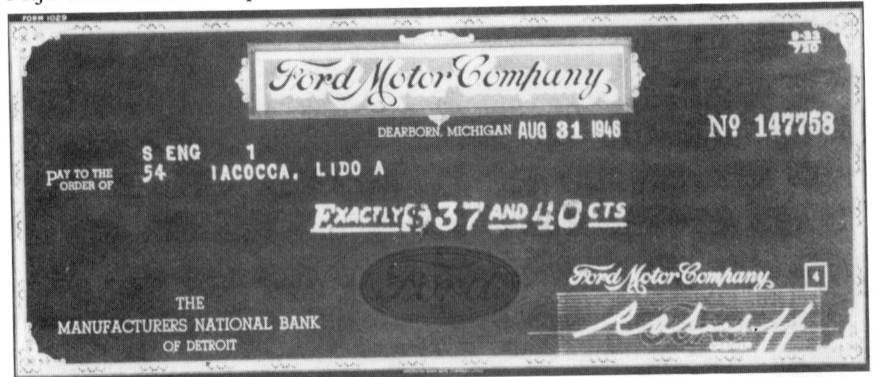

Ford Motor Company

DEARBORN, MICHIGAN AUG 31 1946

Nº 147758

S ENG 1

PAY TO THE ORDER OF 54 IACOCCA, LIDO A

EXACTLY $37 AND 40 CTS

THE MANUFACTURERS NATIONAL BANK OF DETROIT

Ford Motor Company

Mary, 1948.

Met Henny Youngman *(midden)* en Murray Kester *(rechts)*, 1953.

Ei op mijn gezicht voor de verkoop van veiligheid in 1956.

Robert McNamara, nieuwe president van Ford *(links)* met Henry Ford II in 1960.

AP/WIDE WORLD

Met Charlie Beacham in Phoenix, 1961.

De vader van de Mustang.

AP/WIDE WORLD

Terwijl New York City sliep, werd een Mustang 1966 naar de top van het Empire State Building gevlogen.

De aanbieding van de eerste Mustang 1974 aan Mr. Honda bij hem thuis in Tokio.

President-directeur van Ford, 1974.

AP/WIDE WORLD

Het begin van het einde, 1975.

AP/WIDE WORLD

Een verzamelobject: de auto maakte het, maar ik niet. 1979.

De dag erna.

Chrysler Names Lee Iacocca as New President

DETROIT (AP) — Chrysler Corp. today reported the biggest loss for any quarter in its history.

Wat een timing, niet?

De reddende engel: Chryslers eerste K-car, 1980.

AP/WIDE WORLD

Zou u van deze man een gebruikte auto kopen? Mijn eerste tv-reclame, 1981.

Met Detroits burgemeester Coleman Young en acteur Bill Cosby.

DOMINIC J. PALAZZOLO

De kleine beloningen in het leven (met Sophia Loren).

Daar moet op gedronken worden! De aflossing: 15 augustus 1983.

Met Jerry Greenwald *(midden)* en Hal Sperlich *(rechts)*.

Met de president in St. Louis, 1983.

Als ik gekozen word, loop ik niet weg.

De succesauto van de jaren '80.

Met Kathi, 1964.

NEWSWEEK – JOE CLARK

De familie, 1973.

10 december 1970: mijn ouders en Mary vieren mijn benoeming tot president-directeur van Ford.

Uitgedost voor mijn vijftigste verjaardag.

Kathi *(rechts)* en Lia, 1981.

Ons zilveren bruiloftsfeest.

De drie musketiers: met mijn vrienden Bill Fugazy *(links)* en Vic Damone.

als jij bent, zal ik je vrij maken om andere dingen te doen.'

Prompt haalde Greenwald Steve Miller in huis die zijn voornaamste, financiële expert in Venezuela was geweest. Als onze hoogste employé voor financiën is de briljante Miller een aanwinst voor ons team geworden. Bij de schijnbaar eindeloze onderhandelingen met honderden banken in 1980 en '81, was Millers bijdrage absoluut onmisbaar. Zowel hij als Greenwald slaagden er wonderlijk genoeg in kalm en nuchter te blijven in die chaotische tijd. Zonder hen had Chrysler het niet overleefd.

Hal Sperlich werkte al bij Chrysler toen ik er kwam; hij was overgestapt toen Henry hem in 1977 had ontslagen. De aanwezigheid van Hal bij Chrysler, was als het vinden van een groot glas bier midden in de woestijn. Bedankt Henry!

Iedere keer als ik iemand aan het team toevoegde, voelde ik me een beetje schuldig. Ik moest mezelf wat voorliegen om die mannen te recruteren. Als ik werkelijk eerlijk te werk was gegaan, had ik hen de waarheid moeten zeggen: 'Blijf hier weg – je kunt je niet indenken hoe slecht het bij ons gaat.' Dat kon ik echter niet maken. Ik moest hen datgene vertellen waarvan ik wanhopig hoopte dat het de waarheid was; we zouden de onderneming kunnen redden als we het goede team bij elkaar kregen.

Met Sperlich had ik dit probleem niet. Hij was al een paar jaar bij Chrysler en hij wist precies hoe slecht de zaken ervoor stonden. Meer dan één keer heb ik tegen hem gezegd: 'Rotvent, waarom heb je me deze baan laten aannemen? Waarom heb je me niet gewaarschuwd?' Hij had zichzelf ook wat voorgelogen om mij bij Chrysler te krijgen.

Ik schonk Hal echter vergeving; zijn ervaring bij Chrysler was een groot voordeel voor mijn nieuwe recruten; hij kende de zaak al. Hij was mijn vooruitgeschoven post. Riccardo kon me inlichten over de balans, maar het was Sperlich die wist hoe het hele bedrijf in elkaar zat.

Dit had tot gevolg dat hij in staat was een aantal goede mensen naar boven te halen die door het vroegere management waren gepasseerd. Velen van hen zaten diep weggestopt en Hal moest dus flink wat graafwerk verrichten. Hij ontdekte een paar intelligente, jonge mannen wier licht onder de korenmaat verborgen was. Ze beschikten over talent en enthousiasme – ze moesten alleen worden opgedolven.

Gelukkig was de kanker bij Chrysler niet te ver doorgewoekerd. Ik moest dan wel alle leidinggevende figuren vervangen, maar er was genoeg dynamisch, jong talent aanwezig. Toen we waren begonnen de minder competente mensen af te stoten, was het heel wat eenvoudiger de goeden te vinden. Tot vandaag kan ik nog niet geloven dat de vorige bedrijfsleiding hen niet had opgemerkt. Ik spreek over mensen waar de pit vanaf straalt; je kunt bijna voorspellen dat ze goed zijn door hen alleen maar in de ogen te kijken.

Ik verhief Sperlich heel spoedig tot vice-president, belast met de produktieplanning. Niet lang daarna bevorderde ik hem tot hoofd van alle Noordamerikaanse activiteiten. Volgens mij had Hal de hand gehad in alles wat bij Ford in de jaren 60 en 70 goed was gegaan. Datzelfde gold, korter geleden, voor Chrysler.

Hal is een visionair, maar een zeer pragmatische. Hij weet hoe je de kassa moet laten rinkelen en verspilt geen tijd aan onbenulligheden. Hij laat een redelijke hoeveelheid studie en feiten ter kennisneming toe, echter tot op een zeker punt. 'Oké, wat gaan we hier doen?' zegt hij dan. En dan doet hij het. Hij is een man die weet hoe je de gang erin moet houden. Hal heeft ook dat bijzondere vermogen in de toekomst te kunnen kijken, te weten wat de mensen over drie of vier jaar op de weg willen zien. We hebben sinds de Mustang samengewerkt en we testten onze voorgevoelens bij elkaar. Allebei kregen we veel lof toegezwaaid voor onze helderziendheid. Ik durf te beweren dat we samen op zijn minst zo goed zijn als iedere andere kei in de autobranche op de wereld.

We hebben onze meningsverschillen, maar dat hoort bij ons dagelijks werk. Hal plaagt me graag. Hij zegt dat ik te oud ben om te weten wat er omgaat onder de jongeren op de markt. Misschien heeft hij gelijk. Misschien luister ik daarom wel naar hem. Maar niet altijd, om de verdommenis niet. Hij is maar vijf jaar jonger dan ik; wel begint hij er al ouder uit te zien; dat is echter heel natuurlijk, nadat ik vijfentwintig jaar misbruik van hem heb gemaakt.

Vanaf het begin zijn Greenwald en Sperlich geweldig geweest; twee kopstukken maken echter nog geen team. Ik had met spoed nog meer hulp nodig en ik wist waar ik die kon krijgen. Er bestond een groep mensen die over een massa ervaring en beproefde kundigheden beschikten die volledig werden verspild: gepensioneerde Ford-managers. Ik moest gebruik maken van hun hersens en hun gezond verstand om de zaken te organiseren.

Gar Laux had zowel bij het marktonderzoek als met de dealers bij Ford gewerkt. Toen de Mustang werd geïntroduceerd, was hij verkoopleider van de Ford Division geweest en later werd hij mijn bedrijfsleider van de Lincoln-Mercury Division.

Tijdens de Knudsenperiode was Gar bij Ford weggegaan om hoofd van de kamer van koophandel in Dallas te worden. Na een paar jaar had hij een andere baan en was hij Arnold Palmers partner in een dealerschap voor Cadillac in Noord-Carolina. Toch was het niet alleen Gars ervaring die mij aantrok, zijn persoonlijkheid was even belangrijk. Hij is een van de mensen met wie iedereen graag wat gaat drinken om hem in vertrouwen te kunnen nemen. Ik wist dat hij de man was om betere relaties met onze dealers op te bouwen en de hemel wist hoe hard dat nodig was.

De verstoorde relatie tussen Highland Park en de dealers was schokkend. Het had me verbaasd en ontsteld hoe de beide partijen met elkaar spraken en wat voor boze en beledigende brieven er werden gewisseld tussen de dealers en het Chrysler hoofdkantoor. Bij Ford had ik altijd op zeer goede voet met de dealers gestaan, maar het had me wel twintig jaar gekost hun vertrouwen te winnen. Bekend raken met een volkomen nieuwe groep dealers was iets anders – en ik zou zeker geen twintig jaar de tijd krijgen. Het was onmogelijk dat ik zelf alle bruggen bouwde; Gar

Laux was voor deze baan de aangewezen persoon.

Ik haalde hem binnen om beide partijen te helpen op rustiger toon met elkaar te praten en naar elkaar te luisteren. Wat goed is voor Chrysler is per slot ook goed voor de dealers en omgekeerd. In plaats van beide partijen toe te staan hun grieven te koesteren en elkaar zonder pardon onder vuur te nemen, moesten we een atmosfeer scheppen waarbij iemand van de staf met de dealers om de tafel kon gaan zitten om al hun klachten en problemen onder ogen te zien.

En de dealers hadden heel wat op het hart; het was hun goed recht boos te zijn op de bedrijfsleiding; ze werden in het geheel niet goed behandeld. Jarenlang waren ze door de onderneming met rotzooi opgescheept die ze moesten zien te verkopen. De kwaliteit bij Chrysler was zo slecht geweest, dat de dealers de gewoonte hadden aangenomen de auto's om te bouwen na ze te hebben ontvangen. Hoe konden we hen onder dergelijke omstandigheden vragen beleefd en enthousiast te blijven? Hoe konden we verlangen dat ze ons vertrouwden?

We werden overstroomd met brieven van ongelukkige klanten die Chrysler-showrooms hadden bezocht. 'Die mensen hebben geen tijd voor me,' stond erin of: 'Ik zag een reclamespot met de uitnodiging binnen te komen en een vergelijking te maken, maar toen ik naar binnen ging, was er niemand om mee te praten. De verkopers zaten allemaal aan de koffie of in *The Daily Racing Form* te lezen. Wat verwacht men dan dat ik zal doen?'

Elke keer dat ik zo'n brief las, werd ik kwaad. Het maakte me razend dat we de verkoop misliepen aan iemand die echt zaken met ons wilde doen – al was het alleen maar om ons te helpen.

Ik stuurde Gar er dus op uit cursussen te geven aan dealers en hen een paar fundamentele zaken op het hart te drukken: Als een knaap de deur binnenstapt, vind hem dan aardig. Praat met hem. Geef hem de inlichtingen die hij nodig heeft om een koop van 10.000 dollar af te sluiten. Hij weet niet altijd precies wat hij wil. Hij weet misschien niet wat een overbrengas is of wat voorwielaandrijving voor hem kan doen. En verder: de heren hebben inmiddels plaats gemaakt voor de dames. Meer dan vijftig procent van de klanten zijn vrouwen die de koop sluiten en die weten niet altijd wat van de technische kant af. Zij hebben een beetje hoffelijke steun nodig. Met klanten onderhandelen vergt kennis, tijd en geduld – hebben verkopers dat niet, dan kunnen ze beter ander werk zoeken. (Ik heb me de vermaning van mijn vader aan de serveerster altijd herinnerd.)

Gar informeerde de dealers dat de nieuwe leiding een hoge discipline zou invoeren op elk gebied van onze activiteiten. Hij zei dat we het kwaliteitsprobleem onderkenden en vastbesloten waren het op te lossen. Hij legde uit dat we het plan hadden onze verplichtingen na te komen, binnen het budget zouden blijven en onze plannen uitvoeren. Verder deelde hij de dealers mee dat het hele bedrijf werd gereorganiseerd en dat ze van nu af op ons konden rekenen.

Oorspronkelijk had Gar ermee ingestemd slechts een paar maanden als raadgever bij ons te komen en zijn dealerschap in North Carolina zou aanhouden. We haalden hem over een paar jaar te blijven om de leiding van verkoop en marktonderzoek op zich te nemen.

Waar het ging om het image van de kwaliteit zat Chrysler in ernstige moeilijkheden en als er van zoiets belangrijks sprake is, kan men dat niet met een toverstokje laten verdwijnen en klaar is Kees roepen. Zelfs als je produkt onmiddellijk beter wordt, vergt het tijd voor het publiek dat beseft. Het is als met het slechte meisje in de stad dat haar leven betert en het rechte pad kiest; niemand gelooft haar.

Vorm en behoud van waarde zijn de factoren die een auto doen verkopen, maar kwaliteit zorgt ervoor dat men hem blijft kopen. Wanneer het gaat om het beeld dat het publiek van de kwaliteit heeft te veranderen, dan helpt adverteren niet. Evenmin als persconferenties en vertoningen in het openbaar het karwei kunnen klaren. De enige mogelijkheid is: goede produkten maken tegen een concurrerende prijs en daarna een goede service bieden. Als je hiervoor kunt zorgen, veegt het publiek je straatje wel schoon.

Om ons bij te staan met de kwaliteit, haalde ik Hans Matthias uit zijn teruggetrokken bestaan en stelde hem aan als raadgever. Hans was mijn chef-technicus bij de Ford Division en later stond het hele fabricageproces bij de Ford Motor Company onder zijn verantwoording. Zijn specialiteit was kwaliteitscontrole en tot hij met pensioen ging, heeft hij meer dan wie ook gedaan om de kwaliteit van het Ford-produkt te verbeteren. In twee jaar deed hij bij Chrysler hetzelfde.

Matthias werkte met Sperlich samen om wat orde in het fabricageproces te brengen. Sperlich was altijd druk met de toekomstige modellen die pas over drie jaar aan de beurt kwamen. 'Wees maar niet zuinig,' zei ik hem, 'hoe slecht de zaken er nu ook voorstaan. De enige manier om te overleven, is overeind te blijven tijdens de veranderingen.' Tegenwoordig is onze kwaliteit even goed of beter dan welke in Amerika gemaakte auto ook. En de Japanners halen we snel in.

Het publiek is nogal cynisch geworden over big business en met recht. Soms waren de auto's zo slecht dat men dacht dat we ze met opzet zo maakten. De meeste mensen beseffen niet dat het in het belang van de onderneming is auto's direct goed te bouwen. Als we in de fabriek op een probleem stuiten, kost het ons misschien 20 dollar per uur om het in orde te maken. Laten we het echter op zijn beloop en moet de dealer het repareren, dan kost het ons onder garantie 30 dollar per uur. Hoe erg ik het ook vind om 20 dollar neer te tellen, 30 dollar doet nog veel meer pijn.

Een goed ontwerp is altijd een kwestie van delicaat evenwicht; wat verlangt de klant en hoe kunnen we hem dat geven zonder de andere dingen die hij wenst, aan te tasten.

Auto's zijn zeer gecompliceerde machines en ze worden elk jaar ingewikkelder. Neem bijvoorbeeld de air-conditioning. Wie 700 dollar meer betaalt om het in de zomer koel te hebben, wil waar voor zijn geld.

En wie het luchtverversingssysteem ontwerpt, moet bedenken dat het niet deugt als er dertig minuten nodig zijn om de auto koel te krijgen, want de meeste ritten duren korter. Je moet dus blowers met een hoge snelheid installeren, maar ze mogen niet te veel lawaai maken omdat de vent achter het stuur naar zijn 300 dollar stereo wil kunnen luisteren, terwijl de air-conditioning aanstaat. De ontwerper van de air-conditioning kan niet zeggen: 'Dat zal mij een zorg zijn, ik wil alleen dat hij koelt.' Hij moet zijn produkt integreren in het totale systeem van de auto.

De ontwerper dient aan allerlei zaken tegelijk te denken. Ten eerste moet het gewicht laag zijn: alles wat zwaar is, beïnvloedt immers het benzineverbruik. Ten tweede moet de kostprijs laag zijn om voor de hand liggende redenen en ten slotte moet de auto gemakkelijk te fabriceren zijn. Het assembleren van twee onderdelen is altijd makkelijker dan het assembleren van drie.

Gemakkelijk te fabriceren – dat is de sleutel tot kwaliteit. 'Mijn ontwerp is super,' heb ik jarenlang moeten horen en dan denk ik altijd: Ja, het is zo super dat ik het niet kan maken.

Natuurlijk, kwaliteit is niet alleen een zaak van de technicus, het moet ook een onderdeel uitmaken van het bewustzijn onder de arbeiders in de fabriek. Door het instellen van 'kwaliteitsgroepen' zijn onze fabrieksmedewerkers veel meer betrokken geraakt bij het fabricageproces. We gaan bij elkaar zitten en vragen: 'Wat vind je van deze werkwijze? Kun je dat? De ingenieur zegt dat je het kunt en de fabricagechef beweert hetzelfde. Maar jullie zijn degenen die het moeten doen. Wat zeggen jullie ervan?'

Daarna gaan ze het een paar dagen proberen. Werkt het niet goed, dan komen ze terug met de mededeling: 'Dat was een slecht idee. Dit is een betere manier om het te doen.' Al gauw doet het gerucht de ronde dat de leiding luistert, dat we ons echt om kwaliteit bekommeren, dat we openstaan voor nieuwe ideeën en dat we geen stelletje stommerds zijn. Als het op kwaliteit aankomt is misschien de belangrijkste factor de arbeider het geloof te geven dat er naar zijn ideeën wordt geluisterd.

We hebben ook een Chrysler managementprogramma voor kwaliteit opgericht. Daarin staat: We kunnen over alles van mening verschillen, maar als het om de kwaliteit gaat, zullen we elkaar niet bevechten. Over kwaliteit mag niet worden onderhandeld zoals over andere zaken. Er mag geen compromis over worden gesloten zoals gebruikelijk bij tegenstellingen tussen werknemers en directie.

Hans Matthias had er bij Ford voor gezorgd dat kwaliteit werkelijk iets betekende. Toen ik hem vroeg ons te komen helpen, kon hij niet wachten met aan de slag te gaan. In anderhalf jaar schiep hij orde in het fabricageproces bij Chrysler. Bovendien deed hij dit als adviseur en iedereen weet dat men van adviseurs niet verwacht dat ze iets *doen*.

Matthias en ik begrepen elkaar. Hij was nog geen tien minuten bij Chrysler of hij zei al: 'Weet je wat jij hier hebt. Een rotzooi die misschien nooit is op te lossen.' Maar hij deed het wel. Elke morgen ging hij naar de fabriek en pakte willekeurig vijf units van de band. Vervolgens kwam hij met een nieuwe Toyota aanzetten en verzocht de mensen naar het verschil te kijken. Een voorman merkte dan al gauw op: 'Hé, onze auto's zijn echt slecht.'

Dan was er ook nog George Butts die er al werkte toen ik kwam. George heeft een knap stuk werk verricht bij het verbeteren van de kwaliteit van Chrysler produkten. Ik heb het iedereen in het bedrijf duidelijk gemaakt dat kwaliteit onze hoogste prioriteit had en ik denk dat die boodschap naar beneden is doorgesijpeld. Ik richtte voor George een aparte afdeling op voor het toezicht op de kwaliteit. Hij is mijn waakhond – en de topmanager in alle zaken betreffende de kwaliteit.

Tijdens het hoogtepunt van het loongarantiedebat in 1979, toen we links en rechts de kosten drukten, kwamen Matthias en Butts bij me met het voorstel 250 nieuwe mensen in de fabrieken aan te stellen voor de verbetering van kwaliteitscontrole. We konden het ons niet veroorloven, maar ik keurde het plan toch goed omdat we een kwaliteitsprodukt moesten leveren, wilde Chrysler ook maar de geringste kans op een toekomst hebben.

Ik kan niet over kwaliteit praten zonder ook Steve Sharf te noemen, die nu aan het hoofd staat van het hele produktieproces. Ook hij was al bij Chrysler toen ik er kwam. Hij is een ruwe diamant, een van die knapen die jarenlang onopgemerkt bleef. Sinds hij nieuwe verantwoordelijkheden kreeg, heeft hij veel goeds tot stand gebracht.

Dan was er nog Dick Dauch die bij Chrysler kwam na eerst bij GM en Volkswagen te hebben gewerkt. Dauch begon met vijftien van de beste jongens van zijn twee vroegere universiteiten mee te brengen. Dit is een punt dat vaak over het hoofd wordt gezien door mensen die trachten ons herstel te begrijpen. Ik nam alle knapen van Ford die ik kende van marktonderzoek, financiën en verkoop, maar als het aankwam op kwaliteit wendde ik me tot de beste mensen van GM en Volkswagen. Nu had ik de oudjes en de nieuwelingen, het lagere personeel, de staf en de gepensioneerden – en ze konden allemaal goed met elkaar overweg. Het was een unieke smeltkroes van individuen die onze kwaliteit snel verbeterde.

Matthias, Butts, Sharf en Dauch hebben met elkaar integriteit gebracht in ons produktieproces. Het is de verplichting een kwaliteitsprodukt te maken die ons – samen met een briljante groep ontwerpers en technici onder leiding van Don DeLaRossa en Jack Withrow – in staat stelt als enige autofabrikant ter wereld een garantie te bieden van vijf jaar en 80.000 kilometer.

Die garantie is geen verkooptrucje. Dat kan niet. Het zou, in het vierde en vijfde jaar, wanneer de auto's gaan verouderen, te kostbaar zijn alle motoren en versnellingsbakken te repareren wanneer ze het begaven. Een dergelijke aansprakelijkheid zou ons de kop kosten.

Gelukkig zijn kwaliteit en produktiviteit twee kanten van dezelfde medaille. Alles wat je doet voor de kwaliteit verbetert je produktiviteit en als je de kwaliteit verbetert, gaan je garantiekosten omlaag evenals de inspectie- en reparatiekosten. Als je direct bij het begin goed werk levert, gaan de onderhoudskosten omlaag en gaat de loyaliteit van de autobezitter omhoog.

Naast Gar Laux en Hans Matthias haalde ik nog een ex-Ford-man uit zijn gepensioneerde bestaan naar Chrysler. Paul Bergmoser had vijfendertig jaar als vice-president, belast met de verkoop, bij Ford gewerkt. Hij is hard en tuk op vernieuwing; ik wist dat ik op hem kon rekenen om een dozijn manieren te bedenken om iets te doen waarvan iedereen zei dat het onmogelijk was.

'Ik zit hier maar in m'n eentje, Bergie,' zei ik hem over de telefoon. Ik deed mijn best hem uit te leggen dat Chrysler geen van de systemen en organisaties bezat waaraan we bij Ford gewend waren. Ook hij stemde erin toe aan boord te stappen – eerst als adviseur en later voor ongeveer een jaar, als president van het bedrijf.

Toen Paul in Highland Park arriveerde, stond hij verbaasd over wat hij vond. Dikwijls als hij bij me binnenstapte, zei hij: 'Ik doe het graafwerk voor je, maar wat er onder de stenen zit die ik ondersteboven haal, houd je echt niet voor mogelijk.' Soms wekte het onze lachlust op omdat het al te gek was. Na een jaar bij Chrysler klaagde hij: 'Lee, ik heb een pracht van een accountantsrapport waaruit blijkt dat we dit jaar een miljard dollar hebben verloren, maar wat ik niet heb is een analyse om me te vertellen waaraan we verlies hebben geleden.' Het enige dat ik kon antwoorden, was: 'Paul, wees welkom bij Chrysler.'

Evenals wij allemaal die bij Ford hadden gewerkt, was Bergie gewend aan een systematische aanpak. Bij Chrysler vond hij praktisch geen systeem op de inkoopafdeling die – zelfs gemeten aan de lage normen bij Chrysler – bekend stond om zijn ondoelmatigheid. Helaas was Chrysler meer afhankelijk van leveranciers van buitenaf dan GM of Ford, die zelf veel onderdelen vervaardigden.

Als kleinste van de drie was Chrysler ook niet altijd in staat de beste prijzen te bedingen. Om de zaak nog erger te maken, had de onderneming nagelaten zijn leveranciers goed te behandelen en in de loop der jaren hadden die met gelijke munt terugbetaald. Als gevolg daarvan konden we niet altijd op een constante toevloed van onderdelen rekenen. Voor Bergie was een mooie taak weggelegd.

Ik heb al vermeld dat Laux, Matthias en Bergmoser hun rustige bestaan vaarwel zegden om me te komen helpen. Zonder die mannen was ik verloren geweest. Ze hadden stuk voor stuk vele jaren ervaring en daarbij het verlangen die ervaring te gebruiken.

Waarom deden ze dat? Was het, zoals sommige mensen veronderstelden, omdat ik mezelf zo goed kon verkopen? Natuurlijk niet. Het waren mijn vrienden en ik wist dat ze het soort mensen waren die een uitdaging zouden beantwoorden, die bereid waren de helpende hand uit te steken. Ze dachten dat het leuk zou zijn. Toen bleek dat het allemaal niet leuk was, hielden ze evengoed vol. Ze beschikten over een essentiële kwaliteit – innerlijke kracht.

Dat geldt tussen haakjes voor iedereen die zich bij ons team voegde. Alleen mensen met een bepaald temperament kunnen zoiets aan. Het was meer dan een uitdaging – het was een avontuur. En bij al dat werk ging niemand door de knieën; ze twijfelden niet aan zichzelf. Handenwringen was er niet bij. Er werd niet gevraagd: 'Waarom geef ik een veelbelovende carrière bij een goed bedrijf op om deze baan aan te nemen?' Het waren karaktervolle mensen waar pit in zat. Ik ben ieder van hen dankbaar en zal hen nooit vergeten.

Toch ben ik de meeste dank verschuldigd aan degenen die hun welverdiende rust opgaven. Laten we onder ogen zien dat verplichte pensionering een verschrikkelijk denkbeeld is. Ik heb het altijd lachwekkend gevonden een man die 65 wordt onmiddellijk met pensioen te sturen, ongeacht de vorm waarin hij verkeert. We zouden meer op de oudere, leidinggevende functionarissen moeten steunen. Zij hebben de ervaring. Zij hebben de wijsheid.

In Japan zijn het de ouderen die nog steeds leiding geven. Tijdens mijn laatste reis naar Japan, was mijn jongste gesprekspartner vijfenzeventig jaar. Ik denk niet dat deze politiek Japan de afgelopen jaar veel kwaad heeft gedaan.

Als je op vijfenzeventigjarige leeftijd nog steeds op je werk kunt komen en je taak goed vervult, waarom moet je dan weg? De gepensioneerde directeur heeft alles al eens meegemaakt en gezien. Hij heeft in de loop der jaren veel geleerd. Wat is er verkeerd aan een hoge leeftijd als de man gezond is? De mensen vergeten dat onze gezondheidstoestand in hoge mate is verbeterd. Als een man lichamelijk in orde is en het uithoudingsvermogen heeft om zijn taak te vervullen, waarom zou ik dan geen gebruik maken van zijn kundigheid?

Ik heb heel wat directeuren horen aankondigen dat ze op hun vijfenvijftigste met pensioen zouden gaan. Zijn ze dan vijfenvijftig dan voelen ze zich gedwongen het door te zetten. Ze hebben het zo dikwijls verkondigd dat ze wel moeten, ook al trekt het denkbeeld hen niet aan. Ik vind dat tragisch.

Veel van deze mensen worden ziek als ze ermee ophouden. Ze zijn gewend geraakt aan het harde geploeter met zijn ups en downs, de grote risico's, grote successen en grote mislukkingen. Ineens zien ze zichzelf golf spelen en naar huis gaan om te lunchen. Ik heb heel wat mensen een paar maanden nadat ze met pensioen gingen zien doodgaan. Zeker, werken kan ook je dood worden, maar niet-werken eveneens.

Goed, u mag zeggen dat ik ten slotte mijn sterkste man en mijn binnenvelders in stelling had gebracht. Ik had echter nog steeds een buitenvelder nodig. Om het nieuwe team te completeren, moest ik enige talent op het gebied van marktonderzoek aantrekken. Marktonderzoek is mijn specialisme en ik was niet bijster onder de indruk van wat ik bij Chrysler aantrof. Ik pakte het vraagstuk op een wat ongebruikelijke wijze aan. Op 1 maart 1979 gaf ik in New York een persconferentie om een belangrijke, nieuwe verovering aan te kondigen. We vervingen de beide advertentiebureaus van Chrysler: Young & Rubicam en BBDO door Kenyon & Eckhardt, het bureau in New York dat zo doeltreffend had gewerkt voor de Lincoln-Mercury Division bij Ford.

Zelfs naar de maatstaven van Madison Avenue was het afstoten van onze bureaus een meedogenloze daad. Het was een beslissing over 150 miljoen dollar, waarmee de zakenwereld werd duidelijk gemaakt dat we niet bang waren doortastende maatregelen te treffen als ze essentieel waren om ons bedrijf er weer bovenop te helpen.

Op dat tijdstip had K & E nog de 75 miljoen dollar portefeuille onder zich van de Ford Lincoln-Mercury. Om naar ons over te stappen, moesten ze die ogenblikkelijk laten vallen. Ik ben er zeker van dat Henry niet blij was toen hij dat nieuws hoorde; het moet een klap voor hem zijn geweest. Onze aankondiging was zeer zorgvuldig gepland en Ford werd pas twee uur van te voren op de hoogte gebracht. De geheimhouding rond deze overeenkomst was waterdicht geweest en vrijwel niemand in Detroit wist van de overgang voor deze werd aangekondigd. Na de ingrijpende hervorming werd Young & Rubicam het nieuwe bureau voor Lincoln-Mercury. Een paar jaar later toen we te groot werden voor één bureau kreeg BBDO de Dodge-portefeuille terug. Zo eindigde de hele zaak als een stoelendans met een hoge inzet.

De twee bureaus die ik had vervangen, waren prima. Ik had echter al zoveel op mijn bord dat ik de zaken moest vereenvoudigen. Het zou me een jaar kosten met die twee volstrekt nieuwe groepen zaken te doen en die tijd had ik niet. Ik had geen tijd om hen vertrouwd te maken met mijn filosofie – of met mijn werkwijze. In plaats daarvan haalde ik er bekende deskundigen bij die mij zo goed kenden, dat wanneer ik een halve opdracht gaf, zij meteen wisten wat de andere helft moest zijn.

In mijn ogen zijn K & E de besten in dit vak. Bij Ford hadden ze ons 'Ford heeft een beter idee' gegeven, hoewel sommige mensen daar bezwaar hadden tegen die slagzin. Zij dachten dat het 'Ford heeft het beste idee' moest wezen.

'Ford heeft een beter idee' was het geesteskind van John Morrissey, die tot voor kort voorzitter was van het dagelijks bestuur van Kenyon & Eckhardt. John begon bij J. Walter Thompson en ging daarna voor Ford werken tot hij in dienst trad van K & E. Hij is een zeer creatieve man en wij konden het al heel lang goed met elkaar vinden.

Het was K & E die met het 'reclamebord van de kat' op de proppen was gekomen en dat bleek een belangrijk onderdeel van de campagne voor Lincoln-Mercury. Het rapport over de bijdrage die K & E leverde aan het verdubbelen van het marktaandeel van Lincoln-Mercury in de jaren zeventig, spreekt voor zichzelf. Lincoln-Mercury was een moeilijke opgave en in die jaren ontdekte ik dat K & E in een crisisatmosfeer en onder druk konden functioneren.

Omdat K & E vijfendertig jaar lang bij Ford betrokken was geweest, boden we hen een contract aan voor vijf jaar. Dat was zonder weerga in de korte-termijnwereld van het reclamewezen. We gaven hen ook de gelegenheid er veel meer bij betrokken te raken dan enig bureau ooit was geweest. Het gaat erom hoe het publiek de nieuwe auto ziet; dat is de helft van de strijd. Hoe meer het reclamebureau erbij betrokken raakt, hoe beter het voor beide partijen is. De mensen van K & E waren voor ons actieve partners. Ze werden lid van onze belangrijkste commissies in het bedrijf, inclusief de produktieplanning en de commissie voor marktonderzoek. Ze werden een integraal onderdeel van Chrysler; het was de innigste samenwerking die we konden bedenken. In feite werden ze onze afdeling marktonderzoek en onze verbinding met de publieke opinie.

Zo'n nauwe band tussen een reclamebureau en de klant was nog nooit eerder in de auto-industrie voorgekomen. Ik heb altijd het gevoel gehad, dat wanneer je 100 miljoen dollar aan een nieuwe auto gaat besteden, je niet mag verwachten dat de reclamejongens op slag creatief worden. Ze moeten het hele proces van de ontwikkeling van de auto meemaken. Ze moeten aanwezig zijn op alle vergaderingen waarin de auto wordt uitgedacht. Ze moeten je zo vroeg mogelijk het beste advies geven zoals: Dat zal niet verkopen, want... of: noem dat niet zo, want...

Een groot voordeel van deze opzet is de snelheid waarmee we kunnen handelen. Op donderdagmiddag om vier uur besloten we onze dealers een nieuwe financieringsrente van 10,9 procent aan te bieden. K & E begonnen onmiddellijk met het maken van een reclamespot. De volgende dag om vijf uur was hij klaar. Op zaterdag werd de spot uitgezonden. Als er iets moet worden gedaan, handel ik graag snel en dus had ik een bureau nodig dat ons tempo kon bijhouden.

Een van de eerste beslissingen van K & E was het terugbrengen van het symbool 'ram' dat jaren geleden voor de Dodge vrachtwagens was gebruikt en toen was afgeschaft. Het onderzoek van K & E toonde aan dat de klanten voor vrachtwagens vonden dat het een sterk, duurzaam, betrouwbaar produkt moest zijn, zonder flauwekul. Ze lieten de ram dus weer verrijzen onder de slogan: Dodge-trucks zijn zo sterk als een ram. Het woord 'ram' en het symbool kwamen weer op de vrachtauto en in de advertenties terug. Niet lang daarna werden onze trucks gezien als behorend tot dezelfde categorie als Chevrolet en Ford. We kregen weldra de aandacht van mensen die tot nu toe zelfs nooit over een Dodge-produkt hadden gedacht.

Op een zeker ogenblik, toen de verkoop heel slecht liep, kwam het bureau met een programma waarin we tegen het publiek zeiden: 'We willen graag dat u de aanschaf van een Chrysler-produkt in overweging neemt. Kom binnen en maak een proefrit met een van onze auto's. Als u dat doet, maar ten slotte toch een auto van een van onze concurrenten koopt, betalen wij u vijftig dollar voor uw moeite.'

Toegegeven: dit idee ging tamelijk ver. Velen van onze dealers kwamen in opstand. Ze voorspelden dat er misbruik van zou worden gemaakt, maar ze kregen ongelijk. Er kwamen een heleboel mensen naar de showrooms en we verkochten een heleboel auto's.

Toch bleven de dealers het zien als een knullige stunt, al waren het dan niet de dealers die vijftig dollar op tafel legden, maar de onderneming. Na enkele maanden lieten we de campagne vallen bij gebrek aan steun van de kant van de dealers. Toch denk ik nog steeds dat het een prima idee was.

Een andere aanval op de markt die we samen met K & E bedachten, was de garantie dat we het geld zouden teruggeven. 'Koop een van onze auto's, heette het. 'Neem hem maar naar huis. Staat hij u niet aan, om welke redén dan ook, breng hem dan binnen dertig dagen terug en dan zullen wij u uw geld teruggeven.' Men moest alleen 100 dollar betalen als waardevermindering omdat wij de auto's niet als nieuw konden verkopen.

Deze stunt probeerden we in 1981 uit en heel Detroit dacht dat we gek waren geworden. 'Wat gebeurt er als de auto die man gewoon niet aanstaat? Wat als hij van gedachten verandert? Wat als zijn vrouw een hekel heeft aan de kleur?'

Als een van deze dingen vaak was voorgekomen, waren we overstroomd door klanten die hun geld terug wilden hebben. Dan zouden we alleen al door de administratie zijn vermoord.

Maar tot verrassing van de sceptici werkte de campagne heel goed. De meeste mensen spelen eerlijk spel; er werd weinig misbruik van gemaakt. We hadden gedacht dat 1 procent van onze klanten hun auto zou terugbrengen. Verbazingwekkend genoeg bleek dat het totaal aantal retouren neerkwam op minder dan 0,2 procent.

Ook dat was een revolutionair idee en ik ben blij dat we het hebben geprobeerd. Het belangrijkste dat niet vergeten mag worden, is dat we al het mogelijke probeerden te doen om potentiële kopers de zekerheid te geven dat we werkelijk achter alles stonden wat we zeiden.

Met K & E in ons team waren we nu klaar om het spel te beginnen.

Helaas was het seizoen al voor de helft voorbij en we stonden op de laatste plaats. Desondanks dacht ik dat het slechts een kwestie van tijd zou zijn voor we weer in de race terug waren. Ik wist niet dat we, voor we op een kampioensclub zouden lijken, eerst lange tijd meer zouden weg hebben van een club die op het punt staat te degraderen.

16
De dag waarop de sjah het land verliet

Toen ik eenmaal mijn team had samengesteld, was ik ervan overtuigd dat Chryslers herstel slechts een kwestie van tijd zou zijn. Ik had er niet op gerekend dat de economie in elkaar zou storten en zeker met Iran had ik geen rekening gehouden. Het bleek dat ook Jimmy Carter dat niet had gedaan.

Direct na mijn komst liep ons marktaandeel terug. We raakten in de buurt van de 8 procent en dat was behoorlijk armzalig, zelfs gemeten naar de bescheiden maatstaven van Chrysler. Het begon tot me door te dringen dat het misschien jaren zou duren voor de onderneming weer overeind stond. Tijdens mijn loopbaan bij Ford was ik altijd trots geweest op ons hechte gezinsleven. Wat er ook op het werk gebeurde, ik was altijd in staat de zorgen op kantoor achter te laten. Dat was echter vóór ik bij Chrysler kwam. Nu begon ik midden in de nacht wakker te worden. Nooit kwam mijn geest tot rust. Ik was constant aan het werk. Er waren momenten dat ik me zorgen maakte over mijn gezondheid en waarop ik me afvroeg of ik wel op de been zou kunnen blijven. Je kunt een sprint alleen zólang volhouden tot je buiten adem raakt.

De hemel zij dank had ik een vrouw die me begreep. Maar toch, nadat ze me vijfentwintig jaar in de auto-industrie had meegemaakt, begon zelfs zij zich nu zorgen te maken.

Ik werd mager en dat was een nieuwe ervaring. Ralph Nader beweerde altijd dat Iacocca zoveel kennis van reclame had dat hij mensen ertoe kon brengen een auto te kopen die ze helemaal niet wilden hebben. Nader klaagde dat het monster van de Grote Drie, met al zijn macht en invloed, het publiek er door hersenspoeling toe kon brengen te kopen wat het werd voorgehouden.

Maar als dat waar was, waar was dan die bijzondere macht, nu ik hem werkelijk nodig had? Waar was mijn geniaal marktinzicht toen niemand onze auto's kocht? Ik had wel wat van die magie kunnen gebruiken in 1979 toen ik het verschrikkelijk moeilijk had om ook maar íets te verkopen.

Chryslers problemen waren nu zo ernstig dat onze zorgwekkende positie algemeen bekend raakte. Naast alle andere zorgen, kregen we te maken met de smerige geruchten over een ophanden zijnde ondergang. Als een man 8000 of 10.000 dollar neertelt dan is dat een belangrijke investering. Hij dient zich af te vragen of het bedrijf er over een paar jaar nog wel zal zijn om onderdelen te leveren en service te verschaffen. Wanneer hij regelmatig leest dat Chrysler misschien bankroet gaat, zal hij niet hollen om een van onze auto's te kopen.

Het kwam zover dat de naam Chrysler bijna als een mop klonk. De tekenaars van spotprenten in ons land beleefde hoogtijdagen. Johnny Carson ook:

> Carson: 'Oh, jongen, wat is hij slecht!'
> Toehoorders: 'Hoe slecht is hij?'
> Carson: 'Hij is zo gemeen dat hij vanmorgen Chrysler opbelde en vroeg: "Hoe gaan de zaken?"'
>
> of: 'Ik weet niet wat er bij Chrysler aan de hand is, maar dit is de eerste keer dat ik iemand op een bijeenkomst hoorde oproepen om het telefoonnummer te draaien waarop een gebed wordt uitgesproken.'

Ik was nog geen drie maanden bij Chrysler toen de hel losbrak. Op 16 januari 1979 verliet de sjah zijn land. Binnen een paar weken verdubbelde de prijs van benzine. De energiecrisis trof Californië het eerst en in mei maakte *Newsweek* er het omslagverhaal over. Een maand later verplaatste de crisis zich naar het oosten. In het laatste weekend van juni moest je geluk hebben om een benzinestation te vinden dat open was.

Dit alles had een verwoestende uitwerking op de verkoop van onze grotere automobielen, evenals op de auto's die voor privé-genoegen werden gebruikt. In dit soort wagens en in kampeerauto's stond Chrysler aan de top. Die enorme benzineverslinders waren de eerste slachtoffers toen de paniek uitbrak. In juni 1979 stond de verkoop van chassis en motoren aan de recreatie-industrie bijna stil en was de verkoop van vrachtwagens, een andere belangrijke tak van onze bedrijvigheid, tot de helft teruggebracht.

Een van de geliefde, kritische opmerkingen van het publiek over de auto-industrie is dat we de oliecrisis in de periode na Iran hadden moeten voorzien. Maar als onze eigen regering er geen idee van had wat er ging gebeuren, hoe had ik het dan moeten weten?

Nee, we waren niet voorbereid op Iran. We reageerden er echter wel op. In 1979 ontwierpen we onze modellen voor 1983 met de zeer rationele overweging dat als model '83 op de markt kwam, de benzine tegen die tijd tweeëneenhalve dollar per gallon (4,4 liter) zou kosten. Toen riep iemand: 'Dat is een aprilgrap! Dan is de benzine weer goedkoop, maak dus maar grote auto's.'

Als iemand me had gezegd dat de benzineprijzen in 1979 zouden verdubbelen en dat vier jaar lang de prijs gelijk zou blijven, ongeacht de inflatie, dan had ik hem voor gek verklaard. Op geen enkele manier hadden we de Iran-crisis en zijn nasleep kunnen voorzien.

Er bestaat een wijd verspreide mythe dat de Amerikaanse autofabrikanten allemaal het verkeerde soort auto's hadden toen de oliecrisis uitbrak en de buitenlandse fabrikanten precies hadden wat de klant wilde. Dat is echter niet waar. Tot de sjah werd verdreven, waren er lange wachtlijsten van klanten die grote auto's wilden hebben met grote V8-motoren – er konden niet genoeg benzineverslinders in omloop zijn.

En wat de Japanners betreft... hebben zij inderdaad de Amerikaanse vraag naar kleine auto's voorzien? Dertig jaar lang hadden ze niets anders gemaakt. Wanneer de ommekeer ook mocht komen, zij waren er klaar voor.

We hadden allemaal kleine auto's, maar in 1978 konden we die niet kwijt al gaven we ze cadeau. Zelfs nog in januari 1979, een paar weken voor de Iraanse explosie, bood Datsun kortingen aan. Toyota en Honda verkochten niets. Zelf hadden we duizenden Omni's en Horizons en onze kleine Colt, die door Mitsubishi werd gemaakt, en die werd met een korting van 1000 dollar nog niet verkocht.

Dat alles veranderde van de ene dag op de andere. Twee maanden ervoor werd de benzine nog verkocht voor 65 dollarcent per gallon. Onze fabrieken voor grote auto's maakten overuren. De Japanners hadden 700.000 kleine auto's in de entrepôts van San Diego en Baltimore staan en in april waren die 700.000 kleine Japanse wagens verdwenen – weggegrist door Amerikanen die onmiddellijk op brandstof wilden bezuinigen. Veel van die auto's werden tegen zwarthandelsprijzen verkocht, duizend dollar boven de catalogusprijs. Het zat hem er niet in dat Ford, GM en Chrysler de Amerikaanse markt niet hadden kunnen voorspellen. Dat kon *niemand*.

GM had geluk. Zij waren van plan in april een voorshow te geven van hun X-body auto's. De Chevrolet Citation was een kleine, in brandstofgebruik zuinige auto met voorwielaandrijving. Op de eerste twee dagen waarop de Citation werd aangeboden, verkocht GM alles wat in voorraad was en noteerde bestellingen voor nog eens 22.000 wagens.

Chrysler was minder gelukkig. Nadat in 1974 de eerste oliecrisis was afgezwakt, keerden de Amerikanen wrokkig terug naar de grote auto. Zoals gewoonlijk had Chrysler de markt gevolgd en dat betekende dat we niet genoeg kleine auto's gereed hadden toen het publiek opeens opnieuw van gedachten veranderde.

Ik herinner me nog levendig de beelden die we iedere avond in het nieuws zagen – shots van rijen mensen bij de benzinestations in Californië en Washington, relletjes bij een aantal service-stations in New York. De mensen werden bang. Ze lieten hun tanks volgooien wanneer ze maar konden. Er waren automobilisten die een extra 20 liter jerrycan in hun kofferbak meenamen of een 50 litertank in hun garage plaatsten – veiligheid kon niet verdommen.

Het Congres begon te praten over rantsoenering van benzine. Tijdschriften brachten omslagverhalen over Detroit; hoe het onvoorbereid was overvallen. In elk geval, of het nu kwam door de paniek over de benzineschaarste of eenvoudig door de scherpe prijsstijging, de markt voor gezinsauto's, V8-motoren, bestel- en vrachtwagens en recreatie-voertuigen stortte onmiddellijk in elkaar.

In 1979 steeg in een periode van vijf maanden het marktaandeel van kleine auto's van 43 tot bijna 58 procent – een verandering van zo'n 15 procent. In onze tak van handel veroorzaakt een verschuiving van 2 procent in één jaar 'n belangrijke verandering. Een verschuiving van 15 procent is een catastrofe. In een enkele maand – mei 1979 – viel de vrachtwagenverkoop met 42 procent omlaag. Nooit eerder in de autogeschiedenis was er zo'n hevige ommekeer van de markt geweest als die in dat voorjaar.

Hoe vernietigend deze revolutie ook was, bij Chrysler wisten we dat we ons aan die nieuwe realiteit konden aanpassen. We wisten tevens dat we dit ook eerder konden bereiken dan wie ook in Detroit. Veel was er niet voor nodig. Alles wat we hadden te doen was het verdubbelen van onze investeringen in nieuwe fabrieken en produkten in de komende vijf jaar. En dan maar hopen dat we nog in leven waren.

Nauwelijks waren we echter begonnen met het nemen van de eerste, kostbare stappen, of ons land dook in een recessie. We waren nog steeds duizelig van de eerste opdonder, toen de tweede klap viel en we bijna knock-out werden geslagen. Het jaarlijkse aantal autoverkopen in het land viel bijna tot de helft terug. Geen industrie ter wereld kan in leven blijven bij een economie die een verdubbeling van de investeringen vergt, terwijl de opbrengsten met de helft verminderen. Op ons kon niemand meer een weddenschap afsluiten. Omdat we in nog nooit voorgekomen omstandigheden verkeerde, waren er geen regels. Deze stromingen waren niet in kaart gebracht.

Tot dan kon je altijd nog zeggen: Vooruit, kijk in de handleiding. GM is ermee begonnen, Ford heeft het nageaapt en Chrysler heeft er stukjes van overgenomen. Ik bedoel dit niet letterlijk. Het is alleen dat er tussen 1946, toen ik begon, en maart 1979 nooit veel twijfel over had bestaan hoe een bepaalde operatie met succes moest worden geleid.

Opeens moesten we echter zonder enige houvast overeind blijven en elke week van opvatting veranderen. Om het zacht uit te drukken: het was een totaal nieuwe en onbekende manier om de dingen te doen. Iedereen had het over strategie, maar het enige waaraan wij dachten was 'overleven'.

Overleven was eenvoudig. Sluit de fabrieken die ons de meeste pijn bezorgen. Ontsla de mensen die niet absoluut noodzakelijk zijn of die niet beseffen wat er aan de hand is.

Ik voelde me als een chirurg in het leger. De zwaarste taak ter wereld is weggelegd voor de dokter die tijdens de gevechten aan het front staat. In de Tweede Wereldoorlog was mijn neef arts in een bepaald soort hospitaal in de Philippijnen. Hij kwam terug met de afschuwelijkste verhalen over het selecteren van slachtoffers. Het is een kwestie van prioriteiten stellen, merkte hij dan op. 'Stel dat er veertig zwaargewonde jongens waren en de medische staf moest heel vlug een beslissing nemen. We hebben drie uur. Hoeveel jongens kunnen we redden?' Ze zochten degenen uit die de meeste kans op overleving hadden – de rest moesten ze laten sterven.

Bij Chrysler was het hetzelfde. We moesten een radicale chirurgie bedrijven en redden wat er te redden viel. Zijn de tijden gunstig en is er een fabriek die op het randje van overleven verkeert, dan kun je er twee jaar op studeren en alle pro's en contra's tegen elkaar afwegen. Ford is daar geweldig in. Zij bestuderen de zaak tot de dood erop volgt.

Als je in een crisis zit, is er echter geen tijd voor studie. Dan moet je op een vel papier de tien punten schrijven die je absoluut dient uit te voeren, en daarop moet je je concentreren. Vergeet de rest maar. Het spookbeeld van de dood dwingt je ertoe je aandacht gehaast op het belangrijkste te concentreren.

Tegelijkertijd moet je ervoor zorgen dat er iets overblijft als de directe crisis voorbij is. Dat klinkt eenvoudig genoeg, maar het is gemakkelijker gezegd dan gedaan. Het vraagt de tanden op elkaar te zetten en het vereist discipline. Je hoopt en je bidt dat het zal werken, want je doet het zo goed als je kunt. Je concentreert je op de toekomst in de hoop dat je morgen nog zult leven.

We begonnen met het sluiten van een aantal van onze fabrieken, inclusief de sierstrippenfabriek in Lyons, Michigan, en onze oudste fabriek

Dodge Main in Hamtramek, de Poolse wijk van Detroit. Toen we deze fabriek in het centrum van de stad sloten, kwamen er uit de samenleving veel protesten, maar we hadden absoluut geen keuze.

We moesten er tegelijkertijd ook voor zorgen dat de leveranciers hun spullen aan ons bleven zenden, zelfs al was er niet genoeg geld om te betalen. Allereerst moesten we hen ervan overtuigen dat we niet op een bankroet afstevenden. Leveranciers kun je niet voor de gek houden; ze kennen je bedrijf door en door. We toonden hen onze produkten voor de toekomst. We lieten ze weten dat we er waren om te blijven. We vroegen hen ons bij te staan.

Om geld te sparen, zetten we een systeem op waarin de onderdelen op het laatst mogelijke ogenblik werden verstuurd. Dit staat bekend als de 'juist op tijd-voorraad' en het is een goede manier om de kosten te drukken. De Japanners hebben het jarenlang gedaan en ze leerden het waarschijnlijk van ons. Toen lang geleden, in 1920, de ertsboten in Fords River Rouge-fabriek arriveerden, werd het erts binnen 24 uur in staal en daarna in motorblokken veranderd. Gedurende de hoogconjunctuur van 1945-1978 verviel de Amerikaanse auto-industrie echter in een aantal slechte gewoonten.

Een van de vele veranderingen die we aanbrachten, was de weg bekorten langs welke de onderdelen en leveranties de fabrieken bereikten. Het was bijvoorbeeld de gewoonte achterbruggen per trein van Kokomo, Indiana, naar Belvidere, Illinois, te versturen. Door over te gaan op vrachtwagens kregen we ze op dezelfde dag op de plaats van bestemming, waardoor de hele operatie werd gestroomlijnd.

Na een paar maanden werkte ons 'net op tijd'-systeem zo doeltreffend dat, toen er in onze motorenfabriek in Detroit een wilde staking uitbrak, onze assemblagefabriek in Windsor vier uur later zonder motoren kwam te zitten.

We bespaarden geld waar we maar konden. Toen we de K-cars ontwierpen, hielden we die bewust onder de 4,40 meter zodat we er meer van op een standaardvrachtwagen konden stouwen. In normale tijden let niemand op dat soort dingen, maar in een crisis zoek je naar iedere mogelijkheid om de kosten te drukken.

Toen het tijd werd om het jaarverslag over 1979 te maken, besloten we af te zien van het fraaie, full-color overzicht dat de meeste ondernemingen aan hun aandeelhouders sturen. In plaats daarvan kregen onze 200.000 aandeelhouders een beknopt, eenvoudig uitziend document in zwart-wit op gerecycled papier. Het bespaarde ons een hoop geld – en het gaf onze aandeelhouders een boodschap: iets dat er zo sober uitzag, moest aantonen dat we er beroerd voor stonden. En dat deden we.

Alleen geld besparen was niet genoeg. We moesten tevens veel contant geld binnenhalen om onze rekeningen te betalen. Op een gegeven ogenblik verloren we zoveel geld dat we al ons onroerend goed in dealerschappen aan een Kansas-maatschappij, die ABKO heette, verkochten. Daaronder bevonden zich een paar honderd eigendommen in de binnensteden die ervan getuigden dat we strategisch gelegen vestigingen door het hele land bezaten. We zaten evenwel te springen om kasgeld en het ging om een bedrag van zo'n 90 miljoen dollar. Later moesten we – om onze dealers te houden waar we ze nodig hadden – de helft van de panden terugkopen voor de dubbele prijs.

Terugkijkend lijkt de verkoop van het onroerend goed een grote fout. We hadden echter geld nodig en in die tijd kwam 90 miljoen mij voor als een miljard dollar.

Voor John Riccardo zich terugtrok, heeft hij zijn best gedaan om een aantal van de meest ernstige miskleunen van de maatschappij ongedaan te maken. Hij sloot een overeenkomst met Mitsubishi voor onze bedrijvigheden in Australië. Hij verkocht onze onderneming in Venezuela aan GM en onze fabrieken in Brazilië en Argentinië aan Volkswagen. Verder sloot hij een overeenkomst met Peugeot voor onze vestigingen in Europa, een regeling die van Peugeot het grootste automobielbedrijf in Europa maakte. Toen dat allemaal was gebeurd, had Chrysler vestigingen in de United States, Canada en Mexico en nergens anders meer.

Enige tijd later kwam ik tot de conclusie dat we geen andere keus hadden dan de fabriek voor tanks aan General Dynamics te verkopen voor 348 miljoen dollar. Dat was een zeer zware beslissing; de defensie-afdeling was immers het enige onderdeel van het bedrijf dat praktisch gesproken elk jaar een winst van 50 miljoen dollar garandeerde door de U.S.-regering. Het geld was echter nodig als een buffer om de leveranciers ertoe te brengen ons langer krediet te geven.

Ik nam die beslissing met tegenzin; deels omdat ik daarmee het enige bedrijf verkocht waarmee de Japanners door een wettelijk voorschrift niet konden concurreren. De verleiding was groot de autobusiness af te stoten en de tanks te behouden en financieel zou dat veel verstandiger zijn geweest. Het maken van tanks was echter niet onze hoofdtak van bedrijvigheid. Als Chrysler nog een toekomst had, dan was dat als autofabrikant.

Niettemin was het een pijnlijke beslissing. Onze afdeling tanks was een zeer sterke dochtermaatschappij met een flink aantal geweldige mensen en we hadden een stuk geschiedenis van veertig jaar tankindustrie achter ons. Tijdens de Tweede Wereldoorlog hadden we deel uitgemaakt van het 'arsenaal van de democratie'. Onze mensen hadden de beste gevechtstank ter wereld ontworpen en gemaakt en nog maar een paar maanden geleden had ik persoonlijk de eerste M1-tank met turbine-aandrijving van de lopende band afgereden. We hadden een paar interessante en winstgevende, nieuwe projecten op het tekenbord staan. Het bedrijf werd geleid door een deel van het beste talent waarover de maatschappij beschikte.

Niemand wilde dat alles opgeven, maar we moesten ten slotte onze verbondenheid met die afdeling afwegen tegenover onze dringende behoefte een aanzienlijke veiligheidsbuffer op te bouwen waarmee we de recessie zouden kunnen doorstaan. We hadden geen andere keuze dan onze inspanning te concentreren op personenauto's en vrachtwagens.

De rentestand was toen zo hoog dat, wanneer we al dat kasgeld niet hadden nodig gehad om overeind te blijven, we 50 miljoen dollar per jaar hadden kunnen verdienen als we het bedrag dat General Dynamics ons betaalde in de geldmarkt zouden hebben gestoken. Vijftig miljoen was bijna evenveel als we met de afdeling tanks verdienden. Voor het eerst kwam het denkbeeld toen in me op een bank te kopen. Je kon meer geld met geld verdienen dan met auto's, vrachtwagens of tanks.

Aan dat verhaal zit een interessante bijkomstigheid vast. Ons contract met de vakbeweging had zowel betrekking op tanks als op auto's. Om te overleven hadden we met de vakbeweging een overeenkomst gesloten waarbij we de arbeiders iets meer dan 17 dollar per uur betaalden in plaats van de 20 dollar die ze tot dan toe kregen. De arbeiders in de tankafdeling ondertekenden het contract niet, maar ze zaten er wel aan vast. Het had tot gevolg dat het departement van defensie een geweldige meevaller kreeg. Ik stapte naar het leger en zei: 'Hier is een restitutie van 62 miljoen dollar. Mijn bijdrage als Amerikaans patriot.' Bij een prijs van één miljoen dollar per tank, was het dus alsof we hen 62 tanks cadeau gaven.

Alle maatregelen die we troffen om Chrysler in leven te houden, waren moeilijk. Niets was echter zo moeilijk als de massale ontslagen. In 1979 en ook in 1980 moesten we duizenden medewerkers ontslaan; arbeiders zowel als het witte boorden-personeel. In april 1980 verminderden we ons administratief personeel met 7000 mensen; een ingreep die ons meer dan 200 miljoen dollar per jaar bespaarde. Enkele maanden eerder hadden we al 8500 gesalarieerde medewerkers ontslagen. Alleen deze twee massaontslagen bespaarden ons 500 miljoen dollar per jaar. De ontslagen troffen alle geledingen, de chefs zowel als de ondergeschikten. Dat het massaontslag een tragische gebeurtenis was, kan op geen enkele manier worden ontkend. De meeste ontslagen van oudere mensen handelde ik persoonlijk af. Dat is niet iets wat je moet delegeren. Je moet de waarheid spreken en omdat ik zelf was ontslagen, wist ik wat ik níet moest doen. Ik zou zeker niet zeggen dat ik hen gewoon niet erg mocht! Ik stond erop dat de redenen voor het ontslag werden uitgelegd en de man de verzekering kreeg dat hij het best mogelijke pensioen zou ontvangen waarop hij recht had. In sommige gevallen sjoemelde ik een beetje met de regels.

Ontslagen worden is nooit een pretje en dus moet je zoveel meegevoel tonen als je maar kunt opbrengen. Je moet in de schoenen van de ander gaan staan en beseffen dat hoe je het ook aankleedt, het een zware dag is in ieders leven. Het is vooral hard als de betreffende persoon het gevoel heeft dat het niet zijn fout is, dat hij het slachtoffer is van slechte bedrijfsvoering of dat de mensen aan de top zich nooit iets van hem aantrokken.

Ik weet zeker dat we veel fouten hebben gemaakt. Vooral in het eerste jaar zijn er waarschijnlijk mensen door ons om verkeerde redenen ontslagen. Misschien mocht de chef hen niet; misschien waren ze wat al te eerlijk of vrijpostig. We moesten snel handelen en het was onvermijdelijk dat er op goede mensen een onrechtvaardige blaam werd geworpen. Dat er bloed aan onze handen kleefde is wel zeker, doch het was een noodsituatie en we deden ons best het zo goed te doen als maar even mogelijk was.

De meeste mensen die waren ontslagen, vonden op den duur andere banen. Sommigen bleven in de auto-industrie, anderen vonden werk bij de leveranciers of als vakleraar of adviseur. Het deed me pijn hen te laten gaan. Als groep waren ze vriendelijker en aardiger dan het personeel dat ik bij Ford had meegemaakt. Maar dat was nu eenmaal niet genoeg.

Het was schokkend te moeten zien hoe mensen als een speelbal werden behandeld. Ik ging veel meer nadenken over sociale verantwoordelijkheid; een les die ik bij Ford nooit had geleerd. Dáár was ik, evenals de rest van het topkader, ver boven alles verheven. Een crisis van deze omvang hadden we bovendien nog nooit meegemaakt. In het verleden had ik niet veel met ontslagen te maken gehad. Het was niet zo dat ik opeens godsdienstig werd; ik had alleen een punt bereikt waarop ik me afvroeg: Ben ik wel rechtvaardig tegenover al degenen die van mij afhankelijk zijn?

Een van de luxueuze verworvenheden die we moesten elimineren was een grote staf. Sinds Alfred P. Sloan president van General Motors werd, zijn alle leidinggevende functies in onze industrie verdeeld in stafplaatsen en posities aan het front – net als in het leger. De mensen aan het front staan op de werkvloer. Zij houden zich bezig met de praktijk en hebben speciale verantwoordelijkheden of het nu de techniek, de fabricage of de inkoop betreft.

De stafmensen zijn de plannenmakers. Zij zijn degenen die de praktische arbeid integreren in een systeem dat werkt. Feitelijk loopt de enige weg naar bruikbaarheid in de staf via ervaring in het praktische werk. Toch is de tendens, vooral bij Ford, afgestudeerden van de Harvard Business School aan te stellen in de staf, al weet de man van toeten noch blazen. Hij heeft nog nooit ergens leiding gegeven, maar nu gaat hij de man op de werkvloer die al dertig jaar zijn taak verricht, vertellen dat hij het helemaal verkeerd doet. Ik heb in mijn loopbaan veel tijd besteed aan het scheidsrechter spelen in geschillen tussen de staf en de mensen aan het front; geschillen die nooit hadden mogen ontstaan.

Je hebt een staf nodig – als je het maar niet overdrijft. Toen Henry me bij Ford kwijt wilde, haalde hij het adviesbureau McKinsey & Co binnen. Naast de vorming van het bureau van de voorzitter zette McKinsey ook een superstaf van zo'n tachtig man op poten. De bedoeling van de superstaf was dat deze zou controleren of alle andere stafleden en de chefs op de werkvloer hun taak vervulden. In de loop der jaren is die groep een souvereine macht geworden – een bedrijf op zichzelf.

Toen Chrysler werd getroffen, moest ik de meeste stafleden laten vertrekken. Ik heb mijn hele leven in de frontlinie gestaan en daardoor ging het me misschien gemakkelijker af. Mijn gedachtengang was eenvoudig: Ik heb iemand nodig die auto's maakt en ze verkoopt. Ik kan me geen vent veroorloven die zegt 'als we dit of dat hadden gedaan, zouden we de auto's een beetje beter hebben gemaakt'. Zelfs al had hij gelijk dan nog konden we ons de luxe niet permitteren dat in overweging te nemen. Als de kogels beginnen te vliegen, is de staf altijd het eerst de deur uit. Met al die ontslagen ontmantelden we verscheidene lagen van de bedrijfsleiding. We brachten het aantal lieden, dat betrokken diende te worden in het nemen van belangrijke beslissingen, terug. In het begin deden we dat uit pure noodzaak om te overleven, doch na verloop van tijd merkten we dat het leiden van een grote onderneming met minder mensen eigenlijk gemakkelijker is. Achteraf gezien is het duidelijk dat Chrysler topzwaar was, veel zwaarder dan goed voor ons was. Dat is de les die onze concurrenten nog moeten leren – maar ik hoop dat ze het nooit zullen leren.

17
Drastische maatregelen: naar de regering

Reeds in de zomer van 1979 was het duidelijk dat alleen drastische maatregelen de Chrysler Corporation konden redden. We deden wat we konden om onze onkosten te drukken, maar de economie werd slechter en onze verliezen bleven stijgen. We dreven nu gevaarlijk vaarwater binnen. Als we al mochten overleven, dan hadden we nu hulp nodig. We beschikten niet langer over de middelen om onszelf boven water te houden.

Ik zag slechts één uitweg uit deze puinhoop. Geloof me: me tot de regering wenden, was het laatste in de wereld dat ik wilde. Toen ik echter eenmaal het besluit had genomen, ging ik er met vliegende vaandels op af.

Ideologisch ben ik altijd een aanhanger geweest van het vrije ondernemersschap; iemand die gelooft in het overleven van de sterkste. Toen ik president van Ford was, besteedde ik bijna evenveel tijd in Washington als in Dearborn. Toen ging ik maar om één reden naar de hoofdstad – om te proberen de overheid van ons af te schudden. Dus toen ik terugkwam in Washington als voorzitter van Chrysler om regeringssteun te vragen, zei iedereen: 'Hoe kun je? Hoe durf je?'

'Welke andere keus heb ik?' was mijn vraag. 'Het is het enige wat erop zit.' Al het andere hadden we al geprobeerd. In 1979 en 1980 waren er over de honderd bijeenkomsten geweest met potentiële investeerders. De meesten bleken bedriegers te zijn, oplichters of goedbedoelende Samaritanen. Toch heb ik iedereen ontvangen die misschien in staat was ons te helpen, hoe weinig waarschijnlijk dat ook leek.

Daarnaast waren er nog de bemiddelaars die voorwendden rijke Arabieren te vertegenwoordigen. Ik wist dat er veel rijke Arabieren waren, maar dit was belachelijk. We moesten alleen al 156 afzonderlijke tips betreffende Arabieren natrekken. Ik vroeg wel eens aan onze financiële afdeling: 'Zijn we nog niet door die rijke Arabieren heen?' Ik heb zeker een dozijn veelbelovend uitziende heerschappen met Arabische connecties ontvangen die in de meeste gevallen sjaggeraars bleken te zijn. Die vertelden dan toegang te hebben tot een Arabische prins en die zou het grote geld wel op tafel leggen. Het liep allemaal op niets uit.

Een noemenswaardige uitzondering vormde Adnan Khashoggi, een onmetelijke rijkaard uit Saoedie-Arabië die bergen geld had verdiend uit de toevloed van oliedollars. Khashoggi is een gewiekste jongen die een Amerikaanse opleiding heeft genoten. Hij is een makelaar die wordt betrokken in alle mogelijke handeltjes in oorlogsmateriaal en investeringen in kapitaalgoederen waarvoor hij een aardige commissie krijgt.

Ik trachtte hem aan het verstand te brengen dat de Arabische wereld dank zij Opec in een kwade reuk was komen te staan. Ik zei hem dat, in public relations-termen uitgedrukt, een investering in Chrysler het Arabische image kon verbeteren, ongeacht of hij Jasser Arafat of koning Feisal vertegenwoordigde. Mijn gesprekken met Khashoggi of welke andere Arabier dan ook hebben echter nooit vruchten afgeworpen.

Mijn discussies met Toni Schmuecker, het hoofd van Volkswagen, waren veel serieuzer. Toni en ik zijn meer dan twintig jaar, sinds hij voor mij als inkoop-agent voor Ford in Duitsland werkte, als goede vrienden met elkaar omgegaan. We voerden een paar vertrouwelijke gesprekken over een partnerschap tussen Volkswagen en Chrysler en we noemden dat het 'Grote Ontwerp'. Het plan was dat we beiden dezelfde auto zouden fabriceren. Al eerder waren we overeengekomen dat we 300.000 Volkswagen viercilindermotoren per jaar zouden kopen voor onze Omni's en Horizons, die veel overeenkomst hadden met de Rabbit. In bepaald opzicht hadden we de eerste stap dus al gezet.

Er zaten een paar voor de hand liggende voordelen in het plan. Ons netwerk van dealers zou enorm uitbreiden. Onze macht als inkoper zou veel groter zijn en we konden onze vaste kosten over een veel groter aantal auto's verdelen. Een huwelijk dus dat in de hemel kon worden afgesloten en het was zo simpel dat een baby het had kunnen bedenken.

Toen ik bij Chrysler kwam, bleef ik nadenken over het idee van Global Motors en met Hal Sperlich praatte ik er zo nu en dan over. Een fusie tussen Chrysler en Volkswagen zou een werkelijk begin betekenen en Hal en ik vonden die mogelijkheid een opwindend denkbeeld. Als we erin slaagden met Volkswagen te fuseren, zouden we er zonder veel moeite een Japanse partner aan kunnen toevoegen.

Onze gesprekken met Volkswagen gingen tot in de details. Het was een zeer interessante periode in de tijd dat we op sterven lagen. Toch was dat juist het probleem – we waren op sterven na dood. Nadat Volkswagen onze balans had bestudeerd, trokken ze zich terug. We zaten diep in de schuld en we verdienden niets. Het plan was op dat tijdstip veel te riskant. In plaats dat zij ons zouden optrekken, haalden wij hen misschien omlaag.

Toen de onderhandelingen teneinde liepen, lekte het nieuws van de ontmoetingen uit. Het gerucht van een ophanden zijnde fusie tussen Volkswagen en Chrysler verscheen in *Automotive News*, het wekelijkse tijdschrift van de auto-industrie. Voor Wall Street was het voldoende bewijs en onze aandelen vlogen van elf naar veertien dollar. Volgens de geruchten had Volkswagen besloten Chrysler voor vijftien dollar per aandeel uit te kopen.

Toen het 'nieuws' bekend werd, was Riccardo in Washington voor een ontmoeting met Stuart Eizenstat, van de staf van Carter, en Michael Blumenthal, staatssecretaris van financiën. Zowel Eizenstat als Blumenthal drongen er bij hem op aan het aanbod te accepteren. Helaas bestond er geen aanbod om te aanvaarden.

Schmuecker had weliswaar belangstelling getoond, maar Werner Schmidt, hun vice-president voor marktonderzoek, had zich er heftig tegen verzet. Schmidt, die een stagiaire was geweest in mijn bureau bij Ford, was een grote, Duitse kerel. In onomwonden termen hield hij me voor waarom Volkswagen nooit met Chrysler zou kunnen samengaan: onze image was slecht, onze auto's waren beroerd en onze dealerorganisatie was niet sterk genoeg. Ik had hem zonder twijfel goed opgeleid, want hij wist de bezwaren tegen de fusie in een paar zure woorden samen te vatten.

Vier jaar later, in 1983, voerden we opnieuw besprekingen met Volkswagen. Ironisch genoeg waren de rollen toen omgekeerd. Nu was het hun dealerorganisatie die in moeilijkheden verkeerde: geen mens kocht meer een Rabbit.

Omdat onze regering nog steeds geen energie-politiek heeft, is elke onderneming die alleen kleine auto's maakt, overgeleverd aan de willekeur van de fluctuerende benzineprijzen. En omdat Volkswagen alleen kleine auto's maakt, liepen de Japanners over hen heen. Ten eerste kan de Duitse mark, evenals de dollar, niet concurreren met de onder overheidscontrole staande yen. Ten tweede zijn de kosten, of de Rabbit nu gemaakt wordt in Duitsland of in Pennsylvania, zeer hoog. Daar komt nog bij dat Volkswagen de kosten van het verschepen van hun auto's uit Duitsland moet verwerken, hetgeen ook een enorme uitgave betekent.

Dat is de reden waarom ze er tenslotte toe zijn overgegaan een aantal auto's in de United States te bouwen.

Volkswagen was onze meest serieuze kandidaat, maar er waren nog anderen, waaronder John Z. DeLorean die een eigen automobielbedrijf was begonnen na bij General Motors te zijn weggegaan. Hij kwam bij me om de mogelijkheid van een fusie tussen zijn onderneming en Chrysler te bekijken.

In de periode waarin Johns bezoek plaatsvond, zaten onze bedrijven beiden diep in de puree. 'Mijn vader zei altijd dat je nooit twee verliezers moet samenbrengen,' vertelde ik hem. 'Ofwel jij komt er dus bovenop of wij en daarna gaan we opnieuw praten.'

DeLorean is een eersteklas automan. Ik kende hem al toen hij supertechnicus was bij Pontiac en ook later toen hij aan de top stond van de Chevrolet Division. We waren hevige concurrenten en gingen er hard tegenaan. Toen ik in 1964, vanwege de Mustang, op de omslag van *Time* stond, vroeg hij plagend: 'Waarom haalde jij de omslag van *Time* en ik niet met de GTO?' Toen hij in 1982 de omslag van *Time* haalde voor zijn veronderstelde deelname aan een drug-orgie, dacht ik: 'Zo John, eindelijk heb je het dan toch gehaald.' Ik vond het jammer voor hem, omdat hij meer dan genoeg talent bezat om er via de juiste weg te komen.

Nadat het plan voor een fusie van de baan was, kwam John me opnieuw opzoeken. Dit keer gaf hij me in overweging een R & D-belastingschuilplaats te nemen, die bekend stond als een 'DeLorean Schuilplaats'. Het project dat hij met een paar van zijn partners had uitgedacht, kreeg in *Fortune* veel publiciteit. Het hield in het afstoten van partnerschappen met beperkte aansprakelijkheid die dan voor de belasting worden afgeschreven.

Hij dacht dat Chrysler die weg moest inslaan en hij had een omvangrijke studie voor me laten uitwerken die hem zoiets als vijftig- of zestigduizend dollar had gekost. Ik zei: 'John, ik waardeer het, maar zelfs als het werkt – en dat had het misschien op bescheiden schaal kunnen doen – dan zou de belasting door het dolle heen raken als ik ze voor een paar miljard dollar te pakken nam.' Het is een schuilplaats die niet geaccepteerd zou worden – louter door zijn omvang.

Na nog veel meer ontmoetingen met mogelijke redders, waren er tenslotte geen alternatieven meer. Toen wendden we ons eindelijk regelrecht tot de overheid. Onze benadering van Washington begon echter niet met een verzoek om loongaranties.

Riccardo werd, evenals ik, met de dag zenuwachtiger. Formeel was hij nog steeds de voorman, hoewel hij bezig was weg te gaan en ik de onderneming bestuurde. Riccardo zag in dat we met een noodvaart op de afgrond afstevenden als er niet spoedig iets gebeurde. Hij begon met zijn reizen naar Washington.

Eerst bracht hij leden van het congres bijeen om steun te krijgen voor een bevriezing voor twee jaar van de overheidsvoorschriften. Op die manier zouden we ons geld kunnen besteden aan nieuwe, zuinige auto's in plaats van de laatste paar gram koolwaterstof uit de uitlaat te knijpen. Maar er was niemand in Washington die wilde luisteren.

Riccardo was op de goede weg. Al waren veel van Chryslers problemen dan het directe gevolg van een slechte bedrijfsvoering, de regering was althans voor een deel medeschuldig aan onze moeilijkheden. Nadat de regering eerst een aantal harde, slecht overwogen regels voor de veiligheid en controle op de uitlaatgassen had uitgevaardigd, werd daarna tegen de autofabrikanten gezegd: 'Jongens, jullie krijgen geen toestemming om gezamenlijk de research voor deze problemen aan te pakken. Iedereen moet dat op zijn eigen houtje doen.' Vergeet niet dat Japan de tegenovergestelde strategie volgde. Aangezien zij zich niet hoefden te conformeren aan de Amerikaanse anti-trustwetten, konden ze al hun intellect samenbundelen.

Nu kunnen we, als Washington daarmee bezig is, een paar domme dingen doen. Wettelijke voorschriften zouden buiten de concurrentie moeten worden gehouden. Als een van de ondernemingen een effectiever, efficiënter en goedkoper controlesysteem op de uitlaatgassen ontwikkelt, dan zou dat met de andere moeten worden gedeeld. Ik wil niet zeggen dat het bedrijf het ding cadeau moet geven; laten ze het maar verkopen.

Tot voor kort konden we er met elkaar niet in dezelfde kamer over praten zonder de gevangenis in te gaan. We mochten zelfs niet horen hoe General Motors zijn systeem beschreef. We hadden moeten opstaan en weggaan, anders zouden we volgens de algemene verordening waaronder we allemaal werken, in overtreding zijn.

Terwijl ik deze woorden neerschrijf, is Washington bezig van toon te veranderen. De toon klinkt door dat onze antitrustwetten te hard zijn geweest en dat we onmogelijk kunnen concurreren met de Japanners zolang die wetten van kracht zijn. Helaas schijnt deze nieuwe houding te beginnen bij een huwelijk tussen Toyota en General Motors, de twee industriële giganten. We kunnen dat beschouwen als een kogel in ons hoofd.

In elk geval moesten General Motors, Ford, American Motors en Chrysler ieder een eigen staf oprichten en afzonderlijke faciliteiten financieren om dezelfde problemen te lijf te gaan – problemen waarvan de oplossing ons geen van allen economisch voordeel zou bieden. Sinds de auto-veiligheidswet van 1966 hebben de snufjes en kunstgrepen die werden ontworpen om de automobilist te beschermen met elkaar zo'n 19 miljard dollar gekost. General Motors kan die kosten verdelen over om en nabij de vijf miljoen auto's per jaar. Ford spreidt ze uit over tweeëneenhalf miljoen en Chrysler over één miljoen.

Er is geen rekenmachine voor nodig om te becijferen dat wanneer General Motors voor een bepaald onderdeel één miljoen dollar neertelt en 100.000 auto's verkoopt, iedere koper tien dollar extra moet betalen. En als de kosten bij Chrysler hetzelfde zijn, maar we hebben slechts 20.000 kopers, dan moet ieder van hen vijftig dollar extra dokken.

Dat is dan alleen nog maar voor research en ontwikkeling. Het spul moet ook nog worden gemaakt. Hier is dezelfde wanverhouding van toepassing, alleen met nog grotere getallen. GM kan met zijn hoge omzet de auto's goedkoper fabriceren en verkopen dan wij. De kloof wordt steeds groter.

Nog een factor die bij ons vertragend werkte, was het reusachtig aantal arbeidsuren dat de staf eraan moest besteden en de papierwinkel die de bevestigingen van de EPA-voorschriften met zich meebracht.

Er bestaat een groot aantal studies van achtenswaardige, economische instituten die onomstotelijk bewijzen dat de toepassing van de overheidsvoorschriften voor de veiligheid en de uitlaatgassen voor personenauto's en vrachtwagens discriminerend en nadelig werkt. Riccardo en ik kwamen derhalve tot dezelfde conclusie: De regering bezorgde ons deze rotzooi en dus moest de regering bereid zijn ons eraf te helpen.

Riccardo's voorstel om de regelingen te bevriezen, was echter aan dovemansoren gericht. Vervolgens ging hij lobbyen voor een restitutie van belastingen. Volgens dat plan zouden we het geld, besteed aan het nakomen van de overheidsvoorschriften voor veiligheid en milieuverontreiniging, terugkrijgen... dollar voor dollar. Het totale bedrag kwam op één miljard dollar, 500 miljoen in 1979 en 500 miljoen in 1980. We zouden de schuld terugbetalen via hogere belastingtarieven over onze toekomstige winsten.

We waren niet de eersten die dit vroegen. In 1967 had American Motors een speciale belastingaftrek van 22 miljoen dollar gekregen en Volkswagen kreeg van de staat Pennsylvania een belastingmeevaller van 40 miljoen dollar om daar een fabriek neer te zetten. Verder had Oklahoma kort tevoren een belastingverlichting geschonken aan General Motors en had Renault, die volledig eigendom is van de regering van Frankrijk, net een lening gekregen van 135 miljoen dollar voor het assembleren van nieuwe auto's in een fabriek van American Motors in Wisconsin. Het was bekend dat Michigan en Illinois in een oorlog waren verwikkeld, waarbij ze elkaars aanbiedingen overtroffen om nieuwe bedrijven aan te trekken. De stad Detroit had uit zichzelf belastingverlichting aan Chrysler gegeven. En in een aantal Europese landen ontvingen Amerikaanse autofabrikanten regelrechte giften en subsidies van de gastvrijheid biedende regeringen.

Riccardo stelde voor dat ondernemingen, als ze verlies leden, belastingvoordelen zouden krijgen. Als je verliezen lijdt, kun je niets afschrijven. Alles kost je meer geld, van opblaasbare veiligheids-luchtkussens tot aan robots toe. Met al die overheidsvoorschriften waaraan moest worden voldaan, plus de energiecrisis, had degene die op verlies stond het heel zwaar te verduren.

Riccardo ging naar Washington om te trachten wat beweging in het Congres te krijgen, maar ze gooiden hem nogmaals de deur uit. Hij was een beste kerel, maar niet bijster geschikt om de zaken over te brengen. Hij was kortaangebonden en had een heftig temperament; met die eigenschappen kom je niet ver in de wandelgangen van het Congres.

John wist dat er geen levensvatbaar alternatief voor regeringshulp bestond. We verloren geld en we konden onze vaste kosten niet omlaag brengen. Door de internationale oliecrisis ging onze omzet naar de bliksem. Bovendien moesten we, omdat de benzineprijzen waren verdubbeld, in allerijl overschakelen op zuinige auto's met voorwielaandrijving. Chrysler moest 100 miljoen dollar per maand – 1,2 miljard per jaar – beschikbaar stellen alleen om voorzieningen voor de toekomst te treffen.

Daarbij moesten we iedere vrijdag 250 miljoen dollar op tafel leggen voor lonen en voor de onderdelen die we in de voorafgaande week hadden gekocht. Er was geen vooruitziende blik voor nodig om te zien waar we op afstevenden.

Op 6 augustus 1979 trad C. William Miller af als voorzitter van de Federal Reserve Board om staatssecretaris van financiën te worden. Het was een belangrijke verandering. Als hoofd van de F.R.B. had Miller tegen Riccardo gezegd dat Chrysler beter failliet kon gaan dan de regering om hulp vragen, maar in zijn nieuwe baan veranderde hij blijkbaar van gedachten. Millers eerste officiële daad bestond uit de aankondiging dat hij een voorstander was van regeringshulp aan Chrysler in het belang van het algemeen; de gedachte aan een belastingtegemoetkoming verwierp hij. Hij zei echter dat de Carter-regering loongaranties in overweging wilde nemen als we een allesomvattend overlevingsplan indienden.

Pas toen besloten we een loongarantie te vragen. Niettemin maakten we in Highland Park een periode door van tamelijk hardvochtig zelfonderzoek. Vooral Sperlich was fervent tegen. Hij was ervan overtuigd dat overheidsbemoeienis de onderneming zou ruïneren en ik was er niet zeker van dat hij ongelijk had. Ik zag echter geen andere mogelijkheid en zei dus: 'Oké, jij wilt niet bij de overheid aankloppen? Ik ook niet. Wijs me maar een andere weg.'

Maar er was geen andere. Iemand wees op het geval British Leyland, de Engelse autofabrikant. Toen deze zich tot de regering wendde, vernietigde dit het vertrouwen van het publiek in de onderneming. Hun marktaandeel werd gehalveerd en ze herstelden zich er nooit van. Het was geen bemoedigend voorbeeld, maar er bestond geen andere keus, behalve het bankroet. En bankroet gaan, was helemaal geen keus.

Met tegenzin besloten we een aanvraag voor loongaranties bij de regering in te dienen.

Ik wist dat dit voorstel zeer omstreden zou zijn en dus zorgde ik ervoor mijn huiswerk goed te maken. Ik kwam tot de ontdekking dat er meer zulke aanvragen als de onze waren ingediend. In 1971 had Lockheed Aircraft 250 miljoen dollar ontvangen aan federaal gegarandeerde lonen, nadat het Congres had besloten de arbeiders en leveranciers daar te redden. Het Congres stichtte een loongarantieraad om toezicht op de operatie te houden en Lockheed betaalde zijn lonen terug aan de federale schatkist, met inbegrip van een extra 31 miljoen dollar aan vergoedingen. De stad New York had eveneens gegarandeerde lonen ontvangen en stond nog steeds overeind. Dit waren alleen algemeen bekende voorbeelden.

Loongaranties, ontdekte ik al spoedig, waren net zo Amerikaans als appeltaart. Onder hen die ze hadden ontvangen, bevonden zich: elektriciteitsondernemingen, boeren, spoorlijnen, chemische fabrieken, scheepsbouwers, kleine zakenlieden van de meest uiteenlopende soort, universiteitsstudenten en luchtvaartmaatschappijen.

In feite stond er een bedrag van 409 miljard dollar uit aan lonen en loongaranties toen wij onze aanvraag voor één miljard dollar indienden. Maar dat wist niemand. Iedereen beweerde dat loongaranties aan Chrysler een gevaarlijke precedent zouden scheppen.

Keer op keer vertelde ik uitgevers en verslaggevers over de 409 miljard dollar aan voorgaande loongaranties – het is nu al aangegroeid tot 500 miljard. Een precedent scheppen? Integendeel, we volgden slechts de grote massa.

Wie hadden al die gegarandeerde lonen ontvangen? Vijf staalondernemingen onder de Import Relief Act van 1974, waaronder alleen al 111 miljoen dollar aan Jones & Laughlin. Meer recentelijk was aan de Wheeling-Pittsburgh Steel Corporation 150 miljoen dollar aan loongaranties verstrekt voor modernisering van de fabriek en de installatie van antiluchtvervuilingsapparatuur.

Dan is er ook nog de woningbouwindustrie en zijn er subsidies voor de tabaksplantagehouders, en leningen om de zeevrachtvaart op capaciteit te houden – de scheepsbouwindustrie drijft letterlijk op regeringssubsidies. Leningen aan luchtvaartmaatschappijen zoals People Express. Leningen van de Farmers Home Administration, de Import-Export Bank en de Handelskrediet Corporatie. Leningen gegarandeerd door de Farmers Home Administration, de Small Business Administration en het Departement van Gezondheid en Sociale Diensten.

Er waren zelfs loongaranties voor de ondergrondse in Washington. De metro had één miljard dollar ontvangen opdat de senatoren, de congresleden en hun assistenten zich beter door de stad konden verplaatsen.

Op Capitol Hill vonden ze het niet leuk toen ik daarover praatte, maar ik denk dat ze dat geld nooit zullen terugzien.

'Laten we reëel blijven,' zei ik. 'De ondergrondse is niets anders dan een paradepaardje voor de hoofdstad.'

'Een paradepaardje? Het is een transportsysteem,' meenden ze.

'Oké,' zei ik, 'en wat denken jullie dan dat Chrysler is?'

Niemand scheen zich echter de andere loongaranties te herinneren. De media zouden toch op zijn minst die kant van het verhaal hebben moeten belichten. Zelfs nu zijn de meeste mensen nog verbaasd als ze horen dat ons geval niet helemaal zonder precedent was.

Om eerlijk te zijn: ik geloof dat ik, toen ik nog president van Ford was, ook niet naar die argumenten had geluisterd. Ik zou waarschijnlijk tegen Chrysler hebben gezegd: 'Laat de regering erbuiten. Ik geloof in het overleven van de sterkste. Laten degenen die op het randje leven maar failliet gaan.'

In die tijd had ik een heel andere kijk op de wereld. Had ik toen echter geweten van sommige loongaranties die nooit veel aandacht in de publiciteit hadden gekregen en als ik de discussies had gevolgd die onze gang naar het Congres begeleidden, dan zou ik de zaken misschien in een ander licht hebben gezien. Dat wil ik tenminste graag geloven.

Voor een ieder die wilde luisteren, legde ik er onafgebroken de nadruk op dat Chrysler geen op zichzelf staand geval was. Integendeel, we waren een microkosmos van wat er in Amerika verkeerd liep en een soort testlaboratorium voor alle anderen. Geen industrie ter wereld werd zwaarder getroffen dan de auto-industrie. Overheidsvoorschriften, de energiecrisis en de economische teruggang waren bijna genoeg om ons weg te vagen.

Als zwakste schakel in de keten werd Chrysler het eerst getroffen.

Maar wat er met ons gebeurde – zo legde ik keer op keer uit – vertegenwoordigde slechts het topje van de ijsberg als het ging om de problemen waar de Amerikaanse industrie voor stond. Ik voorspelde ronduit dat GM en Ford ons weldra zouden volgen op de lijst met geleden verliezen. (Ik wist niet dat ze zich bij ons zouden voegen met een bedrag van 5 miljard dollar, maar zo was het. Binnen zes maanden waren ze ook in het slop terechtgekomen om ons gezelschap te houden.)

Wat ik had te zeggen, was niet wat de mensen graag wilden horen. Een zondebok aanwijzen was heel wat gemakkelijker. En wie was een betere kandidaat dan de vennootschap die als tiende op de ranglijst van de grootste ondernemingen in Amerika stond – een vennootschap die de moed had zijn eigen regering om hulp te vragen?

18
Moet Chrysler worden gered?

Vanaf het allereerste begin werd het denkbeeld van door de regering gegarandeerde lonen voor Chrysler door bijna iedereen afgewezen. Dat het grootste misbaar uit de zakenwereld zou komen, was te voorspellen. De meeste leiders van ondernemingen waren fel gekant tegen het plan en velen van hen uitten hun zienswijze in het openbaar; ook Tom Murphy van General Motors en Walter Wriston van Citicorp.

Voor de meesten van hen betekende federale hulp aan Chrysler heiligschennis, ketterij, een verloochening van de religie van vennootschapsland in Amerika. De kernachtige uitspraken vloeiden rijkelijk toen de oude clichés uit het stof werden gehaald. Ons stelsel is gebaseerd op winst en verlies. Liquidaties en bedrijfssluitingen zijn het krachtige geneesmiddel van de markt. Een loongarantie schendt het vrije ondernemingssysteem. Het beloont mislukkingen. Het verzwakt de ordening door vraag en aanbod. Water zoekt zijn eigen weg. Overleven van de sterkste. Verander de spelregels niet halverwege de wedstrijd. Een samenleving zonder risico is een samenleving zonder beloning. Falen is voor het kapitalisme wat de hel is voor het christendom. Laissez faire voor eeuwig. En nog meer van dat gewauwel.

De nationale vereniging van fabrikanten verzette zich sterk tegen loongaranties. Tijdens zijn vergadering van 13 november 1979 keurde de politieke commissie van de Business Roundtable de volgende uitspraak over Chrysler goed:

> Een fundamentele voorwaarde voor het marktsysteem is dat het

ruimte biedt zowel voor falen als voor slagen, voor winst als voor verlies. Hoe hardvochtig falen ook mag zijn voor bepaalde ondernemingen en individuen, de brede sociale en economische belangen van het land zijn het beste gediend als men toestaat dat dit systeem zo vrij en volledig mogelijk functioneert.

De consequenties van het falen en de reorganisatie onder de herziene statuten (met andere woorden: het bankroet) zijn, hoewel ernstig, niet ondenkbaar. Het verlies van banen en produktie zou verre van totaal zijn. Onder de reorganisatie zouden de vele levensvatbare componenten van het bedrijf meer doelmatig kunnen functioneren, terwijl andere delen misschien aan andere producenten verkocht zouden kunnen worden. In dit stadium kan beter worden gepleit voor doelgerichte, federale hulp om sociale problemen, die mogelijk het gevolg zijn, aan te pakken.

In een tijd waarin de regering, het bedrijfsleven en het publiek zich meer en meer bewust worden van de kosten en de ondoelmatigheid van overheidsinmenging in de economie, zou het zeer misplaatst zijn een nog dieper gaande betrokkenheid aan te bevelen. Het tijdstip is aangebroken om het beginsel 'geen federale steun' nog eens opnieuw te bevestigen.

Deze verklaring maakte me razend. Ik probeerde erachter te komen wie er precies in die groep vóór hadden gestemd, maar iedereen die ik controleerde, scheen op dat ogenblik de stad uit te zijn geweest. Niemand wilde de verantwoordelijkheid op zich nemen dat hij ons had willen neermaaien. Als antwoord verzond ik de volgende brief:

Mijne Heren,

Ik was zeer geschokt te vernemen dat, op dezelfde dag waarop ik in Washington getuigde ten gunste van de aanvraag van loongaranties voor de Chrysler Corporation, de Business Roundtable – waarvan Chrysler lid is – een persbericht lanceerde tegen 'federale hulpverlening'.

Ik heb verscheidene opmerkingen te maken.

Ten eerste: het hoofdthema van het handvest van de Roundtable is het beperken van de inflatie. Sindsdien hebben de doelstellingen zich uitgebreid tot een discussie over andere economische onderwerpen die van nationaal belang zijn. Deze discussies vonden traditioneel plaats in een open en vrije atmosfeer waarin alle gezichtspunten in overweging konden worden genomen. Het feit dat wij geen gelegenheid hebben gehad om de bijzonderheden in het geval Chrysler aan de leden van de politieke commissie voor te leggen, gaat lijnrecht in tegen de traditie.

Ten tweede: het is ironisch dat de Roundtable geen gelijksoortig standpunt innam bij loongaranties aan staalbedrijven, scheepsbouwers, luchtvaartmaatschappijen, boeren en de woningbouwindus-

trie. Evenmin werd geprotesteerd bij het instellen van 'aanmoedigingsprijzen' voor buitenlands staal of de regelingen voor federale bijstand aan American Motors.
Ten derde: de verklaring van de Roundtable beroept zich op de beginselen van het vrije marktsysteem dat rekening houdt met zowel falen als slagen. De verklaring negeert echter volkomen het feit dat de inbreuk op dit systeem door de overheidsvoorschriften zeer veel tot het Chryslerprobleem heeft bijgedragen. Het is in feite geheel in overeenstemming met de werking van het vrije marktsysteem als de regering sommige nadelige gevolgen van de federale voorschriften ongedaan maakt. Federale loongaranties aan staalondernemingen werden speciaal om die reden gegeven.
Ten vierde: De Roundtable-verklaring is onjuist in zijn mededeling dat reorganisatie onder het nieuwe faillissementsstatuut praktisch is. Wij hebben geen behoefte aan het verminderen van schuld, maar wel aan het bijeenbrengen van enorme bedragen aan nieuw kapitaal. Het zou voor ons onmogelijk zijn het noodzakelijke kapitaal bijeen te brengen tijdens een faillissementsproces. Wij hebben een van de meest vooraanstaande experts in faillissementszaken, Mr. J. Ronald Trost van Shutan & Trost, geraadpleegd, wiens analyse van de nieuwe wet hem ertoe bracht te getuigen dat een faillissementsprocedure niet praktisch is voor Chrysler en spoedig tot liquidatie zou leiden. Uw eigen Roundtable-staf heeft kenbaar gemaakt dat er geen faillissementsexperts zijn geraadpleegd tijdens de voorbereiding van uw verklaring. Indien dat wel was gebeurd, zou ik er zeker van zijn geweest dat de uitspraken over de heilzame werking van een bankroet heel wat minder zelfverzekerd hadden geklonken.
Ten vijfde: het is hoogst ongelukkig dat de Roundtable heeft verkozen zich in te laten met het verspreiden van loze kreten in deze campagne. Het verkondigen van een politiek van 'geen federale steunverlening' in een persbericht staat gelijk met het omlaaghalen van de discussie naar het laagste niveau. De honderdduizenden medewerkers verspreid over het hele land die voor hun werkgelegenheid afhankelijk zijn van Chrysler, verdienen een betere behandeling in het debat over hun toekomst.
Ten slotte meen ik dat mijn aanvaarding van uw uitnodiging lid te worden van de Roundtable de andere leden in pijnlijke verlegenheid zou brengen. Ik had mijn toetreden tot een zakenforum, dat een open gedachtenwisseling zou houden over vitale economische en sociale onderwerpen in een atmosfeer van wederzijds vertrouwen en respect, met vreugde tegemoet gezien. Het persbericht van Roundtable duidt erop dat zo'n gelegenheid in de Politieke Commissie niet bestaat. Aanvaard derhalve mijn oprechte spijtbetuiging evenals de opzegging door de Chrysler Corporation van zijn lidmaatschap van de Business Roundtable.

Dat was wat ik de Business Roundtable had mee te delen en dit is wat ik graag had willen zeggen: 'Jongens, van jullie wordt verondersteld dat je tot de zakenelite van het land hoort, maar jullie zijn een stelletje huichelaars. Jullie groep werd opgericht door een paar mensen uit de staalindustrie die hun leven eraan hebben besteed de regering te belazeren. Denk er nog maar eens aan terug hoe koeltjes president Kennedy over de grootmetaal sprak en hoe hij hen een stelletje SOB's (smeerlappen) noemde. Zijn jullie tegen federale hulp aan Chrysler? Waar waren jullie toen de loongaranties beschikbaar werden gesteld voor staalbedrijven, scheepsbouwers en luchtvaartmaatschappijen? Waarom hielden jullie je mond over de aanmoedigingsprijzen voor buitenlands staal? Ik vermoed dat het een kwestie is van "wiens os er aan het spit wordt geregen".'

In al deze voorafgaande gevallen had de Business Roundtable gezwegen, maar toen ik kwam vragen om federale loongaranties, brachten ze een manifest uit. Zolang het in hun voordeel is, maken ze heus geen bezwaar tegen een beetje regeringsinmenging, maar als het erop aankomt Chrysler te redden, worden ze opeens beginselvast.

Zelfs sommigen van onze voornaamste leveranciers voegden zich bij die naargeestige koorzang. We stonden geïsoleerd als gevangenen van een verouderde ideologie.

Laat ik duidelijk zijn over wat mijn standpunt is. Het vrije ondernemersschapskapitalisme is het beste economische systeem dat de wereld ooit gezien heeft. Ik ben er 100 procent vóór. Onder gelijke omstandigheden is het de enige weg die we kunnen gaan.

Wat gebeurt er echter als de omstandigheden niet gelijk zijn? Wat gebeurt er als de werkelijke oorzaken van moeilijkheden in een onderneming niet worden bepaald door het vrije ondernemersschap maar door het tegenovergestelde? Wat gebeurt er als een onderneming – vanwege de industrietak waartoe zij behoort en vanwege haar omvang – de grond wordt ingeboord door ongelijke gevolgen van de overheidsregelingen?

Dat was wat er met Chrysler gebeurde. Zeker, vergissingen van de bedrijfsleiding in het verleden maakten een groot deel van het probleem uit. Chrysler had nooit al zijn produkten op basis van gissingen mogen fabriceren. Men had geen uitbreidingen over zee mogen wagen. Men had nooit in de tweedehandsautohandel mogen gaan en er had meer aandacht aan kwaliteit moeten worden geschonken.

Maar wat de onderneming uiteindelijk op de knieën bracht, was de meedogenloze geseling van steeds meer overheidsvoorschriften. Ik bracht een afschuwelijke week in het Congres door met te trachten dat uit te leggen.

Ze bleven zeggen: 'Waarom blijf je hier komen om over overheidsvoorschriften te janken?'

'Omdat jullie die voorschriften hebben gemaakt, maar ons met de vinger nawijzen,' antwoordde ik.

Daarna draaiden ze de zaak om en beweerden: 'Het is een stompzinnige bedrijfsvoering geweest.'

Ten slotte kreeg ik er genoeg van. 'Oké, laten we met dit geouwehoer ophouden,' zei ik. 'Het is voor vijftig procent jullie fout – voorschriften

– en voor vijftig procent onze fout; ik ken de zonden van het management heus wel. Wat willen jullie dat ik doe? De jongens die hier niet zijn aan het kruis nagelen? Ze hebben fouten gemaakt. Laten we terugkeren naar de zaak die voor ons ligt: jullie zijn het die ons in deze puinhoop hebben gestort.'

Waarom is ons vrije ondernemingssysteem zo sterk? Niet omdat het stilstaat, vastzit aan het verleden, maar omdat het zich altijd aanpaste aan de veranderende werkelijkheid. Ik ben een groot voorstander van het vrije ondernemersschap, maar dat betekent niet dat ik in de 19e eeuw leef. Het is een feit dat het vrije ondernemersschap niet meer hetzelfde betekent als in het verleden. Eerst paste het vrije ondernemersschap zich aan de industriële revolutie aan en in 1890 paste het zich aan Samuel Gompers en de arbeidersbeweging aan. De ondernemingsdirecties vochten tegen de nieuwe beweging, maar ze waren degenen die er zelf verantwoordelijk voor waren. Zij hadden de slavenhokken gesticht, lieten kleine kinderen hele dagen werken aan de naaitafels en schiepen honderden andere onrechtvaardigheden die moesten worden gecorrigeerd.

Als je naar het verleden teruggaat, kun je in de geschiedenisboeken lezen dat de zakenmensen uit die tijd overtuigd waren dat de nieuwe vakbonden het einde van het vrije ondernemingssysteem aankondigden. Ze dachten dat het was gedaan met het kapitalisme en dat het spook van het socialisme in Amerika om de hoek loerde.

Ze hadden het helemaal mis. Ze begrepen niet dat het vrije ondernemingssysteem tegelijk flexibel en organisch is. Het vrije ondernemingssysteem paste zich aan de vakbeweging aan. En de vakbeweging paste zich zo goed aan het vrije ondernemingsbeginsel aan dat in sommige industrietakken de vakbeweging bijna even succesvol en machtig werd als de bedrijfsleiding.

Het vrije ondernemingssysteem heeft ook de Grote Depressie overleefd. Ook hier dachten de leiders van onze ondernemingen dat voor het kapitalisme het laatste uur had geslagen. Ze waren razend toen Franklin Roosevelt besloot werk te scheppen voor hen die hun baan hadden verloren. Maar terwijl de ondernemingsleiders alleen theoretiseerden, speelde Roosevelt met buskruit. Hij deed echter wat moest worden gedaan en toen hij klaar was, was het systeem sterker en succesvoller dan ooit tevoren.

Altijd als ik F.D.R. prijs, hoor ik de leiders van ondernemingen mompelen: 'Iacocca is een draaitol. Hij heeft zijn verstand verloren. Hij dweept met F.D.R.' Ze vergeten waar ze zouden zijn geweest zonder zijn verbazingwekkende visie. F.D.R. was zijn tijd vijftig jaar vooruit. De SEC (Security and Exchange Commission) en de FDIC (Federal Deposit Insurance Corporation) zijn slechts twee van de instellingen die hij oprichtte om de verschrikkelijke dingen te voorkomen die geschieden als men in zakenkringen de kluts kwijtraakt.

In onze tijd moet het vrije ondernemingssysteem zich opnieuw aanpassen. Dit keer moet het zich aanpassen aan een nieuwe wereld – een wereld die nu ook een formidabele rivaal als Japan omvat en een wereld waarin niemand anders volgens de regels van het zuivere laissez faire speelt.

Terwijl al deze ideologische twisten voortwoedden, stortte de in grootte tiende onderneming van het land in elkaar. Het is zonneklaar dat dit niet de tijd is om over ideologieën te praten. Als de wolf voor de deur staat, moet je erg vlug praktisch worden.

Je kunt je beslist niet de luxe veroorloven te zeggen: 'Wacht even, ik vraag me af wat ze daarover in de Union League Club in Philadelphia hebben te zeggen. Wat zouden ze zeggen? Free enterprise voor eeuwig!'

Waar gaat het in het vrije ondernemingssysteem eigenlijk om? Concurrentie – en concurrentie was iets dat door de loongaranties sterk zou worden bevorderd. Waarom? Omdat de garanties ervoor zouden zorgen dat Chrysler in de buurt zou zijn om te concurreren met GM en Ford.

Concurrentie is een zaak die de auto-industrie zowel nodig heeft als begrijpt. Tijdens het grote debat over de toekomst van Chrysler schreef een Ford-dealer in een brief aan *The New York Times*: 'Gedurende de afgelopen 25 jaar ben ik een concurrent van Chrysler geweest. Toch ben ik het oneens met de redactionele commentaren die u heeft geschreven tegen Chryslers verzoek om federale bijstand. De eigenlijke rol van een federale regering in een democratisch vrij ondernemingsstelsel is niet de vetste helpen overleven, maar de concurrentie behouden. Als Chrysler faalt terwijl de industrie zwoegt om de automobiel, sneller dan iemand verwachten kon, te vernieuwen, kan Ford dan achterblijven?'

Een andere dealer in Oregon – dit keer van Chevrolet – plaatste een advertentie van een hele pagina in zijn plaatselijke krant onder de kop: Als we u geen Chevrolet of Honda kunnen verkopen, koop dan een Chrysler. De advertentie vervolgde: Concurrentie is goed voor ons, goed voor de industrie, goed voor het land en goed voor u, de consument.

Behalve het behoud van concurrentie zou het redden van Chrysler eveneens betekenen het behoud van banen, heel veel banen. Als we alles bij elkaar telden, onze medewerkers, dealers en leveranciers, stonden er 600.000 banen op het spel.

Er waren mensen die geloofden dat als wij ten onder gingen onze medewerkers wel werk konden vinden bij Ford en General Motors. In die tijd verkochten zowel Ford als GM praktisch alle kleine auto's die ze konden fabriceren. Het was niet zo dat ze lege fabrieken hadden en naar extra arbeidskrachten zochten om die te vullen. Wanneer Chrysler bezweek zouden bijna al onze medewerkers zonder werk zijn.

Alleen de import kon Amerika's plotselinge en onverzadigbare vraag naar kleine auto's bevredigen. Als Chrysler ten onder ging, zou Amerika niet alleen nog meer kleine auto's importeren; we zouden ook banen exporteren.

We vroegen: 'Zou het voor dit land inderdaad beter zijn als Chrysler over de kop ging en het werkeloosheidspercentage van de ene dag op de andere met een half procent steeg? Zou het vrije ondernemingssysteem er werkelijk mee gediend zijn als Chrysler faalde en tienduizenden Amerikaanse arbeidsplaatsen aan de Japanners verloren gingen? Zou ons vrije marktsysteem werkelijk meer concurrerend zijn zonder het miljoen auto's en vrachtwagens dat Chrysler jaarlijks bouwt en verkoopt?'

We wendden ons tot de regering en zeiden: 'Als het zinvol is om een veiligheidsvangnet voor individuen te hebben, dan is het zinvol om een veiligheidsnet voor hun ondernemingen te hebben. Per slot van rekening is het de arbeid die een individu in leven houdt.'

En dus debatteerden we over concurrentie en over banen; het belangrijkst waren echter onze discussies over de economie. We berekenden heel eenvoudig het saldo. Het departement van financiën had geschat dat de ineenstorting van Chrysler het land alleen al in het eerste jaar 2,7 miljard dollar zou kosten aan uitkeringen vanwege de ontslagen.

Tegen het Congres zei ik: 'Jullie kunnen kiezen, jongens. Willen jullie nu die 2,7 miljard dollar betalen of willen jullie voor de helft van dat bedrag de lonen garanderen met een mooie kans het allemaal terug te krijgen? Jullie kunt nu betalen of later.'

Dit is het soort argumenten dat mensen rechtop doet zitten en hun aandacht vraagt. Daarmee komt een belangrijke les aan de orde voor jonge mensen die misschien dit boek lezen: Denk altijd in termen van de belangen van anderen. Ik vermoed dat hier mijn vorming aan Dale Carnegie achter zit en die is me goed van pas gekomen.

In dit geval moest ik spreken in termen van de vertegenwoordiger in het Congres. Op ideologische gronden zou hij er misschien tegen zijn ons te helpen. Hij zou echter zeker vlug van gedachten veranderen als wij ons huiswerk hadden gemaakt en hem een overzicht boden van alle aan Chrysler gebonden banen en zaken in elk district van zijn staat. Als hij besefte hoeveel mensen in zijn kiesdistrict voor hun broodwinning van Chrysler afhankelijk waren dan was het 'adieu met de ideologie'.

Terwijl de strijd binnen en buiten het Congres werd gestreden, was ik druk bezig alles te doen wat mogelijk was om geld binnen te halen; met inbegrip van de verkoopbare obligaties aan andere ondernemingen. Ik voelde me als een tapijtkoopman die in grote haast aan kasgeld moet zien te komen. En mijn geestdrift stond op een laag pitje omdat, waar ik ook kwam, niemand tegen me zei: 'Volhouden maar, je krijgt het voor elkaar.'

Tijdens het debat was de 'bankroetoplossing' voor Chrysler heel populair. Onder paragraaf 11 van de faillissementswet zouden we tegen onze schuldeisers worden beschermd tot we in eigen huis orde op zaken hadden gesteld. Er werd aangenomen dat we een paar jaar later als kleinere, maar gezondere onderneming zouden herrijzen.

Toen we er echter alle mogelijke soorten experts bij haalden, vertelden die ons, zoals we al wisten, dat een bankroet in ons geval catastrofaal zou zijn. Onze situatie was uniek en kon niet worden vergeleken met Pennsylvania Central. Ook niet met Lockheed. Het leek niet op onderhandelen met de regering over defensiecontracten die je al had gekregen.

En het was ook niet te vergelijken met de graanindustrie. Als van Kellogg's bekend werd dat het bedrijf zou worden opgeheven, zou niemand zeggen: 'Nu koop ik geen cornflakes meer van ze. Wat moet ik als ik met een pak cornflakes blijf zitten en niemand me service kan verlenen?'

Met auto's is het anders. Alleen het gerucht van een bankroet zou de toevloed van contant geld naar het bedrijf al doen stopzetten. We zouden een domino-effect beleven. Klanten zouden hun orders annuleren. Ze zouden zich zorgen maken over de garantie in de toekomst, het verkrijgen van onderdelen en de service – om nog maar niet te spreken over de verkoopwaarde van de auto.

We hadden een leerzaam voorbeeld bij de hand. Toen de White Truck Company failliet werd verklaard, dachten ze hun geldschieters hardhandig te kunnen aanpakken door zich te verschuilen achter paragraaf 11. Wettelijk had het misschien gekund. Er was echter één probleem. Al hun klanten zeiden: 'Nee hoor, ze zijn failliet. Ik denk dat ik ergens anders een vrachtwagen ga kopen.'

Een aantal banken wilde dat wij die weg insloegen. 'Wat zit je te modderen bij de regering? Laat je failliet verklaren en werk je onderneming dan weer uit het bankroet.' Ze gaven voorbeelden van bedrijven die dat hadden gedaan. Wij bleven echter antwoorden: 'Hoor eens, wij zijn een groot consumentenbedrijf en een consumentenindustrie. Als we dat probeerden, zouden we het geen twee weken overleven.'

In een bankroet zouden onze dealers het vermogen verliezen de aankopen bij de fabriek te financieren. Bijna alle autofinanciering voor de dealers zou binnen een dag of twee door de banken en financieringsmaatschappijen worden gestopt. We schatten dat bijna de helft van onze dealers zelf in een bankroet zou worden gedreven. Waardoor wij zonder toegang tot de belangrijkste markten kwamen te zitten.

Leveranties zouden vooruitbetaling eisen – of betaling bij aflevering. De meeste van onze leveranciers zijn kleine bedrijven met minder dan 500 werknemers. De druk van een Chryslerbankroet zou onmogelijk zijn te dragen door de duizenden kleine bedrijven die voor hun naakte voortbestaan van ons afhingen. Velen van hen zouden eveneens hun faillissement moeten aankondigen, hetgeen ons zou beroven van essentiële onderdelen.

En als we Chrysler buiten beschouwing laten: wat zou het grootste bankroet in de geschiedenis van Amerika voor het land hebben betekend? Een studie door Data Resources schatte dat het ter ziele gaan van Chrysler de belastingbetaler 16 miljard dollar zou kosten aan werkeloosheids- en sociale uitkeringen en andere uitgaven.

Dit wat betreft de keuze voor een bankroet.

Tijdens het internationaal debat over de toekomst van Chrysler werd er door iedereen in het wilde weg op ons geschoten. De columnist Tom Wicker schreef in *The New York Times* dat Chrysler zijn energie plotseling zou moeten wijden aan lokaal massatransport in plaats van aan automobielen. Cartoonisten beleefden een gouden tijd met het nieuws dat Chrysler bij de regering om hulp aanklopte.

The Wall Street Journal was echter uitzonderlijk meedogenloos. Bij het onderwerp loongaranties raakten ze door het dolle heen. In een gedenkwaardige redactionele kop noemden ze het: 'Leatrile voor Chrysler'. (Leatrile is een kankergeneesmiddel, vert.)

Hun bezwaren tegen regeringshulp voor Chrysler beperkten zich allerminst tot de redactionele pagina's. Ze konden ons eenvoudig niet met rust laten. Ze publiceerden prompt ieder bericht met slecht nieuws, doch lieten na melding te maken van de meer hoopvolle signalen. Zelfs nadat we de garantielonen hadden ontvangen, wezen ze erop dat: hoewel we genoeg geld hadden ontvangen, hoewel we de onderneming hadden gereorganiseerd, hoewel we een nieuwe bedrijfsleiding, het juiste produkt en een uitstekende kwaliteit hadden, de bliksem toch nog kon inslaan. De economie zou kunnen verslechteren. De autoverkoop kon nog beroerder worden.

Het kwam erop neer dat in de *Journal* bijna dagelijks een negatief artikel over de situatie bij Chrysler stond. En steeds als dat gebeurde, moesten we een deel van onze beperkte energie besteden aan pogingen de schade bij de publieke opinie te beperken.

In het eerste kwartaal van 1981 verloor Ford bijvoorbeeld 439 miljoen dollar. Chrysler was aan de beterende hand, maar toch leden we een verlies in de buurt van de 300 miljoen dollar. Hoe luidde de kop van de Journal? 'Ford lijdt minder verlies dan verwacht, terwijl Chryslers verliezen groter zijn dan werd voorspeld.' Dat was de enig mogelijke manier om een kop te bedenken waarin wij er slechter afkwamen dan Ford. De cijfers ondersteunden dit echter niet.

Een paar maanden later vertoonden onze verkoopcijfers een toename van 51 procent ten opzichte van het voorafgaande jaar. De *Journal* voelde zich echter gedwongen er de nadruk op te leggen dat 'de vergelijking evenwel is scheefgetrokken omdat Chryslers verkoopcijfers van het vorig jaar een dieptepunt hadden bereikt'. Mooi! Maar dacht u dat de *Journal* een jaar tevoren onze lage verkoopcijfers had verontschuldigd met een uiteenzetting die erop wees dat het vorig jaar in zakelijk opzicht geweldig was geweest?

Het doet me denken aan een oude, joodse mop. Goldberg krijgt van de bank een telefoontje dat zijn tegoed met 400 dollar is overschreden.

'Zoek het afschrift van de vorige maand op,' zegt hij.

'Toen had u een tegoed van 900 dollar,' zegt de bankbediende.

'En de maand daarvoor?' vraagt Goldberg.

'Twaalfhonderd dollar.'

'En de maan daarvoor?'

'Vijftienhonderd.'

'Vertel me 'es,' zegt Goldberg, 'al die andere maanden toen ik ruim voldoende geld op mijn rekening had staan, heb ik jullie toen opgebeld?'

Dat is wat ik dacht over *The Wall Street Journal*.

Op de universiteit had ik, als een van de redacteuren van de schoolkrant, uit de eerste hand geleerd hoeveel macht de koppenmaker heeft. Aangezien de meeste mensen het hele artikel niet lezen, tenzij ze speciaal in het onderwerp zijn geïnteresseerd, is voor de meerderheid de kop het hele verhaal.

Halverweg de crisis rond de loongaranties en nadat we slechts een deel hadden geleend van het bedrag waarop we volgens de wet recht hadden, publiceerde de redactie van de *Journal* de suggestie dat Chrysler 'uit zijn lijden moest worden geholpen'.

Het was hun thans beroemd geworden 'Laat hen in waardigheid overlijden' redactionele hoofdartikel. Dat stuk zou de geschiedenis moeten ingaan als een klassieker – al was het maar als voorbeeld hoe vrijheid van drukpers in dit land misbruikt kan worden. Stil maar, ik weet het... ik weet het wel... Het Eerste Amendement geeft hen dat recht.

Ik was razend. Ik vuurde een brief af op de redactie waarin ik schreef: 'In feite heeft u verkondigd dat de patiënt, omdat hij nog niet is hersteld na de helft van de voorgeschreven medicijn te hebben ingenomen, nu ter dood gebracht moet worden.'

Ik denk dat *The Wall Street Journal* in de vorige eeuw leeft. Helaas is het de enige voorhanden krant. De *Journal* heeft een monopolie en is arrogant geworden, net als General Motors.

De aanvallen van de *Journal* werden overigens niet gestopt toen Chrysler zich herstelde. Op 13 juli 1983 kondigde ik op de National Press Club aan dat wij al onze door de overheid gegarandeerde lonen voor het eind van het jaar zouden terugbetalen. Twee dagen later publiceerde *The New York Times* – die bezwaar had gemaakt tegen de loongaranties – een artikel met de kop 'Chryslers Scherpe Ommekeer'. Uit het artikel: 'Woorden schieten tekort de grootsheid van die ommekeer te beschrijven... Hoe was het mogelijk zo'n wanhopig zieke onderneming zo snel weer op de been te helpen?'

Diezelfde dag bracht *The Wall Street Journal* ook een lang verhaal over Chrysler. De kop? 'Nadat Chrysler zowel de spieren als het vet heeft weggesneden, verkeert het nog steeds in een zwakke positie.' Kan er nog enige twijfel over bestaan dat de *Journal* een vooroordeel koestert? Ze hebben recht op hun mening, maar meningen horen thuis op de redactionele pagina. Ze hadden op z'n minst kunnen schrijven: 'Het is jammer dat ze het op deze manier moesten doen, maar wat een geweldig karwei heeft Chrysler verricht.'

Een groot deel van het probleem was de taal die werd gebruikt om onze situatie te beschrijven. 'Bail out' (betekent o.a. zowel pompen of verzuipen als financiële redding, vert.) is een kleurrijke, overdrachtelijke vergelijking. Het roept het beeld op van een lekke boot die in ruwe zee schipbreuk lijdt en het houdt in dat de bemanning zijn taak niet aan kan. 'Bail out' is tenminste een betere uitdrukking dan 'Hand out' (aalmoezen uitdelen, vert.) wat ook werd gebruikt. We hadden niet om een kosteloze gift gevraagd en die hebben we ook zeker niet gekregen.

Een populaire zienswijze was ook dat wij een reusachtig, uit een rotsblok gehouwen onderneming waren die geen hulp verdiende. Om die mythe te ontzenuwen, verklaarden we dat we in werkelijkheid een verzameling van kleine jongens waren. Wij zijn een assemblagebedrijf. We hebben 11.000 leveranciers en 4000 dealers. Bijna al deze mensen zijn kleine zakenlieden, geen vetzakken. We hadden een helpende hand nodig, geen aalmoes.

Veel mensen wisten zelfs dat niet. Ze dachten dat we om een gift vroegen. Ze schenen te denken dat Jimmy Carter mij zijn gelukwensen zond en er één miljard aan gladgestreken biljetten van tien en twintig dollar had bijgestopt. Veel goedbedoelende Amerikanen hadden blijkbaar de indruk dat Chrysler één miljard dollar contant geld in een bruinpapieren zak had ontvangen en dat we dat nooit hoefden terug te betalen.

Als dat eens waar was!

19
Chrysler wendt zich tot het Congres

Om het zacht uit te drukken is het getuigen voor Commissies uit het Huis van Afgevaardigden en de Senaat nooit mijn idee geweest van een gezellige ontspanning. Geloof me: dat was wel het allerlaatste wat ik wilde. Zou er echter ook maar de geringste kans bestaan het Congres ertoe te brengen de loongaranties goed te keuren dan moest ik in persoon verschijnen om onze zaak naar voren te brengen, dat wist ik zeker. Dit keer kon ik niet delegeren.

De kamers voor de hoorzittingen van Senaat en Huis zijn ontworpen om de getuige te intimideren. De commissieleden zitten op een verhoging om een half cirkelvormige tafel en kijken op je neer. De getuige is psychologisch in het nadeel; hij moet opkijken naar de vragensteller. Om de zaak nog erger te maken, schijnen de televisieschijnwerpers in je ogen.

Ik werd aangeduid als de getuige, maar dat was een verkeerde benaming. In werkelijkheid was ik de beklaagde. Uur na uur moest ik in de beklaagdebank zitten en stond ik *terecht* voor het Congres en de pers voor alle zogeheten zonden van het management – zowel de echte als de ingebeelde. Af en toe was het net een volksgericht. De ideologen gingen in de rij staan en verkondigden: ‘Het kan ons niet schelen wat je zegt. We willen je de nek breken.’ Ik stond tijdens de hoorzittingen volkomen alleen. Ik moest alles improviseren. De vragen werden snel en meedogenloos afgevuurd en waren altijd emotioneel geladen. Stafleden gaven constant notities door aan de senatoren en congresleden en ik moest overal voor de vuist weg op antwoorden. Het was regelrechte moord.

We werden uitgescholden omdat we niet de vooruitziende blik van de Japanners hadden gehad om auto’s te bouwen die één op tien reden, hoewel de Amerikaanse consument onafgebroken om grotere auto’s had gevraagd. We werden de les gelezen omdat we niet voorbereid waren op de omverwerping van het bewind van de Sjah van Perzië. Ik moest erop wijzen dat noch Carter, Kissinger of David Rockefeller, noch het Departement van Buitenlandse Zaken die gebeurtenis hadden voorzien, hoewel zij over dit soort zaken beter waren geïnformeerd dan ik.

We werden gevild omdat we ons niet hadden ingesteld op het klungelige systeem van bezinetoewijzing dat het Departement voor Energiezaken had ontworpen en op de daaropvolgende relletjes bij de benzinestations. Het deed niet ter zake dat de benzine een maand tevoren vijfenzestig dollarcent per gallon had gekost. Het deed evenmin ter zake dat de prijs kunstmatig was laag gehouden door de prijscontrole van de regering, waardoor precies de verkeerde signalen aan de Amerikaanse consument werden doorgegeven. Ook deed het niet ter zake dat we het grootste gedeelte van ons kapitaal moesten investeren in het naleven van regeringsvoorschriften. In de hoofden van het Congres en de media hadden we gezondigd, we hadden de markt gemist en we verdienden te worden gestrafd.

En gestrafd werden we. Tijdens de hoorzittingen van het Congres werden we voor het aanzien van de hele wereld tentoongesteld als de levende voorbeelden voor alles wat er in de Amerikaanse industrie verkeerd zat. We werden op de redactionele pagina's vernederd omdat we niet zo fatsoenlijk waren het op te geven en elegant te sterven. We werden het voorwerp van bespotting door de politieke tekenaars in het land die niet konden wachten ons het graf in te schetsen. Er moest een veel hogere prijs worden betaald dan alleen de deur dichttrekken en weglopen. Het was op onze persoon gericht. Het was venijnig en het was pijnlijk.

Op 18 oktober verscheen ik voor het eerst voor de subcommissie voor Economische Stabilisatie van de commissie voor Bank, Financiering en Stedelijke Zaken. Alle leden waren aanwezig, wat op zichzelf al ongebruikelijk was. Normaal worden de hoorzittingen gehouden terwijl de meeste leden afwezig zijn omdat ze doorgaans op hetzelfde tijdstip nog een dozijn andere verplichtingen hebben. Het eigenlijke werk wordt meestal gedaan door de staf van de congresleden.

Ik begon mijn getuigenis met een eenvoudige uiteenzetting van onze zaak: 'Ik weet zeker dat ik hier vandaag niet alleen voor mezelf spreek. Ik spreek namens de honderdduizenden mensen wier bestaan ervan afhangt of Chrysler de zaken kan voortzetten. Zo eenvoudig is het. Onze 140.000 medewerkers en degenen die van hen afhankelijk zijn, onze 4700 dealers en hun 150.000 personeelsleden die ons produkt verkopen en service verlenen, onze 19.000 leveranciers en de 150.000 mensen die op hun loonlijsten staan en natuurlijk de familieleden en degenen die afhankelijk zijn van al deze kiesgerechtigden.'

Omdat er zoveel verwarring bestond over de aard van de hulp die we vroegen, maakte ik hen duidelijk dat we niet om een gift vroegen. We vroegen niet om giften in welke vorm ook. Ik bracht de commissie in herinnering dat wij de aanvraag indienden voor een loongarantie waarvan iedere dollar zou worden terugbetaald – met rente. In mijn openingsverklaring voor de commissie schetste ik zeven essentiële punten.

Ten eerste: onze moeilijkheden waren te wijten aan een combinatie van slecht management, buitensporige reguleringen, de energiecrisis en de economische teruggang. We hadden ons management compleet vervangen, maar de drie andere factoren lagen buiten ons vermogen.

Ten tweede: we hadden al onmiddellijke en beslissende stappen ondernomen om onze problemen op te lossen. We hadden onze weinig rendabele bedrijven verkocht. We hadden een aanzienlijk bedrag aan nieuw kapitaal bijeengebracht. We hadden onze vaste kosten met bijna 600 miljoen dollar per jaar omlaag gebracht. We hadden de salarissen verlaagd van onze 1700 topfunctionarissen. We hadden de betaling van alle extra beloningen voor verdiensten opgeschort. We hadden het aandelen-aankoopplan voor employés afgeschaft. We hadden het dividend op onze gewone aandelen geëlimineerd. We hadden nieuwe en belangrijke toezeggingen verworven van onze bankiers, onze dealers en onze medewerkers, evenals van onze federale en lokale overheden.

Ten derde: om winstgevend te blijven, moesten we personenauto's en lichte vrachtwagens in een complete serie modellen blijven produceren. We zouden niet overleven als een onderneming die slechts één produkt maakt. We zouden niet overeind blijven door alleen kleine auto's te fabriceren. De winstmarges op kleine auto's bedroegen ongeveer 700 dollar per stuk en dat was niet voldoende om als bedrijf te blijven bestaan – niet met de lage lonen en gunstige belastingtarieven van de Japanners.

Ten vierde: we zouden een bankroet niet overleven.

Ten vijfde: we hadden geen aanbiedingen om met andere ondernemingen te fuseren, noch met Amerikaanse, noch met buitenlandse. Tenzij we loongaranties zouden ontvangen, was het onwaarschijnlijk dat iemand ons ten dans zou vragen.

Ten zesde: ondanks onze reputatie, volgens welke we benzinevreters maakten, had Chrysler al het beste gemiddelde brandstofverbruik van de Grote Drie. We boden meer modellen aan met een verbruik van één galon per 40 km dan GM, Ford, Toyota, Datsun of Honda.

Ten slotte hield ik staande dat ons werkplan voor de komende vijf jaar gezond was en gebaseerd op conservatieve schattingen. We wisten dat we ons marktaandeel konden verbeteren en spoedig opnieuw winstgevend zouden worden.

Later tijdens de hoorzitting wijdde ik over elk van deze punten uit en trad veel meer in details.

Aan de vragen en beschuldigingen kwam geen einde. Sommige leden van de commissie konden het maar niet tot hun hersens laten doordringen dat Chrysler nu onder een nieuw management stond. Het was geen wonder dat de meesten van hen geen aandacht wilden schenken aan de werkelijke kosten die de voorschriften van de federale overheid met zich meebrachten. Ze bleven onafgebroken met de vingers wijzen naar de fouten van het vorige managersteam en vroegen mij hen te verdedigen.

Congreslid Shumway van Californië: 'Ik vraag me af welke garanties u aan deze subcommissie kunt geven en aan de regering dat u niet de fouten uit het recente verleden zult herhalen? U beweert dat sommige misvattingen die onder het management van de onderneming waren verbreid, nu zijn verdwenen en dat u weer op weg bent winstgevend te worden. Eerlijk gezegd: ik hoor niet het soort antwoorden dat mij er echt van overtuigt dat dit inderdaad het geval is.'

Iacocca: 'Congreslid, ik kan u niet overtuigen. U zult mij op mijn woord moeten geloven. Ik heb een nieuw team bij Chrysler samengesteld. Zij zijn naar mijn mening de beste automobielmensen in de Verenigde Staten. We hebben een lijst waarop hun levensloop en prestaties staan vermeld. Dat hebben we allemaal al gezegd. We weten hoe we kleine auto's moeten maken. We hebben dat al dertig jaar gedaan en we zeggen dat we het kunnen. Dat is alles wat ik kan zeggen. U gaat af op prestaties; u gaat af op ervaring. Wij bieden u onze ervaring en prestaties aan. Meer kan ik niet zeggen.'

Shumway: 'U steunt vandaag niet op de prestaties van Chrysler om ons te overtuigen.'

Iacocca: 'Mensen maken ondernemingen. Ik denk dat wij genoeg doen om onszelf te helpen. Let u maar op ons dan zult u heel wat activiteiten bij Chrysler zien. U zult betere auto's zien en betere service en betere kwaliteit. Dat is alles waar het om draait als het erop aankomt.'

Iedereen zocht naar een zondebok, maar ik weigerde de vorige bedrijfsleiding van Chrysler de schuld te geven van al onze problemen. Per slot had de Ford Motor Company in het derde kwartaal van 1979, 678 miljoen dollar verloren. Zelfs GM leed een verlies van 300 miljoen in dat kwartaal. Wat vertelden die getallen ons? We konden niet allemaal op hetzelfde ogenblik stompzinnig zijn geworden. Blijkbaar waren er andere, dwingende oorzaken geweest voor die ongeëvenaarde verliezen. En dus sprak ik uitvoerig over de overheidsvoorschriften.

Ik duidde op de algemeen verbreide misvatting dat Chrysler benzineverslinders maakte in plaats van zuinige auto's Ik wees erop dat Chrysler de eerste Amerikaanse autoproducent was van kleine auto's met voorwielaandrijving – vóór GM en Ford. Op het tijdstip van mijn getuigenis waren er meer dan een half miljoen Omni's en Horizons op de weg – meer kleine auto's met voorwielaandrijving dan enige andere Amerikaanse fabrikant kon aanbieden. Bovendien werd de nieuwe K-car binnen een jaar verwacht.

Nee, zo legde ik uit, het probleem was niet dat we te veel benzineverslinders hadden, we hadden er in werkelijkheid te weinig! De winst zit hem in grote auto's, om dezelfde reden dat een slager meer verdient aan biefstukken dan aan hamburgers.

Ik zei dat General Motors 70 procent van alle grote auto's maakte, waaronder de Cadillac Sevilles die met een winst van 5500 dollar per stuk worden verkocht. Wij hadden niets dat daarop leek. Om evenveel geld op een Seville te verdienen als GM, moesten wij acht Omni's of Horizons verkopen. Bovendien is GM de prijsleider. Zij gaan niet hun prijzen voor kleine auto's met 1000 dollar verhogen opdat Chrysler quitte kan spelen.

Over al deze dingen en nog veel meer sprak ik, maar als ik terugkijk op de hoorzittingen, hoor ik de stemmen van anderen. Ik herinner me levendig congreslis Richard Kelly van Florida, onze openhartigste tegenstander. Hij begon met te zeggen: 'Ik denk dat u probeert ons te belazeren. Ik denk dat u uw zaak in de openbaarheid heeft bepleit. De mensen buiten deze zaal die spontaan reageren – niet de mensen van het soort dat u hier ziet zitten, maar de industriekoningen die werkelijk weten hoe ze de zaken op volle toeren moeten laten draaien – die mensen hebben u gezegd dat u moet verdwijnen. En ze hebben u gezegd dat u moet verdwijnen omdat u, onder dezelfde omstandigheden als waaronder zij het hoofd boven water hielden, het niet heeft gehaald. Nu komt u dus hier en u verwacht van het stelletje domoren in deze subcommissie dat we door de knieën zullen gaan voor dat geleuter over menselijk lijden.'

Kelly was slim. Hij manipuleerde de media door de juiste woorden te gebruiken om de mensen in het nieuws van die avond te prikkelen. Keer op keer geselde hij ons. 'De financiële hulpverlening aan Chrysler zal het begin zijn van een nieuw tijdperk van onverantwoordelijk gedrag van de regering. De steun aan Chrysler is diefstal van de Amerikaanse arbeider, de Amerikaanse industrie, de belastingbetaler en de consument. Liefdadigheid voor Chrysler is de meest schaamteloze oplichterij van deze tijd.'

Kelly las ons de les over het falen van Chrysler om te concurreren. Bij herhaling drong hij erop aan dat we ons bankroet zouden verklaren en verzette zich tegen iedere loongarantie in welke vorm ook.

Tussen haakjes: een paar jaar later werd congreslid Kelly de grote verdediger van de Amerikaanse levenswijze, tweemaal veroordeeld in de Abscam Affaire en kreeg een gevangenisstraf. Hij verloor de verkiezingen en raakte in diskrediet. Geprezen zij de gerechtigheid.

Kelly was niet onze enige tegenstander. Halverwege de debatten schreef congreslid David Stockman van onze eigen Michigan-afvaardiging een hoofdartikel voor de *Washington Post Magazine* dat als titel had: 'Laat Chrysler failliet gaan'. Een paar weken eerder had hij een stuk geschreven voor *The Wall Street Journal* met de kop: 'Chryslerhulp: moet falen beloond?' Stockman die later directeur begrotingen werd, was het enige lid van de afvaardiging van Michigan die tegen ons stemde. Hij had theologie gestudeerd, maar ik vermoed dat hij heeft gespijbeld tijdens de lessen over barmhartigheid.

Gelukkig was niet iedereen vijandig. Steward McKinney, een vooraanstaand lid van de minderheid in de commissie, bood veel steun. McKinney was een vriend van me uit de tijd dat ik bij Ford werkte; hij bezorgde me een adempauze. Als republikein uit een district in Connecticut met veel fabrieken voor zijden kousen, kreeg hij veel kritiek van zijn meer doctrinaire collega's.

McKinney stond vanaf het begin positief tegenover ons, vooral omdat het alternatief voor federale hulp zo triest was. Zijn stellingname luidde: 'Ik weet wat van auto's en ik weet wat die knaap bij Ford heeft gedaan. Hij zal zorgen dat het goed komt.' Op een gegeven ogenblik tijdens de hoorzittingen zei hij: 'Als je voor Chrysler doet wat je voor Ford hebt gedaan, dan zullen we een standbeeld voor je moeten oprichten.' Waarbij ik dacht: En je weet wat er met standbeelden gebeurt – de duiven schijten het helemaal onder.

McKinney had zijn huiswerk gemaakt en dat is meer dan ik van sommigen van zijn collega's kan zeggen. Henry Reuss, voorzitter van de Bank Commissie van het Huis, stelde op een bepaald moment voor dat Chrysler spoorwagons zou gaan maken! We konden ons niet veroorloven de faciliteiten die we hadden te behouden, maar die knaap dacht dat we aan een totaal nieuwe produktielijn moesten beginnen. Dit kleine project zou een investering van een paar miljard dollar met zich meebrengen – op het ogenblik dat we failliet waren.

Onze andere grote medestander in de subcommissie was congreslid Jim Blanchard uit Michigan, auteur van de loongarantiewet, die later gouverneur van Michigan werd. Blanchard was de op één na belangrijkste democraat in de commissie en samen met McKinney vormde hij een geweldig team.

Tip O'Neill was onze echte medeplichtige in het Congres. In het begin had ik een ontmoeting met hem om onze toestand uit te leggen. Hij luisterde aandachtig en begreep wat hij kreeg te horen. Zodra hij zich opwierp om ons te steunen, begon het tij te keren.

Tip richtte een speciale eenheid rond de Speaker op, een groep van zo'n dertig man die druk uitoefende op hun collega's. Er bestond ook een kleine, speciaal voor dit doel opgerichte ondernemingsgroep aan republikeinse zijde – hun taak was veel moeilijker.

In de Senaat waren er soortgelijke hoorzittingen. Daar was mijn voornaamste, sterke tegenstander William Proxmire, voorzitter van de Commissie Bankzaken. Proxmire was hard, maar hij ging altijd recht door zee en was eerlijk. Vanaf het begin zei hij absoluut gekant te zijn tegen loongaranties. Toch lette hij er nauwgezet op dat wij de kans kregen onze zaak te verdedigen. Hij beloofde dat hij alleen tegen ons zou stemmen – maar zich zou onthouden van het bijeenbrengen van tegenstanders.

Ik had een pittige tweestrijd met Proxmire die er, ondanks al zijn gepraat over vrijhandel, in het verleden mee had ingestemd enige speciale hulp te geven aan American Motors.

In 1967 had American Motors een belastingaftrek genoten die inhield dat ze contant 22 miljoen dollar terugkregen.

In 1970 werd American Motors een speciale permissie verstrekt om de techniek voor de controle van uitlaatgassen van GM te kopen, als uitzondering op de eenstemmige uitspraak van een federale rechtbank.

In 1974 werd American Motors door de overheid aangewezen als klein bedrijf dat een voorkeursbehandeling kreeg bij hun aanvragen voor regeringscontracten.

In 1979 werd een verzoek van American Motors om ontheffing door het Bureau Milieubescherming ingewilligd. Tussen haakjes: een soortgelijke ontheffing voor Chrysler zou ons meer dan 300 miljoen dollar hebben bespaard.

Proxmire heeft zich een grote reputatie verworven in het belachelijk maken van overheidsuitgaven waar hij het niet mee eens is, maar hij maakte een schaamteloze uitzondering voor American Motors. Waarom? Omdat Proxmire toevallig senator van Wisconsen is, waar American Motors toevallig een belangrijke assemblagefabriek heeft staan.

Ik viel hem frontaal aan. 'Ik herinner me dat u de eerste was die een motie ondertekende voor loongaranties voor American Motors en zij zijn eigendom van de Fransen,' zei ik. 'U verleende dus hulp en bijstand aan de Franse regering.' We vochten voor ons leven en in die tijd kon het me weinig schelen of ik beleefd was of niet.

Proxmire sloeg terug. Hij hield me voor dat ik inconsequent zou zijn waar het mijn eigen ideologie betrof. 'Meer dan enige andere leidinggevende functionaris in Detroit,' zei hij, 'heeft u de Anti-Washington-campagne aangevoerd en wat u daarbij zei, was heel verstandig. Dat zou ik ondersteunen en andere leden zouden dat een nog krachtiger steun verlenen.' Hij vervolgde met te zeggen dat als de garanties werden aangenomen, de regering diep bij Chrysler betrokken zou raken. 'Is dat dan geen klap in het gezicht voor alles wat u al zo lang en zo welsprekend heeft verkondigd?'

'Dat is het zeker,' antwoordde ik. 'Ik ben mijn hele leven een vrije ondernemer geweest. Ik kom hier met grote tegenzin. Ik zit tussen twee vuren. Ik kan de onderneming niet redden zonder enige garantie van de federale overheid. Ik ga niet preken,' voegde ik er nog aan toe. 'U, heren weet beter dan ik dat we geen precedent scheppen. Er staan al 409 miljard dollar aan garanties te boek, zet er dus nu geen punt achter. Maak er 410 miljard van voor Chrysler; het is de op negen na grootste onderneming in de Verenigde Staten en er zijn 600.000 arbeidsplaatsen bij betrokken.'

Wanneer ik over precedenten sprak, maakten de tegenstanders moeilijke ogenblikken door. Het beste waarmee ze konden komen opdraven was de opmerking: 'Goed, al hebben we dan in het verleden stomme dingen gedaan, daarom is het nog niet aanvaardbaar.'

Aan het eind van mijn lange getuigenverklaring en de daarop volgende ondervraging, gaf senator Proxmire mij een groot compliment: 'Zoals u weet, ben ik een groot tegenstander van uw verzoek,' zei hij, 'maar ik heb zelden een welsprekender, intelligenter en beter geïnformeerde getuige gehoord dan u hier vandaag bent geweest. U heeft een briljant stuk werk geleverd en wij danken u daarvoor. Wij staan bij u in het krijt.' Ik dacht: Nee, nee, je ziet het verkeerd... wij proberen bij jullie in het krijt te komen staan.

Na Proxmires compliment, glimlachte ik even, maar toen maakte hij me duidelijk dat hij tot de laatste kogel tegen me zou vechten – en hij deed zijn woord gestand.

Nog een tegenstander in de Senaatscommissie was John Heinz, een republikein uit Pennsylvania; hij sloofde zich uit zo vijandig mogelijk te zijn. Hij had het op onze aandeelhouders gemunt, zij moesten volgens hem maar bloeden. We moesten er hem op wijzen dat de Chrysler-aandelen niet in het bezit waren van instellingen. Dertig procent van onze aandeelhouders waren employés; de rest bestond uit privé-personen. Zij hadden de waarde van hun aandelen al aanzienlijk achteruit zien gaan.

Heinz wilde echter dat we nog eens vijftig miljoen aandelen zouden uitgeven, hetgeen de waarde van de aandelen zou doen dalen van 7,5 dollar naar 3,5 dollar – een prijs die het aandeel rustig vanzelf zou krijgen. Hij kon maar niet begrijpen dat met de toestand waarin we verkeerden, niemand was geïnteresseerd in het kopen van Chrysler-aandelen, tegen welke prijs dan ook.

De hoorzittingen van Huis en Senaat waren nog maar een deel van het verhaal. De meeste tijd besteedde ik aan kleine, privé-bijeenkomsten. Ik had een goed gesprek met Nancy Kassebaum, senator uit Kansas, de enige vrouw in de Senaat. Ik hield een krachtig pleidooi en ik dacht dat ze omzwaaide. Ten slotte stemde ze echter tegen ons.

Meer geluk had ik met de afgevaardigden van Italiaanse afkomst in het Huis. Congreslid Pete Rodino uit New Yersey haalde me naar binnen en zei: 'Ik had graag dat je met mijn vrienden praat.' Het ging om 31 man (eigenlijk 30 plus Geraldine Ferraro, een afgevaardigde van Queens) en op één na stemden ze allemaal voor ons. Sommigen waren republikeinen, anderen democraten. In dit geval stemden ze echter als Italianen. We waren de wanhoop nabij en moesten iedere mogelijkheid aangrijpen. Het was democratie in volle actie.

Er was geen tijd voor een vergadering met de zwarte afgevaardigden, maar ik had een ontmoeting met hun leider. Congreslid Parren Mitchell van Maryland. In 1979 werd één procent van de lonen aan de zwarte bevolking van de Verenigde Staten door de Chrysler Corporation betaald. De zwarte leden vormden een belangrijk deel van de coalitie die de loongaranties mogelijk maakten.

Coleman Young, de zwarte burgemeester van Detroit, kwam verscheidene keren naar Washington om voor ons te getuigen. Hij nam geen blad voor de mond om aan te tonen wat een Chrysler-bankroet voor Detroit zou betekenen. Young was een van de eersten geweest die Carter had gesteund en hij sprak in krachtige bewoordingen met de President over de Chrysler-situatie.

Gedurende de laatste drie maanden van 1979 stond ik onder een verschrikkelijke druk. Ik ging een paar keer per week naar Washington en trachtte tegelijkertijd Chrysler te runnen. Intussen was Mary ziek geworden, ze leed aan diabetes en had periodieke aanvallen. Bij twee of drie gelegenheden moest ik alles erbij neergooien en me naar Detroit terughaasten om bij haar te zijn.

Iedere keer als ik naar Washington ging, had ik een krankzinnige agenda met zo'n acht of tien besprekingen per dag. Elke keer moest ik dezelfde speech houden, dezelfde punten in grote lijnen weergeven, dezelfde argumenten naar voren brengen. Telkens opnieuw, stuk voor stuk.

Toen ik op een keer door de marmeren gangen van het Congres liep, voelde ik me niet goed. Het was alsof ik op eieren liep. Ik was duizelig en viel bijna flauw. Ik zag ook dubbel.

Ze brachten me naar de dokter en daarna naar de ziekenzaal van het Huis van Afgevaardigden waar ik werd onderzocht. Het was een kwestie van desoriëntatie, iets waar ik slechts één keer, twintig jaar geleden, last van had gehad. Toen botste ik tegen een muur terwijl ik bij Ford met McNamara door de gang liep. McNamara vroeg: 'Wat is er aan de hand? Ben je soms dronken?'

'Hoezo?' antwoordde ik zonder me te realiseren dat er iets mis was.

'Omdat je steeds tegen de muur loopt, daarom.'

Desoriëntatie is een stoornis van het evenwichtsorgaan binnenin het oor en dat herhaalde zich nu. Ik mocht de ziekenzaal verlaten, maar ik kreeg het opnieuw. Door al die spanningen en druk was het alsof ik stenen in mijn hoofd had, maar op de een of andere manier bleef ik doormodderen.

In die periode was het onze grootste zorg het vertrouwen van de consument te behouden. Terwijl de hoorzittingen doorgingen, liepen onze verkopen schrikbarend terug. Niemand wilde een auto kopen van een onderneming die op het punt stond op zijn rug te gaan liggen. Het percentage dat bereid was een Chrysler-produkt zelfs nog maar in overweging te nemen, tuimelde van de ene dag op de andere omlaag van 30 procent naar 13 procent.

Er bestonden twee soorten opvattingen over de wijze waarop we op deze crisis moesten reageren.

Onze public relations-mensen hielden over het algemeen vol dat zwijgen de beste politiek was. 'Houd je stil,' was hun advies. 'Het komt allemaal in orde. Aandacht vestigen op onze miserabele toestand is het laatste wat we moeten doen.'

Kenyon & Eckhardt, ons advertentiebureau, was het daar echter volstrekt niet mee eens. 'De situatie is kritiek,' zeiden zij, 'en je moet een keuze doen. Je kunt stilletjes sterven of luid schreeuwend doodgaan. Op die laatste manier is er altijd een kans dat iemand je hoort.'

We volgden hun advies. We vroegen K & E een advertentiecampagne te ontwerpen die het publiek gerust zou stellen over onze toekomst. We moesten de mensen twee dingen aan het verstand brengen – ten eerste dat we absoluut niet van plan waren ermee op te houden en ten tweede dat wij het soort auto's maakten dat Amerika echt nodig had.

In plaats van onze gebruikelijke advertenties waarin afbeeldingen en beschrijvingen van onze nieuwe modellen op de voorgrond stonden – brachten we een serie artikelen waarin zowel ons standpunt over de loongaranties werd uiteengezet als Chryslers plannen op de lange termijn. In plaats van reclame maken voor onze produkten, maakten we reclame voor de onderneming en haar toekomst. We konden onze reclameboodschap niet langs de normale kanalen overbrengen – de tijd was aangebroken onze zaak te bepleiten in plaats van onze auto's aan te bevelen.

Ron DeLuca van K & E's bureau in New York ontwierp een serie paginagrote advertenties waarin ons standpunt werd uiteengezet. Iedere keer als hij er een schreef, kwam hij een uurtje bij me op kantoor om die dingen door te praten. Daarna redigeerde ik zijn kopij, die dan over en weer ging tot we er allebei tevreden mee waren.

In die advertenties die door K & E werden aangeduid als 'Betaalde PR' (Public Relations, vert.) zetten we de zaken op een rijtje. We stelden een paar van de gangbare mythen over Chrysler aan de kaak: we maakten geen benzineverslinders, we vroegen Washington niet om een aalmoes en loongaranties voor Chrysler vormden geen gevaarlijk precedent.

De advertenties waren ongebruikelijk, recht op de man af en openhartig. Ron koos voor de agressieve benadering waar ik dol op was. We wisten maar al te goed wat de man in de straat over Chrysler dacht en dus probeerden we ons in zijn gedachtengang te verplaatsen, zijn vragen te beantwoorden en zijn twijfel weg te nemen. Het had geen zin de slechte pers te negeren. We moesten er juist lijnrecht tegenin gaan en de geruchten met de feiten weerleggen.

Een van deze adverties had een stoutmoedige kop die onder woorden bracht wat veel consumenten zich waren gaan afvragen. 'Zou Amerika zonder Chrysler beter af zijn?' In andere advertenties stelden – en beantwoordden we een paar tamelijk pittige vragen.

- Weet niet iedereen dat Chrysler-auto's veel benzine gebruiken?
- Zijn de Chrysler-auto's niet te groot?
- Wachtte Chrysler niet te lang met het maken van kleine auto's?
- Maakt Chrysler niet de verkeerde auto's?
- Heeft Chrysler niet meer problemen dan wie dan ook kan oplossen?
- Is de leiding van Chrysler sterk genoeg om een ommekeer teweeg te brengen?
- Heeft Chrysler alles gedaan wat mogelijk is om zichzelf te helpen?
- Heeft Chrysler een toekomst?

De advertenties waren ook in ander opzicht ongebruikelijk. We besloten dat ze allemaal mijn handtekening zouden dragen. We wilden het publiek tonen dat er een nieuw tijdperk was begonnen. Per slot moet de hoogste baas van een onderneming die failliet dreigt te gaan, de mensen geruststellen. Hij moet zeggen: 'Hier ben ik. Ik ben er echt en ik ben verantwoordelijk voor dit bedrijf. En om te tonen dat ik het meen, zet ik mijn handtekening op de stippellijn.'

Eindelijk waren we in staat duidelijk te maken dat er bij Chrysler werkelijk iemand verantwoordelijk was. Door mijn handtekening onder de advertenties te zetten, nodigden we het publiek uit me brieven te sturen met hun klachten en vragen. We kondigden aan dat deze grote, ingewikkelde onderneming nu werd bestuurd door een menselijk wezen dat zijn naam en reputatie op het spel zette.

De advertentiecampagne was een groot succes. Ik ben er vrij zeker van dat hij een rol speelde in de massale pogingen het Congres te overtuigen dat de loongaranties moesten worden goedgekeurd. De grote moeilijkheid bij adverteren is natuurlijk dat je nooit zeker weet welk verschil het uitmaakt in de veldslag om de opinie van de mensen te winnen. Het kwam ons echter ter ore dat mensen in de Carter-regering en in het Congres met deze advertenties van het ene bureau naar het andere snelden – woedend of verheugd, al naar gelang hun overtuiging.

En er bestaat geen twijfel aan dat de advertenties een grote invloed hadden op het publiek. Mensen zagen op de voorpagina van de krant staan dat we failliet gingen en troffen daarna op de binnenpagina onze kijk op de zaak aan.

Intussen had, op een ander front, ons bureau in Washington een massale pressiegroep van dealers georganiseerd. Groepjes Chrysler- en Dodgedealers arriveerden dagelijks in Washington. Wendell Larsen, onze vicepresident voor publieke zaken, lichtte hen in en vertelde met welk congreslid ze moesten praten en wat ze moesten zeggen.

Autodealers zijn gewoonlijk welgesteld (dat was vroeger althans zo) en ze zijn meestal ook actief in hun eigen omgeving. Ze hadden dus veel politieke invloed bij hun afgevaardigden. Aangezien de meesten van hen conservatief en republikein zijn, maakte hun aanwezigheid grote indruk bij de congresleden die op ideologische gronden tegen ons waren. Veel van deze dealers hadden bijgedragen aan de verkiezingscampagne geleverd en dat is iets wat een congreslid niet altijd kan negeren.

Als je een stel autodealers naar Washington stuurt, is het verbazingwekkend wat ze kunnen bereiken. We hadden zelfs enkele dealers van andere ondernemingen die aanvoerden dat wedijver goed was voor de hele industrie en dat Chrysler een kans verdiende.

Om onze zaak te bevorderen, moesten we het Congres dwingen over de loongaranties te denken in zuiver menselijke begrippen in plaats van in ideologische termen.

We bezorgden bij elke afgevaardigde een computeruitdraai van alle leveranciers en dealers in zijn district die zaken met ons deden. We beschreven precies wat de consequenties voor dat district waren als Chrysler ten onder ging. Voor zover ik me herinner, waren er slechts twee districten onder de 535 waar geen Chrysler-dealers zaten. Deze lijst die zorgde dat onze problemen duidelijk begrepen werden, maakte een geweldige indruk.

Dan was er ook nog Doug Fraser die in z'n eentje druk ging uitoefenen. Doug liet zich door geen enkel geouwehoer over een bankroet van de wijs brengen. Hij wist wat er met zijn mensen zou gebeuren als Chrysler faalde en hij wist dat wij geen lichtzinnige praatjes rondstrooiden.

Frasers getuigenis was briljant. Hij sprak beeldend over de gevolgen, uitgedrukt in mensenlevens en leed, als de loongaranties niet werden aangenomen. 'Ik kom hier niet om een pleidooi te houden voor de Chrysler Corporation,' zei hij tegen de Commissie. 'Ik maak me zorgen over de verschrikkelijke gevolgen die een bankroet zal hebben voor de arbeiders en hun gezinnen.'

Fraser was een onvermoeibare en doeltreffende lobbyist die persoonlijke ontmoetingen had met een aantal congresleden en senatoren. Hij was bovendien een goede vriend van vice-president Mondale en hij bracht enkele belangrijke bezoeken aan het Witte Huis.

Op een bepaald moment ging ik zelf naar het Witte Huis voor een bezoek aan de President.

Carter werd niet direct in het Chrysler debat betrokken, doch hij verleende steun aan onze zaak. Tijdens onze bijeenkomst vertelde hij hoezeer hij en Rosalynn mijn TV-spots waardeerden. Hij schertste dat ik net zo bekend werd als hij was.

Carter delegeerde het Chrysler-probleem aan het Departement van Financiën, maar hij maakte duidelijk dat hij achter ons stond. Zonder de steun van de uitvoerende macht zou de wet er nooit zijn doorgekomen.

Sinds zijn aftreden is Carter me nog twee keer komen opzoeken. Hij is er trots op dat het Chrysler goed gaat. Hij voelt zich alsof hij de baby heeft verwekt, denk ik. 'Van alle zaken die we tijdens mijn regering tot stand hebben gebracht,' zei hij me, 'kijk ik op deze terug als iets dat we echt goed hebben gedaan.' Jimmy Carter had zijn zwakke punten, maar zijn prestaties zijn onderschat.

Tegen de tijd dat er moest worden gestemd, hadden we veel ruggesteun in het Congres. Toch was de steun van Tip O'Neill van zeer veel belang. Vlak voor de stemming trad hij af als voorzitter en sprak voor de afgevaardigden van Massachusetts. In een gepassioneerd betoog voor de loongaranties bracht hij de gevolgen van de Grote Depressie in Boston in herinnering, toen de arbeiders hun baan hadden verloren en moesten smeken om te mogen sneeuwruimen. 'Ik heb altijd hard gewerkt om een paar honderd banen te redden,' zei hij tegen zijn collega's. 'Is het niet lichtelijk waanzinnig dat wij hier zitten te debatteren terwijl buiten meer dan een half miljoen gezinnen wachten om ons vonnis te vernemen?'

Tip werkte op de meest elementaire emoties om zijn mensen in het Witte Huis achter zich te krijgen. Hij was gedurende die hele episode een van onze medestanders en als je eenmaal de Voorzitter van het Huis achter je hebt, kun je heel wat bereiken. Toen de stemmen waren geteld, ging het Huis er met een marge van twee tegen een (271-136) mee akkoord Chrysler weer op de been te brengen.

In de Senaat was het verschil veel geringer 53 tegen 44, maar dat is in deze situaties gewoon. De wet werd vlak voor Kerstmis aangenomen en heel wat Amerikaanse gezinnen hadden reden om dat te vieren. Ik was uitgeput en opgelucht, maar overdreven optimistisch was ik niet. Ik had sinds mijn komst bij Chrysler weliswaar licht aan het eind van de tunnel zien gloren, maar al te vaak was echter gebleken dat het weer een trein was die op me afkwam. Ik wist dat er nog heel wat stukjes van de legpuzzel op hun plaats moesten worden gebracht voor we een cent van onze garantielonen zouden zien.

De wetgever eiste een herstructurering bij Chrysler die volgens de Staatssecretaris van Financiën, G. William Miller, de ingewikkeldste financiële transactie in de geschiedenis van het Amerikaanse zakenleven zou worden. Ik werd al moe als ik eraan dacht.

De wet riep een Loongarantieraad in het leven die de bevoegdheid had in de volgende twee jaar tot 1,5 miljard dollar aan loongaranties uit te keren, die tegen het eind van 1990 moesten worden terugbetaald. Er was echter een aantal beperkende voorwaarden aan toegevoegd.

- Onze normale geldschieters moesten een nieuw krediet van 400 miljoen dollar verstrekken en de bestaande leningen met 100 miljoen dollar verhogen.
- Buitenlandse geldschieters moesten hun krediet met een extra 150 miljoen dollar verruimen.
- We moesten 300 miljoen dollar extra bijeenbrengen door de verkoop van activa.
- Leveranciers moesten tenminste 180 miljoen dollar bijeenbrengen waarvan 100 miljoen in de vorm van aankoop van aandelen.
- De besturen van staten en gemeenten waar Chrysler-fabrieken waren gevestigd, moesten 250 miljoen dollar op tafel leggen.
- We moesten nieuwe aandelen tot een bedrag van 50 miljoen dollar uitgeven.
- Leden van de vakbeweging moesten 462,2 miljoen dollar bijdragen in tegemoetkomingen.
- Niet-leden moesten 125 miljoen dollar bijdragen in kortingen of bevriezing van de lonen.

Bovendien – en heel weinig mensen beseffen dit – nam de regering alle bedrijfsmiddelen van Chrysler over als onderpand. Alles wat we bezaten – auto's, onroerend goed, fabrieken, werktuigen en al het andere – stond voor 6 miljard op de balans. Taxateurs van de regering schatten dat de liquidatiewaarde voor onze activa 2,5 miljard dollar bedroeg. In het slechtst denkbare geval had de regering preferentierechten boven alle anderen. Wanneer wij ten onder gingen, zouden zij alle 1,2 miljard dollar terugkrijgen vóór enige andere crediteur een claim kon indienen.

Zelfs als de schatting van 2,3 miljard dollar aan de royale kant was en zelfs als de werkelijke waarde van de activa slechts de helft bedroeg, dan nog was de regering veilig. Als we onze verplichtingen ten aanzien van de leningen niet waren nagekomen, dan zou de Loongarantieraad onze activa hebben kunnen liquideren om er zonder schade uit te springen. Met andere woorden: de overheid liep in het geheel geen financieel risico!

Een paar weken nadat de Loongarantiewet was aangenomen, kwamen de republikeinen aan de macht. Hun houding was: dit is een Carter-programma. Wij zullen ons aan de letter van de wet houden, maar ook niet meer dan dat. Het is tegen onze ideologie. Als Chrysler het haalt, zitten we in verlegenheid en we zouden niet graag zien dat andere ondernemingen zoiets in hun hoofd haalden.

We hadden geluk dat we, toen de nood het hoogst was, een beroep hadden gedaan op een democratisch bestuur dat aan mensen voorrang gaf boven ideologie. De democraten doen dat over het algemeen; zij houden zich bezig met de arbeiders, met mensen, met werkgelegenheid.

Ik besef dat ik generaliseer. Ik ben de eerste om toe te geven dat als de zaken goed gaan, als ik een boel geld heb verdiend, mijn voorkeur altijd uitgaat naar de republikeinen. Vanaf het ogenblik echter dat ik bij Chrysler kwam, heb ik de voorkeur geschonken aan de democraten. Globaal genomen neig ik over naar de partij met gezond verstand en als de zaken niet goed gaan, is dat meestal de democratische partij.

Ik twijfel er niet aan dat wanneer er in 1979 een republikeinse regering was geweest, Chrysler niet meer zou bestaan. De republikeinen zouden ons niet eens hebben nagewuifd. Chrysler zou bankroet zijn gegaan en vandaag zouden ze propageren hoe ze het vrije ondernemerschap hadden beschermd. Het is niet alleen Reagan; de meeste republikeinen zouden hebben gezegd: 'Federale loongaranties... jullie zijn zeker niet goed bij je hoofd.' Republikeinen kunnen gewoon zo niet denken.

Wanneer onze crisis drie jaar later was gekomen, toen Ford en GM ook in grote moeilijkheden verkeerden en International Harvester failliet ging, zouden zelfs de democraten het hebben laten afweten. Ze zouden hebben gezien dat er nog vijftig andere jongens achter ons in de rij stonden, zonder enige mogelijkheid de zaak in de hand te houden.

Misschien is het dus wel een goed ding geweest dat Chrysler eerder in moeilijkheden raakte dan met een sterker management het geval zou zijn geweest. Indien onze crisis gelijk was gekomen met die van Braniff en Pan Am, had Washington gezegd: 'Sorry jongens, de rij is al te lang!'

Ik weet zeker dat andere ondernemingen overwogen regeringshulp te vragen. Per slot zijn die ook niet achterlijk; ze hadden het echter al gauw begrepen. Wat zou er gebeuren als zij kwamen aanzetten met het verzoek om een overeenkomst als die met Chrysler? Antwoord: 'Vergeet het maar.'

Terwijl ik deze woorden schrijf, zijn er vier jaar verstreken sinds de loongaranties werden goedgekeurd. Gedurende die tijd hebben we honderdduizenden mensen buiten de steun gehouden. We betaalden honderden miljoenen dollars aan belasting. We bewaarden de concurrentie in de auto-industrie. We losten de leningen zeven jaar te vroeg af. We betaalden enorme bedragen aan vergoedingen aan de Loongarantieraad en de regering kreeg een meevallertje door de verkoop van onze aandelenopties.

Met het oog op dat alles moet je je een filosofische vraag stellen: Hebben we werkelijk de geest van het vrije ondernemerschap geschonden door naar het Congres te stappen? Of heeft ons daaropvolgend succes in werkelijkheid het vrije ondernemerschap in dit land juist geholpen? Ik denk dat er over het antwoord geen twijfel kan bestaan. Zelfs sommigen van onze tegenstanders in 1979 geven nu toe dat de Chrysler-loongaranties een goed idee waren. Oh, zeker, er zijn nog steeds een paar reactionairen zoals *The Wall Street Journal* en Gary Hack – maar wat zou dat? Je kunt niet iedereen overtuigen.

20
Gelijke offers

Met de aanvaarding van de Loongarantiewet hadden we nu een kans om al vechtend te overleven. En ik bedoel: 'vechtend'.

Onze taak op economisch terrein kon worden vergeleken met het voeren van een oorlog. Hoewel er niemand voor Chrysler moest sterven, hing het economisch voortbestaan van honderdduizenden mensen er vanaf of we de verscheidenheid aan voorwaarden die de Loongarantiewet eiste, konden verwerkelijken.

Ik was de generaal in de oorlog om Chrysler te redden, maar ik deed dat zeker niet alleen. Waar ik het meest trots op ben, is de alliantie die ik wist samen te stellen. Het bewijst wat samenwerking in slechte tijden voor je kan doen.

Ik begon mijn eigen salaris terug te brengen tot één dollar per jaar. Leiderschap betekent een voorbeeld geven. Als je in een leidinggevende positie bent geplaatst, volgen de mensen al je handelingen. Ik bedoel niet dat ze je privé-leven binnendringen, hoewel dat ook een beetje het geval is. Maar als de leider spreekt, luisteren de mensen en als de leider handelt, zien de mensen toe. Je moet dus voorzichtig zijn met alles wat je zegt en doet.

Ik aanvaardde die dollar per jaar niet om martelaar te zijn. Ik aanvaardde die omdat ik de werkkuil in moest. Ik aanvaardde die omdat ik Doug Fraser, de voorzitter van de vakbond, recht in de ogen kon kijken als ik hem zag en om te kunnen zeggen: 'Dit is de bijdrage die ik van jullie eis.' Hij kon dan niet bij me aankomen met de vraag: 'En welk offer heb jij gebracht, schooier?' Dat is de reden waarom ik het deed... om goede, nuchtere, praktische redenen. Ik wilde dat onze werknemers en leveranciers zouden denken: Een vent die zo'n voorbeeld geeft, kan ik volgen.

Helaas was bij Chrysler soberheid iets heel nieuws. Toen ik kwam, hoorde ik alle mogelijke spookverhalen over de buitensporige verkwistingen van de vorige leiding. Daar was ik echter niet van onder de indruk. Per slot had ik jaren samengewerkt met Henry Ford die dacht dat de onderneming zijn bezit was en die machtig genoeg was om te doen alsof dat zo was. Henry gaf voldoende geld uit om Lynn Townsend er als een bedelaar te laten uitzien. Vergeleken met hem leek het alsof de hoogste baas van General Motors van de bijstand trok.

Hoewel mijn salarisvermindering niet betekende dat ik een maaltijd moest overslaan, was het in Detroit toch groot nieuws. Het was een bewijs dat we allemaal in hetzelfde schuitje zaten en het toonde tevens aan dat we alleen konden overleven als we allemaal de buikriem aanhaalden. Het was een veelzeggend gebaar en het nieuwtje verspreidde zich heel snel.

Ik leerde over mensen meer in drie jaar bij Chrysler dan in tweeëndertig jaar bij Ford. Ik kwam tot de ontdekking dat mensen heel wat pijn kunnen hebben als ze het met elkaar moeten doorstaan. Wanneer iedereen maar op dezelfde manier lijdt, kun je bergen verzetten. De eerste de beste keer dat je echter op iemand stuit die niet meedoet en zijn aandeel van de last niet meedraagt, kan de hele zaak uit elkaar vallen.

Ik noem dit 'gelijke offers brengen'. Toen ik ermee begon, zag ik andere mensen doen wat nodig was. En zo kwam Chrysler er doorheen.

Het waren niet de leningen die het deden, al hadden we die dan hard nodig. Het waren de honderden miljoenen dollars die ons werden geschonken door een ieder die bij ons was betrokken. Het was net een familie die bij elkaar gaat zitten en zegt: 'We hebben een lening gekregen van onze rijke oom en nu gaan we bewijzen dat we hem kunnen terugbetalen.'

Dit was samenwerking en democratie op z'n best. Ik heb het niet over een lesje uit de Bijbel, ik heb het over het echte leven. We zijn er door gekomen. Het werkte. Het is net een sprookje en het vervult ons met ontzag.

Onze worsteling had evenwel ook zijn schaduwzijden. Om onze kosten te drukken, moesten we veel mensen ontslaan. Het doet denken aan de oorlog: we wonnen, maar mijn zoon kwam niet terug. Er werd heel wat ondraaglijke pijn geleden. Mensen raakten in de vernieling, namen hun kinderen van de universiteit, begonnen te drinken en gingen scheiden. Globaal genomen hebben we de onderneming behouden, maar slechts ten koste van een groot aantal mensen.

Onze taak werd enigszins verlicht door de wetenschap dat een groot deel van Amerika ons steunde. Men zag ons niet langer als de weldoorvoede kat die bedelt. Met de Congres-hoorzittingen achter de rug was die mythe uit de wereld geholpen. Nu begon onze advertentiecampagne resultaten af te werpen. Wij waren de onderliggende partij die verwikkeld was in een heldhaftige strijd en het publiek reageerde dienovereenkomstig.

Veel onbekende mensen schreven ons brieven waarin op talloze, verschillende manieren werd gezegd dat ze achter ons stonden, dat het verlies van Henry Ford de winst voor Chrysler betekende. De mensen zeiden veel en ze zeiden het goed; ze begrepen waar we mee bezig waren.

Sommige zeer bekende mensen hielpen ons eveneens. Bob Hope kwam me opzoeken en vertelde me dat hij, terwijl hij werd gemasseerd, een van onze reclamespots op de televisie had gezien. Nu wilde hij iets voor ons doen.

Op een avond tijdens een diner in Las Vegas liep ik Bill Cosby tegen het lijf. Diezelfde nacht belde hij me om één uur op.

'Hé, zeg, je hebt me wakker gemaakt,' zei ik.

'Toe nou, wij beginnen net,' antwoordde hij. 'Hoe dan ook, ik heb bewondering voor wat je doet en ik waardeer het zeer dat je de zwarte mensen zo goed helpt. Ik wil iets voor je doen. Ik verdien een hoop geld en andere mensen lijden honger.' Hij kwam naar Detroit en gaf een show voor onze arbeiders – voor 20.000 mensen. Na afloop stapte hij in een vliegtuig en verdween. Hij heeft er nooit een cent voor gevraagd. Hij heeft nooit om een auto gevraagd. Hij wilde niets anders dan ons helpen en laten zien dat hij achter ons stond.

Op een avond kwam Pearl Bailey naar me toe in een diabeteskliniek in Detroit. Ze zei dat ze me alleen even wilde spreken. Ze bedankte me dat ik had geprobeerd de werkgelegenheid te behouden en de mensen weer hoop had gegeven. In plaats van een concert te geven, wilde ze een lezing houden voor onze medewerkers van de fabriek aan de Jefferson Avenue.

Ze hield een geladen speech over vaderlandsliefde en de noodzaak offers te brengen. Terwijl ze sprak, drongen er een paar oproerkraaiers naar binnen. 'Jij hebt gemakkelijk praten, Pearl, jij bent rijk,' riepen ze.

Voor we het wisten, zaten we midden in een rel. Ik moest van mijn stoel springen en de bijeenkomst sluiten. Maar het was een groots gebaar dat ik zeer gewaardeerd heb.

Ook Frank Sinatra wilde helpen. 'Als jij voor een dollar werkt, Lee, dan doe ik dat ook,' zei hij. Hij trad voor ons op in een paar reclamespots en in het tweede jaar gaven we hem enige aandelenopties. Ik hoop dat Frank ze heeft vastgehouden want dan heeft hij er veel geld aan verdiend.

Er waren meer van zulke gevallen en in die tijd kreeg ik de positieve kant van mensen te zien. Ik had nooit echt geweten hoe mensen zouden reageren als alles tegenzit. Toen ontdekte ik dat het merendeel te hulp snelt. De mensen worden niet door hebzucht gedreven, ook al schijnen de media aan te nemen dat hebzucht de enige drijvende kracht in het zakenleven is. De meeste mensen zullen zich dienstbaar maken als er een beroep op hen wordt gedaan – zolang ze niet tot degenen behoren die aan het kortste eind trekken.

Ik ondervond ook dat mensen in een crisis heel goed hun kalmte kunnen bewaren. Ze aanvaarden hun lot. Ze weten dat ze voor een zware opgave staan, maar ze zetten hun kiezen op elkaar en aanvaarden het onvermijdelijke. Mee te maken hoe dat zich voltrok, was de aangename kant van deze hele periode – misschien de enige aangename kant.

Nadat ik mijn eigen salaris had gekort, richtte ik mijn aandacht op de leidinggevende functionarissen. We schaften de aanmoedigingspremies in aandelen, waarvoor zij evenals wij de helft betaalden, af. We verlaagden hun salaris met zo'n tien procent, iets dat in de auto-industrie nog nooit was gebeurd. We kortten de salarissen op alle niveaus behalve het laagste – we lieten de secretaresses erbuiten. Zij verdienden iedere cent die ze ontvingen.

De topmensen gedroegen zich vrij gedwee. Ze lazen de kranten. Ze wisten heel goed dat het spel ieder ogenblik afgelopen kon zijn. Dan kan men geen grenzen meer zien; je ziet slechts één ding: het spoor dat naar overleven leidt. Niets kan je meer tegenhouden.

Het begon bij mij, maar het drong naar beneden door tot in alle rangen. Ik had hen kunnen vragen uit het raam te springen – dat alles kon alleen omdat iedereen inzag dat allen gelijk moesten bloeden.

Toen ik met het topkader klaar was, wendde ik me tot de vakbonden. Hierbij had ik de hulp van een echte vakman, Tom Miner, die onze industriële relaties behartigde. Tegenwoordig neemt de zakenwereld de tegemoetkomingen van de vakbond als vanzelfsprekend aan, maar in die tijd waren wij de pioniers.

De vakbeweging heeft altijd de houding aangenomen alsof het kader uit vet geworden knapen bestaat terwijl de arbeiders worden belazerd. 'Oké,' zei ik, 'jullie zijn net een stelletje uitgemergelde katten, wat hebben jullie dus te zeggen?'

Vanaf die dag was ik hun kameraad. De vakbeweging beminde me en sloot me in hun armen. 'Die vent zal ons naar het beloofde land leiden,' verkondigden ze.

Ik wil niet zeggen dat het gemakkelijk was. Ik moest ervoor door het vuur gaan. Ik moest ze hard toespreken. 'Ik houd jullie een pistool tegen de slapen, mannen,' zei ik. 'Ik heb duizenden banen beschikbaar voor 17 dollar per uur en ik heb geen enkele baan voor 20 dollar. Jullie kunnen dus beter je verstand gebruiken.'

Een jaar later toen de zaken er nog beroerder voor stonden, moest ik voor de tweede keer bij hen aankloppen. Op een bitterkoude avond hield ik om een uur of tien een toespraak voor de onderhandelingscommissie van de vakbond. Het werd een van de kortste speeches die ik ooit heb gehouden. 'Jullie hebben tot morgenochtend de tijd om een beslissing te nemen. Als jullie me niet helpen, schiet ik jullie door je kop. Ik verklaar ons morgenochtend failliet en dan staan jullie allemaal op de keien. Jullie krijgen acht uur om je te beraden. Alles hangt van jullie af.'

Dat is een gruwelijke manier van onderhandelen, maar soms kun je niet anders. Fraser zei dat het de slechtste, economische overeenkomst was waarmee hij ooit had ingestemd. Het enige dat erger was, voegde hij eraan toe, was helemaal geen banen meer hebben.

Onze medewerkers deden een aantal behoorlijk grote concessies. Onmiddellijk werd 1,15 dollar op hun loon gekort. In een periode van anderhalf jaar concessies doen, groeide dat bedrag aan tot 2 dollar per uur. In 19 maanden schoot de gemiddelde werknemer bij Chrysler er zo'n 10.000 dollar bij in.

De vakbond was gewend geraakt aan mijn nieuwe salaris van één dollar per jaar en ze scheurden me aan stukken toen ik dat het tweede jaar niet herhaalde. Ze werden er echt kwaad om. Ik had echter niet gezien dat de topmensen bij Ford of GM enige salariskorting aanvaardden nadat de vakbond in concessies had toegestemd.

GM en de Union of Auto Workers sloten een contract af waarbij de medewerkers loonsverhogingen en vergoedingen prijsgaven tot een bedrag van 2,5 miljard dollar. Wat deed de ondernemingstop? Roger Smith, de voorzitter van GM, verlaagde zijn salaris met – alles bij elkaar

– 1620 dollar per jaar. Om het nog erger te maken deed hij dat op de dag waarop de vakbond de nieuwe overeenkomst tekende die de grote loonconcessies inhield. Daar hebben we een onderneming die het brengen van gelijke offers niet goed begrijpt. Voor de eerste keer in vele jaren begon de houding van de Chrysler-arbeiders te verbeteren. Toen de Canadese vakbond in 1982 een staking afkondigde, saboteerden ze de auto's niet, noch vernielden ze het machinepark zoals gebruikelijk was. Ze wilden meer geld, maar ze wilden niets doen dat het bedrijf schade zou berokkenen.

Een van de voorwaarden voor de loongaranties was een plan voor eigendomsoverdracht van aandelen aan onze medewerkers. Het plan kostte ons 40 miljoen dollar per jaar voor vier achtereenvolgende jaren. Economisch gezien was het echter zinvol. Wanneer je de arbeiders in de winst laat meedelen, zijn ze veel beter gemotiveerd om hun werk goed te doen. (Iedere arbeider kreeg nu ongeveer 5600 dollar op zijn rekening bijgeschreven – een aardig appeltje voor de dorst.)

Ook hierom raakten de aanhangers van het vrije ondernemingsbeginsel door het dolle heen. En opnieuw stond ik voor hen klaar. Ik wees erop dat de grote pensioenverzekeringen in dit land heel wat aandelenkapitaal bezitten. Ze zijn eigenaars van een groot brok van General Motors en van vele andere ondernemingen die op de beurs worden verhandeld. Wat is er dus verkeerd aan de werknemers te laten meedelen in de winst terwijl ze nog werken?

De laissez faire-aanhangers denken dat dit de eerste stap betekent op de weg naar het socialisme, maar ik zie niet in wat er verkeerd aan is als de werknemers een deel van het aandelenkapitaal in eigendom hebben. Het staat zeker een goede bedrijfsvoering niet in de weg. Wat kan het mij schelen of het aandelenkapitaal van de onderneming in het bezit is van een rekeninghouder bij een effectenmakelaar in Wall Street of van Joe Blow die aan de lopende band staat. Wie kan meer voor me doen? Tussen haakjes: onze medewerkers bezitten tegenwoordig ongeveer 17 procent van de onderneming.

Ook met betrekking tot het 'absenteïsme' kregen we de vakbeweging aan onze kant. Er zijn altijd wel een paar knapen die nooit op het werk verschijnen, maar toch betaald willen worden. In samenwerking met de vakbond verscherpten we de regels teneinde de chronische overtreders te straffen.

In diezelfde periode moesten we een aantal fabrieken sluiten. Er werden heel wat mensen ontslagen. Voor mensen die twintig of dertig jaar in dezelfde fabriek hebben gewerkt, is dat een zeer emotionele gebeurtenis. In sommige gevallen hadden ook hun ouders er gewerkt en opeens merkten ze dat je de poort gaat sluiten.

Er werd een hoop kabaal gemaakt bij het sluiten van bepaalde fabrieken. De vakbeweging begreep echter heel goed dat we drastische maatregelen dienden te nemen. Ze aanvaardden deze maatregelen evenwel omdat ze wisten dat we gelijkwaardige concessies eisten van onze leveranciers, topfunctionarissen en banken.

In 1980 bracht ik een bezoek aan alle Chrysler-fabrieken om de arbeiders rechtstreeks toe te spreken. In een serie massabijeenkomsten bedankte ik hen dat ze ons trouw bleven in deze moeilijke tijden. Ik zei hen dat als de zaken beter gingen we zouden trachten hen weer op gelijke voet te brengen met de arbeiders bij Ford en GM, maar dat dit niet van vandaag op morgen kon gebeuren. Ik draaide mijn verhaal af en er werd geloeid en geschreeuwd; sommigen applaudisseerden, anderen jouwden me uit.

Ik had ook bijeenkomsten met de fabrieksopzichters en liet hen vragen stellen. We waren het niet altijd eens over de antwoorden, maar alleen dat we er met elkaar over konden praten, was al een stap vooruit.

Dat is contact leggen op z'n best; de voorzitter praat met de man op de werkvloer. Iedereen hoort het en iedereen voelt dat hij erbij hoort. Ik zou dat vaker willen doen. Bij Ford deed ik dat ook, maar toen kon ik het me veroorloven. Op kantoor gingen de zaken van een leien dakje.

Bij Chrysler vielen we echter van de ene crisis in de andere. Dat put je uit. En de dagen duren lang als je honderden mensen de hand moet schudden. Het is onvermijdelijk dat arbeiders aan de lopende band op je afkomen om hun armen om je heen te slaan, of om je een cadeautje te geven, of om je te laten weten dat ze in de kerk voor je bidden, omdat je hun baan hebt gered.

In die tijd schreef een vrouw, Lilian Zirwas was haar naam, een opzichteres onderhoud bij de Lynch Road-fabriek in Detroit, een stuk in de fabriekskrant. Het kwam erop neer dat ze haar collega's aanspoorde beter hun best te doen. Ze schreef: 'Straks als je bent ontslagen, heb je misschien voldoende tijd om na te denken over de keren dat je hebt gelanterfanterd of over de keren dat je de andere kant opkeek als er slechte kwaliteit werd geproduceerd.'

Ik schreef haar een brief om haar te zeggen hoezeer ik het artikel had gewaardeerd en ik nodigde haar uit op mijn kantoor te komen. Ze kwam binnen met een eigengebakken cake en ik herinner me dat er een laagje chocolade op zat en dat een van de ingrediënten bier was. Hoe ze hem echter ook gemaakt mocht hebben, het was de heerlijkste cake die ik ooit had geproefd. Mijn vrouw schreef Lilian Zirwas om haar het recept te vragen.

Natuurlijk hadden niet al onze medewerkers dezelfde houding als zij. Het is moeilijk om blij te zijn met een salarisvermindering van twee dollar per uur. Het is evenwel niet helemaal juist om te beweren, zoals de nieuwsmedia altijd doen, dat Chrysler zijn arbeiders twee dollar per uur minder betaalde dan Ford en GM.

Chrysler had namelijk, anders dan Ford en GM, een ongebruikelijk groot aantal gepensioneerden. Om te beginnen hadden we dus een arbeidersbestand dat ouder was dan het gemiddelde en vervolgens moesten we duizenden mensen ontslaan. Voor alle medewerkers die thuis zaten, moest het bedrijf pensioenen, ziektekosten en levensverzekeringspremies betalen. En het zijn de actieve werkers die het geld moeten opbrengen waaruit die kosten worden betaald.

In normale tijden is dat geen probleem. Er werken op zijn minst twee mensen voor iedere gepensioneerde en die produceren genoeg om zijn pensioen en andere kosten te betalen. In 1980 zaten we echter op het belachelijke en nog nooit voorgekomen gemiddelde van 93 arbeiders per 100 gepensioneerden. Met andere woorden: we hadden meer mensen thuis zitten dan dat er aan het werk waren. Het gevolg was dat elke Chrysler-medewerker de economische last op zijn schouders droeg om zichzelf en iemand anders te onderhouden.

Dit is nog een gebied waarop de Chrysler-problemen weerspiegelen wat er in onze samenleving aan de hand is. Het is dit verschijnsel dat de sociale zekerheid aantast. Mensen gaan vroeg met pensioen, leven langer en er is geen voldoende brede basis van werkenden om hen te onderhouden.

Hoewel onze arbeiders een loonsverhoging van twee dollar per uur aanvaardden, zorgde het grote aantal gepensioneerden ervoor dat onze kosten niet dienovereenkomstig omlaag gingen. Er waren medewerkers die daar een andere kijk op hadden en hun houding was: Dat is mijn probleem niet, ik ben niet mijn broeders hoeder.

Ik merkte dan op: 'Wacht even. Jullie vakbond baseert zich op een solidariteit voor het leven. Jullie hebben deze pensioenvoorzieningen aangekaart en nu zitten er veel mensen thuis. Dat is erg jammer. De industrie ging naar de bliksem. Chrysler was te groot; we moesten dus inkrimpen. Iemand moet de kosten betalen. We kunnen onze pensioenverplichtingen niet verzaken.'

Zelfs nog voor de vakbeweging enige concessie had gedaan, nodigde ik Doug Fraser uit zitting te nemen in de directieraad. In tegenstelling tot wat de pers berichtte, was Frasers benoeming geen onderdeel van een overeenkomst met de vakbeweging.

Het is waar dat de vakbeweging al vele jaren had gevraagd om een vertegenwoordiger in de raad, maar het was een soort gewoonte geworden. Ik geloof niet dat ze ooit verwachtten die te krijgen. Ik nam Doug Fraser in onze raad op omdat ik wist dat hij een speciale bijdrage kon leveren. Hij is intelligent, politiek gewiekst en hij zegt wat hij denkt.

Als lid van de raad kreeg Doug uit de eerste hand inzicht in wat er bij Chrysler gebeurde vanuit het gezichtspunt van de bedrijfsleiding. Hij ontdekte welke bijdrage onze leveranciers leverden en dat de ommekeer dus niet uitsluitend was te danken aan de arbeiders. Hij bemerkte dat onze winst- en verliesoverzichten reëel waren en dat winst geen vies woord is. Hij ontdekte en begreep zoveel dat sommige arbeiders hem als een overloper gingen zien omdat hij hen voorhield dat we te zwak waren om een staking te doorstaan.

Hij heeft een enorme invloed gehad. Als er een fabriek wordt gesloten, adviseert hij ons hoe we de ontwrichting en het daarmee gepaard gaande leed zoveel mogelijk kunnen beperken. Hij is voorzitter van onze commissie overheidspolitiek. Hij zit eveneens in de commissie gezondheidszorg, samen met mij en Joe Califano, staatssecretaris van het Departement van Gezondheid, Onderwijs en Welzijn onder Carter en Bill Milliken, voormalig gouverneur van Michigan. Als kwartet weten we misschien net zoveel van gezondheidszorg af als welk vierspan ter wereld ook. Wij vieren vertegenwoordigen arbeid, management en de federale en staatsoverheid. In de loop der jaren waren wij degenen die de beslissingen namen die ons deden belanden in de rotzooi van de gezondheidszorg waarin ons land zich vandaag bevindt. Alle vier groepen leverden hun aandeel in de puinhoop van het systeem voor gezondheidszorg en dus hebben wij dezelfde combinatie nodig om de zaak recht te trekken.

De zakenwereld was natuurlijk razend toen ik Doug Fraser in onze raad opnam. 'Dat kun je niet doen,' werd gezegd. 'Je zet de vos bij de kippen. Je hebt je verstand verloren.'

Mijn antwoord was: 'Kom, kom, waarom is het wel juist om bankiers in de raad te hebben als je voor 100 miljoen dollar bij hen in het krijt staat en geen arbeider? Waarom is het wel juist om leveranciers in de raad te hebben? Is dat geen belangentegenstelling?'

Tot dan had er nog nooit een vertegenwoordiger van 'de factor arbeid' in het bestuur van een grote, Amerikaanse onderneming gezeten. In Europa is dit echter vrij gewoon; en in Japan doet men het allang. Waar ligt dus het probleem? Het komt omdat de doorsnee Amerikaanse directeur een gevangene is van de ideologie. Hij wil de 'zuiverheid' bewaren. Hij gelooft nog steeds dat de factor arbeid de natuurlijke doodsvijand van het management moet zijn.

Dat is een verouderde denkwijze. Ik wil dat de vakbeweging het functioneren van de onderneming van binnenuit kent. Het verleden is voorgoed voorbij. Er zijn mensen die dat niet geloven, maar ze zullen het spoedig genoeg ontdekken. Amerika's economische toekomst hangt af van een toenemende samenwerking tussen regering, vakbeweging en bedrijfsleiding. Slechts door samenwerking kunnen we ons op de wereldmarkt handhaven.

Het waren niet alleen de managers die zich tegen Frasers komst verzetten. Veel knapen uit de vakbeweging waren er ook tegen. Die waren bang dat Frasers aanwezigheid in de directieraad hun vermogen in gevaar zou brengen om de laatste druppel bloed uit ons te persen. Hun hele leven hadden ze de houding gehad: alles halen wat je kunt krijgen, want het management zal nooit iets goeds voor de arbeider doen, tenzij het met geweld en bloedvergieten is afgedwongen.

Om die manier van denken te veranderen, heb je redelijke mensen nodig die kunnen discussiëren over het begrip winstdeling als er tenminste iets te delen valt en over loonsverhoging als we de produktiviteit tenminste hebben verbeterd. Misschien is dat een opvatting waarvoor de tijd nog niet rijp is. Die tijd moet echter wel komen, want als we doorgaan met elkaar de grond in te boren en met elkaar te vechten om het grootste stuk van de staart – terwijl die taart steeds kleiner wordt – dan zullen de Japanners doorgaan met ons op te eten.

Toen ik bij Ford werkte, zagen de vakbeweging en het management elkaar slechts één keer in de drie jaar als het erom ging te onderhandelen over een nieuw contract. En iedere drie jaar kwam je de zaal binnen met een rotgevoel. Je kende die knaap niet en dacht meteen: Ik mag hem niet, hij is de vijand. Het is precies alsof je op een brug samenkomt om spionnen uit te wisselen. Je haat de andere kant, hoewel de uitwisseling een goede zaak is.

Ik ben heel blij dat ik Doug Fraser in de raad heb gehaald; hij is een eersteklas vent. Ik zou hem in iedere raad willen zetten waarin ik zelf zat. Zo goed is hij. Hij weet hoe hij moet onderhandelen. Hij weet hoe hij een compromis moet sluiten. Hij kent het verschil tussen een goede en een slechte overeenkomst. Hij is zo goed dat ik hem eenmaal bij President Reagan heb aanbevolen als regeringsonderhandelaar.

Wanneer Doug Fraser zitting had gehad in het bestuur van Lynn Townsend, dan had Chrysler misschien nooit de rotste onderneming van Europa opgekocht. Een aantal van die verschrikkelijke miskleunen had voorkomen kunnen worden door een enkele moedige man die gevraagd zou hebben: 'Waarom doen we dit? Heeft het werkelijk zin?'

Wat hebben we bovendien voor de vakbeweging te verbergen? Wat proberen we voor de arbeiders verborgen te houden? We moeten betere auto's maken voor minder geld en wie anders kan ons helpen dat te doen dan de leider van de vakbeweging?

Steeds wanneer ik ter verantwoording werd geroepen voor het binnenhalen van Fraser in het bestuur, antwoordde ik met mijn standaardargument: 'Waarom maak je je zo van streek? Hoe het ook afloopt, je kunt er alleen bij winnen. Als blijkt dat het een fout is, weet je dat je het niet moet proberen. Dan kun je er op de sociëteit over praten. Dan kun je zeggen: "Was die Iacocca geen sukkel?" Maar als het wel werkt, ben ik het proefkonijn geweest en zullen jullie me dankbaar zijn dat ik de voorloper was. Eens zul je er misschien zelf wel bij varen!'

21
De banken: voor het vuurpeloton

Niemand van onze achterban vond het gemakkelijk om concessies te doen. Begrepen ze echter eenmaal hoe slecht we ervoor stonden en waren ze eenmaal overtuigd dat ook andere groepen hun aandeel leverden, dan werkten ze allemaal vrij vlug mee.

Behalve de bankiers. Het kostte meer tijd 655 miljoen dollar aan concessies los te krijgen van onze 400 gelduitlenende instellingen dan om er 1,5 miljard aan loongaranties door te krijgen bij het voltallige Congres van de United States. Vergeleken bij het onderhandelen met de bankiers waren de hoorzittingen in het Congres even gemakkelijk als het verwisselen van een lekke band op een voorjaarsdag.

Ik was teleurgesteld door de houding van de banken, maar ik was niet verbaasd. Tijdens de hoorzittingen van het Huis en de Senaat waren de bankiers zeer negatief geweest. Walt Wriston, het hoofd van de City Bank, Tom Clausen, president van de Bank of America en Pete Peterson, hoofd van Lehman Brothers, hadden stuk voor stuk tegen de loongaranties getuigd. Peterson was zelfs zover gegaan om onze situatie met Vietnam te vergelijken en hij suggereerde dat Chrysler wel eens een bodemloos moeras zou kunnen zijn.

Ik voerde enkele harde besprekingen met Peter Fitts die de City Bank vertegenwoordigde en met Ron Drake van Irving Trust. Fitts en Drake waren cijferaars – specialisten in financiële herstructureringen. Hun houding was over het algemeen dat wij bij Chrysler domoren waren die niet wisten wat we deden. Deze knapen hadden maling aan banen of investeringen; het enige dat er bij hen op aankwam was de opbrengst van hun geld.

Net als bijna ieder ander in de bankwereld wilden ze ons failliet verklaren, maar ik bood weerstand. Ik deed mijn best hen ervan te overtuigen dat door het brengen van gelijke offers en met ons nieuwe managementteam Chrysler erdoor zou kunnen komen.

Ron Drake en ik voerden een paar uitzonderlijk bittere gesprekken, maar er is iets grappigs gebeurd: tegenwoordig is hij mijn persoonlijke, financiële adviseur bij Merrill Lynch. In 1980 haatten we elkaar, maar we gingen ook samen door de hel en we eindigden als dikke vrienden.

Toen de Loongarantiewet tegen het eind van 1979 was aangenomen, stonden Chrysler Corporation en Chrysler Financial bij meer dan 400 banken en verzekeringsbedrijven in het rood tot een totaalbedrag van 4,75 miljard dollar. Deze leningen hadden zich in de loop der jaren opgehoopt en in die periode moeten onze bankiers slapend achter het stuur hebben gezeten. Niemand van hen scheen zich te hebben afgevraagd hoe het zat met de gezondheid van de onderneming hoewel iedereen de onheilspellende verschijnselen kon zien.

Chrysler was een bloeiend bedrijf geweest voor bankiers en niemand had het gegeven paard in de bek willen kijken. Meer dan 50 jaar had Chrysler regelmatig geld van de banken geleend zonder ooit een betalingsverplichting te hebben overgeslagen.

Chrysler was traditioneel een zeer speculatief bedrijf geweest dat royale dividenden uitbetaalde, maar zwaar bij de banken leende. Dat was misschien goed voor de banken, maar het was niet goed voor Chrysler. Wanneer je veel geld van buitenaf aantrekt, wordt alles overdreven aangedikt. De goede tijden zijn dan beter – maar de slechte tijden erger.

Het betekende tevens dat onze kredietrente nooit zo laag was als die van Ford en GM, met het gevolg dat we altijd een extra premie moesten betalen voor het geld dat we leenden. Anders dan General Motors dat groot en winstgevend genoeg is om als eigen bankier te functioneren, moest Chrysler geld lenen tegen de geldende rentetarieven en de banken wilden maar al te graag als schuldeiser fungeren.

In de vette jaren stonden de banken altijd voor ons klaar. In slechte tijden trokken ze zich echter haastig terug. Als goede, conservatieve republikeinen stonden de meeste bankiers sceptisch tegenover de Loongarantiewet. Daar de meeste leningen door de banken aan Chrysler Financial waren verstrekt in plaats van aan Chrysler Corporation zelf, berekenden de bankiers dat ze – wanneer we Paragraaf II (faillissement) zouden afkondigen – er toch aardig goed vanaf zouden komen. Er lag echter een grote tegenvaller voor hen in het verschiet. Tegen het eind van 1979 vroeg Jerry Greenwald aan Steve Miller en Ron Trost, een Los Angeles expert in faillisementszaken, om een 'liquidatie-nota' voor te bereiden. Uit dit document bleek duidelijk dat het er niet toe deed of de leningen nu aan Chrysler Corporation of aan Chrysler Financial waren verstrekt. In het geval van een bankroet zouden de leningen door de rechtbanken voor een periode van vijf tot tien jaar worden opgeschort en zouden de banken een aanzienlijk percentage van hun investeringen verliezen. En door de mazen van de wetgeving in Michigan zou de rente van uitstaande leningen tot 6 procent per jaar dalen tot de hele affaire was afgewikkeld. Het duurde niet lang voor de banken beseften dat ze er het meest bij waren gediend met ons concessies te verlenen die ons drijvende zouden houden.

Desondanks waren ze toch veel minder geneigd tot een compromis dan onze leveranciers en medewerkers. Enerzijds hing hun voortbestaan niet van ons herstel af, anderzijds was alleen het aantal banken al overweldigend. Toen Lockheed federale loongaranties ontving, waren er slechts vierentwintig banken bij betrokken en dat waren allemaal Amerikaanse banken. Onze banken waren echter verspreid over bijna alle vijftig staten – en over de hele wereld. Ze varieerden van de Manufacturers Hanover Trust in New York, waaraan wij meer dan 200 miljoen dollar schuldig waren, tot de Twin City Bank in Little Rock, Arkansas, waarbij we slechts voor 87.000 dollar in het krijt stonden. We waren geld verschuldigd aan banken in Londen, Toronto, Ottawa, Frankfurt, Parijs, Tokio – en zelfs Teheran.

Iedere bank had zijn eigen werkwijze. Manufacturers Hanover Trust in New York, in de zakenwereld bekend als Manny Hanny, had jarenlang relaties met Chrysler onderhouden. Lynn Townsend had negen jaar in hun directie gezeten en twee van Manny Hanny's voorzitters waren lid geweest van onze Raad van Bestuur. Meer dan eens hadden zij ons door moeilijke tijden heengeholpen. John McGillicuddy, de huidige voorzitter, had een doorlopend krediet van 455 miljoen dollar in een overeenkomst met Chrysler vastgelegd. Bovendien getuigde hij in het Congres ten gunste van de loongaranties. 'Ik denk dat de Chrysler Corporation moet blijven bestaan,' zei hij tegen de commissie. 'Ik ben niet in alle gevallen onvoorwaardelijk tegen regeringssteun en ik zie niet in dat een spaarzaam gebruik een bedreiging vormt voor het vrije ondernemingssysteem.'

John McGillicuddy was een van onze nobele beschermers; Manny

Hanny was onze voornaamste bank en McGillicuddy drong er bij zijn collega's op aan ons pakket concessies te aanvaarden.

Onze andere nobele ridder was G. William Miller, staatssecretaris van financiën. Hij getuigde voor de commissie van het Huis dat Chrysler een bijzonder geval was en dat de loongaranties een goede zaak waren. Miller was keihard voor de bank. Hij vond dat ze hun verliezen moesten nemen en hun wonden maar moesten likken.

Bij de Citibank was Walter Wriston echter hevig gekant tegen de loongaranties. Als invloedrijkste bankier van het land was Wriston onze kwade genius. Citibank was er zeker van dat wij failliet zouden gaan en ze wilden zo snel mogelijk hun 15 cent voor elke dollar eruit krijgen – wat wij als een schikking hadden voorgesteld. (We boden ook nog eens 15 dollarcent in preferente aandelen aan.) Citibank scheen prat te gaan op zijn reputatie als keihard stelletje. Elke keer dat ze ons de weg konden versperren, deden ze dat.

Het conflict tussen Manny Hanny en Citibank was alleen het topje van de ijsberg. Onze geldschieters omvatten zowel grote banken als kleine stadsbanken, binnenlandse en buitenlandse en zelfs enige verzekeringsmaatschappijen. Er waren leningen aan de Chrysler Corporation zelf, leningen aan Chrysler Canada en leningen aan Chrysler Financial. Verder nog leningen aan verschillende buitenlandse dochterondernemingen en kredietbrieven op termijn.

Om de zaken nog ingewikkelder te maken hadden we leningen gesloten tegen diverse rentetarieven. Er waren leningen met een vast laag rentepercentage van 9 procent. Dan waren er leningen met een hoge en fluctuerende rente die, afhankelijk van de begindatum, varieerden van 12 procent in januari – toen we met de banken begonnen te onderhandelen – tot 20 procent in april toen we een regeling formuleerden, en weer terug naar 11 procent tegen de tijd dat de overeenkomst was afgesloten.

Er waren banken waarbij we het toegestane krediet volledig hadden opgenomen en andere waarbij we onder de bovengrens bleven. Er waren leningen waarbij de vervaldag al zes maanden was overschreden zoals een 5 miljoen dollar lening van een bank in Spanje die was aangegaan in juli 1979 en die negentig dagen later terugbetaald had moeten worden. En er waren ook leningen op lange termijn, waaronder sommige van verzekeringsmaatschappijen, daar was de aflossing pas in 1995 verplicht.

Natuurlijk bestonden er veel spanningen en meningsverschillen tussen de banken over wat een rechtvaardige oplossing zou zijn. Globaal genomen waren de banken niet geneigd een compromis te sluiten. Hun grootste conflicten hadden ze niet met Chrysler maar onder elkaar. Stuk voor stuk hadden ze wel een reden waarom de ander de zwaarste concessies zou moeten doen.

De Amerikaanse banken zeiden: Naar de verdommenis met die buitenlandse banken. Ik wist niet dat het hun leningen aan Mexico, Polen en Brazilië waren waarover de grote Amerikaanse banken zich werkelijk zorgen maakten. Met al het uitstel van betalingen en het niet nakomen van verplichtingen bij hun nationale leningen, maken de grote, Amerikaanse banken nu dezelfde moeilijkheden door als Chrysler. Maar anders dan wij hebben zij een rijke oom om hen uit de nood te helpen – en zonder alle opschudding en publiciteit.

Nog niet zo lang geleden, toen Mexico een miljard dollar nodig had om te voorkomen dat ze hun aflossingsverplichtingen van leningen door Newyorkse banken niet konden nakomen, schreef Paul Volcker van de Federale Bank in het weekend even een chèque voor hen uit. Dat noem ik nog eens dienstverlening buiten kantooruren aan de broederschap vn bankiers! Er waren geen hoorzittingen en geen pogingen om controlemaatregelen op te leggen. De banken kregen geen boetes en natuurlijk was die miljard dollar rechtstreeks afkomstig van de belastingbetalers.

De banken waren volstrekt niet gesteld op loongaranties voor Chrysler, garanties voor henzelf was natuurlijk iets anders. Het was overduidelijk dat ze een boel fouten hadden gemaakt bij het verstrekken van leningen aan andere landen, maar het Internationale Monetaire Fonds redde hen uit de nood. De banken wilden dat wij de topsalarissen verlaagden, de dividenden passeerden en nog zo het een en ander. Ik zie echter niet dat iemand hen hardhandig aanpakt voor het verstrekken van slechte leningen. Ik zou graag degeen zijn die een regeling uitwerkt en Citicorp vraagt de dividenden over te slaan en de salarissen van de top te verlagen.

Er doet zich een merkwaardige oriëntatie voor bij de Federal Reserve Board – het zijn allemaal bankiers en geen zakenmensen. Als een bank ten onder gaat door het nemen van foute beslissingen, krijgt hij onmiddellijk de aandacht. In Oklahoma gaan twee kleine banken de mist in en daar is Paul Volcker die begint te roepen dat er een liquiditeitscrisis heerst en de teugels van de geldstroom laat vieren. Maar als Chrysler en International Harvester, twee bedrijven waar bijna een miljoen arbeidsplaatsen op het spel staan, ten onder gaan, dan berust dat op de werking van dat goeie, ouwe vrije ondernemingssysteem.

Dat is niets anders dan meten met twee maten en absoluut onrechtvaardig.

Intussen hadden de buitenlandse banken hun eigen bezwaren. De Japanse banken zeiden: 'Ja, hoor 'es, als zich in Japan een probleem voordoet, dan wordt dat gedekt door de banken van dit land en krijgen de buitenlandse banken hun geld. Dit is een Amerikaans probleem – laten de Amerikaanse banken dat oplossen.'

De Canadese banken zeiden: 'We laten ons door de Amerikanen niet vertellen wat we moeten doen; er is al genoeg met ons gesold.' De Canadese regering steunde deze stellingname. Als tegenprestatie voor door de overheid gegarandeerde leningen wilde Canada dat wij de zekerheid verschaften van een vast niveau van werkgelegenheid.

De Canadezen voelden zich als het jongste kind van een gezin dat de afgedragen kleren krijgt. We bouwden onze auto's met achterwielaandrijving in Canada – onze grote bestelwagen en de New Yorker. Dat was in de tijd dat het leek alsof deze auto's tot een uitstervende soort behoorden.

We bereikten ten slotte een compromis. Liever dan te spreken over absolute getallen, garandeerden we de Canadezen een percentage van onze Noordamerikaanse werkgelegenheid en kwamen we 11 procent overeen. Zoals de zaken reilden en zeilden, was die belofte gemakkelijk te houden. Omdat de Verenigde Staten nooit met een energiepolitiek uit de bus kwamen en de benzineprijzen werden verlaagd, schoot de verkoop van deze grotere auto's als een vuurpijl omhoog. Op een bepaald ogenblik bedroeg het aantal Canadese arbeiders 18 procent van de bij Chrysler in Noord-Amerika tewerkgestelden.

De Europese banken zeiden: 'We doen niet met jullie mee. Hoe zit het met Telefunken?' Een paar jaar tevoren had de Duitse regering een financieel reddingsplan voor Telefunken ontworpen. De Amerikaanse banken trokken zich terug en lieten de Duitse banken met de strop zitten. De Duitse houding was dezelfde als de Japanse, hun commentaar: 'Het is een Amerikaans probleem. Jullie banken moeten die last dragen.'

Toen ze beseften waar ze voor stonden, werden de Amerikaanse banken opeens gelovig. Hun positie werd gelijk aan de onze. 'Nee, iedereen is hierin betrokken. Bij een faillisement behandelen de rechtbanken ons allemaal op dezelfde manier.' Het begon tot ze door te dringen dat, wilden we de zaak oplossen, de enige weg was: het vragen van rechtvaardige en evenredige bijdragen van alle erbij betrokken banken.

Toch bleven er problemen. De kleinste banken zeiden: 'New York kan naar de hel lopen. Onze leningen aan Chrysler maken een groter percentage van ons vermogen uit dan de leningen van die grote Newyorkse banken. Laten we dus ieders concessies baseren op de grootte van de bank.'

Om de banken ertoe te brengen de concessies te doen die we nodig hadden, werden we gedwongen een zoethoudertje aan te bieden: 12 miljoen opties aandelen geldig tot 1990. Het recht op aankoop kon worden geëffectueerd bij een koers van 13 dollar. Toen de Loongarantieraad daar kennis van kreeg, eisten ze een gelijke schikking met de redenering dat ook zij een geldschieter waren die 50 procent meer risico droeg dan de banken. Het slot van het liedje was dat de regering 14,4 miljoen opties op lange termijn bezat.

Het eindigde ermee dat we 26,4 miljoen opties uitgaven die eventueel een grote waardevermindering van onze aandelen kon betekenen. In die tijd maakten we ons niet erg druk over die opties. We hadden ieders medewerking nodig en met een koers van ons aandeel op $ 3,50 leek $ 13 per aandeel een verre droom.

Het kostte maanden om met een voor de banken aanvaardbaar plan voor de dag te komen. Ik verrichtte de aftrap voor de hele zaak en bezocht enkele van de eerste vergaderingen, maar het leeuwedeel van het werk werd gedaan door Jerry Greenwald en Steve Miller.

De onderhandelingen met de banken waren zo gecompliceerd dat Jerry niet veel anders deed dan het algehele plan vanuit Highland Park coördineren. Hij organiseerde tweeëntwintig speciale eenheden die iedere vrijdag met hem en Steve Miller bijeenkwamen. Intussen reisde Miller van hot naar her; vloog naar New York of Washington en maakte zijsprongetjes naar Ottawa, Parijs, Londen en tientallen andere steden.

Millers agenda zag er onvoorstelbaar uit. Veel van zijn tijd bracht hij door in New York waar een normale dag begon met een ontbijtbijeenkomst met een van onze advocaten. Die werd dan gevolgd door een serie ontmoetingen, verspreid over de hele dag, met bankiers en hun advocaten. 's Avonds om zes uur sprak hij tijdens een borrel weer met een andere groep bankiers en om acht uur volgde dan een diner met weer anderen. Tegen tien uur was hij in zijn hotel terug en ging hij zich voorbereiden op de vergaderingen van de volgende dag. Rond middernacht telefoneerde hij met Japan om onze schikkingen met Mitsubishi en de Japanse banken uit te werken.

Steve werkte zich uit de naad. Hij wist ook een kameraadschappelijke sfeer te scheppen. Zijn houding tegenover de bankiers was: Tja, het is beroerd en ik weet dat jullie nog nooit zoiets hebben gedaan, maar wij ook niet. Laten we dus eens kijken of we door die niet in kaart gebrachte wateren heen kunnen komen.

Steve Millers persoonlijkheid was voor dit werk geknipt. Hij was hard en ging systematisch te werk, maar hij wist ook wanneer hij de teugels moest laten vieren. Op een van de vergaderingen, toen de banken onder elkaar ruzie maakten, hield hij een speelgoedpistool tegen zijn slaap en zei: 'Als jullie het niet met elkaar eens kunnen worden, jongens, zal ik me van kant moeten maken.'

Tijdens een andere vergadering stuurden de aanwezigen er iemand op uit om broodjes te halen bij een plaatselijke delicatessenzaak. Er volgde onmiddellijk een reactie. 'Is het voor die jongens van Chrysler? Tot onze spijt leveren we dan alleen bij vooruitbetaling!' Dat was de atmosfeer waarin we leefden. We waren hier bezig te proberen honderden miljoenen in concessies van de banken los te krijgen en de plaatselijke broodjeswinkel wilde ons niet eens een half uurtje krediet geven voor broodjes corned beef en vleespasteitjes.

Steve had de bankiers eerst in afzonderlijke groepen ontmoet, doch deze methode moedigde alleen hun onderlinge tweestrijd aan. Al spoedig nam hij het besluit ze met z'n allen in het hetzelfde vertrek bijeen te brengen. Op die manier moest men met elkaar praten en kon een ieder zien hoe kwaad volwassen mensen op elkaar kunnen worden.

Dit werd een keerpunt. Het bleek ook dat sommige bankiers elkaar voor het eerst ontmoetten. Steve hield een korte toespraak. 'Ik besef dat er weinig kans is dat mijn plan bij jullie als rechtvaardig overkomt,' zei hij tegen de bankiers. 'Ik hoop alleen dat het voor iedereen in gelijke mate onrechtvaardig is. Ik had graag dat jullie het plan mee naar huis nemen en het in het weekend bestuderen. We komen a.s. dinsdag 1 april weer bij elkaar en dan zeggen jullie ja of nee. Maar we kunnen er niet veel langer over dicussiëren. Als het jullie niet aanstaat, is het beter de hele zaak te vergeten.'

Een aantal bankiers dreigde dat ze dinsdag niet zouden terugkomen.

Ze verschenen echter allemaal, al bleek dat de vergadering voor de bankierswereld plaatsvond op een ongelukkig tijdstip. De zilvermarkt was in opschudding geraakt door de Hunt Brothers. Bache verkeerde in grote moeilijkheden. De rente was gestegen tot 20 procent en het zag ernaar uit dat deze misschien naar 25 procent zou kunnen stijgen.

Als we de bankiers er in deze vergadering niet toe konden bewegen akkoord te gaan dan zou het allemaal voorbij zijn. En met 's lands economie al in een zeer slechte toestand, was het heel goed mogelijk dat een bankroet van Chrysler een lawine aan economische rampen teweeg zou hebben gebracht.

Toen de complete groep voor de vergadering van 1 april bijeen was, begon Steve met een schokkende mededeling. 'Heren, gisteravond heeft de directieraad een spoedvergadering gehouden. Met het oog op de schrikbarende, economische toestand, de snelle achteruitgang van de onderneming en de huizenhoge rentetarieven – om nog niet te spreken van het gebrek aan steun van de zijde van onze geldschieters – hebben wij hedenochtend om half tien besloten ons faillisement aan te vragen.'

Er viel een stilte in de zaal. Greenwald was verbijsterd. Hij zat natuurlijk in de Raad van Directeuren, maar hij hoorde nu voor 't eerst van die vergadering. Miller vervolgde: 'Ik mag u er misschien aan herinneren dat het vandaag 1 april is.'

Er ging een zucht van verlichting door de zaal. Helaas hadden de meeste Europeanen nog nooit van 1 april gehoord; ze staarden naar de muur en schenen zich af te vragen wat de datum in 's hemelsnaam met dit alles had te maken.

Miller had dit grapje vijf minuten voor de vergadering bedacht. Het was riskant, maar het werkte – iedereen in de zaal werd ertoe gebracht zijn aandacht te concentreren op het globale beeld en de consequenties te overwegen van het niet bereiken van een akkoord. Steves plan voor een compromis werd door alle banken aangenomen: een totaalbedrag van 660 miljoen dollar aan uitstel en vermindering van rente plus een uitbreiding van het krediet voor vier jaar met 4 miljard dollar in leningen tegen 5,5 procent.

Het plan kon echter alleen werken als iedere afzonderlijke bank waaraan we geld schuldig waren, akkoord ging met de samenwerking. Enkele van de banken – zoals de Tejerat Bank in Iran – joegen ons aardig de zenuwen op het lijf. We waren hen slechts 3,6 miljoen dollar schuldig, maar het kwam direct na de gijzelingsaffaire en de regering van de V.S. had 8 miljoen dollar in Iraanse depositogelden bevroren. Tot onze enorme opluchting gingen de Iraniërs probleemloos met ons voorstel akkoord.

Tegen juni had bijna iedere bank het plan geaccepteerd. Wanneer we de instemming van allen binnen hadden, zouden we eindelijk de hand kunnen leggen op de eerste 500 miljoen dollar aan loongaranties. We raakten echter snel door het kasgeld heen waarmee we onze rekeningen konden betalen. Op 10 juni 1980 moesten we stoppen met het betalen van onze leveranciers. Opnieuw stond de reële mogelijkheid van een faillissement voor de deur.

De eerste 500 miljoen dollar aan loongaranties lag binnen enkele dagen in het verschiet, maar hoe lang zouden onze leveranciers hun geduld bewaren? Zelfs als ze niet onmiddellijk ons faillissement aanvroegen, konden ze nog altijd besluiten de leveranties stop te zetten en dat zou minstens even erg zijn. Gezien onze zeer krappe voorraden zou elke ontwrichting van de levering van onderdelen een ramp zijn. Gelukkig gaven onze leveranciers toen we op de rand van de afgrond stonden, hun medewerking.

Meer dan 90 procent van de banken had op dat ogenblik met ons voorstel ingestemd. Bij elkaar vertegenwoordigden ze meer dan 95 procent van de uitstaande leningen. We hadden echter nog steeds een deelname van 100 procent nodig, anders ging de hele zaak niet door. We raakten intussen in tijdnood. Zelfs als iedere bank met het plan akkoord ging, zaten we nog steeds met al het papierwerk en de juiste handtekeningen.

Zo was er bijvoorbeeld een bank in Alaska die de overeenkomst had getekend, maar hem met de post had verzonden in plaats van per ijlbode. De papieren zouden te laat aankomen en dus moesten we per expres een ander stel sturen.

In Minnesota had een bankdirekteur de overeenkomst in een doos naast zijn bureau gelegd met de bedoeling hem de volgende ochtend te tekenen. 's Avonds pakte de werkster de documenten en stopte ze in de papiervernietiger.

Een bank in Libanon had getekend, maar kon de documenten niet van het vliegveld wegkrijgen vanwege de burgeroorlog. Op het laatst konden we ze bij de Amerikaanse Ambassade binnen krijgen. De Loongarantie Commissie aanvaarde de verklaring van de ambassade dat de papieren getekend en in orde waren.

Bij een financiële reorganisatie is het in de praktijk gebruikelijk dat de grote banken overeenkomen de kleine jongens uit te kopen tegen een aanvaardbare korting om het hele proces soepel te laten verlopen. Wij stonden echter op het standpunt dat iedereen gelijk behandeld moest worden. We wisten dat wanneer we één uitzondering zouden maken, het hek van de dam was.

Enkele van de kleinere bankiers geloofden heilig dat het uitbreiden van de leningen alleen smijten met goed geld naar kwaad geld zou betekenen. Voor hen was het een kwestie van hun verlies nu nemen of later.

In mei maakte Steve als een wervelwind een tocht door Europa om de halsstarrigste banken te bezoeken. Zijn taak was er niet eenvoudiger op geworden door een artikel in de *Financial Times* waarin stond dat Chrysler een geheim plan had opgesteld om de weigeraars uit te kopen. Toen hij bij de banken kwam, wilden ze allemaal graag de details vernemen. Ze waren zeer teleurgesteld toen ze vernamen geen andere keus te hebben dan òf akkoord gaan met het bestaande compromis òf ons faillissement aanvragen.

In eigen land waren de recalcitranten meestal kleine banken op het platteland. Een van hen dreigde de hele Chryslerovereenkomst te verknallen voor een lening van 75.000 dollar. Ook hier gingen de geruchten dat we de banken die niet akkoord gingen, stiekem uitkochten. Deze geruchten moedigden de weigeraars aan, maar toch konden we ze de een na de ander in het gelid krijgen. Toen het aantal weigeraars kleiner werd, werd de druk op hen overweldigend. Toch begon ik me, toen het van mei juni werd, af te vragen wanneer die foltering eindelijk zou ophouden.

Het meest dramatische conflict deed zich voor in Rockford, Illinois, met de American National Bank and Trust Company. David Knapp, de president van de bank, was ervan overtuigd dat Chrysler, zelfs met federale loongaranties, op het punt stond over de kop te gaan. Hij wilde in geen enkel opzicht meewerken. Zijn bank had een vordering ingediend tot terugbetaling van hun lening groot 650.000 dollar en hij was vastbesloten vol te houden tot het bittere eind.

Gelukkig voor ons was Rockford ook de plaats met een van onze grootste assemblagefabrieken en veel inwoners werkten voor Chrysler of voor onze leveranciers. Zodra deze van de moeilijkheden hoorden, gingen ze druk uitoefenen op de bank om met de algemene overeenkomst akkoord te gaan.

Toen dat niet hielp, vloog Miller erheen om Knapp te spreken. Steve was er niet eens zeker van of Knapp hem zou ontvangen, maar als hij weigerde, was Steve van plan naar de lokale krant te stappen om hen te vertellen dat Knapp bezig was 5000 mensen in Rockford zonder werk te zetten.

De burgemeester van Rockford organiseerde een bijeenkomst met Knapp en Miller op het stadhuis. Steve stak zijn verhaaltje af om Knapp op te peppen. Hij probeerde uit te leggen dat de overeenkomst niet iedereen volledig kon bevredigen, maar dat de andere banken ermee akkoord gingen. Hij zei dat er eenvoudig met geen van de banken een aparte regeling was te treffen. Knapp hoorde hem aan, maar van gedachten veranderen deed hij niet. Zijn stelling was: Het spijt me, maar als je een lening aangaat, moet je hem terugbetalen.

Een paar dagen later ging de Rockford-bank met het plan akkoord. David Knapp had een aantal telefoontjes gekregen van bedrijven die afhankelijk waren van Chryslers voortbestaan. Hij was benaderd door politici van alle mogelijke niveaus. Duizenden leden van de United Auto Workers hadden gedreigd hun geld van de bank te halen. Er was zelfs een bomdreigement gekomen van iemand uit de stad en hij was er zeker van dat die van ons afkomstig was.

Na de trip naar Rockford bezocht Miller nog enkele andere weigeraars. Tegen het einde van juni hadden we ze allemaal binnen en toen was de zaak rond.

Tenminste... dat dachten we. Nadat we eenmaal de kennisgevingen van instemming van alle banken hadden, bleef nog de taak over alle getekende documenten te verzamelen en een slotvergadering te houden. Normaal bestaat een slotvergadering uit een bijeenkomst van advocaten die de documenten doorkijken en dan verklaren dat de overeenkomst is gesloten.

De Chrysler-zaak was echter een beetje ingewikkelder. Om te beginnen waren er tienduizend afzonderlijke documenten. De drukkosten voor de slotovereenkomsten bedroegen alleen al bijna 2 miljoen dollar. Op elkaar gelegd zouden de documenten een stapel ter hoogte van een gebouw van zeven verdiepingen hebben bereikt.

Bovendien lagen de documenten op advocatenkantoren verspreid over heel New York en verscheidene andere steden. De meeste stukken lagen echter in het West-vaco-gebouw op nummer 299 van Park Avenue in Manhattan, bij ons advocatenkantoor Debevoise, Plimpton, Lyons & Gates.

Op maandagavond 23 juni was er op dat kantoor een bijeenkomst om alle papieren in orde te maken voor de slotvergadering de volgende dag. We hadden een grote groep advocaten beschikbaar want als er ook maar één document ontbrak, ging de zaak niet door.

Tegen ongeveer half acht die avond bevond Steve Miller zich in het cafetaria op de drieëndertigste verdieping van het West-vaco-gebouw toen hij door het raam zwarte rook zag. Hij nam aan dat in de keuken de vlam in de pan was geslagen, maar hij ontdekte al gauw dat er op de twintigste verdieping brand was uitgebroken.

Steve zegt dat hij ernstig in de verleiding werd gebracht de brand te negeren om de slotvergadering niet in de war te sturen. Een paar minuten later echter werd het gebouw ontruimd en wandelde iedereen die daartoe in staat was, drieëndertig trappen af naar de begane grond.

Tegen de tijd dat iedereen beneden was aangeland, was heel Park Avenue compleet met brandweerauto's geblokkeerd en sloegen de vlammen uit de ramen. Steve's eerste gedachte was: Dit is Gods definitieve vingerwijzing. Hij stemt tegen de overeenkomst. Ik geloof dat we niet met het vrije ondernemingssysteem hadden moeten ronddollen.

Onze mensen en de advocaten keken star van ontzetting toe hoe in het ene na het andere kantoor van het gebouw de vlammen uitbraken terwijl de ruiten van de grote ramen op straat uiteenspatten. Gelukkig bleef het vuur tot de twintigste verdieping beperkt. Al onze documenten lagen op de dertigste etage.

Nadat men het vuur onder controle had, gingen de Chryslermensen naar een restaurant in de buurt. Toen Miller op straat wandelde, liep hij Jerry Greenwald tegen het lijf die juist per vliegtuig in de stad was gearriveerd om de documenten te ondertekenen. Hij was op weg naar het West-vaco-gebouw en zei tegen Steve: 'Tsjonge, het verkeer zit hier helemaal vast. Er is zeker hier of daar brand uitgebroken. Stel je voor dat het in ons gebouw was gebeurd!'

'Het is in ons gebouw,' antwoordde Steve.

Greenwald die Millers gevoel voor humor kende, dacht natuurlijk dat Steve een geintje maakte. Hij bleef doorlopen tot hij niet verder kon en toen besefte hij dat het geen geintje was geweest.

Ten slotte kwamen Jerry, Steve en de advocaten om twee uur in de ochtend bij elkaar in het CityCorp Center. Ze begrepen dat het van essentieel belang was de papieren uit het smeulende gebouw te redden, anders kwam de hele zaak in gevaar. Om half drie 's nachts wisten ze zich door de politieafzetting te smoezen. Er waren al heel wat brandweerlieden door de brand gewond, maar onze mensen kregen toestemming naar binnen te gaan door vol te houden dat Chryslers voortbestaan afhing van het verhuizen van de documenten.

Twintig mensen gingen met de lift naar boven. Ze gooiden alle papieren in dozen en vervolgens in postkarren. Een uur later, in 't holst van de nacht, duwde een legertje advocaten hun postkarretjes over de rijbaan van Park Avenue naar het Citicorp Building. Daar waren de bureaus van Shearman & Sterling, een van de advocatenkantoren die de banken vertegenwoordigden. Ze besteedden de rest van de nacht aan het sorteren van alle papieren zodat de slotvergadering volgens plan kon verlopen.

Tussen negen en twaalf uur in de ochtend werd alles samengevoegd en wonderbaarlijk genoeg bleek er niets te zijn verloren gegaan of beschadigd. Om twaalf uur 's middags marcheerden een grote groep bankiers en advocaten de ruime conferentiezaal van Shearman & Sterling binnen voor de slotvergadering. Er waren luidsprekerinstallaties met verbindingen naar Parijs, Detroit, Wall Street, Toronto en Washington – waar de Loongarantieraad aanwezig was.

Bill Matterson, onze belangrijkste advocaat, riep de rol af. Hij somde de lange lijst met namen op van de aanwezige banken alsmede van degenen die waren aangesloten op de geluidsinstallaties. 'Bent u klaar om af te sluiten, Toronto? Bent u bereid, Parijs? Alle aangeslotenen antwoordden met ja.

Op 24 juni om 12.26 werd de overeenkomst onder luide toejuichingen bezegeld. Eindelijk waren we gerechtigd de eerste termijn van onze door de federale overheid gegarandeerde leningen in ontvangst te nemen. Later op die dag, nadat Salomon Brothers, onze financiële adviseurs, hun honorarium van het bedrag hadden afgetrokken, ondertekende Steve Miller een chèque van 486.750.000 dollar. Hij wandelde naar Manny Hanny en vulde een stortingsbewijs in net als iedere andere depositohouder.

Eindelijk was de nieuwe Chrysler Corporation weer in zaken: om te blijven.

22
De K-serie... op het nippertje

In onze donkerste dagen was de belofte van de K-serie altijd het licht aan het eind van de tunnel geweest. Enkele jaren lang was het vooruitzicht van een in Amerika gefabriceerde, zuinige auto met voorwielaandrijving ongeveer het enige dat we hadden te bieden. Tijdens de hoorzittingen van het Congres en de eindeloze onderhandelingen met de banken was het onze hoop op de K-modellen die ons er doorheen sleepte.

Het K-model is een sensationeel produkt. Ik mag er best over opscheppen, want ik kwam te laat bij Chrysler om nog een rol van betekenis te spelen bij zijn creatie.

Het is een auto waaraan Hal Sperlich sinds zijn komst bij Chrysler in 1977 had gewerkt. In veel opzichten is hij wat Hal en ik altijd bij Ford hadden willen bouwen. Het is de auto die we zouden hebben gemaakt als Henry niet zo hardnekkig tegenstand had geboden aan kleine auto's.

De K-car was en is een comfortabele auto met voorwielaandrijving en een viercilindermotor. Hij gebruikte een gallon benzine op 40 kilometer in de stad en op 65 kilometer op de buitenweg. Belangrijker was echter dat hij net even beter was dan de X-car van GM die anderhalf jaar eerder was gelanceerd. Detroit was al eerder met kleine auto's uitgekomen, maar het K-model was de eerste die voldoende ruimte bood aan een gezin van zes personen en toch licht genoeg was om uiterste zuinigheid te bieden.

Sperlichs grote triomf was dat de auto sterk was en fraai van vorm. Hij was solide en zag er niet ondeugdelijk uit, zoals sommige van de kleine auto's die op de markt werden gebracht. Net als de Mustang was de K-car klein en stijlvol; het verschil was dat het K-model een zeer kleine motor had.

In onze advertentiecampagne kondigden we aan dat de K-serie het Amerikaanse alternatief was en om de nadruk op dat punt te leggen, werden velen van de advertenties afgedrukt in de kleuren rood, wit en blauw. We wezen er tevens op dat de K-car voldoende ruimte bood aan 'zes Amerikanen' – waarmee we onze Japanse concurrenten een klein prikje gaven. We brachten zelfs zes veiligheidsgordels in de auto aan, hetgeen onze kosten een beetje verhoogde.

Onze meesterzet in de reclamecampagne was echter het gebruik van de benaming K-car in plaats van echte namen, zoals Aries (voor de Dodge-serie) en Reliant (voor Chrysler). Ik mocht de lof voor deze beslissing oogsten, maar het was gewoon een van die gelukkige invallen die vanzelf komen. Na alles wat we hadden doorgemaakt, waren we echt wel aan een meevallertje toe.

Wanneer een auto nog in het eerste stadium van zijn ontwikkeling is, geven de vormgevers hem gewoonlijk voor intern gebruik een codenaam. Bij Ford gebruikten we altijd namen van dieren, Chrysler en GM gebruiken de letters van het alfabet. Later neemt het reclameteam een lijst van mogelijke namen door en onderzoekt deze tot in details.

Bij Chrysler was de K-serie de laatste trein die vertrok. Als we zouden falen, was alles voorbij. In dat bewustzijn begonnen we op een heel vroeg tijdstip van zijn ontwikkeling over de auto te praten, lang voordat we het eens waren over de uiteindelijke naam. Zonder dat het onze opzet was, scheen de letter K het bij het publiek goed te doen.

Toen de mensen het thema K-car eenmaal hadden opgepikt, bleven we er in onze advertenties natuurlijk bij met de aankondiging dat 'de K-cars eraan kwamen'. We besloten zelfs tot een speciale campagne in samenwerking met een grote dealer onder het motto: 'K-car komt op de K-markt!' Het duurde niet lang of de aanduiding 'K' was zo populair geworden dat de echte namen Reliant en Aries min of meer onderaanduidingen waren geworden. Toen we in 1983 de letter 'K' van de achterkant van de auto's verwijderden, was ons reclamebureau er zeker van dat dit een grote fout was.

De Aries en de Reliant waren ongetwijfeld de juiste auto's op het juiste ogenblik. Ze boden grote zuinigheid, een comfortabele zit en zagen er ook vrij goed uit. Dat is, tussen haakjes, niet alleen mijn oordeel. *Motor Trend Magazine* noemden de Aries en de Reliant de auto's van het jaar, een bekroning die we drie jaar eerder voor de Omni en de Horizon hadden gekregen.

'Dit zijn de auto's die we nodig hebben,' schreef het tijdschrift. 'Ze zullen zeker een richtsnoer vormen voor de kwaliteit in de toekomst. Het zijn signalen voor de tijden die zijn aangebroken. Maar nog meer dan dat openbaren ze dat een Amerikaanse autofabrikant misschien voor het eerst de instelling van het doorsnee koperspubliek heeft aangevoeld. Met de Aries en de Reliant zal Chrysler in staat zijn een substantieel betere auto aan te bieden, die langer meegaat, ondanks de pekel op de weg en de gebruikelijke verwaarlozing door de koper.'

En Jim Dunne, redacteur van de autopagina's in *Popular Science* merkte op: 'Als Chrysler drie weken geleden een auto had kunnen ontwerpen voor de markt van vandaag in plaats van drieëneenhalf jaar geleden, dan zouden ze toch deze wagen hebben ontworpen.'

Tegenwoordig levert de K-serie de basis voor bijna alles wat we doen. Vrijwel al onze auto's zijn ervan afgeleid, met inbegrip van de LeBaron, Chrysler E-Class, Dodge 600, de New Yorker en in iets mindere mate onze sportauto's, de Dodge Dayton en de Chrysler Laser.

We hebben veel kritiek van de pers gekregen omdat we zoveel deden vanaf de K-car produktieband – vooral van *The Wall Street Journal*. Uit de manier waarop zij erover schrijven, zou je kunnen concluderen dat we een nieuwe manier hadden uitgevonden om de klant te bedriegen.

Het is waar dat het in het verleden in Detroit het ideaal was in iedere prijsklasse een compleet nieuwe auto te creëren. Vandaag de dag vergt een totaal nieuw model echter een investering van ongeveer een miljard dollar. Tegenwoordig zijn 'nieuwe auto's' een illusie. Iedere 'nieuwe' auto is een verzameling van nieuwe en oude onderdelen. De nieuwe delen kunnen bestaan uit het plaatstaal, de versnellingsbak of het chassis. Maar niemand, zelfs GM niet, kan zich nog veroorloven van de grond af een nieuwe auto te bouwen.

Het bouwen van een nieuwe auto vanaf het produktieplatform van een ander model vindt in Detroit al vijftig jaar plaats. De Japanners hebben het vanaf het begin gedaan. GM was er meesterlijk in en vele onderdelen van de Chevrolet hebben hun weg gevonden naar de Buicks en de Cadillacs. En bij Ford hebben we de Mustang altijd gezien als een nieuwe uitvoering van de Falcon.

Slimmeriken gebruiken onderling uitwisselbare onderdelen om de kosten te drukken. Dat is niet alleen toelaatbaar, het is tevens essentieel. Tegenwoordig is het van de grond af opbouwen van een nieuwe auto, als je geen zekerheid hebt over de te verkopen aantallen, de beste formule om failliet te gaan.

Tegelijkertijd bestaat er zoiets als te ver gaan op dat pad. GM kreeg hier bij twee verschillende gelegenheden een harde les te verwerken. In 1977 ontdekte GM dat ze een tekort hadden aan Oldsmobile V8-motoren en dus gingen ze vergelijkbare Chevrolet V8-motoren in sommige van hun Oldsmobiles, Pontiacs en Buicks plaatsen.

Ongelukkigerwijs vergaten ze hun klanten over die verwisseling in te lichten. Toen alles achter de rug was, had de verwisseling van de motor GM meer dan 30 miljoen gekost.

Een soortgelijk probleem kreeg GM met de Cadillac Cimarron. De Cimarron werd razendsnel in produktie genomen toen enige marktonderzoekers voor de Cadillac merkten dat de gemiddelde leeftijd van de Cadillac-kopers boven de zeventig jaar lag.

Het nieuwe model was evenwel niet veel meer dan een versierde Chevrolet Cavalier. Zelfs Pete Estes, een vroegere president van GM, klaagde erover dat de Cimarron teveel op een Chevrolet leek. Leren bekleding en automatische grootlichtdimmers waren niet voldoende om hem te onderscheiden van het J-car oermodel. De klanten voelden aan dat er iets fout zat en de Cimarron tuimelde op de markt als een baksteen omlaag.

Zelfs met een volmaakt produkt kun je fouten maken. Uiteindelijk was de K-serie onze redding. Zijn eerste jaar op de markt viel echter samen met een van de ergste moeilijkheden die we ooit hadden gekend. Tot ons grote verdriet maakte de K-car een slechte start. Toen we in oktober de Aries en de Reliant introduceerden werd het een mislukking. We hadden een paar onverwachte problemen met onze nieuwe robot lasapparaten in de fabrieken, die aanleiding gaven tot tegenvallers bij de produktie. Voor een goede lancering hadden we in de showrooms zo'n 35.000 auto's nodig op Introduction Day. We hadden er echter maar 10.000.

Erger was dat we de klanten de stuipen op het lijf joegen met het prijskaartje. In die tijd waren we verwikkeld in een harde prijzenoorlog met de X-car van GM, onze voornaamste, binnenlandse concurrent. Hun eenvoudige uitvoering van de Citation Hatchback ging voor 6270 dollar de deur uit en dus stelden wij de prijs voor de eenvoudige uitvoering van de K-car vast op 5880 dollar.

De enige manier waarop we onder de prijs van GM konden blijven en het toch overleven, was het goed te maken door de extra's. Derhalve bouwden we een flink aantal auto's met airconditioning, automatische versnelling, velours bekleding en elektrisch bediende ramen, hetgeen de prijs met een paar duizend dollar verhoogde.

We hadden meer aandacht moeten schenken aan ons marktonderzoek.

We beschikten van te voren over inlichtingen waaruit bleek dat de kopers meer waren geïnteresseerd in de standaarduitvoering. Het gevolg was dat we teveel auto's afleverden met een totaalprijs tussen de 8000 en 9000 dollar.

Het was een kostbare fout. We hadden moeten wachten tot de K-serie vaste voet aan de grond had gekregen om daarna de extra's te introduceren. Het had geen zin ons te richten op de meer welgestelde klanten. Zij waren niet degenen die als eersten de K-car zouden kopen. Gelukkig onderkenden we het probleem reeds in een vroeg stadium en waren we in staat het te corrigeren. We wisten dat de klanten de showrooms bezochten. Belangstelling was er dus zeker, maar we wisten ook dat de meesten wegliepen zonder een order te plaatsen. Toen we deze mensen bij het verlaten van de zaak ondervroegen, gaven ze allemaal hetzelfde antwoord: 'Ik dacht dat die auto goedkoop was, maar toen zag ik het prijskaartje.' Zo spoedig mogelijk begonnen we de standaardmodellen te produceren en niet lang daarna ging de verkoop omhoog.

Tegen december stuitten we echter op nieuwe moeilijkheden. De laagste rente was opgelopen tot 18,5 procent. Twee maanden eerder, toen de K-modellen voor het eerst werden geïntroduceerd, waren de rentetarieven 5 procent lager geweest. Als ze 13,5 procent waren gebleven, hadden we veel auto's kunnen verkopen, maar in die dagen veranderden de rentetarieven bijna dagelijks en bleven auto's, net als de huizen, onverkocht.

Ik was woedend over het veranderlijke gedrag van de federale overheid inzake de rentetarieven, maar er was niets dat ik kon doen om er verandering in te brengen. Wel kon ik op de situatie reageren en dat deed ik dan ook.

Om het spook van de hoge rentetarieven te bestrijden, bedachten we een plan met variabele kortingen. We zouden restitutie verlenen aan elke klant die een auto op afbetaling kocht – gebaseerd op het verschil tussen 13 procent en de geldende rentestand op het moment waarop de auto werd gekocht.

Ik kondigde het nieuwe plan aan met de woorden: 'De Heer helpt hen die zichzelf helpen.' Hij moet hebben geluisterd, zelfs toen Paul Volcker doof bleef, want onze gok had succes. Niet lang daarna kwamen Ford en GM met hun eigen kortingen.

Begin 1981 waren de verkopen aanzienlijk gestegen en ondanks de penibele start haalden de K-modellen aan het eind van het jaar een marktaandeel in de kleine auto's van 20 procent. Vanaf die tijd zijn ze steeds goed verkocht. Terwijl er nog altijd mensen waren die dachten dat we het niet zouden redden, verkochten we een miljoen Aries en Reliants waardoor we het geld binnenkregen om nieuwe modellen te ontwikkelen.

Dat kwam echter pas later. We begonnen het jaar 1981 in een zeer slechte conditie omdat onze K-serie zo slecht van start was gegaan. Hoewel we het hele jaar door hadden gevochten om slecht nieuws over Chrysler van de voorpagina's te houden, moesten we al spoedig weer naar Washington om opnieuw 400 miljoen dollar aan loongaranties op te nemen.

Toen het er werkelijk van kwam dat geld te moeten lenen, plaatste de Loongarantieraad een aantal versperringen op onze weg. Zo konden we bijvoorbeeld de leningen niet in één keer opnemen, doch slechts in gedeelten. De eerste twee betalingen in 1980 volgden elkaar snel op, maar toen we een jaar later voor de derde keer geld opnamen was dat, uit het oogpunt van public relations, een complete ramp. De meeste mensen begrepen niet wat er aan de hand was. Men zag het op de televisie en dacht: 'Daar gaan we weer. Die lui hebben net anderhalf miljard dollar gekregen. Waarom komen ze nu al weer terug om nog meer te halen?'

Ik had er nooit mee moeten instemmen het geld in drie termijnen op te nemen. Bij elke opname kregen we de slechte krantekoppen weer te zien. Het was verschrikkelijk. Ik geloof niet dat de Loongarantieraad ons het hele bedrag in een keer had laten lenen, maar waarschijnlijk hadden we het in twee termijnen van 600 miljoen dollar elk kunnen regelen.

Elke keer als we terugkwamen voor meer geld, liep onze verkoop terug. Het publiek had de indruk dat Chrysler een bodemloze put was. Heel wat mensen die onze produkten in overweging namen, veranderden van gedachten en kochten auto's bij onze concurrenten. Het is onmogelijk om het zeker te weten, maar ik schat dat ongeveer een derde van de 1,2 miljoen dollar aan loongaranties die we feitelijk ontvingen, verloren ging aan gemiste verkopen, als gevolg van de negatieve publiciteit. Niettemin zie ik geen andere manier waarop we hadden kunnen overleven.

Om in aanmerking te komen voor de laatste 400 miljoen dollar van onze lening, moesten we weer nieuwe concessies doen. We vroegen de banken om een extra 600 miljoen dollar door een omzetting van schuld in preferente aandelen en we vroegen de vakbeweging om een bevriezing van de aanpassingen aan de kosten van levensonderhoud. We vroegen onze leveranciers om langere betalingstermijnen en een prijskorting van vijf procent gedurende het eerste kwartaal van 1981. En G. William Miller, staatssecretaris van financiën, vroeg de banken ons de helft van de resterende schuld kwijt te schelden. Weer was het alternatief een bankroet.

Dit keer scholden de banken ons 1,1 miljard dollar aan schuld kwijt in ruil voor preferente aandelen in de onderneming. Op preferente aandelen wordt normaal dividend uitgekeerd, maar in ons geval zou daar niets van komen tot we de loongaranties hadden terugbetaald. De banken namen ons aanbod van aandelen niet al te serieus. De optimisten onder hen wisten echter dat, mocht Chrysler er ooit weer bovenop komen, ze te zijner tijd een groot deel van hun geld zouden terugzien.

Het hele jaar 1981 was ons voortbestaan van week tot week in gevaar. Zelfs met het K-model leden we duizelingwekkende verliezen – 478,5 miljoen dollar voor het hele jaar. Om alles nog erger te maken, legde de Loongarantieraad ons nog een aantal extra beperkingen op die er niet toe bijdroegen ons moreel op te vijzelen. Een van die bepalingen was dat we maandelijks voor administratiekosten een vergoeding van 1 miljoen dollar moesten betalen. Ik was razend want alleen onze betaling over de maand januari was al voldoende om hun onkosten van het hele jaar te dekken, zodat de schatkist 11 miljoen pure winst maakte. Allemachtig, als ik zo'n overeenkomst voor Chrysler had kunnen afsluiten, had ik de loongarantie helemaal niet nodig gehad.

Onder de bepalingen van de wet werd van de regering verlangd dat zij ons jaarlijks 0,5 procent van de leningen als administratiekosten in rekening zou brengen. William Miller had echter de bevoegdheid die vergoeding tot 1 procent te verhogen als hij meende dat de leningen in gevaar kwamen. Dat meende hij – en 1 procent van 1,2 miljard komt neer op 12 miljoen dollar per jaar. Het ontbrak ons aan de macht daarover te onderhandelen. We konden niet zeggen: 'Dat is te veel, dat staat ons niet aan.' Die extra 6 miljoen had nuttiger kunnen worden besteed aan hulp om onze toekomst op langere termijn zeker te stellen.

Mijn tweede ruzie met de Raad ging over de belachelijke papierrompslomp waaronder ze ons bedolven. Eén goed, bondig verslag per maand zou hen alle inlichtingen hebben verstrekt die ze nodig hadden. In plaats daarvan eisten ze van ons een rijstebrijberg aan documenten en het bezorgde ons een hoop last daaraan te voldoen.

Wat het nog erger maakte, was dat ze die rommel niet eens lazen. Als ze vragen hadden, hoefden ze alleen maar de telefoon op te pakken. Ik begrijp dat de Loongarantieraad bij de aanvang van de hele procedure zenuwachtig moet zijn geweest en dat het voor hen belangrijk was ervoor te zorgen dat iedereen wist wat er gebeurde. Maar toen we langzamerhand gezonder werden, was er geen mechanisme voorhanden om de bepalingen te veranderen.

Verder stuitten we nog op een probleem dat alleen kon ontstaan in het vruchtbare brein van een echte bureaucraat. De Raad gaf ons opdracht ons Gulfstream straalvliegtuig te verkopen. Voor de bekrompen breinen in Washington was het Chrysler straalvliegtuig een symbool van de lichtzinnige geldverkwisting van een grote onderneming. Het deed niet ter zake dat de regering zelf over een honderdtal straalvliegtuigen beschikte – allemaal op kosten van de belastingbetaler – om hen in staat te stellen hun zaken af te doen. Niemand knippert met de ogen als je 100 miljoen dollar aan nieuwe robots besteed en als je een van je topmensen naar de fabrieken stuurt om de arbeiders te leren hoe ze die nieuwe robots moeten gebruiken, is dat oké... als ze maar van een lijnvliegtuig gebruik maken.

Wat gebeurt er dus als hij van Highland Park Michigan, naar Rockford in Illinois of naar Kokomo in Indiana moet? Sommige van onze fabrieken kunnen met een lijndienst niet gemakkelijk worden bereikt. En als ik een knaap 200.000 dollar per jaar betaal, wil ik niet dat hij zijn tijd op vliegvelden verknoeit.

Privé-vliegtuigen besparen onze employés last en ongenoegen. Mensen buiten de zakenwereld krijgen dikwijls de indruk dat de meeste directeuren duimen zitten te draaien. Niet echter degenen die ik ken. Zij werken twaalf tot veertien uur per dag en hun tijd is kostbaar.

Het ondernemingsvliegtuig is geen opschepperij; het is een noodzaak.

Geloof me gerust, het zou heel wat aangenamer zijn in een lijntoestel eerste klas te reizen met een vriendelijke stewardess die drankjes serveert. Een eigen vliegtuig bespaart echter veel tijd – en ergernis.

Om eerlijk te zijn, moet worden gezegd dat niet alles wat de Loongarantieraad van ons vroeg onbenullig of overbodig bemoeizuchtig was. Een van hun redelijker eisen was dat we actief zouden uitkijken naar een fusiepartner. Toen ik pas bij Chrysler was en aan Global Motors dacht, ging ik er vanuit dat elke denkbare fusie betrekking zou moeten hebben op een buitenlandse onderneming zoals Mitsubishi of Volkswagen. Maar na een blik op onze balans zou niemand zelfs met ons willen praten.

Toen in 1981 het dak instortte, scheen een fusie de enige uitweg. Ze zeggen dat noodzaak de moeder is van vindingrijkheid. Welnu, toen het getij zich opnieuw tegen ons keerde, werden we zo vindingrijk als we maar konden. We opperden een laatste verdedigingsplan dat oppervlakkig beschouwd belachelijk leek, maar dat in werkelijkheid zeer verstandig was. Omdat wij het K-model hadden en zij niets wat daarop leek, stelden we een fusie voor tussen Chrysler en Ford.

Er waren duizend obstakels voor een dergelijk plan, maar het eerste waaraan iedereen dacht was de kwestie tussen de topmannen. 'Laten we aannemen dat alles zou kloppen,' zeiden onze bankiers, 'maar Henry is nog steeds in de buurt en jij ook – hoe zouden jullie het samen redden?'

'Luister,' was mijn antwoord. 'Henry heeft al aangekondigd dat hij wil aftreden, ik ben bereid tot hetzelfde. Ik zou graag nog twaalf maanden aanblijven om te helpen deze overeenkomst in elkaar te zetten. Als dat klaar is, stap ik er uit. Het is duidelijk dat deze zaak van groter gewicht is dan wij tweeën samen.'

Het andere grote probleem was dat deze fusie normaal een schending zou betekenen van de anti-trustwetgeving. Ik raadpleegde derhalve Pete Rodino (bekend door Watergate) en nog een paar mensen uit de Juridische Commissie. Ze meenden dat we, omdat er een mislukking voor de deur stond, de wet konden omzeilen. Ik belde ook Bob Strauss op, een beroemd advocaat en een belangrijke figuur in de Democratische Partij. Hij dacht ook dat we het misschien voor elkaar zouden krijgen.

Nadat we het anti-trustprobleem uit de weg hadden geruimd – althans in theorie – konden we onze aandacht vestigen op de positieve kanten. Het voorafgaande jaar, 1980, was een ramp voor ons geweest: we sloten dat jaar af met een verlies van 1,7 miljard dollar. Voor Ford was 1980 echter ook geen pretje geweest, hun verliezen waren bijna even groot als de onze – meer dan 1,5 miljard. Veel belangrijker was dat hun marktaandeel omlaag duikelde. In 1978 was het nog 28 procent geweest. Drie jaar later was hun aandeel teruggelopen tot 15 procent.

Ik vroeg Tom Denomme van onze staf, een paar plannen op te stellen en binnen enkele weken kwam Tom met een voorstel dat zeer verstandig in elkaar zat.

Onder de bepalingen van dat voorstel zou Ford Chrysler feitelijk overnemen omdat zij zowel veel groter als ook veel gezonder waren. Ford moest als onderneming blijven voortbestaan. Chrysler en Dodge zouden blijven produceren, maar als derde en vierde division van Ford, naast de Lincoln-Mercury Division.

Tom en ik zagen grote voordelen voor beide bedrijven in een fusie. Hun kracht was onze zwakheid en omgekeerd. We hadden allebei vele jaren bij Ford gewerkt voor we naar Chrysler waren overgestapt en dus beschikten we over een goed inzicht in de problemen en behoeften die aan weerskanten bestonden.

Indien de fusie doorging, zouden de voordelen voor Chrysler duidelijk merkbaar zijn – in feite zo duidelijk dat ze in één woord konden worden samengevat: overleven.

Maar wat zat er voor Ford in? Heel veel. In die tijd was Ford heel sterk in Europa, waar ze onevenredig veel geld in staken, doch in Amerika hadden ze op de markt het loodje gelegd. Na de tweede oliecrisis werden ze door de importen ernstig getroffen. Afgezien van de Escort/Lynx – Fords kleine 'wereldauto' en hun equivalent voor onze Omni/Horizon, hadden ze geen enkele auto met voorwielaandrijving.

Bovendien stond Ford op het punt zich te buiten te gaan aan een reusachtige investering van miljarden dollars om de Tempo en de Topaz te produceren, alleen om een duplicaat te maken van het soort ruime auto dat bij Chrysler al bestond in de vorm van de K-car. Als we fuseerden, konden we beginnen met de verkoop van een versie van hun Escort ter vervanging van onze Omnio/Horizon en konden zij beginnen een versie van onze nieuwe Aries en Reliant te verkopen. Onder de voorwaarden van ons plan zou Ford zorgen voor een grotere auto met voorwielaandrijving die oorspronkelijk stond gepland voor 1987 en voor de meeste andere grote modellen als ook voor de vrachtwagens. Wij zouden de mini-bestelauto 1984 inbrengen.

Voor Ford betekende een fusie met Chrysler de snelste en eenvoudigste weg terug te keren naar hun oorspronkelijke positie als sterke nummer twee. Met één pennestreek zouden ze GM in de verkoop van vrachtwagens voorbijstreven en eveneens nummer een zijn op de Canadese en Mexicaanse automarkten. In eigen land zou een fusie betekenen dat Fords marktaandeel omhoog zou vliegen van 17 naar 27 procent.

Ging een fusie met Chrysler door dan zou Ford 75 procent van de sterkte van GM bezitten in de autoverkoop binnen de Verenigde Staten. We zouden dan een echte nek-aan-nek-race te zien krijgen. Alfred Sloan zou zich in zijn graf hebben omgedraaid omdat de nieuwe onderneming vier divisions had gehad tegenover vijf van GM. Het zou fantastisch zijn geweest deze twee grote ondernemingen in zo'n spannende race te zien. Voor Amerika betekende het een sensatie en de bankiers en de advocaten zouden het prachtig hebben gevonden; het zou immers de grootste transactie in de geschiedenis van de Amerikaanse industrie zijn geweest.

Anderzijds: als Chrysler gewoon over de kop ging, zou Fords aandeel – zoals ons onderzoek aantoonde – slechts minimaal omhoog gaan. In dat scenario zou het grootste deel van onze nering worden opgepikt door GM, maar vooral door de importen.

We legden het plan aan enkele topbankiers in New York voor; die vonden het helemaal te gek. 'Als uit de hemel gevallen,' zeiden ze. 'De produkten kloppen en de dealer-organisaties passen in elkaar. Alles werkt prima.'

We hadden hypothetische balansen opgemaakt en die zagen er geweldig uit. We beschikten over een operatieplan en we waren in staat 1 miljard winst aan de combinatie toe te voegen. Er school kracht in die cijfers.

Salomon Brothers, onze investeringsbankiers, vonden het plan tamelijk goed. John Wolfensohn die de Chrysler-rekening behandelde, stemde erin toe Goldman Sachs, die Ford vertegenwoordigde, te benaderen. Met gebruikmaking van Chryslers financiële gegevens plus met wat ze maar over Ford boven tafel konden krijgen, werkten Salomon Brothers het denkbeeld verder uit. Ze stelden een overzicht op waarin punt voor punt werd uitgelegd waarom de fusie voor beide partijen zinvol was en hoe deze het best tot stand kon worden gebracht.

Goldman Sachs gaf blijk van een zekere mate van belangstelling en zij gaven het voorstel door aan de topmensen bij Ford. In dit stadium was het plan strikt geheim. Omdat het een kans was die zich maar een keer in een mensenleven voordoet, zocht ik Bill Ford op om hem de bal toe te gooien. Afgezien van deze ontmoeting hadden we ons veel moeite getroost het voor de buitenwereld verborgen te houden. Alles was achter de schermen gebeurd en niet naar de pers uitgelekt.

Plotseling donderde de hele zaak in elkaar. Philip Caldwell, de voorzitter van Ford, klapte uit de school. Door een verklaring aan de pers af te leggen, voorkwam hij de hele discussie. Wat hij zei, kwam erop neer dat 'Chrysler een fusie met ons had voorgesteld, maar dat wij nooit zo stom zouden zijn'.

Ford bracht deze verklaring in het openbaar om ons schade te berokkenen. Ze hadden echter op geen enkel punt een grondige analyse aan het voorstel gewijd. Caldwell verkondigde eenvoudig dat het bestuur eenstemmig had besloten geen onderhandelingen met Chrysler aan te gaan. Later vertelde een van van de bestuursleden van Ford me dat ze twee minuten tijd hadden gekregen om het plan te bekijken. Binnen 24 uur hadden ze hun antwoord klaar; het zou hen 24 dagen gekost hebben om het voorstel behoorlijk te bestuderen. Het enige wat ze in één dag konden doen, was verklaren dat het een slecht idee was om daarna over te gaan tot de orde van de dag.

Zoals ik het zie, was de bedrijfsleiding van Ford er tegen omdat ze wisten dat wij de meesten van hun goede krachten al hadden overgenomen en ze vreesden dus dat ze wel eens in de kou zouden komen te staan als de zaak doorging.

Ik stel me zo voor dat Henry die zogenaamd met pensioen was, heeft moeten kokhalzen bij het idee. Ze kwamen dus alleen met een schets van het slechtst denkbare scenario. Ik denk dat ze een grote kans hebben gemist.

Ik reageerde met een persoonlijke verklaring waarin stond dat een dergelijke fusie goed zou zijn geweest voor het land en dat Amerika een wezenlijke concurrent van GM nodig had. Het was een schande; ik beschikte immers over de instemming van de juiste mensen in Washington. Zij beweerden dat als we Ford konden overhalen, zij hun best zouden doen om het mogelijk te maken. Maar het plan werd door Ford getorpedeerd zonder dat het een eerlijke kans kreeg.

Indien we die overeenkomst op de een of andere manier rond hadden kunnen krijgen, zou alleen GM als een razende te keer zijn gegaan om de zaak tegen te houden. Hun houding zou zijn geweest: Dat hebben wij al in de jaren twintig gedaan. Niemand mag worden toegestaan het nog eens te doen. Een Chrysler-Ford kartel? Geen sprake van. Dat zou ons het vuur te na aan de schenen leggen.

Als de fusie was doorgegaan, zou er een blijvende verandering in de Amerikaanse automobielindustrie teweeg zijn gebracht. De dag na de fusie zouden Chrysler en Ford niet meer dezelfde auto's maken. We zouden drie of vier miljard dollar in investeringen hebben bespaard. De inkoop voor een grote onderneming zou gemakkelijker zijn geweest. En de vaste kosten zouden drastisch zijn verlaagd omdat we, net als GM, veel onderling uitwisselbare onderdelen bezitten.

De tijd was rijp en misschien is dat nog steeds zo. Ik denk echter dat het Departement van Justitie nu geen toestemming meer zou geven. Ze zouden razen en tieren omdat het een volmaakt horizontale integratie is van twee reuzen in één markt met weinig (slechts drie) aanbieders. De fusie zou op grond van de anti-trustwetgeving zijn verboden door het Departement van Justitie. Maar met de overeenkomst tussen GM en Toyota en de nieuwe filosofie van Washington met betrekking tot fusies... wie zal het zeggen?

Een fusie zou nog steeds zinvol zijn, zelfs al is Chrysler nu gezond. GM telt vijf divisions, Ford en Chrysler hebben er echter ieder slechts twee. Dat is de zekerste manier om je door de vaste kosten te laten uitkleden.

Zoals de zaken er nu voorstaan, zullen er tegen het jaar 2000 in ieder geval nog slechts twee vechters in de ring overblijven: GM en Japan. Een fusie tussen Ford en Chrysler is waarschijnlijk de enige doeltreffende daad die kan worden verricht om de Amerikaanse auto-industrie tegenover Japan te versterken.

Natuurlijk hangt het er allemaal vanaf hoe je het bekijkt. Bij Ford geloven ze nog steeds dat de industrie er weer bovenop zal komen en dat die goeie, ouwe tijd zal terugkeren waarin Ford opnieuw een rivaal zal worden. Ze zullen er echter altijd tussenin zitten, met aan de onderkant de Japanners en hun laaggeprijsde auto's en GM aan de bovenkant, die de duurdere, luxe nering in zijn bezit heeft. Ford is dan het beleg tussen twee sneetjes dat geleidelijk wordt opgegeten.

Ook zonder een fusie met Ford koesterde ik de hoop dat we tegen eind 1981 weer grond onder de voeten zouden hebben. Waar ik niet op had gerekend, waren de voortdurende hoge rentetarieven en de schrikbarend slechte economische gang van zaken. Op 1 november bereikten we een nieuw dieptepunt: we waren toe aan ons laatste miljoen dollar.

Bij Chrysler gaven we gemiddeld 50 miljoen dollar per dag uit en het was dus absurd om nog maar een miljoen in kas te hebben. Net alsof je anderhalve dollar op je bankrekening hebt staan. In de autobusiness is een miljoen dollar zoiets als het wisselgeld dat je in de bovenste la bewaart.

Op dat tijdstip had elke grote leverancier ons de genadeslag kunnen toebrengen. U moet beseffen dat wij iedere maand zo'n 800 miljoen dollar aan rekeningen van onze leveranciers hadden te betalen. Er was geen andere uitweg dan al onze leveranciers om een langere betalingstermijn te vragen. Dat is echter moeilijker dan het klinkt. Als we ons tot hen wendden met de mededeling: 'Zeg, we zullen een beetje laat zijn met betalen,' dan zou dat een kettingreactie teweeg kunnen brengen. Het is vertrouwen dat onderneming en leverancier hecht samenbindt. Ontbreekt dat vertrouwen, dan gaan de leveranciers in hun eigen belang handelen. Ze worden zenuwachtig en hun vrees kan gemakkelijk tot een ramp leiden.

Enkele kleine leveranciers zetten de leveranties inderdaad stop en we werden gedwongen onze fabriek aan de Jefferson Avenue een paar dagen stil te leggen. We slaagden er echter in met hen overeen te komen de betalingstermijn met tweeëntwintig à drieëntwintig dagen te verlengen. Goodyear Tire en National Steel gaven ons meer tijd. Chuck Pilliod en Pete Love, ik zal jullie niet vergeten – jullie bleven in ons geloven.

Ik maakte me bovendien zorgen over de uitbetaling van de lonen, maar we hebben nimmer een dag gemist en konden onze mensen steeds op tijd betalen. Verbazingwekkend genoeg misten we ook nooit een betaling aan een leverancier, hoewel we de tijd wel eens rekten en traag van betaling waren, alleen echter na voorafgaande overeenstemming.

Er waren momenten waarop ik verzuchtte: 'Heer in de hemel, we moeten duizend auto's meer afleveren om het geld bij elkaar te krijgen waarmee we donderdag een rekening van 28 miljoen dollar moeten betalen, of vijftig miljoen om vrijdag de lonen te kunnen uitbetalen.' We leefden bij de dag en, oh, wat ging het om grote bedragen!

We moesten magiërs zijn. We moesten weten bij wie we de betaling konden uitstellen en wie we op tijd dienden te betalen. Als je moet scharrelen, schooier dan maar als een bedelaar.

Natuurlijk, vandaag zien ze hoeveel geld we op de bank hebben staan en geven ze ons zestig dagen. Nu kunnen we krediet krijgen zelfs zonder erom te vragen. Het is het oude spelletje, Kruis, ik win, Munt, jij verliest! Wil je een lening? Laat ons zien dat je hem niet nodig hebt en dan zullen wij je hem geven. Als je rijk bent, als er geld op de bank staat, is er altijd volop krediet. Heb je niets in kas dan krijg je niets.

Mijn vader had me dertig jaar eerder dat lesje al gegeven, maar ik zal wel niet goed hebben geluisterd. In november 1981 had ik die les echter geleerd.

Het doet alleen pijn als ik lach

Onder alle vormen van journalistiek is er niet een zo bondig en snijdend als de spotprent in de krant. Tijdens de Chrysler-crisis verschenen er honderden. Een karikatuur met bijschrift gaf een snelle samenvatting van het nieuws. De chronologische volgorde van die vier jaren toont ons wisselend fortuin. Hier zijn een paar van de beste – of slechtste – het is maar hoe je het bekijkt.

zomer 1979

'Dit is geen overval!... Ik ben van Chrysler!'

winter 1979

winter 1981

'Bericht van het hoofdkwartier… "Als je een betere dekking weet, ga er dan heen".'

winter 1981

voorjaar 1982

DICK WRIGHT/SCRIPPS-HOWARD NEWSPAPERS.

zomer 1982

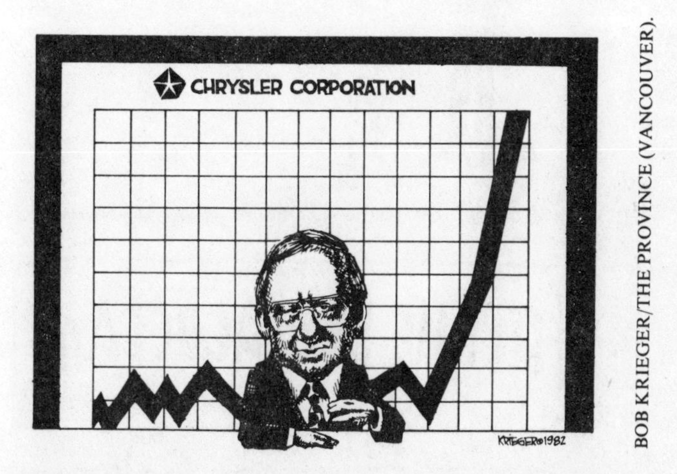

BOB KRIEGER/THE PROVINCE (VANCOUVER).

'...maar praten over het subsidiëren van de regering lijkt me een beetje voorbarig.'

winter 1983 "NEEM EEN BRIEF OP VOOR MENEER IACOCCA –
BESTE LEE, KOM TERUG, ALLES IS VERGEVEN!

ED ASHLEY/THE TOLEDO BLADE.

voorjaar 1983

MET TOESTEMMING OVERGENOMEN. © 1983 NEA, INC.

voorjaar 1983

JOHN MCINTOSH/THE BOSTON GLOBE.

23
In het openbaar

Halverwege 1983, toen de onderneming weer stevig op poten stond, gingen er verhalen rond dat ik me kandidaat wilde stellen als President. Ik vermoed dat de geruchten begonnen toen ik zoveel TV-reclamespots voor Chrysler deed. Veel mensen denken nu dat ik een acteur ben, maar dat is belachelijk. Iedereen weet dat het acteur zijn je nog niet geschikt maakt voor het Presidentschap.

Tijdens de debatten in het Congres waren alle advertenties die we plaatsten om onze positie te verduidelijken door mij getekend. De campagne was zeer effectief en nadat het allemaal achter de rug was, besloot ons reclamebureau om het idee van mijn verantwoordelijkheid nog een stapje verder door te voeren door mijn gezicht in de reclamespots te tonen.

Het was niet de eerste keer dat men hieraan had gedacht. Voor K & E ten tonele verscheen, had ook Young & Rubican er al bij me op aangedrongen op de TV te verschijnen. Ik was ertegen en wendde me om raad tot mijn oude vriend Leo-Arthur Kelmenson, de president van Kenyon & Eckhardt. Leo deelde mijn scepsis. 'Als ik jou was, deed ik het niet, Lee,' zei hij. 'Het tijdstip is verkeerd.' Kelmenson benadrukte dat de enige reden voor mijn verschijnen in onze reclame bestond uit het versterken van Chryslers geloofwaardigheid, maar op dat punt was ik volgens hem nog te kort in die baan en was de onderneming te zwak. Geloofwaardigheid is iets dat je alleen op den duur kunt verwerven en als je het niet hebt verdiend, kun je er ook geen gebruik van maken.

Toen K & E me vroegen op de televisie te verschijnen, hadden ze betere argumenten. Er was een jaar voorbij gegaan waarin veel was gebeurd. Door de hoorzittingen in het Congres was ik een in het hele land bekende figuur geworden. De Chrysler-story was voortdurend in het nieuws en de reclamejongens wilden dit nadeel graag in een voordeel omzetten.

Tijdens onze strategievergaderingen in Highland Park kwam het reclamebureau met sterke argumenten: Iedereen denkt dat Chrysler failliet gaat en iemand moet hen vertellen dat het niet waar is. De meest geloofwaardige knaap om dat te doen, ben jij. Ten eerste ben je bekend en ten tweede weten de kijkers heel goed dat je – nadat je de spot hebt gemaakt – weer aan de slag moet om de auto's te fabriceren die je net hebt aangeprezen. Door in de advertenties te verschijnen sta je met je geld achter wat je zegt.

Terugblikkend moet ik erkennen dat ze gelijk hadden. Het is duidelijk dat mijn optreden in de televisiespots een essentieel onderdeel was van

Chryslers herstel.

Toen het denkbeeld voor het eerst werd geopperd, stond ik er absoluut afwijzend tegenover. Het ondertekenen van advertenties was één ding. Dat was zoiets als het schrijven van een reeks open brieven aan het Amerikaanse publiek. Televisiespots waren echter iets heel anders. Een van de moeilijkheden was dat ik niet zag hoe ik er tijd voor zou kunnen vinden. Er is een goede reden waarom reclamespots de beste programma's zijn op de televisie – ze worden met veel meer zorg en creativiteit gemaakt dan bijna alle andere programma's op de buis.

Al die zorg en creativiteit zijn echter enorm tijdverslindend en bovendien is het maken van een televisiespot een van de vervelendste dingen ter wereld. Het is net alsof je naar het groeien van het gras zit te kijken. Ik houd van opschieten; de opname van een reclamespot van zestig seconden kan echter gemakkelijk acht tot negen uur tijd vergen. Ieder uur dat ik voor de TV-camera doorbracht, betekende dat ik eenzelfde aantal uren niet aan de autobusiness kon werken. Je kunt niet tegelijk acteur zijn en aan het hoofd van een bedrijf staan.

Ik was er tevens van overtuigd dat elke voorzitter van een onderneming die in advertenties van zijn bedrijf verschijnt, bezig is met een egotrip. Telkens als ik een directeur reclame zag maken voor zijn zaak, kreeg ik een vieze smaak in mijn mond. Ik had me dertig jaar met marktanalyse beziggehouden en er bestonden bepaalde, algemene normen die een reclamebureau gewoonweg niet schond. Een van die normen luidt ongeveer als volgt:

> Is de klant van weerzin ziek,
> maak een plaat van zijn fabriek.
> Gaat hij door met zijn geteem,
> vergroot dan tweemaal zijn embleem.
> Maar stel je altijd weer als doel:
> nooit een plaatje van zijn smoel.

Ik was natuurlijk bezorgd dat mijn optreden in televisiespots door het publiek zou worden gezien als een laatste wanhoopsdaad en dat alle inspanning het omgekeerde effect zou bereiken.

Jarenlang hadden gevierde persoonlijkheden produkten op de TV aanbevolen. Bij Chrysler hadden we gebruik gemaakt van Joe Caragiola en Ricardo Montalban. Later haalden we daar John Houseman en Frank Sinatra nog bij. Sinds kort had echter een handjevol ondernemingsleiders een hoofdrol vervuld in reclameboodschappen van hun bedrijven – de drie belangrijkste kopstukken heetten allemaal Frank: Frank Borman van Eastern Airlines, Frank Sellinger van Schlitz – en natuurlijk Frank Perdue, de kippenkoning.

Behalve geloofwaardigheid is er nog een reden om de baas een hoofdrol te laten spelen; een minder fraaie weliswaar. Mislukt de advertentie dan slaat hij een pleefiguur en kun je te allen tijde de enorme eerzucht van de voorzitter de schuld geven. Het publiek neemt domweg aan dat het zijn idee was – zelfs al is dit niet het geval.

Een paar maanden eerder hadden de mensen van K & E me gevraagd of een van hun medewerkers onze vergaderingen mocht bijwonen met een draagbare camera om een filmverslag van ons herstel voor te bereiden. Ze maakten een paar meter film van me terwijl ik een aantal dealers toesprak en bij wijze van experiment gebruikten ze er een paar seconden van voor het slot van een van onze reclamespots.

Het resultaat beviel hen wel en ze vroegen me de hoofdrol te vervullen in enkele spots. Hoewel ik hun redenering begreep, vond ik het nog steeds geen goed idee. Op zekere dag zat ik met John Morrissey, het hoofd van het bureau in Detroit, in een vliegtuig en bij die gelegenheid hield hij me onomwonden voor: 'We moeten het publiek vertellen dat we een nieuwe onderneming zijn die verschilt van het vorige stelletje bij Chrysler. De beste manier om die boodschap over te brengen, is de baas naar voren schuiven. Ik zie geen andere oplossing dan dat jij het doet.' Ik stemde er dus mee in een poging te wagen.

Slechts één kant van de hele zaak beviel me. In tegenstelling tot de andere woordvoerders die we in het verleden hadden gebruikt, ben ik goedkoop. Eén keer heb ik tien uur aan 108 opnamen meegewerkt; alles wat ik ervoor kreeg was een broodje corned-beef en een kop koffie.

In het begin leverde ik alleen slotzinnen – korte mededelingen aan het eind van de spot, bijvoorbeeld: 'Ik vraag u niet een van onze auto's in goed vertrouwen te kopen, ik vraag u een vergelijking te maken.' Of: 'Als u een auto koopt zonder Chrysler in overweging te nemen, is dat jammer – voor ons beiden.'

Later werden we brutaler en ontwikkelden we een meer agressieve aanpak, zoals: 'U kunt met Chrysler in zee gaan of met iemand anders – het risico is voor u.' Of de inmiddels beroemd geworden zin waarbij ik met mijn vinger naar de camera wijs en zeg: 'Als u een betere auto kunt vinden – koop hem dan.' Die kreet was, tussen haakjes, van mezelf, de verklaring waarom ik hem met zoveel overtuiging kon uitspreken.

'Als u een betere auto kunt vinden – koop hem dan,' is al op honderden verschillende manieren geparodieerd. Het moet doeltreffend zijn geweest want ik krijg regelmatig brieven waarin staat: 'Ik heb rondgekeken, maar een betere auto kon ik niet vinden.'

Er waren natuurlijk ook anderen die zeiden: 'Ik heb uw advies opgevolgd. Ik heb een betere auto gevonden, maar die was beslist niet van u.' Dat behoort bij het risico – en maakt deel uit van de pret. Mijn slagzin werd in het jargon opgenomen. Ik probeerde voorbij te zien aan de honderden vindingrijke voorbeelden op hetzelfde thema. In Dallas stond een groot aanplakbord met de woorden: 'Als je een betere whiskey kunt vinden, drink 'm.' In een brief stond: 'Als je een betere lemon kunt vinden, zuip 'm.'

Hoe meer reclameboodschappen ik maakte, hoe meer ik me erin verdiepte wat ik precies zou zeggen. Als de voorzitter een goede tekst bedenkt, is dat voor het reclamebureau uiteraard een beetje pijnlijk. Men gaat zich daar dan afvragen: Tjee, als die kreet goed is waarom hebben wij hem dan niet bedacht?

In een latere spot die ook beroemd is geworden, begon ik met te zeggen: 'Er was een tijd waarin de woorden "Made in America" iets betekenden. Het wilde zeggen dat je het beste fabriceerde. Helaas geloven veel Amerikanen daar niet meer in.' Op dat punt aangekomen, wilde ik er de volgende regel aan toevoegen: 'En wij verdienden die slechte reputatie waarschijnlijk; we hebben immers in het verleden heel wat rommel uit Detroit verzonden.'

Toen ze dat hoorden, ook al was het in een gekuiste versie, raakte het bureau totaal overstuur. 'Dat is niet de plaats om bekentenissen af te leggen,' zeiden ze. 'Als je zoiets zegt, zal de vent die voor de buis zit en van wie de Volare is doorgeroest, je schriftelijk een schadevergoeding van duizend dollar vragen.' We sloten dus een compromis en ik voegde er alleen aan toe: 'En misschien wel terecht.' Daarbij lieten we het.

Toentertijd waren die reclameboodschappen vrij ongebruikelijk. Gezien onze situatie, moesten we iets spectaculairs doen. Dankzij omstandigheden buiten onze wil, had Chrysler al een eigen indentiteit. Men zag ons heel anders dan de rest van de Amerikaanse auto-industrie.

In reclametermen gesproken, stonden we voor een eenvoudige keuze – ofwel we voegden ons bij de massa en werden één van de jongens of we aanvaardden onze uitzonderlijke indentiteit en probeerden die in ons voordeel te laten werken.

Door het in beeld brengen van de voorzitter in onze reclame kozen we voor de tweede weg.

In de televisiespots besloten we evenals in de gedrukte reclame die eraan voorafging, rechtstreeks in te gaan op de terughoudendheid en twijfels van het publiek. Het was geen geheim dat de Amerikaanse consumenten een lage dunk hadden van de Amerikaanse auto-industrie. De meesten geloofden dat Japanse en Duitse auto's wezenlijk beter waren dan alles wat er uit Detroit kwam.

Zonder te aarzelen lieten we hen weten dat dit niet langer het geval was. We ondersteunden onze bewering door iedere klant die een van onze auto's met die van anderen vergeleek vijftig dollar aan te bieden – zelfs als hij ten slotte een auto van de concurrentie kocht.

Tegelijkertijd waren we voorzichtig genoeg niet al te brutaal te zijn. We wilden zelfvertrouwen tonen, maar niet arrogant lijken. Gegeven de naam die Chrysler had, wilden we niet zonder meer beweren dat Chrysler de beste auto's maakte – hoewel we dat wel geloofden.

In plaats daarvan wilden we dat de klant zelf tot die overtuiging kwam. We hielden dus vol dat iedereen die op zoek was naar een nieuwe auto in elk geval ook een van onze wagens in overweging diende te nemen. We geloofden dat de kwaliteit van onze auto's iedereen zou opvallen die ze bekeek. Als we maar genoeg klanten in onze showrooms kregen, zou onze verkoop dienovereenkomstig stijgen. En zo gebeurde het dan ook.

Ik kan echter niet ten eeuwigen dage als standwerker blijven optreden.

Ik word er moe van en het publiek ook. In een wegwerpmaatschappij als de onze zijn er geen echte helden. Niemand houdt het lang uit. Week in week uit bieden tijdschriften die over mensen gaan ons een nieuw stel beroemdheden aan. Na een paar maanden zijn de meesten van hen weer verdwenen.

Ik wil dus geen misbruik maken van de gastvrijheid. Ik ben regelmatig bij de mensen in de huiskamer en ik wil ermee stoppen voor ze roepen: 'Oh, daar heb je die vent weer!'

Sinds ik ben begonnen met reclamespots heb ik getracht ermee op te houden, doch K & E heeft constant wegen gevonden om me in beeld te houden. Kortgeleden heb in ontdekt dat ze in het geheim van plan waren een Lee Iacocca-muppet toe te voegen aan Miss Piggy, Kermit en de rest van het stel. Zonder het me te vertellen, hebben ze het idee uitgeprobeerd in een aantal zalen in het land. Het publiek vond de reclamespots leuk, maar een beetje te gekunsteld. De hemel zij dank.

De crisis bij Chrysler is nu een paar jaar achter de rug en ik wil dat in de reclame tot uitdrukking brengen. Als ik van het scherm verdwijn, hoop ik dat de mensen zullen zeggen: 'We horen niets meer van die vent omdat hij er weer bovenop is. Hij liet zich zien toen hij ziek was, nu is hij weer gezond.'

Anders loop je gevaar lichtvaardig loos alarm te slaan.

Door de reclamespots is nog een probleem ontstaan: Mijn privacy is er door vernietigd. In een stad met één industrie zoals Detroit, ben ik jarenlang een beroemdheid geweest, maar nu kan ik, dankzij de televisiespots, zelfs in New York niet meer op straat lopen. Als ik een blok om loop, zijn er vijf mensen die omkijken, zes die me aanhouden en zeven automobilisten die mijn naam roepen. Dat is aardig voor een weekje, daarna wordt het een kwelling.

Enkele jaren geleden toen ik in Detroit naar een TV-show keek waarin een plaatselijke columnist werd geïnterviewd, kreeg deze de vraag voorgelegd: 'Ik zal een paar namen noemen en ik had graag dat u me vertelt wat die in deze stad betekenen.'

De eerste naam was Iacocca.

De man antwoordde meteen: 'Beroemd.'

'Beroemd?' zei de ondervrager. 'Wat bedoelt u? Is hij machtig?'

'Oh, nee,' antwoordde de columnist. 'Hij heeft helemaal geen macht. Hij is alleen beroemd – beroemd vanwege zijn TV-spots.'

Ik knikte toen en dacht: Daar ben ik het mee eens. Het is zoals iemand een paar jaar geleden opmerkte: 'In onze samenleving is een beroemdheid een persoon die beroemd is omdat hij algemeen bekend is.'

Roem is vergankelijk. Voor mij betekent het bovenal het verlies van privacy. Begrijp me niet verkeerd – er zijn ogenblikken waarop het heel prettig kan zijn. Ik herinner me dat er toen ik in een lift stond in het Waldorf in New York een vrouw binnenstapte. Ze zei, terwijl ze naar me wees: 'Iacocca, wij zijn trots op u. Ga door met wat u doet. U bent een echte Amerikaan.' Voor ze uit de lift stapte, gaf ze me een hand.

Een van onze bestuursleden keerde zich naar me om en vroeg: 'Geeft je dat van binnen geen goed gevoel?' Ik antwoordde: 'Nou, reken maar.'

Toen ik een paar minuten later op straat stond, kwam er een klein, oud dametje op me af. 'Ik weet wie u bent,' zei ze. 'Ik kom uit Porto Rico. Ik woon hier pas een paar jaar, maar ik geloof dat u iets heel goeds doet voor dit land. U bent zo sterk, zo op en top een Amerikaan.' Er schuilt een element van opgekropt patriotisme in veel van die ontmoetingen, waarschijnlijk door de 'Made in America'-reclamespot of gewoon omdat Amerika een diepgewortelde liefde heeft voor de underdog.

Roem kent echter ook andere kanten. Als ik in een restaurant wil dineren, komt er steevast elke vijf minuten een vent op me af die met me wil praten over zijn 65er-Mustang of z'n Dodge Dart die nog steeds loopt – of niet loopt.

Geloof me of niet: ik ben heel erg gesteld op mijn privéleven. Toen me enkele jaren geleden werd gevraagd aan het hoofd van de Columbus Day Parade te lopen, was dat nauwelijks denkbaar voor me. Het was een grote eer, maar het maakte me doodzenuwachtig zo te kijk te staan voor een miljoen mensen en hen toe te wuiven alsof ik Douglas MacArthur was of iemand anders die uit de oorlog terugkeerde.

Ik krijg zeker graag erkenning voor wat ik heb gedaan, maar ik word er wel altijd aan herinnerd dat mijn roem weinig heeft te maken met mijn prestaties. Ben ik beroemd vanwege de Mustang? Voor het leiden van Ford in de meest winstgevende jaren van zijn bestaan? Voor de ommekeer die bij Chrysler tot stand kwam? Het klinkt mismoedig, maar ik heb het gevoel dat men mij zich alleen zal herinneren vanwege mijn reclamespots op de televisie. Oh, die vervloekte buis!

Vijfentwintig jaar geleden kreeg ik een verbazingwekkend getal onder ogen. Ik kwam tot de ontdekking dat de televisietoestellen in Amerikaanse woningen gemiddeld 42,7 uur per week aanstonden. Vanaf die dag ben ik met ontzag vervuld geweest van de macht van de televisie. Ik ging miljoenen dollars toewijzen voor TV-reclame. Op een bepaald ogenblik bij Ford werd ik zo meegesleept dat ik alle reclamezendtijd tijdens de National Football League kocht. Dat zou tegenwoordig onmogelijk zijn, nu kost het een half miljoen dollar per minuut.

Hoe machtig TV was wist ik dus, maar persoonlijk had ik het nog niet ervaren. Het gevolg van mijn Chrysler-reclame is dat ik door Jan en alleman wordt benaderd. Twaalf opticiëns concentreerden hun aandacht op mijn bril; ze kwamen tot de conclusie dat het montuur in Frankrijk was gemaakt en ze vonden dat dit niet te pas kwam voor iemand die een 'Made in America'-commercial maakte. Verder waren er drie mondchirurgen die me over mijn loszittend kunstgebit schreven. Ik was beledigd en schreef terug dat ik al mijn eigen tanden nog had – en in prima staat. Het had hen verontrust dat mijn tanden nooit waren te zien, zelfs niet als ik lachte, maar dat kon gemakkelijk worden verholpen, beweerden ze. De 'esthetische procedure' waarover ze beschikten, kon mijn tanden bloot leggen of de stand van mijn lippen veranderen. Nu wil ik graag alles doen om auto's te verkopen, maar dat gaat me een beetje te ver.

Als ik mijn post mag geloven, schijn ik ook blauwe overhemden met witte boorden populair te hebben gemaakt. Tussen haakjes, hoewel ik op een TV-spot nooit een sigaar heb gerookt, ben ik een aantal keren met een sigaar in mijn hand op de buis te zien geweest. De pers houdt vol dat ik tussen de twaalf en honderd sigaren per dag rook. Pure fantasie. Als ik er drie op een dag rook, is het veel.

Het zijn de vervloekte televisiespots die de praatjes in de wereld brachten dat ik me kandidaat wil stellen voor President. In een bui van vaderlandsliefde heb ik gezegd: 'Laten we zorgen dat Amerika weer iets gaat betekenen.' Ik had er geen idee van dat de reclamespots in dit licht zouden worden gezien.

De geruchten over mijn belangstelling voor het presidentschap kwamen in de eerste plaats op gang door een stuk op de voorpagina van *The Wall Street Journal* in juni 1982 dat begon met de woorden: 'In Detroit wordt gefluisterd dat Lee Iacocca hunkert naar een openbaar ambt: niet gewoon het een of andere openbare ambt, maar een dat groot genoeg is om een man met een ego dat de hele natie omspant, voldoening te geven. Er wordt gezegd dat Lee Iacocca, de voorzitter van de Chrysler Corporation een diep verlangen koestert om president te worden van alle mensen. Als een Hollywood-ster dat kan worden waarom dan niet een autoverkoper uit Detroit?'

De logica was niet bijster overtuigend. Iacocca houdt veel toespraken. Hij doet TV-reclamespots. Hij is betrokken bij het Vrijheidsbeeld. Hij is een kleurrijke figuur in een tak van industrie met kleurloze mensen. Hij bezit overduidelijk een groot ik-gevoel. Daarom stelt hij zich kandidaat als President.

Het verhaal kreeg enorm veel aandacht. Talloze artikelen, een overvloed aan post. Hoe is het allemaal begonnen? Ik heb het vage vermoeden dat een stel journalisten het onder een borrel voor de grap heeft bedacht. Toen ze me de eerste keer vroegen of ik President wilde worden, wist ik niet was ik moest antwoorden. Ik nam ze dus maar in de maling en zei: 'Ja, ik zou graag President willen worden, maar alleen als ik slechts voor één jaar werd benoemd.' Ik zei zelfs niet één termijn.

Het maakt je oud en ik verouderde genoeg gedurende mijn eerste termijn bij Chrysler.

Het artikel van Amanda Bennet in haar half-gekscherende column van de *Journal*, stond in het midden van de voorpagina. Amanda had net daarvoor een stuk geschreven over het laatste bordeel in Michigan en dit artikel prijkte op dezelfde plaats. Wat ik van het artikel dacht, ligt dus aardig voor de hand.

Enkele maanden later stond er in *Time* een beschouwing over mogelijke presidentskandidaten in 1984 en opnieuw werd mijn naam genoemd. Het tijdschrift beweerde dat ik me kandidaat voor het presidentschap zou kunnen stellen omdat ik 'een expressief gezicht' had. Nog zo'n voorbeeld van een overtuigende, politieke logica.

Aan die uitdrukking zit een grappig verhaal vast. In 1962 gaf *Time* in Detroit een grote receptie en Henry Luce, de oprichter was ook aanwezig. Ik werd uitgenodigd omdat ik een jonge vice-president in opkomst was bij Ford, hoewel de Mustang pas een paar jaar later zou uitkomen.

Op een zeker ogenblik werd ik die avond aan Mr. Luce voorgesteld. Hij keek me aan en zei: 'Een expressief gezicht.' Even later merkte een van zijn mensen tegen me op: 'Eens zal hij je op de omslag zetten. Hij houdt van expressieve gezichten.' En verdraaid als het niet waar is dat de geest van Henry Luce die uitdrukking twintig jaar later gebruikte om me te beschrijven. Het trof me als een donderslag. Is dat nu echt de wijze waarop wij onze leiders kiezen?

Mensen belanden door allerlei oorzaken in Het Witte Huis. Ik heb Jimmy Carter wel eens gevraagd waarom hij zich kandidaat stelde en zijn antwoord was: 'Toen ik gouverneur van Georgië was, kreeg ik bezoek van enkele lieden die zich kandidaat hadden gesteld; ze leken me niet erg slim.' Ik ken dat gevoel.

Hoewel ik er misschien vreugde aan zou beleven President te zijn, is het echter pure fantasie: ik kan me namelijk niet voorstellen dat ik zou meedoen aan een verkiezingscampagne voor dat ambt. Die knapen zijn als robots zestien uur per dag geprogrammeerd – lunches, diners, banket zus, banket zo, handen schudden, bij de poorten van fabrieken staan – er komt geen eind aan. Als je presidentskandidaat bent, moet je over enthousiasme beschikken en om al dat slavenwerk te doorstaan, moet je het wel héél graag willen.

Ik heb al miljoenen handen geschud en gedurende de afgelopen veertig jaar heb ik meer vergaderingen en bijeenkomsten bezocht dan ik me kan herinneren. Ik heb zoveel cocktailglazen vastgehouden dat mijn rechterhand er blijvend krom door staat en ik heb een gevoel alsof ik alle fabrieken van de wereld al heb gezien. Alleen in de balzaal van het Waldorf-Astoria heb ik al zo'n honderd toespraken gehouden; het personeel daar kent de Chrysler-story net zo goed als ik. Bij een van mijn laatste speeches daar zag ik dat de lippen van enkele kelners synchroom meebewogen met mijn tekst. Na afloop kwam een van hen naar me toe en vroeg me een loongarantie van 200 dollar tot aan zijn betaaldag.

Maar in alle ernst: ik ben uitgeput. In de jaren bij Chrysler ben ik oud geworden. Als ik tien jaar jonger zou zijn – zag ik mezelf de politiek nog wel ingaan. Toen was ik vol vuur en vlijmscherp. Doch het ontslag bij Ford, de langdurige crisis bij Chrysler en vooral het verlies van mijn geliefde vrouw hebben me aangetast.

Voor de politiek heb ik ook niet het juiste temperament. Ik heb McNamara kunnen bekijken. Als hij er niet in slaagde dit land te helpen, kan ik het zeker niet. Hij is meer gedisponeerd dan ik. Bovendien ben ik veel te ongeduldig en veel te openhartig, geen diplomaat. Ik kan me niet voorstellen dat ik acht jaar zou wachten om te zien of we er een energiewet door zouden kunnen krijgen.

Ik ben veel te recht door zee om een goed politicus te zijn. Als iemand me een hoop kletspraatjes verkoopt, zeg ik dat hij ongelijk heeft en moet opdonderen. Op de een of andere manier geloof ik dat het presidentschap zo niet werkt.

Ik denk echter wel dat ons nationaal bestuur te veel juristen telt en onvoldoende mensen uit het bedrijfsleven heeft. Ik zou de voorkeur willen geven aan een systeem waarin twintig topmanagers waren aangesteld om de businesskant van het land te runnen en hen misschien zelfs een miljoen dollar per jaar betalen... belastingvrij. Dat zou werkelijk stimulerend werken en dan kregen we heel wat meer mensen met talent te zien die waren geïnteresseerd in de publieke zaak.

Enige jaren geleden probeerde een machtige groep politici uit Michigan me als kandidaat voor het gouverneurschap te krijgen. Waarom? Omdat het gouverneurschap de beste springplank is naar het presidentschap? 'Je hebt Chrysler gered,' zeiden ze, 'en daar gaat het nu heel aardig. Wat denk je van Michigan? Het is nu jouw staat geworden en ze zitten er met dezelfde problemen.'

Ik had het goede antwoord voor hen klaar: 'Als ik me ooit kandidaat zal stellen voor het gouverneurschap, moeten jullie wel een leuke financieel gezonde staat als Arizona voor me uitzoeken. Misschien neem ik het dan in overweging, maar nu ga ik nooit meer met iets of iemand in zee zonder een beetje geld op de bank. Eén keer is genoeg.'

Sinds in 1982 dat artikel in *The Wall Street Journal* verscheen, heeft het me veel tijd gekost te ontkennen dat ik kandidaat ben voor het presidentschap. Overtuigend kun je echter in zo'n situatie nooit zijn omdat zelfs de echte kandidaten zeggen dat ze niet meedoen tot ze er eindelijk toe overgaan hun ambities bekend te maken. Er zijn dus heel wat mensen die me niet geloven. 'Als hij zich niet kandidaat stelt, waarom schrijft hij dan een boek?' vragen ze. 'Waarom bemoeit hij zich met het Vrijheidsbeeld als het niet is om zichzelf in onze vlag te hullen?'

Toen bleek dat niemand mijn ontkenning wilde geloven, scheen het me beter er dan maar wat lol in te hebben. Elke keer als me werd gevraagd of ik van plan was me kandidaat te stellen, antwoordde ik: 'Ik wil die geruchten uit de wereld helpen, ze zijn niet gerechtvaardigd en verwarrend. Bovendien veroorzaken ze een hoop onrust in mijn verkiezingscampagnestaf.'

Meestal was er niets dat ik kon doen om een eind te maken aan de vele speculaties. Praat je alleen over auto's dan zeggen de mensen dat je eenzijdig bent en praat je over onderwerpen die het land en de wereld betreffen, dan zeggen ze dat je naar het ambt streeft.

Tegen het einde van 1983 tekende ik een contract voor drie jaar bij Chrysler en dat, meer dan iets anders, maakte een eind aan het gepraat over mijn zogenaamde, politieke ambitie.

Hoewel ik nooit kandidaat was, heb ik wel veel geleerd van dat gepraat over het presidentschap. Kort nadat het hele gedoe begon, had ik een gesprek met een reclameman. Hij zei iets interessants. 'Ik heb vastgesteld waarom iedereen over je praat als een kandiaat voor het presidentschap. Het is doodsimpel. De mensen stellen in niemand meer vertrouwen. Als jij praat, doe je hen geloven dat je ergens voor staat en je daar voor inzet. Je ouwehoert niet tegen hen en dat is al te veel gebeurd tegen het Amerikaanse volk.'

Er is nog iets dat ik blijkbaar voor de mensen vertegenwoordig en dat is dat ik een goede manager ben. Ik kan kosten omlaag brengen, geld verdienen en een grote onderneming besturen. Als er iets is waarvan ik zeker ben, is dat het. Ik weet hoe ik een budget in de hand kan houden en ik heb ervaring in het gezond maken van een zwak bedrijf. De Amerikanen moeten hopen op een leider die zowel de begroting in evenwicht kan brengen als de natie een gevoel van vastberadenheid teruggeven.

Ik heb veel brieven gekregen over mijn kandidaatstelling voor het presidentschap. Ik werd me ervan bewust dat er een leegte in dit land bestaat. De mensen snakken ernaar dat iemand hen de waarheid vertelt – dat Amerika niet slecht is, maar een groot land – beter gezegd: dat het tenminste weer groot kan worden gemaakt als we het spoor terugvinden. Men schrijft me omdat ik op de TV verschijn, omdat ik redevoeringen houd en omdat Chrysler weer op de been is. Ik kreeg een met de hand geschreven brief waarin een man me vroeg: 'Waarom brengt u geen herstel in dit land? Waarom verspilt u uw tijd aan het verkopen van auto's?'

De mensen verlangen vurig naar leiding. Ik geloof er niets van dat we leven in een tijdperk van anti-helden. Het is alleen dat we sinds Eisenhower geen leider hebben gevonden op wie we kunnen vertrouwen. Kennedy werd vermoord; Johnson sleepte ons mee in een oorlog; Nixon maakte ons te schande. Ford was een benoemd leider voor een interim-periode. Carter bleek, ondanks zijn vele deugden, de verkeerde voor de tijd waarin we leven. Reagan leeft in het verleden.

Ten slotte zullen we iemand vinden die een echte leider kan zijn. Ik ben zeer vereerd dat veel mensen denken dat ik dat kan zijn. Dat alleen al geeft me alle voldoening die ik me maar kan wensen.

24
Een bitterzoete overwinning

In 1982, toen de rook boven het slagveld eindelijk begon op te trekken, gingen er goede dingen gebeuren.

Het was precies drie jaar geleden dat de Chrysler Corporation 2,3 miljoen auto's en vrachtwagens moest verkopen om geen verlies te lijden. Helaas verkochten we er slechts één miljoen. Een vlug rekensommetje zal u duidelijk maken dat dat geen zoden aan de dijk zet.

Maar nu hadden we door de gezamenlijke inspanning van vele mensen het punt waarop we quitte speelden, omlaag gebracht naar 1,1 miljoen eenheden. Al gauw namen we weer mensen in dienst en sloten we contracten met nieuwe dealers.

Met andere woorden: alles was gereed voor een belangrijke opleving. Helaas was dat met de economie niet het geval.

Laat in het jaar 1982 begon de economie echter aan te trekken en dat deed de autoverkoop eveneens. Toen het jaar om was, toonden we een bescheiden winst.

Mijn eerste opwelling was een persconferentie te geven om alle bijvoeglijke naamwoorden onder te spitten die waren gebezigd om ons gedurende onze langdurige crisis te beschrijven. Let op journalisten! Geldig met onmiddellijke ingang! Chrysler is niet langer in 'geldnood' of 'worstelend' of 'in financiële moeilijkheden'! Als jullie erop staan, mogen jullie ons de derde autofabrikant van het land blijven noemen, maar die andere aanduidingen zijn nu voorgoed van de baan!

Het jaar daarop, in 1983, hadden we een gezonde bedrijfswinst van 925 miljoen dollar – veruit de beste in de geschiedenis van Chrysler.

We hadden een lange weg afgelegd sinds de hoorzittingen over de loongaranties toen we al zoveel beloften hadden gedaan. We beloofden onze fabrieken te gaan moderniseren en om te schakelen naar de nieuwste technieken. We beloofden al onze modellen te veranderen volgens de technologie van de voorwielaandrijving. We beloofden dat we voorop zouden lopen bij de brandstofbesparing. We beloofden dat we de werkgelegenheid voor een half miljoen werknemers zouden handhaven. En we beloofden een spectaculaire produktie.

Binnen drie jaar hadden we aan elk van deze beloften voldaan.

In het voorjaar van 1983 waren we daadwerkelijk in staat nieuwe aandelen uit te geven. Oorspronkelijk hadden we het plan 12,5 miljoen aandelen op de markt te brengen, maar er was zoveel vraag naar onze aandelen dat we ten slotte meer dan tweemaal dat aantal uitgaven.

De kopers stonden ervoor in de rij en ons totale aanbod van 26 miljoen aandelen was binnen het eerste uur uitverkocht. Met een gezamenlijke marktwaarde van 432 miljoen dollar was dit op twee na het grootste aandelenkapitaal dat in de Amerikaanse geschiedenis werd aangeboden.

Wanneer je meer aandelenkapitaal uitgeeft, verminder je uiteraard de waarde van elk reeds uitstaand aandeel. Er gebeurde echter iets sensationeels. Op het ogenblik van de uitgifte werden onze aandelen verkocht voor $16\frac{5}{8}$ dollar, doch binnen een paar weken was er zoveel vraag naar Chrysler-aandelen dat de koers opliep naar 25 dollar en kort daarna naar 35 dollar. Als dat het gevolg is van de waardevermindering per aandeel, dan ben ik er vierkant voor.

Niet lang na de uitgave van de aandelen losten we 400 miljoen dollar – of een derde – af van onze loongarantielening. Dat was de duurste van de drie leningen, de rente ervan bedroeg namelijk een absurde 15,9 procent.

Enkele weken later namen we een gedenkwaardige beslissing – om de hele lening in één klap af te lossen, zeven volle jaren voor de vervaldag. Niet iedereen bij Chrysler vond dit een wijze beslissing. Per slot moet je behoorlijk zeker zijn van de komende paar jaar om van zoveel geld af te zien.

Ik was nu echter vol vertrouwen over onze toekomst. Bovendien was ik vastbesloten de last van de regering zo spoedig mogelijk van onze schouders te tillen.

Ik kondigde de aflossing van de leningen aan op de National Press Club. De datum was 13 juli – en door een mysterieus toeval was dat op de kop af vijf jaar nadat Henry Ford me had ontslagen.

'Dit is de dag die de laatste drie ellendige jaren goedmaakt,' zei ik. 'Wij bij Chrysler lenen geld op de ouderwetse manier... wij betalen het terug.'

Ik voelde me opperbest. 'De mensen in Washington hebben veel ervaring in het uitgeven van geld,' zei ik in mijn toespraak, 'maar niet zoveel als het erom gaat het terug te halen. Er kan dus misschien beter een dokter aanwezig zijn als we de chèque overhandigen voor het geval er iemand flauw mocht vallen.'

In feite kon de regering de chèque op die dag niet eens accepteren. Vanwege de bureaucratie kostte het een volle maand om uit te zoeken hoe het moest worden aangepakt. Het was net alsof niemand het ooit op die manier had terugbetaald.

Bij een plechtige gelegenheid in New York presenteerde ik aan onze bankiers de grootste chèque die ik ooit had gezien: een chèque voor 813.487.500 dollar. Ik nam voor mijn moeite een kist appels in ontvangst. Tijdens de hoorzittingen van het Congres had burgemeester Koch van New York namelijk met mij om een kist appelen gewed dat de stad de door de federale overheid gegarandeerde lonen eerder zou terugbetalen dan wij. Toen wij echter de rekening vereffenden, had de stad New York nog steeds een schuld van meer dan 1 miljard dollar.

Nu we buiten gevaar waren, werd het tijd weer eens iets leuks te doen. Sinds Detroit, bijna tien jaar geleden, was gestopt met het maken van cabriolets, had ik ze echt gemist. De allerlaatste cabriolet was de Cadillac Eldorado die in 1976 was gemaakt. Van Chrysler was de Barracuda uit 1971.

Veel mensen hebben de indruk dat cabriolets door de regering waren verboden. Dat is volstrekt niet waar, al ontwikkelden de zaken zich wel in die richting. In Washington hadden bureaucraten aanstalten gemaakt de cabriolet te verbieden – of op z'n minst de constructie te doen wijzigen. In die tijd hadden we al hoofdpijn genoeg van alle reglementen en niemand had behoefte aan nog meer problemen. De cabriolets werden dus uit de produktie genomen.

Wat de cabriolet werkelijk de genadeslag heeft toegebracht, waren de air-conditioning en de stereoradio. Geen van beide heeft enige zin als je zonder dak rijdt.

In 1982 toen we weer gezond begonnen te worden, nam ik het besluit de cabriolet terug te brengen. Als experiment had ik er een met de hand laten maken uit een Chrysler LeBaron. Ik reed er een hele zomer mee rond en voelde me als de rattenvanger van Hamelen. Mensen in Mercedessen en Cadillacs hielden me aan en lieten me, alsof ze van de politie waren, aan de kant van de weg stoppen. 'Waar rijdt u nu in?' wilden ze allemaal weten. 'Wie heeft die gemaakt. Waar is die te koop?'

Als ze dan ook nog mijn inmiddels bekend geworden gezicht herkenden, wilden ze er ter plekke een bestellen. Toen ik op een dag naar ons plaatselijke winkelcentrum reed, verzamelde zich een grote menigte rondom mij en mijn cabriolet. Het was alsof ik bankbiljetten van 10 dollar stond uit te delen. Je hoefde geen helderziende te zijn om te zien dat deze auto een boel opwinding veroorzaakte.

Terug op de zaak namen we het besluit verdere research achterwege te laten. Onze instelling was: Laten we hem gewoon gaan maken. Geld zullen we er niet aan verdienen, maar het zal ons heel wat publiciteit bezorgen. Als we geluk hebben, spelen we quitte.

Zodra echter bekend werd dat we een LeBaron cabriolet zouden uitbrengen, begonnen mensen uit het hele land aanbetalingen over te maken. Een van hen was Brooke Shields en bij wijze van reclame leverden we haar de allereerste cabriolet. Tegen die tijd werd het duidelijk dat we heel wat van die babies zouden verkopen. Het draaide erop uit dat we er het eerste jaar 23.000 van verkochten in plaats van de 3000 die we hadden gepland.

Al heel gauw brachten GM en Ford hun cabriolets op de markt. Let wel: de kleine, ouwe Chrysler gaf nu de toon aan in plaats van de achterban te vormen.

De cabriolet werd hoofdzakelijk vanwege het plezier gemaakt – en voor de publiciteit. In 1984 brachten we evenwel een nieuw produkt op de markt dat zowel leuk als winstgevend was – de T115 minibestelwagen.

De minibestelwagen is een totaal nieuw vehikel voor mensen die iets groters willen hebben dan een stationcar, maar kleiner dan een bestelauto. Hij heeft voorwielaandrijving en loopt 48 km op een gallon benzine en het mooiste van alles is dat hij past in een gewone garage.

Iedere keer als ik spreek voor studenten van onze nationale handelsscholen, vraagt iemand me wel hoe we het voor elkaar kregen zo snel na onze langdurige crisis de minibestelauto uit te brengen. 'Hoe kon u als zakenman drie jaar lang 700 miljoen dollar investeren terwijl u bezig was failliet te gaan?'

Dat is een goede vraag, maar ik had geen keus. Ik wist dat we het zaaizaad niet konden opeten. Onze worsteling had geen zin als er niets was om te verkopen wanneer we weer op de been zouden zijn.

Meestal antwoordde ik half schertsend: 'Ik zat al tot over mijn oren in de schuld, weet je en wat maakt zevenhonderd miljoen voor vrienden onder elkaar dan eigenlijk uit?'

De minibestelauto was eigenlijk geboren in de dagen bij Ford. Kort na de OPEC-crisis, toen Hal Sperlich en ik aan de Fiësta werkten, ontwierpen we een project dat we de Mini-Max noemden. We hadden een kleine bestelwagen met voorwielaandrijving in ons achterhoofd die van buiten compact was en van binnen ruim. We bouwden een prototype waar we meteen verliefd op waren.

Vervolgens besteedden we 500.000 dollar aan research en tijdens dat proces kwamen we drie dingen aan de weet: Ten eerste moest de hoogte van de opstap laag genoeg zijn om in de smaak te vallen bij de vrouwen die in die tijd meestal rokken droegen. Ten tweede moesten we een auto maken die zo laag was dat hij in een garage paste. Ten derde moest hij een versterkte 'neus' hebben om in het geval van een botsing een kreukelzone te bieden.

Wanneer we die punten in acht namen, jubelde de research, dan wachtte ons een markt van 800.000 auto's per jaar – en dat was in 1974. Natuurlijk liep ik er meteen mee naar Zijne Majesteit.

'Vergeet het maar,' zei Henry. 'Ik wil geen experimenten.'

'Experimenten?' herhaalde ik. 'De Mustang was een experiment. De Mark III was een experiment. Deze kar wordt weer een succesnummer.'

Maar Henry wilde er niet aan.

Als je niet nummer een bent, moet je volgens mij vernieuwingen invoeren. Als je Ford bent, moet je GM verslaan door de eerste klap uit te delen. Je moet een gat in de markt zien te vinden waaraan zij zelfs nog niet hebben gedacht. Je kunt het met hen niet op een regelrechte confrontatie laten aankomen – daar zijn ze te groot voor. Je moet ze te pakken nemen.

In plaats van dus in 1978 bij Ford de minibestelwagen te maken, maakten Hal en ik hem in 1984 bij Chrysler. En nu zijn het de klanten van Ford die wij stelen.

Tussen haakjes: deze keer had de research nog overtuigender taal gesproken. Terwijl ik deze woorden halverwege 1984 schrijf is de nieuwe bestelauto compleet uitverkocht.

Bovendien vallen Ford en GM over elkaar heen om hun eigen versies uit te brengen. Ik neem aan dat imitatie inderdaad de sterkste vorm van vleierij is.

Zelfs voor de minibestel uitkwam, koos het tijdschrift *Connoisseur* hem uit als een van de mooiste auto's die ooit was ontworpen. Fortune noemde hem een van de tien vernieuwing brengende produkten van dat jaar. En de tijdschriften voor autofanaten beeldden hem af op hun omslag nog voor hij in de verkoop kwam. Sinds we in 1964 de Mustang hadden onthuld, was ik niet meer zo enthousiast geweest over een nieuw produkt – noch had ik zoveel vertrouwen gehad in het succes van iets nieuws. Ik reed met de minibestelauto over ons testcircuit. Ze konden me er gewoon niet uitkrijgen, ik bleef maar rondjes rijden. Wat de ingenieurs hadden gedaan met de besturing en wegligging, was geweldig. Het was werkelijk een genot om ermee te rijden.

Recordwinsten, het terugbetalen van de lening, de minibestelwagen – het maakte allemaal deel uit van onze triomf.

Ons succes had echter ook een schaduwzijde. Toen we eindelijk onze overwinningsparade konden houden, werden er veel van onze soldaten vermist. We hadden de oorlog gewonnen, maar niet zonder een groot aantal slachtoffers. Heel wat mensen – arbeiders, witte boorden-employés en dealers – die ons in 1979 terzijde hadden gestaan, waren er niet bij om te kunnen genieten van de vruchten van de victorie.

Dan was er ook nog de kwestie van de 14,4 miljoen opties die we in juni 1980 aan de Loongarantieraad hadden gegeven vlak voor we onze eerste 500 miljoen dollar aan loongaranties ontvingen.

Deze opties gaven de houder het recht 14,4 miljoen Chrysler aandelen tegen 13 dollar per stuk te kopen. We gaven ze uit als een zoethoudertje; onze aandelen lagen in de buurt van 5 dollar. Toentertijd scheen een koers van 13 dollar ver weg.

Nu onze aandelenkoers rond de 30 dollar schommelde, had de regering een meevaller. Bovendien konden ze de opties tot 1990, als de leningen officieel moesten worden afgelost, op elk tijdstip inwisselen.

Deze opties hingen als een zwaard boven ons hoofd. Gedurende de komende zeven jaar kon de regering – of ieder ander die de opties bezat – elk ogenblik eisen dat we 14,4 miljoen aandelen Chrysler tegen bodemprijzen uitgaven.

Zoals wij het zagen, betaalden we al veel te veel voor de ons door de overheid gegarandeerde leningen. We hadden 1,2 miljard dollar geleend voor tien jaar, maar we betaalden het terug in drie jaar. In die drie jaar moesten we 404 miljoen dollar aan rente afschuiven, 33 miljoen aan administratiekosten voor de federale overheid en nog eens 67 miljoen aan advocaten en bankiers.

Afhankelijk van de prijs van de aandelen konden de opties een waarde vertegenwoordigen van zo'n 300 miljoen dollar. Tezamen met de rente en administratiekosten zou dat voor de regering en geldschieters een rente van 24 procent opleveren. Wanneer u in overweging neemt dat het geld van de regering nimmer in gevaar was – ze hadden een claim op alles wat we bezaten, hetgeen veel meer waard was dan 1,2 milard dollar – dan was zo'n winst bijna obsceen.

Nog belangrijker was dat niemand van degenen die op de achtergrond hadden meegeholpen aan ons herstel, in een positie verkeerde om een graantje mee te pikken van ons succes. Toen we in moeilijkheden zaten, hadden we allen in gelijke mate offers gebracht – we zouden dus nu in gelijke mate in de beloning moeten delen. Als de regering zijn slag had geslagen met de opties wat voor voorbeeld zou dat dan zijn geweest voor onze medewerkers, leveranciers en dealers die zo hard hadden gewerkt?

We vroegen de regering dus in vertrouwen de opties met weinig of geen kosten aan ons terug te geven.

Een grote vergissing! Over ons verzoek ontstond een waar oproer.

'Een schaamteloze brutaliteit,' verkondigde *The Wall Street Journal* minachtend. 'Er is gewoon geen ander woord voor Chryslers verzoek.' Dit keer stond de *Journal* echter niet alleen. Iedereen versleet ons voor hebberig en vanuit het gezichtspunt van de relatie met het publiek, was het een ramp. Het ene ogenblik waren we de helden die onze lening zeven jaar te vroeg hadden terugbetaald en het andere ogenblik waren we voor we het wisten opeens zwervers. Het was een pijnlijke ervaring.

We trokken ons ijlings terug. Als compromis boden we de Loonraad 120 miljoen dollar voor de opties. Geen sprake van. We verhoogden ons bod tot 187 miljoen. Weer niets.

Ten slotte boden we op 13 juli, op dezelfde dag waarop we de leningen afbetaalden, 250 miljoen dollar voor de opties.

'Niets ervan,' zei de Loonraad. 'We verkopen ze aan de hoogste bieder.'

En dat deden ze. Don Regan, een voormalige effectenmakelaar, nam zijn oude beroep weer op. Hij stond erop dat er een veiling zou worden gehouden – met uiteraard veel vergoedingen voor de Wall Street-kliek. Maar dat was te verwachten. Vanaf het begin was hij op ideologische gronden tegen de loongaranties geweest. Drie jaar lang had hij nooit een vergadering van de Loonraad bijeengeroepen en hij had nooit een poot uitgestoken om ons te helpen.

De Reagan-aanhang, onder leiding van Don Regan, beweerde: 'Je krijgt wat de Carter-regering jullie heeft beloofd. Wij zullen geen vinger uitsteken om er iets aan te veranderen, noch in de ene, noch in de andere richting. Of jullie er pijn van hebben of dat het helpt, kan ons niets schelen.'

Toen we ons begonnen te herstellen, merkte ik op: 'Wees me dankbaar, druk me aan je hart. Laat iets van de waardering voor ons succes op jullie afstralen, al zou het alleen maar zijn omdat het politiek verstandig is.'

Maar Donald Regan en de meesten in zijn omgeving antwoordden: 'Ideologisch waren we tegenstanders van de reddingsoperatie en dat zijn we nog steeds. Wij geloven niet dat het resultaten afwerpt.' Tot het bittere einde hielden ze vol dat de regeringsleningen aan Chrysler een slecht precedent hadden geschapen.

De kwestie liep zo hoog op dat ik tot tweemaal toe een ontmoeting organiseerde met President Reagan. Hij vond dat ik uit het oogpunt van billijkheid sterk in mijn schoenen stond. Op een uitstapje met de Air Force One waarbij ik ook van de partij was, zei hij tegen Jim Baker dat hij het eens moest bekijken.

Hij bekeek het en hoe! Het enige wat Baker deed was de zaak terugsturen naar Don Regan die me in mijn eigen sop liet gaar koken. Wat er in Het Witte Huis ook gebeurde, uiteindelijk zegevierde Regan.

Zelfs nu kan ik het nog niet geloven. In mijn omgeving is het zo dat wanneer de hoogste baas iemand opdraagt iets te doen en ik hoor er nooit meer iets van, ik die man ontsla. Het is toch niet te geloven dat die gozer van een Regan de president de voet kan dwarszetten.

Toen puntje bij paaltje kwam, waren we gedwongen tegen ons eigen bod van 250 miljoen dollar te bieden en het eindigde ermee dat we de opties voor meer dan 311 miljoen dollar terugkochten. Ik was des duivels. Eigenlijk ben ik dat nog. Waarom moest de regering op de beurs met onze opties speculeren? Ik had 250 miljoen dollar aangeboden en dat was een royaal bedrag. Voor hen echter niet genoeg; hun houding was: Draai Chrysler een poot uit. Laten we er elke cent uithalen die we kunnen krijgen.

Een congreslid meende: 'Wat een geweldige mogelijkheid! Laten we die 311 miljoen dollar gebruiken om de werkeloze arbeiders in de auto-industrie om te scholen. Dat geld komt van Chrysler, laten we het dus in de auto-industrie terugstorten. We gaan de jongens helpen die hun banen verloren toen Chrysler moest afslanken.' De regering had echter geen belangstelling.

Ik stelde een ander plan voor. 'Aangezien jullie deze meevaller niet hadden verwacht,' zei ik tegen de regering, 'waarom vertienvoudigen jullie het bedrag niet en gebruiken die 3 miljard dollar om onze industrie concurrerend te maken tegenover Japan?'

De regering besloot evenwel het geld in de algemene kas terug te storten. Ik betwijfel of onze 311 miljoen dollar een grote deuk in het federale overheidstekort hebben geslagen, maar alle beetjes helpen.

Aan de hele episode met de opties hield ik een vieze smaak in mijn mond over. Wat de Chrysler-victorie echter wezenlijk tot geen onverdeelde zege maakte, was dat hij samenviel met het grootste verdriet in mijn persoonlijk leven.

Tijdens mijn carrière bij Ford en later bij Chrysler was mijn vrouw Mary mijn grootste fan en supportster. We waren elkaar zeer na en ze was altijd aan mijn zijde.

Helaas had Mary diabetes; een kwaal die aanleiding geeft tot vele andere complicaties. Mijn beide dochters kwamen bijvoorbeeld via een keizersnede op de wereld en Mary moest bovendien drie miskramen doorstaan.

Suikerpatiënten moeten in de eerste plaats elke spanning vermijden en jammer genoeg was dat, met de weg die ik had gekozen, praktisch onmogelijk.

Mary had haar eerste hartaanval in 1978, vlak nadat ik bij Ford was ontslagen. Ze sukkelde toen al een tijdje, maar het trauma van die gebeurtenis maakte haar conditie nog slechter.

In januari 1980 kreeg ze een tweede hartinfarct. Ze was op dat tijdstip in Florida, terwijl ik met al onze lobbyisten in een restaurant in Washington zat. President Carter had net de Loongarantiewet getekend en we vierden onze zege. Halverwege het diner kreeg ik een telefoontje uit Florida met de mededeling dat Mary weer een hartaanval had gehad.

Twee jaar later, in het voorjaar van 1982, kreeg ze een beroerte. Bij elk van de gelegenheden waarbij haar gezondheid het begaf, bevond ik me in een periode van grote spanningen bij Ford en later bij Chrysler.

Een ieder die aan diabetes lijdt of met een suikerpatiënt samenleeft, zal de symptomen herkennen. Mary was een zeer kwetsbare suikerpatiënte, haar alvleesklier werkte slechts af en toe. Ze hield zorgvuldig dieet, maar de insuline-injecties die ze zich tweemaal per dag toediende, zijn echter een verhaal op zichzelf. Een insuline-shock, meestal in het holst van de nacht, kwam vaak voor. Dan volgde: het glas sinaasappelsap met suiker, het verstijven van haar lichaam, de koude zweetuitbarstingen, soms de strijd die de verpleegsters in de slaapkamer leverden en de overhaaste rit naar het ziekenhuis.

Als ik op reis moest en dat was dikwijls het geval, belde ik Mary twee of drie keer per dag op. Op den duur was ik in staat aan het geluid van haar stem te horen hoe het met haar insulinepeil was gesteld. Wanneer ik 's nachts niet thuis was, zorgden we er altijd voor dat iemand haar gezelschap hield. Het gevaar van een shock of een coma lag altijd op de loer.

Het strekt mijn dochters voor immer tot eer dat ze niet alleen rekening hielden met de ziekte van hun moeder, maar haar ook als kleine heiligen verzorgden.

In het voorjaar van 1983 werd Mary ernstig ziek; haar uitgeputte hart gaf het op. Ze stierf op 15 mei, pas zevenenvijftig jaar oud, en ze was nog steeds een mooie vrouw.

Ik heb het altijd betreurd dat ze niet lang genoeg heeft geleefd om de terugbetaling van de lening, twee maanden later, mee te maken. Ze zou er gelukkig om zijn geweest. Toch wist ze dat we het zouden redden. 'De auto's worden nu werkelijk beter,' zei ze voor ze stierf. 'Het is niet meer de rotzooi van een paar jaar geleden waar je toen mee thuis kwam!'

Haar laatste jaren waren niet gemakkelijk. Mary heeft nooit begrepen hoe ik het met Henry Ford kon uithouden. Na het onderzoek van 1975 wilde ze dat ik het openbaar zou maken – naar de rechter gaan zo nodig. Maar al was ze het niet eens met mijn beslissing om te blijven, ze respecteerde die en bleef me steunen.

Gedurende mijn laatste twee jaar bij Ford hield ik het meeste van wat er op kantoor gebeurde voor Mary en de meisjes verborgen. Toen ik werd ontslagen, vond ik het voor hen erger dan voor mezelf. Ze wisten per slot niet hoe erg het in werkelijkheid was geworden.

Na het ontslag was Mary een rots in de branding. Ze wist dat ik in de autobranche wilde blijven en ze moedigde me aan naar Chrysler te gaan als dat het was wat ik wilde. 'De Heer zal alles ten goede keren,' zei ze. 'Misschien is het ontslag bij Ford wel het beste dat je kon overkomen.'

Na de eerste paar maanden bij Chrysler scheen onze wereld echter weer in elkaar te storten. Benzine is het bloed van de auto-industrie en de rentetarieven zijn de zuurstof. In 1979 hadden we de crisis in Iran en tegelijkertijd de oplopende rente. Indien die twee gebeurtenissen enkele jaren eerder hadden plaatsgevonden, was ik nooit naar Chrysler gegaan.

Ik wilde het niet opgeven, maar het kon zijn dat de zaken ons boven het hoofd zouden groeien. Op een zeker ogenblik drong Mary erop aan dat ik zou weggaan. 'Ik houd van je en ik weet dat je alles kunt wat je je in je hoofd hebt gezet,' zei ze. 'Maar de berg is te steil. Het is geen schande wanneer je een onmogelijke opgave uit de weg gaat.'

'Dat weet ik,' was mijn antwoord, 'maar het zal beter gaan.' Ik had er geen idee van dat de toestand nog veel erger zou worden voor er eindelijk een verbetering zou intreden.

Net als ik was Mary verpletterd door de manier waarop onze vrienden ons in de steek lieten nadat ik bij Ford was ontslagen. Toch stond ze niet toe dat het haar zou breken. Ze was altijd een dapper mens geweest die recht door zee ging – en dat is ze gebleven.

Op een dag, kort nadat ik bij Chrysler kwam, las ze in de krant dat de dochter van een van onze vroegere, intieme vrienden ging trouwen. We waren allebei dol op dat meisje.

'Ik ga naar de huwelijksvoltrekking,' kondigde Mary aan.

'Dat kun je niet doen,' zei ik. 'Je bent persona non grata en ze hebben je niet uitgenodigd.'

'Zo denk jij erover,' zei Mary, 'maar ik kan de plechtigheid toch in ieder geval bijwonen. Ik houd van dat kind en ik wil haar zien trouwen. Als haar ouders niets meer met ons te maken willen hebben omdat jij bent ontslagen, is dat hun zaak.'

Ze ging ook naar de jaarvergadering van Ford nadat ik was gewipt. 'Ik ga er al jarenlang naar toe,' zei ze. 'Waarom zou ik dat nu niet meer doen? Wil je even bedenken dat wij na de familie Ford de grootste aandeelhouders zijn?'

Mary was op haar best als alles slecht ging; bij tegenspoed nam zij de leiding. Toen we op een keer op bezoek waren bij onze dierbare vriend Bill Winn, kreeg hij een hartaanval. Ik raakte in paniek, doch zij zorgde ervoor dat de brandweer kwam met de hart-longmachine en dat er een specialist met een hartsonde bij de hand was – alles binnen twintig minuten.

Bij een andere gelegenheid belde haar trouwe vriendin haar op om te klagen over een hevige hoofdpijn. Mary reed naar haar huis, trof haar vriendin bewusteloos op de vloer aan en belde een ambulance. Ze ging mee naar het ziekenhuis en bleef bij haar gedurende de spoedoperatie aan de hersenen.

Niets bracht haar van haar stuk. Ze zou aanwezig kunnen zijn als er iemand was onthoofd en haar reactie zou dan zijn: Wat is de volgende stap? Ze handelde altijd doelbewust en als gevolg daarvan hebben twee mensen hun leven aan haar te danken. Toen onze dochter Kathy tien jaar was, blokkeerde op een keer de remmen van haar fiets. Ze vloog over het stuur en kwam met haar hoofd op de grond terecht. Jaren tevoren had onze dokter me wel eens verteld dat je zeker wist dat iemand een hersenschudding had als zijn pupillen waren verwijd en de hele oogkas vulden als een zwarte massa. Ik sloeg een blik op Kathy's pupillen – die groot en zwart waren – en prompt viel ik flauw. Mary pakte haar echter op, rende met haar kind naar de eerste hulp, zorgde ervoor dat ze binnen een half uur in het ziekenhuis lag, keerde naar huis terug, maakte mijn lievelingssoep klaar, stopte me in bed zonder al die tijd ook maar één woord te zeggen. Onder druk was ze een toonbeeld van goedheid.

Als u het vandaag met vrienden over Mary zou hebben, kreeg u te horen: 'Ik zal nooit haar kracht onder moeilijke omstandigheden vergeten en haar uitbundigheid.'

Mary verleende alle mogelijke steun aan de diabetes-research en ze stelde zich vrijwillig beschikbaar voor andere suikerpatiënten. Haar gezondheidstoestand aanvaardde ze heldhaftig en ze zag haar dood gelaten tegemoet. 'Jij denkt dat ik het slecht maak,' zei ze dikwijls, 'maar je zou de andere patiënten met wie ik in het ziekenhuis lag eens hebben moeten zien.'

Ze geloofde in de voorlichting over diabetes en samen stichtten we het Mary Iacocca Genootschap aan het Joslin Diabetes Centrum in Boston. Mary wilde duidelijk maken dat suikerziekte de derde doodsoorzaak was in het land, na hart- en vaatziekten en kanker. De mensen onderschatten echter de ernst van de ziekte omdat het woord 'diabetes' zelden op een overlijdingsverklaring wordt vermeld. Toen ze stierf, heb ik ervoor gezorgd dat haar overlijdingsverklaring de waarheid bevatte: complicaties ten gevolge van diabetes.

We hadden samen veel goede ogenblikken. Mary raakte nooit te veel verwikkeld in het sociale leven; ze probeerde niet aan alles mee te doen. Voor ons beiden kwam het gezin op de eerste plaats. Wat de verplichtingen van een vrouw van een zakenman aangaat, deed ze wat nodig was en ze deed het met een glimlach. Wat voor haar – en voor mij – waardevol was, waren echter huis en haard.

We hebben samen veel uitstapjes gemaakt, vooral naar Hawaii, haar lievelingsplekje. Maar als we in de stad waren, brachten we onze avonden en weekends samen met de kinderen thuis door.

Golf spelen met de jongens van de zaak was niet mijn idee van plezier maken. Bovendien vind ik dat die kant van het ondernemersleven sterk wordt overschat. Ik beweer niet dat je als een kluizenaar moet leven, maar als het erop aankomt, gaat het om je prestaties. Je baan neemt al genoeg tijd in beslag, je hoeft je gezin niet tekort te doen.

Met z'n vieren maakten we heel wat autotochtjes, zeker toen de kinderen nog klein waren. Toen stonden we als gezin zeer dicht bij elkaar. Wat ik in die jaren ook verder heb gedaan, ik weet dat twee zevende van mijn bestaan – de weekends en veel avonden – gewijd waren aan Mary en de kinderen.

Er zijn mensen die denken dat hoe hoger je stijgt in het bedrijfsleven, hoe meer je je familie zal moeten verwaarlozen. Geen sprake van! In feite zijn het juist de lui aan de top die de vrijheid en de flexibiliteit bezitten om voldoende tijd aan vrouw en kinderen te besteden.

Ik heb echter heel wat functionarissen gezien die hun familie verwaarloosden en dan stemde me altijd droef. Nadat een jongeman achter zijn bureau was doodgebleven, stuurde McNamara – toen president van Ford – een memo rond waarin stond: Ik wil dat iedereen om 9 uur 's avonds de kantoren heeft verlaten. Alleen het feit dat er zo'n bevel moest worden uitgegeven, toonde al aan dat er iets scheef zat.

Je mag een onderneming niet laten veranderen in een werkkamp. Hard werken is essentieel, maar er is ook een tijd om te rusten en te ontspannen, om naar je kind op school te kijken of in het zwembad. En als je die dingen niet doet als je kinderen jong zijn, kun je ze later niet meer inhalen.

Op een avond, twee weken voor haar dood, belde Mary me in Toronto op om te zeggen hoe trots ze op me was. We hadden juist onze winst over het eerste kwartaal bekendgemaakt. Ik heb haar in die paar laatste, moeilijke jaren nooit verteld hoe trots ik op haar was.

Mary steunde mij en ze gaf zich ten volle aan Kathy en Lia. Ja, ik had een schitterende, succesrijke carrière, maar vergeleken met mijn gezin had dat allemaal echter niets te betekenen.

OPENHARTIG GEZEGD

25
Hoe levens kunnen worden gespaard op de weg

Over het algemeen zijn wij Amerikanen goede automobilisten en vergeleken met autorijders in het buitenland zijn we geweldig. Hoewel veel te veel mensen jaarlijks op gewone wegen en snelwegen worden gedood, is ons percentage verkeersslachtoffers het laagste van de wereld: 3,15 doden per 160 miljoen gereden kilometers.

Ik pretendeer niet een expert te zijn op verkeersgebied, maar ik weet iets af van auto's en ik wil uitleggen waarom autogordels – en niet met lucht gevulde buffers – het middel zijn om het aantal fatale verkeersongelukken in de Verenigde Staten terug te dringen.

Jarenlang is een zeer onpopulaire maatregel gepropageerd: Verplicht gebruik van de autogordel. Als president van Ford had ik in 1972 de taak op me genomen aan alle vijftig gouverneurs een brief te schrijven waarin ik hen liet weten dat onze onderneming het verplicht gebruik van autogordels onderschreef. Ik drong er bij hen op aan dat ze hun steun zouden verlenen aan dit levensbesparende hulpmiddel.

Twaalf jaar later, nu ik deze woorden schrijf, is er nog niet één staat in ons hele land die zo'n wet heeft uitgevaardigd. Eens zullen we ons verstand wel gaan gebruiken, maar het duurt veel te lang.

De oppositie tegen een verplicht gebruik van autogordels komt van verschillende kanten. Ook hier is, als in zoveel kwesties, het voornaamste argument van ideologische aard. Het denkbeeld van verplichte veiligheid stuit sommige mensen tegen de borst; ze voelen het als de zoveelste bemoeienis van de overheid met hun persoonlijke vrijheid.

Dit geldt vooral voor de Reagan-regering. Het laissez faire-standpunt strekt zich helaas ook uit tot de veiligheid.

Het is nauwelijks te geloven dat in de tijd waarin wij leven, er nog zoveel mensen zijn die menen dat het on-Amerikaans is als je iemand zegt dat hij zichzelf (of zijn buurman) niet mag doden. In naam van de ideologie zijn ze in staat duizenden mensen om het leven te brengen en tienduizenden te verwonden. Volgens mij leven deze mensen nog in de negentiende eeuw.

Iedere keer echter dat ik een verklaring afsteek ten gunste van het verplicht gebruik van de autogordel, kan ik erop rekenen een berg negatieve post te ontvangen van lieden die klagen dat ik me bemoei met hun recht zichzelf te doden als ze dat verkiezen te doen.

Doe ik dat werkelijk? U moet een rijbewijs hebben, nietwaar? U moet stoppen voor een rood licht, is het niet? U moet in een aantal staten een helm dragen als u op een motorfiets zit, of is dat niet waar?

Zijn al deze wetten voorbeelden van ongerechtvaardigd overheidsingrijpen? Of zijn het noodzakelijke voorschriften in een beschaafde maatschappij? We zouden een slachting aanrichten wanneer sommige van die regels niet bestonden.

Wat moeten we denken van de wet die in verscheidene staten voorschrijft dat bepaalde mensen niet zonder bril mogen rijden? Ik ben een van die mensen. Wanneer een agent me in Pennsylvania aanhoudt en ik heb mijn bril niet op, krijg ik een bon. Ik denk dat het tijd wordt nog een zin aan het rijbewijs toe te voegen: Niet geldig zonder veiligheidsgordel.

Het spijt me, maar ik kan nergens in de grondwet een regel ontdekken die zegt dat autorijden een onvervreemdbaar recht is. Dat is het namelijk niet. Autorijden is een voorrecht en zoals met alle voorrechten schept het verplichtingen. Zou een wet die het gebruik van autogordels verplicht stelt ongerechtvaardigd overheidsingrijpen betekenen? Natuurlijk niet. Als het om regeringsingrijpen gaat, zijn bepaalde mensen van mening dat je hom of kuit moet kiezen – je bent er helemaal voor of helemaal tegen.

Het is daarmee echter zoals met alles: je moet de omstandigheden erbij betrekken. Er zijn levensgebieden waarin de overheid actief moet zijn om de samenleving te beschermen. Alleen in Amerika laten we toe dat ideologen heersen over veiligheidseisen.

Wat deze puriteinen schijnen te vergeten is dat de schade die wordt veroorzaakt door het niet gebruiken van de gordels, onze verzekeringspremies opjaagt, onze belastingen verhoogt en ons en degenen die ons lief zijn verwond. Als dàt geen inbreuk is op mijn vrijheid, dan weet ik het niet meer.

Ik wil evenwel niet in een filosofische tweestrijd over autogordels verwikkeld raken, dat is het spelletje van de ideologen. We moeten nadenken over wat praktisch is, over wat in de praktijk goed werkt.

De naakte waarheid is dat wanneer je een gecombineerde driepuntsgordel gebruikt, het bijna onmogelijk is dodelijk te worden getroffen bij een snelheid beneden de 50 km. Onder andere omdat gordels kunnen voorkomen dat je door de klap bij een botsing bewusteloos raakt, hetgeen al bij betrekkelijk lage snelheden kan voorkomen.

Wat me echt kwaad maakt, is dat zelfs tegenstanders van de gordels toegeven dat ze levens sparen. Voor het geval er nog iemand mocht zijn die daarvoor het bewijs wil hebben, verwijs ik naar de beroemde studie van de universiteit van Noord-Carolina die een onderzoek instelde naar verkeersongelukken. Vastgesteld werd dat autogordels het aantal ernstige verwondingen met 50 procent verminderde en het aantal dodelijke ongelukken zelfs met 75 procent. Aan het eind van de jaren zestig onderzocht een studiegroep in Zweden 29.000 ongelukken onder de gebruikers van gordels en kwam tot de ontdekking dat niet één ongeluk met de dood was geëindigd.

De National Highway Traffic Administration schat dat het aantal dodelijke ongelukken op slag met 50 procent zou verminderen als iedereen de gordel gebruikte. Op het ogenblik maakt echter slechts een op de acht personen de gordel vast.

Mensen vertellen me altijd dat verplicht gebruik van de gordel een wensdroom is. Ik geloof echter dat de meeste mensen in wezen niet tegen de autogordels zijn. Het is gewoon teveel moeite ze vast te maken. Onderzoekingen hebben aangetoond dat de consumenten niet tegen het idee op zichzelf zijn, maar de meeste mensen vinden ze domweg lastig, vervelend en een plaag. Dat zijn ze ook.

Die klachten zijn ook niet nieuw. Toen Ford in 1956 de gordels voor het eerst als extra aanbood, werden ze slechts door twee procent van de klanten besteld. De onverschilligheid die de overige 98 procent toonde, kostte ons een hoop geld.

U had de redenen eens moeten horen die degenen die ze niet namen, opgaven. Er waren mensen die klaagden dat de gordels niet harmonieerden met de kleur van het interieur. Nooit zal ik de brief vergeten waarin stond: 'Het is zo'n bult en je zit er zo ongemakkelijk op.'

Laten we ook de andere tegenwerpingen onder de loep nemen, al zijn die dan evenmin overtuigend. Ik heb mensen horen zeggen dat ze niet vastgebonden willen zitten als hun auto in brand vliegt bij een ongeluk, waardoor ze niet kunnen uitstappen. Het is waar dat zoiets kan gebeuren, maar in de praktijk is brand niet meer dan in 0,1 procent de oorzaak van dodelijke verkeersongelukken.

Bovendien is het – als je door brand wordt overvallen – net zo gemakkelijk om je gordel los te maken als je portier te openen. En tot nog toe heeft niemand voorgesteld met open deuren rond te rijden.

Nog een argument tegen het verplicht gebruik van de autogordel is dat je beter uit de auto kunt worden geslingerd dan er in komen vast te zitten. Ook hierin schuilt geen greintje waarheid. Er wordt inderdaad zo nu en dan bij een ongeluk een passagier uit de auto geslingerd, maar het gebeurt niet vaak. In werkelijk zijn de kansen om te worden gedood vijfentwintig maal zo groot als je uit het voertuig wordt geslingerd, dan wanneer je erin blijft en je door de auto laat beschermen.

Volgens nog een redenering zijn de gordels alleen nodig bij het rijden op de snelweg. De meeste mensen realiseren zich echter niet dat 80 procent van alle ongelukken en ernstige verwondingen plaatsvinden in stadsgebieden bij snelheden onder de 65 km per uur.

De tijd waarin veiligheidsgordels alleen in vliegtuigen werden gebruikt, ligt ver achter ons. Ze kwamen in gebruik in de beginperiode van het vliegen toen het domweg veilig in de cockpit zitten een van de eerste vereisten was. Rond 1930 eisten federale overheidsvoorschriften dat er in alle passagierstoestellen gordels moesten worden gedragen.

Tegenwoordig, nu de burgerluchtvaart veel verder is ontwikkeld en veiliger is dan in het verleden, eist de wet nog steeds dat je niet in een vliegtuig mag zitten zonder bij de start en de landing je gordel vast te maken. De reden is dat de gordels op de grond zelfs nuttiger zijn dan in de lucht. Als je geen gehoor geeft aan die eis, heeft de luchtvaartmaatschappij het recht je uit het vliegtuig te verwijderen.

Aanvankelijk werden de autogordels alleen gebruikt bij het racen. Toen Ford en Chrysler gordels aanboden in hun 1956-modellen was er bijna geen vraag naar. Pas acht jaar later, in 1964, gingen de gordels tot de standaarduitrusting behoren.

Ik voer nu al bijna dertig jaar een campagne voor de autogordel. Het begon in 1955 toen ik deel uitmaakte van de groep voor marktonderzoek bij Ford en we besloten vele veiligheidshulpmiddelen bij onze 1956-modellen aan te bieden. Het veiligheidspakket dat we samenstelden, lijkt naar hedendaagse maatstaven primitief; in die tijd was het echter revolutionair. Behalve de gordels omvatte het portiergrendels, zonnekleppen, een veiligheidsstuur en beschermende bekleding voor het dashbord. In onze reclamecampagne voor de 1956-modellen legden we er de nadruk op dat Ford-auto's veilige auto's waren.

In die tijd was het propageren van veiligheid in de auto een revolutionaire daad in Detroit – en wel in die mate dat er bij GM topfiguren waren die Henry Ford opbelden om te zeggen dat hij ermee moest ophouden. In hun ogen was onze veiligheidscampagne nadelig voor de industrie omdat deze beelden opriep van kwetsbaarheid en zelfs de dood – niet direct onderwerpen om een succesvolle reclame mee te maken. Robert McNamara die er andere normen op nahield dan zijn mededirecteuren bij Ford en elders in de auto-industrie, had het initiatief tot de veiligheidscampagne genomen. Hij verloor er bijna zijn baan door.

Terwijl wij veiligheid verkochten, maakte Chevrolet, onze voornaamste concurrent, reclame voor siervelgen en V8-motoren met groot vermogen. Chevrolet gaf ons in dat jaar een aframmeling. Het volgend jaar verlegden we onze strategie naar pittige auto's met een snel acceleratievermogen. In plaats van veiligheid stelden we nu prestatie en snelheid op de voorgrond... met veel meer succes.

Sinds de campagne van 1956 beweert men dat ik zou hebben gezegd dat 'veiligheid niet verkoopt', alsof ik een excuus zocht om geen veilige auto's te maken. Dat is echter een kwalijke verdraaiing van wat ik werkelijk heb gezegd en van hetgeen waar ik in geloof. Na het mislukken van onze campagne om de veiligheidsaspecten te propageren, heb ik iets opgemerkt in de trant van: 'Ik vermoed dat veiligheid geen verkoopargument is, al hebben we nog zo ons best gedaan het te verkopen.'

En dat hadden we gedaan. We gaven miljoenen dollars uit en we zetten er ons helemaal voor in. Het publiek kwam echter niet in beweging. We ontwierpen de hulpmiddelen, adverteerden en demonstreerden, maar we konden ze aan de straatstenen niet kwijt. We hadden zelfs klanten die zeiden: 'Oké, ik neem die auto, maar je moet de gordels eruit halen anders gaat het niet door.'

Toen ik in 1956 in Detroit begon, was ik een veiligheidsmaniak en dat ben ik nog steeds. De harde werkelijkheid heeft me echter geleerd dat veiligheid een slechte reclameleus is en daarom moet de overheid er zich mee bemoeien.

In dat opzicht hebben de cynici tenminste gelijk gekregen: Als je de nadruk legt op veiligheid, gaat de klant denken dat hij wel eens een ongeluk kan krijgen en dat is het laatste wat hij onder ogen wil zien. Zijn instinctieve reactie is: Vergeet het maar. Ik zal nooit een ongeluk krijgen, mijn buurman misschien, maar ik niet.

Al heeft die speciale campagne dan niet gewerkt, ik ben er nog steeds trots op dat ik was betrokken bij het pionieren op het gebied van veiligheidsmiddelen. Dat was in 1956, toen Ralph Nader, voor zover ik weet, nog op een fiets rondreed.

Ondanks het falen van onze veiligheidscampagne in 1956, bleef Ford elk jaar veiligheidsriemen als een extra aanbieden, zelfs toen onze concurrenten ze weer verwijderden omdat het publiek niet reageerde. Ik herinner me dat veel mensen ons voor gek verklaarden. 'Autogordels net als in een vliegtuig? Maar we rijden toch, we vliegen immers niet!'

Ik herinner me ook dat onderzoekers tijdens ontbijtvergaderingen dia's vertoonden waarop precies was te zien wat er bij een botsing gebeurde. Het waren gruwelijke plaatjes en ik heb één keer het vertrek kokhalzend moeten verlaten. Het was echter ook een goede leerschool en het deed me beseffen dat de autogordel de belangrijkste factor is op het gebied van de veiligheid – op voorwaarde dat je hem gebruikt.

Soms moet je mensen laten schrikken om iets tot ze te doen doordringen. In 1982, toen ik de lunch gebruikte met redacteuren van *The New York Times*, sprak ik uitgebreid met hen over autogordels. Ik liet het gezelschap een paar grafieken zien om aan te tonen hoe belangrijk ze waren om ernstige verwondingen en de dood te voorkomen.

Enkele dagen later ontving ik een brief van Seymour Topping, de hoofdredacteur. Tot onze gemeenschappelijke lunch had hij zijn autogordel nooit omgedaan, maar na mijn afschrikwekkende verhalen te hebben gehoord, had hij het besluit genomen ze te gebruiken.

In diezelfde week reed hij in een storm naar huis. De auto voor hem slipte en blokkeerde de rijweg. Hij remde krachtig om een botsing te vermijden, maar door het natte wegdek begon zijn auto te slippen en botste tegen de vangrail. Dankzij zijn autogordel kon hij zonder kleerscheuren weglopen. Vandaag de dag is hij er een vurig voorstander van.

Al bent u nog zo'n goede chauffeur, u moet een gordel omdoen. Niemand gelooft dat hij in een ongeluk kan worden betrokken, maar 50 procent van alle verkeersongelukken worden alleen al veroorzaakt door dronken rijders. Als zij je raken en u bent niet beschermd, komt u in de grootste moeilijkheden.

Een jaar of tien geleden begon het tot me door te dringen dat we voorlopig nog geen wetgeving voor het verplicht gebruik van autogordels zouden krijgen. En dus bedacht ik een plan dat bestuurder en passagier moest dwingen ze om te doen. Met de hulp van de ingenieurs bij Ford ontwikkelde ik een apparaat dat Interlock heette en waarbij de ontsteking van de auto pas functioneert als passagier en bestuurder hun gordel hebben vastgemaakt. American Motors deed met ons mee en steunde

Interlock, maar GM en Chrysler waren ertegen.

Na een verhit debat schreef de National Highway Traffic Safety Administration in 1973 voor dat alle nieuwe auto's met Interlock moesten worden uitgerust. De wet bleek echter een mislukking te zijn. Het publiek verafschuwde Interlock en vond al gauw trucjes uit om eraan te ontkomen. Veel mensen maakten de gespen vast zonder de gordel te hebben omgedaan. Bijna elk gewicht op de voorbank voor de passagier kon het contact onderbreken en zelfs een tas met boodschappen gaf problemen wanneer die niet was vastgegespt.

Het verzet van de bevolking tegen Interlock was zo groot dat het Huis van Afgevaardigden, geleid door congreslid Louis Wyman, een republikein uit New Hampshire, de wet weer ijlings introk. Het Congres had als reactie op de aandrang van het publiek ongeveer twintig minuten nodig om de Interlock onwettig te verklaren. Het apparaat werd vervangen door een zoemer die de inzittenden er acht seconden lang aan herinnerde dat de riemen moesten worden vastgemaakt.

Interlock gaf problemen, maar nog steeds denk ik dat we hem hadden kunnen vervolmaken en dat het gebruik ervan levens zou hebben bespaard. Toen het Congres me de deur uitgooide, ging ik een ander plan uitwerken: een speciaal lampje op de auto dat groen werd als de gordel was aangegespt en rood als dat niet het geval was.

Was je licht rood dan werd je bekeurd. Ik had iets in gedachten dat leek op radarcontrole zodat de politie bij een overtreding niet eens de auto hoefde aan te houden. Die automobilist kreeg de bekeuring gewoon over de post toegestuurd. Gezien de ellende met Interlock had niemand er echter belangstelling voor.

Als het om veiligheid gaat, letten de mensen niet altijd op hun eigen belangen. De enige oplossing is dan ook gelegen in een wetgeving voor verplicht gebruik, er staan immers teveel levens op het spel.

Het is duidelijk dat ik niet de enige ben die er zo over denkt. Al meer dan vijftien landen en vijf van Canada's tien provincies kennen dienaangaande wetgevingen. In Ontario, op slechts enkele minuten afstand van de plaats waar ik werk, zijn de ongelukken met fatale afloop met 17 procent gedaald sinds hun wet op het gordelgebruik erdoor kwam. In Frankrijk daalde, nadat men een soortgelijke wet had gemaakt, het aantal dodelijke ongelukken met 25 procent.

Soms bestaat de straf op overtreding uit een boete; elders verlies je de verzekeringsrechten en in een paar gevallen allebei. De Verenigde Staten moeten de wetgeving echter nog steeds tot stand brengen. De federale overheid houdt over het algemeen vol dat het een taak is voor de staten, maar die hebben er niets aan gedaan. Hoeveel mensen moeten er nog om het leven komen voor we met betrekking tot de autogordels ons verstand gaan gebruiken?

Een aantal staten heeft nu een wet die het gebruik van de autogordel verplicht stelt voor kinderen. Het wordt tijd dat we ook hun ouders gaan beschermen. Niets zou tragischer zijn dan half werk – om ondertussen het aantal wezen te vergroten.

Ik ben altijd van mening geweest dat Michigan, als de bakermat van de automobielindustrie, de leiding in deze kwestie zou moeten nemen. Als de zaak van het verplicht gordelgebruik in het wetgevend orgaan van de stad Lansing aan de orde komt, ben ik dan ook altijd òf getuige, òf geef ik er in het openbaar mijn steun aan.

Er zijn mensen die geloven dat de zichzelf opblazende stootkussens (air-bags) het antwoord geven. Ik ben het daar niet mee eens. Sinds ze twintig jaar geleden werden ontworpen, ben ik er in mijn voordrachten tegenin gegaan. Soms heb ik het gevoel dat als ik dood ben – aangenomen dat ik naar de hemel ga – de heilige Petrus me bij de poort opwacht om met me te praten over de air-bags.

De air-bags werden in 1960 door een groep ingenieurs van de Eaton Corporation, een leverancier van onderdelen in Cleveland, ontworpen. In 1969 kwam de National Highway Safety Administration tot het besluit dat de air-bags de beste manier waren om de veiligheid op de snelwegen te vergroten. De NHTSA startte een campagne om de verplichte installatie in alle Amerikaanse auto's te propageren.

In datzelfde jaar nam het Congres een wet aan waarbij de staatssecretaris voor verkeer de bevoegdheid kreeg autobeveiligingsmiddelen voor te schrijven. In 1972 werden air-bags verplicht gesteld. De wet werd echter al spoedig ongedaan gemaakt door een federaal gerechtshof. De regering Ford liet de air-bags schieten, maar de mensen van Carter bliezen ze opnieuw leven in. In 1977 beval de NHTSA de autofabrikanten de 'inrichting voor passieve weerstand' – dat betekent in het algemeen air-bags – te installeren. Sindsdien is de zaak van de air-bags bij de rechtbanken en het Congres blijven steken.

De air-bag is gemaakt van nylon met een laag synthetisch rubber. Hij zit opgevouwen in de claxon op het stuur en onder het handschoenenkastje – honderd gram natrium-azide ligt erbij. In geval van een ongeluk worden speciale sensoren geactiveerd die maken dat de natrium-azide onmiddellijk verbrandt en voldoende salpeterzuur vrijmaakt om de air-bag te vullen. Indien het systeem werkt, vormt de air-bag een enorme ballon die de klap van de botsing dempt.

Air-bags lijken de ideale oplossing, maar er kleven problemen aan – grote problemen – waarover de voorstanders doorgaans niet spreken. Hoewel wordt verondersteld dat de air-bags een vorm van passieve weerstand zijn – hetgeen betekent dat de automobilist niets hoeft te doen om ze in werking te stellen – zijn ze alleen doeltreffend in combinatie met autogordels. Zonder autogordels werkt de air-bag alleen bij frontale botsingen. De air-bags alleen, helpen in meer dan 50 procent van de ongelukken niet en evenmin bij een tweede, afgeleide botsing.

De meeste mensen houden er nog steeds de verkeerde veronderstelling op na dat de air-bags de noodzaak gordels te gebruiken, overbodig maken. Ik vrees dat wij in Detroit niet bijster succesvol zijn geweest bij het aansnijden van dit punt.

Air-bags kunnen ook gevaarlijk zijn. Er is altijd de mogelijkheid dat hij niet wordt opgeblazen als dat moet en wèl als het niet nodig is. De air-bags kunnen onbedoeld in werking treden en als dat gebeurt, kan het verwondingen of zelfs de dood tot gevolg hebben. Een air-bag die zich op het verkeerde ogenblik vult, kan de bestuurder achterover werpen en aanleiding zijn tot een ongeluk. Blijft het bij een betrekkelijk onschuldig geval dan is het herstel van een voortijdig opgeblazen air-bag een dure grap. Daarbij komt dat natrium-azide niet direct een scheikundige stof is waarmee ik graag rondrij.

Of een air-bag nu op het juiste moment weigert dan wel voortijdig werkt, het hele zaakje is een paradijs voor de advocaten die zich bezighouden met wettelijke aansprakelijkheid voor produkten. De mensen die de air-bags als een wondermiddel beschouwen, zullen immers geen moment aarzelen de fabrikant aansprakelijk te stellen wanneer – zoals zonder twijfel zal gebeuren – er sprake is van dood of verminking, ook in auto's die met air-bags zijn uitgerust.

Om eerlijk te zijn: de technologie is nu zo ver gevorderd dat de air-bags in hoge mate betrouwbaar zijn geworden. Laten we zeggen dat ze in 99,9 procent van de gevallen werken. Indien alle auto's ermee waren uitgerust en als er, zoals nu het geval is, 150 miljoen auto's op de weg zijn, zou dat betekenen dat 0,1 procent van de air-bags niet veilig is. En dat betekent dan dat ongeveer vijftienduizend keer per jaar – wat neerkomt op veertig keer per dag – iemands air-bag niet functioneert. Wanneer slechts één procent van die mensen een vordering instelt, zou dat toch een vrij kostbaar probleem vormen.

Air-bags horen thuis onder een van die zaken waarbij het middel erger is dan de kwaal. Ze vergen een portie hoogwaardige technologie. Bij een bezoek aan Europa kreeg ik een Engelse krant in handen waarin ik tot mijn verbazing de kop las: 'Amerikaan stelt voor de air-bag te gebruiken bij de doodstraf'. Ik dacht dat het een mop was, maar blijkbaar was het voorstel serieus bedoeld. De knaap die het had bedacht, was een gepensioneerde veiligheidsingenieur uit Michigan. Hij stelde zijn plan voor als een humaan alternatief voor de elektrische stoel en voor alle andere vormen van voltrekking van de doodstraf.

In zijn aanvraag bij het bureau voor patenten in de Verenigde Staten stelde de uitvinder dat het opblazen van een air-bag – direct onder het hoofd van de veroordeelde geplaatst – een kracht uitoefent van 6000 kg, waardoor 's mans nek veel effectiever wordt gebroken dan met de strop mogelijk is. Het gaat zo snel dat iedere pijn wordt voorkomen. Ik ben er niet zeker van of ik zo'n ding wel in mijn auto wil hebben.

Air-bags zijn niet het antwoord. Aangezien de voorgestelde wetgeving de benaming 'air-bag' niet precies omschrijft, doch slechts spreekt van 'passieve weerstanden', zou aan de wet kunnen worden voldaan met passieve gordels – een gordel over de schouder en om het middel die zich automatisch sluit als de portieren dichtgaan.

Deze werden door Volkswagen ontwikkeld: men stapt in onder het schouderharnas en de gordel wordt automatisch vastgemaakt. Gordels die je omsluiten, of je het nu leuk vindt of niet, worden als extra bij de

Rabbit geleverd.

De air-bags zijn slechts één keer door een Amerikaanse autofabrikant aangeboden. In 1974 investeerde GM 80 miljoen dollar in een air-bag-programma om 300.000 eenheden te produceren. Ze werden van 1974 tot 1976 als extra aangeboden bij bepaalde Cadillacs, Buicks en Oldsmobiles. Niet meer dan 10.000 klanten bestelden ze, hetgeen betekent dat elke air-bag de onderneming 8000 dollar kostte. Een medewerker van GM vond dan ook: 'We hadden er beter aan gedaan de air-bags te verkopen en de auto's erbij cadeau te geven.'

Ik verwacht dat tien jaar na het verschijnen van dit boek, de regering nog steeds delibereert over de air-bags. Als de kruisvaarders hun hoge paarden bestijgen, is het onmogelijk hen tegen te houden. Air-bags hebben ons vanaf het begin op een verkeerd spoor gezet. Behoudens onvoorziene ontwikkelingen zal de discussie waarschijnlijk nog lange tijd worden gevoerd.

Het zijn echter geen air-bags die we nodig hebben. Wat we nodig hebben, zijn wetten die het gebruik van de gordel verplicht stellen.

En tot we deze wetten hebben: bewijs uzelf en degenen die u dierbaar zijn alstublieft een dienst. Maak ze vast!

26
De hoge loonkosten

Als iemand die afstamt van een familie van hardwerkende immigranten, geloof ik heilig in de waardigheid van arbeid. Wat mij betreft dienen mensen goed te worden betaald voor hun tijd en inspanning. Ik ben zeker geen socialist, maar ik ben wel een voorstander van het delen van de welvaart – zolang een onderneming winst maakt.

In 1914 ging de eerste Henry Ford ertoe over zijn arbeiders vijf dollar per dag te betalen en al doende schiep hij een middenklasse. Hij had het juist ingezien; als de werkende mensen in dit land geen behoorlijk bestaansniveau hebben, zullen we onze middenklasse wegvagen. Het cement van onze democratie is tegenwoordig de arbeider die 15 dollar per uur verdient. Hij is de man die een huis koopt, een auto en een koelkast. Hij is de olie in de motor.

De massamedia neigen ertoe de aandacht te richten op de zeer rijken en de zeer armen, maar het is de middenklasse die ons stabiliteit geeft en de economie draaiende houdt. Zolang een knaap genoeg geld verdient om zijn hypotheek te betalen, redelijk goed te eten, in een auto te rijden, zijn kinderen naar een universiteit te sturen en een keer per week met zijn vrouw uit eten te gaan en naar de bioscoop, is hij tevreden. En als de middenklasse tevreden is, zullen we nooit een burgeroorlog of een revolutie in huis halen.

Amerika is anders dan Europa. Hier zijn de arbeiders in de automobielindustrie net zo kapitalistisch als de bedrijfsleiding. Geen wonder. Als het gaat om werknemers die per uur worden betaald, vormen de leden van de United Auto Workers een elite in de wereld. En als het geld spreekt, gaat de ideologie aan de wandel.

Hoge lonen zijn echter niet het werkelijke probleem tussen de bedrijfsleiding en de UAW. Het werkelijke probleem schuilt in alle bijkomende voordelen.

Zolang Detroit winst maakte, was het altijd gemakkelijk de eisen van de vakbond in te willigen en ze later te compenseren in de vorm van prijsverhogingen. Het alternatief was een staking te aanvaarden met het risico de onderneming te ruïneren.

De leiding van GM, Ford en Chrysler is nooit bovenmatig geïnteresseerd geweest in planning op lange termijn. Ze hechtten teveel waarde aan doelmatigheid, aan het verbeteren van de winst in het volgende kwartaal – en aan het verdienen van een vette bonus.

Zij? Ik zou moeten zeggen: wij! Per slot was ik een van de jongens. Ik maakte deel uit van dat systeem. Geleidelijk, stapje voor stapje, gaven we praktisch aan iedere eis van de vakbeweging toe. We verdienden zoveel geld dat we er geen twee keer over nadachten. We wilden het zelden op een staking laten aankomen en we bleven nooit op ons stuk staan. Ik zat er middenin en ging van de mening uit: 'Voorzichtigheid is de moeder der wijsheid. Geef hen wat ze willen, want als ze gaan staken, zullen we honderden miljoenen dollars verliezen, onze bonussen verspelen en ik zal persoonlijk een half miljoen dollar mislopen.'

Onze motieven kwamen voort uit hebzucht. Instinctief wilden we altijd met hen tot overeenstemming komen. Onze critici hadden in dat opzicht gelijk – we dachten altijd aan het volgende kwartaal.

'Wat betekent nu een dollar per uur meer?' zo redeneerden we toen. 'Laten de komende generaties zich daarover maar zorgen maken. Dan zijn wij er niet meer.'

De toekomst is echter al aangebroken en velen van ons zijn er nog steeds. Vandaag betalen we allemaal de prijs voor onze inschikkelijkheid.

Terugkijkend zie ik drie gebieden waarop het management toegaf en waardoor we nu worden afgemaakt: onbeperkte compensatie voor de kosten van levensonderhoud, pensioen na dertig jaar arbeid en medische verzorging van de wieg tot het graf.

De eerste is de toeslag voor kosten van levensonderhoud, COLA (Cost Of Living Allowance). COLA is de motor die een vliegende inflatie aandrijft. De twee miljoen arbeiders die de toeslag oorspronkelijk kregen, waren werkzaam in de auto-industrie; tegenwoordig worden miljoenen Amerikaanse werknemers in de industrie en de overheid door COLA beschermd.

Hoe graag ik de vakbonden ook de schuld zou willen geven, het was echt niet hun idee. COLA was in werkelijkheid een uitvinding van het management, niet van de vakbeweging. In 1946 stelde Charlie Wilson, president van General Motors, een compensatie voor de kosten van levensonderhoud voor om tegemoet te komen aan de tijdelijke inflatie die ontstond nadat de regering de prijscontrole had opgeheven.

De inflatie nam al spoedig af, maar de vakbonden waren bang geworden. Bij de overeenkomst voor 1948 kwam GM op de proppen met COLA, een doorberekeningsclausule die voorzag in loontoeslagen gebaseerd op verandering in de kosten van levensonderhoud, zoals deze werden vastgesteld in de Consumenten Prijs Index.

Zoals met alle nieuwe constructies het geval is, volgden Ford en Chrysler al gauw met een soortgelijke planning. Een paar jaar slaagden we erin een plafond vast te leggen voor COLA. Het duurde echter niet lang of de arbeiders in de auto-industrie gingen in staking en het plafond werd opgeheven. Toen werd COLA gevaarlijk; onder het mom inflatie te bestrijden, veroorzaakte COLA in werkelijkheid de inflatie.

COLA voedt zichzelf. Hoe meer je probeert gelijke tred te houden met prijsstijgingen, hoe meer inflatie je creëert. Maar evenals bij elke andere verworvenheid werd het, toen COLA eenmaal was ingevoerd, onmogelijk dit systeem uit te roeien of zelfs maar te wijzigen. Het is een sneeuwbal die aan het rollen is gebracht.

Gedurende de jaren vijftig en zestig was het nooit een groot probleem; dat waren immers de jaren van de hoogconjunctuur. De Amerikaanse industrie mocht zich verheugen in reusachtige markten. Europa en Japan waren door de oorlog verwoest en hun herstel vorderde jaren. Die hele periode door was ons inflatiepercentage gering – rond de 2 procent per jaar. Intussen was onze produktiviteit hoog – en steeg jaarlijks met ongeveer 3 procent. Dat betekende dat COLA niet echt inflatoir werkte, de loonsverhogingen konden immers altijd uit de stijging van de produktiviteit worden betaald.

Toen COLA voor het eerst werd ingevoerd was het een grote overwinning, maar in de loop der jaren is het geleidelijk in een ritueel veranderd. Als contrast waren vroeger produktiviteitsstijgingen een ritueel; die behoren nu tot het verleden. Is het dus een wonder dat de loonkosten uit de hand lopen?

Tegenwoordig wordt COLA toegepast in de Sociale en Medische Zorg en de strijdkrachten en er worden plannen gemaakt voor de werknemers in overheidsdienst. Wij hebben hen al die slechte gewoontes bijgebracht. De problemen waaraan deze groepen tegenwoordig lijden zijn ontstaan uit de aan geen plafond gebonden kosten van COLA.

In tegenstelling tot COLA was het 'na dertig jaar stoppen' een idee van de vakbonden – en een slecht idee. Walther Reuter, de oprichter van de UAW, maakte er het voornaamste onderhandelingspunt met GM van, vlak voor hij in 1970 stierf. Samen met de eis van een onbeperkte COLA vormde het de basis voor de grote staking bij GM in dat najaar.

'Na dertig jaar stoppen' legt vast dat een man die dertig jaar heeft gewerkt, het recht heeft met pensioen te gaan – ongeacht zijn leeftijd – en met 60 procent van zijn salaris te vertrekken alsof hij vijfenzestig was.

Na dertig jaar stoppen (thirty and out) klinkt goed en het werd ontworpen met het doel banen te scheppen voor de jongeren die op de arbeidsmarkt kwamen. Het is echter het soort programma dat Amerika steeds minder concurrerend maakt. Waarom? We nemen een goede, hardwerkende knul van 18 jaar aan, leiden hem jarenlang op en op z'n achtenveertigste gaat hij dan voorgoed naar huis. Niet alleen verliezen we een geschoolde kracht, maar we moeten ook voor de rest van zijn leven zijn pensioen betalen – dat wil zeggen gemiddeld nog eens dertig jaar!

Volgens de reglementen is het de 'gepensioneerde' niet toegestaan te werken. Als hij werkt, raakt hij zijn pensioen kwijt. Als hij echter achtenveertig is, zal hij niet lang thuis blijven zitten. Een hoge functionaris van de vakbond heeft me wel eens bekend: 'Ze stoppen niet met werken, ze veranderen gewoon van baan. Volgens de regels mag de man niet werken, maar wie zal hem controleren?'

Het gevolg is dat sommige van de beste elektriciëns die bij Ford en Chrysler voor me werkten, nu taxichauffeur zijn. De ironie van dit alles is dat als ik een nieuwe knul wil aannemen om elektriciën te worden, ik een stel taxichauffeurs moet opleiden die niks van de auto-business afweten. Je reinste waanzin. Het land is op z'n kop gezet en holt rechtstreeks op de middelmatigheid af.

'Na dertig jaar stoppen' maakt me razend. Het is misdadig een knaap te pensioneren alleen omdat hij dertig jaar heeft gewerkt. Met z'n vijftigste is hij net op dreef gekomen, hij heeft een schat aan ervaring opgedaan en beschikt over een scala van bekwaamheden. In plaats van die kennis te gebruiken bestuurt hij een taxi of zit thuis duimen te draaien.

Ik betwist niet het krijgen van een goed pensioen, maar we kunnen ons niet langer veroorloven mensen te pensioneren als ze vijftig of vijfenvijftig zijn. Ik zou de 'stoppen na dertig'-regel graag veranderd willen zien, al moet een man na dertig jaar werken nog steeds met pensioen kunnen gaan – als hij tenminste de leeftijd van zestig jaar of ouder heeft bereikt. Anders betalen we de mensen die ons zouden moeten helpen om tegen de Japanners op te boksen 800 dollar per maand om niet te komen werken. Zit daarin nog enige logica?

De derde, belangrijke misstand in het systeem wordt gevormd door de medische voorzieningen. Toen ik bij Chrysler kwam, zag ik dat 'Het Blauwe Kruis/Blauwe Schild' een van onze grootste onkostenposten was geworden. Ze dienden nota's in die hoger waren dan de rekeningen van onze staal- en rubberleveranciers. Chrysler, Ford en GM betalen tegenwoordig 3 miljard dollar per jaar alleen voor ziektekosten en tandheelkundige verzekeringen, plus alle rekeningen van de apotheken. Bij Chrysler stemt dat overeen met 600 miljoen dollar of 600 dollar per auto.

Evenals alle andere voordelen die het management aan de factor arbeid verschaft, begonnen de medische voorzieningen bescheiden. In de loop der jaren zijn we echter gevorderd van het niet betalen van doktersrekeningen tot het punt waarop de onderneming nu betaalt voor alles wat je maar kunt bedenken: huidbehandelingen, psychiatrie, tandheelkunde en zelfs voor brillen.

Om de zaak nog gekker te maken, kan op dokters- en ziekenhuisrekeningen niets in mindering worden gebracht. Bij voorgeschreven medicijnen kennen we een geringe aftrekpost; de man moet de eerste drie dollar zelf betalen. Daarvoor mag ik de eer opeisen. De aftrekpost was aanvankelijk twee dollar, ik wist hem te verhogen tot drie dollar. Vijfentwintig jaar onderhandelen met als resultaat deze enige duidelijke overwinning.

De kern van het probleem is dat er geen koper/verkoper-relatie bestaat bij de levering van medische artikelen en diensten. De houding is steevast: laat Uncle Sam of oom Lee de rekening maar betalen. Wat doet het er dus toe dat je me te veel rekent voor laboratoriumonderzoek of een operatie – ik hoef het toch niet te betalen.

Net als bij doktershulp leidt dat systeem tot een ongelooflijk misbruik. Onlangs ontdekte ik dat vier pedicures ieder 400.000 dollar per jaar verdienen alleen aan de gezinnen van Chrysler-werknemers. Hoe ter wereld kan een pedicure zoveel patiënten behandelen? Ze behandelen de mensen zeker elke keer maar aan één teen. Ik ontdekte tevens dat we in een enkel jaar 240.000 bloedonderzoeken betaalden. Dat is veel bloed om te onderzoeken in een periode waarin we slechts 60.000 mensen in dienst hadden.

De gezondheidszorg kost ons 600 dollar voor elke auto en vrachtwagen die we fabriceren. Voor kleinere auto's komt dat neer op zeven procent van wat erop het prijskaartje staat.

In 1982 betaalden we bijvoorbeeld 373 miljoen dollar aan premies van ziektekostenverzekeringen voor employés, gepensioneerden en degenen die van hen afhankelijk zijn. Daar bovenop betaalden we ook nog eens 20 miljoen dollar aan belasting op de gezondheidszorg. Volgens schatting waren uiteindelijk ongeveer 200 miljoen dollar van onze betalingen aan leveranciers bestemd om de kosten van de ziekenfondspremies van hùn werknemers te dekken.

Als we een overeenkomst met de vakbond sluiten, moeten we elke keer soortgelijke voorzieningen treffen voor onze witte boorden-mensen, vanaf de voorzitter tot de laagstgeplaatsten.

Toen Mary enkele jaren geleden twee weken in het ziekenhuis lag, kwam de totale rekening op 20.000 dollar. Raad eens hoeveel ze mij vroegen te betalen? De kolossale som van 12 dollar! (Dat was voor het televisietoestel.) Chrysler kreeg een rekening van 19.988 dollar. Het feit dat mij zelfs niet werd gevraagd de eerste 100 dollar te betalen, is een schande. Maar zo werkt het systeem.

We hebben hard gewerkt om een paar misstanden uit het systeem te verwijderen, maar we hebben nog een lange weg af te leggen. Een redelijke oplossing voor het probleem zou allicht zijn als de regering bij de employés belasting hief op de bedragen die wij betalen voor hun ziektekostenverzekeringspremies. Dan zouden de mensen wel twee keer nadenken voor ze een extra onderzoek lieten doen. Zoals het systeem nu werkt, worden wij door de artsen en ziekenhuizen vermoord.

Dit zijn de drie belangrijkste gebieden waarop we te vlug hebben toegegeven aan de eisen van de vakbonden. Bijna was er ook nog een vierde – de vierdaagse werkweek. Een onderwerp waarover de vakbonden al jaren praten, al noemen ze het nooit bij de naam. Dan zouden ze immers moeten zeggen: Vijf dagen loon voor vier dagen werken.

Als dit onderwerp ter sprake komt, moet ik altijd denken aan de Tweede Wereldoorlog: Frankrijk had een vierdaagse werkweek en Duitsland een zesdaagse. Weet u nog met wie de vloer werd aangeveegd?

De vakbeweging is veel te slim om openlijk over een vierdaagse werkweek te praten. Ze weten donders goed dat die nooit zou worden geaccepteerd. Leonard Woodcock, destijds president van de UAW, zei me eens: 'Lee, ik krijg de vierdaagse werkweek zonder dat je het zelfs maar zult merken.' Zijn omslachtige plan kwam erop neer dat de vakbond zoveel vrije dagen zou vragen dat het al spoedig overeenkwam met een vierdaagse werkweek.

Dat is de oorsprong van die schitterende vondst: betaalde, individuele vakantiedagen waarbij elke werknemer een aantal vrije dagen per jaar krijgt, gratis voor niks. In 1976 wist de vakbond twaalf betaalde, individuele, vrije dagen los te peuteren – vijf voor een dienstverband van twee jaar en zeven voor een van drie jaar. Een tijdlang was zelfs de verjaardag van een knaap een betaalde, vrije dag. Dat werd echter één grote misère en dus stemde de vakbond ermee in het te veranderen. Tegenwoordig vieren we alle verjaardagen op dezelfde dag – meestal door de laatste zondag voor Kerstmis als een werkdag te tellen.

Al deze regelingen – onbeperkte COLA, na dertig jaar stoppen, volledige, medische voorzieningen en betaalde, individuele vakantiedagen zijn een aanfluiting voor het gezonde verstand. Hoe spitsvondig zoiets als betaalde, individuele vakantiedagen ook moge klinken, er steekt geen greintje logica in dat je een man betaalt om thuis te blijven.

Als we willen overleven, is het absoluut essentieel dat management en vakbeweging nieuwe en praktisch uitvoerbare methoden vinden om samen te werken. De manier van gemeenschappelijke inspanning die Chrysler heeft gered, moet als werkwijze algemeen ingang vinden.

Ik weet dat het niet gemakkelijk zal zijn. In de eerste plaats omdat werknemers een ijzersterk geheugen hebben. Enkele van de hevige botsingen met de autofabrikanten eerder in deze eeuw zijn nog steeds niet vergeten. Het is nog niet zo lang geleden dat in Flint de Nationale Garde werd opgeroepen om de rebellerende arbeiders van GM en hun vakbondsleiders tot de orde te roepen... dat was in 1937.

Daar kwam bij dat de arbeiders en werkgevers verschillende sociale klassen vertegenwoordigen, hetgeen altijd een bron van spanningen is. De arbeider aan de lopende band koestert wrok tegen de managers die, verbeeldt hij zich, de hele dag koffie drinken en niet echt hard werken.

Het zogenaamde senioren-systeem is tevens een factor die aanleiding geeft tot vechtlust bij de vakbonden. Jongere kerels worden in moeilijke tijden altijd het eerst ontslagen. Bij de UAW hebben werkloze arbeiders het recht om over arbeidsovereenkomsten mee te stemmen, zes maanden nadat hun werklozenuitkering is afgelopen. Daarna moeten ze elke maand een formulier invullen, willen ze hun stemrecht behouden. Het merendeel van de arbeiders maakt zich daar niet druk om.

Iedere keer dat er dus een stemming wordt gehouden over een nieuw contract of een voorstel tot een concessie wordt gedaan, behoren de arbeiders die stemmen tot de ouderen. Oudere werknemers kunnen zich veroorloven vechtlustig te zijn; zij worden immers beschermd tegen het verlies van hun baan tenzij de hele tent dicht gaat. Hoe zit het met de jongere arbeider die tijdelijk zonder werk is? Hij is bereid concessies te doen om zijn baan terug te krijgen, maar hij heeft meestal niets in te brengen.

De vakbond werd opgericht om de rechten van de arbeiders, die slecht behandeld en onderbetaald werden, te beschermen. De vakbond heeft daarin zeer veel successen behaald, doch vandaag vertegenwoordigt de UAW een elitegroep die goed wordt betaald en bescherming geniet. In zeker opzicht heeft de UAW het voor de jonge, ongeschoolde arbeider moeilijker gemaakt om een baan in de auto-industrie te krijgen. In veel gevallen heeft de vakbond hem uit de markt geprijsd.

Hoe is deze treurige toestand ontstaan? Het begon toen de auto-industrie gouden tijden doormaakte.

Toen ik in 1978 bij Ford wegging, hadden we zelf net de drie winstgevendste jaren sinds alle tijden achter de rug. Tot dan was, enkele uitzonderingen daargelaten, de geschiedenis van de Grote Drie een aaneenschakeling van variaties op het enige thema: succes.

Dat gold vooral voor de periode na de Tweede Wereldoorlog. In die tijd was een auto bijna even belangrijk als voedsel en het vermogen auto's te maken stond gelijk aan een vergunning om geld te drukken. GM was – en is overigens – eerder een natie dan een onderneming. Ford was het op twee na grootste bedrijf in Amerika. Zelfs Chrysler, de kleinste van de Grote Drie, stond tot voor kort op de tiende plaats van de ranglijst van 's werelds grootste ondernemingen.

Er waren twee verschillende groepen nodig om dat grote succes te bewerkstelligen. Aan de ene kant was er het management, geleid door een aantal hoog gesalarieerde topfunctionarissen. Heden ten dage wordt het management gedomineerd door de lui met boekhoudkundige en accountantsopleiding. Zo is het echter niet altijd geweest. Voor het grootste deel van zijn geschiedenis werd de auto-industrie echter geleid door een stel rauwe individualisten – arrogant, oppermachtig en rijk.

Aan de andere kant had je de vakbonden. De United Auto Workers die na de Tweede Wereldoorlog werkelijk volwassen werd, was op zijn eigen manier even machtig als het management. De UAW heeft altijd een monopolie gehad – zij hebben de arbeidskrachten geleverd die de hele industrie aan de gang hielden.

De UAW begon in 1930 als een afdeling van het Congres of Industrial Organizations (de CIO) die zich had losgemaakt van de American Federation of Labor. Voor die tijd had de AFL herhaaldelijk geprobeerd de auto-industrie in de macht van de vakbeweging te brengen, echter zonder resultaat. Uiteindelijk vestigde de UAW zich, na felle en vaak gewelddadige strijd, als een macht waarmee rekening moest worden gehouden.

Ik was te jong om Walther Reuther, de oprichter en president van de UAW van 1946 tot 1970, persoonlijk te hebben gekend. Hij kwam om het leven bij een vliegtuigongeluk in de tijd waarin ik president van Ford werd. Ik weet wel dat hij een verlichte geest was. Zijn opvattingen waren eenvoudig: Het is de taak van de vakbeweging de taart zo voordelig mogelijk aan te snijden, en: Hoe groter de taart, hoe meer geld er voor de arbeiders in zit.

Hij verkondigde: 'Het is de taak van het management de taart te bakken,' en vervolgens wees hij op de verschillende ingrediënten van de taart. Alsof hij het tegen schoolkinderen had, legde hij uit: 'Dit gaat naar de grondstoffen, dit naar de vaste kosten, zoveel naar de salarissen van de topfunctionarissen en zoveel naar de arbeiders. Wij zijn hier vandaag gekomen, heren, omdat we niet helemaal tevreden zijn over de verdeling van de taart. We willen dat hij net een tikje anders wordt aangesneden.'

Over de redevoeringen van Walther Reuther werd in de stad vaak spottend gesproken omdat hij op elke bijeenkomst hetzelfde zei. Het was net een grammofoonplaat en er waren verslaggevers die hun verhaaltje van te voren schreven. Ze zaten er nooit naast.

Omdat Reuther zich bekommerde om de winsten en de produktiviteit en omdat hij begreep dat het lot van de arbeiders ten nauwste was verbonden met het lot van de onderneming, won hij het respect van zowel het management als van de arbeider. Zo af en toe zou ik graag de huidige leiders van de Union aan zijn houding willen herinneren. Hoewel Reuther de UAW oprichtte, wordt zijn naam tegenwoordig niet vaak meer genoemd. En daarvoor zijn goede redenen. De Union probeert met veel misbaar een groter stuk van de taart te krijgen, maar die taart wordt kleiner.

Reuther vocht nooit tegen de automatisering. Hij verzette zich nimmer tegen industriële vooruitgang, zelfs niet als de belangen van de arbeid op korte termijn schenen te worden bedreigd. Vanaf het allereerste begin ondersteunde hij de installatie van robots. 'Vecht nooit tegen nieuwe machines,' zei hij tegen zijn mensen, 'dat is namelijk de manier om de produktiviteit te verhogen. En als de ondernemingen produktiever worden en grote winsten maken, zullen wij in een betere positie verkeren om te onderhandelen.' Door deze houding gedijen management en arbeid allebei. Beide groepen hebben in Detroit dan ook meer geld verdiend dan hun tegenhangers waar ook ter wereld.

Al mijn klachten over de UAW ten spijt moet ik toegeven dat Reuthers verlichte zienswijze de oorzaak was dat zijn Union andere vakbonden, zoals die van de spoorwegarbeiders en grafici, ver vooruit was. Toen bijvoorbeeld de diesellocomotief was ontwikkeld, hadden de wegen niet langer een stoker nodig om kolen op het vuur te gooien. De bond stond er echter op dat de stoker bleef, ook al was zijn aanwezigheid nu overbodig.

Walther Reuther kon hard zijn, zelfs onredelijk, maar toch was hij een echte visionair. De journalist Murray Kempton heeft eens gezegd dat Reuther de enige man was die hij kende, die kon mijmeren over de toekomst.

Onder leiding van Reuther ontwikkelden management en bond in 1948 het model voor de onderhandelingen over een meerjarencontract. Daarvoor waren er steeds jaarlijkse onderhandelingen geweest, een toestand die een onstabiel werkklimaat moest oproepen. De arbeidsovereenkomst van 1948 was geldig voor twee jaar in plaats van een. Deze overeenkomst werd in 1950 gevolgd door een vijfjarig contract. Uiteindelijk legde de bond zich neer bij een serie contracten voor drie jaar met ieder van de Grote Drie.

In sommige industrieën, zoals de rubber- en de staalindustrie, hebben ondernemingen zich soms aaneengesloten om collectieve onderhandelingen voor de hele industrietak te voeren. De werknemers in de auto-industrie hebben echter altijd afzonderlijk met General Motors, Ford en Chrysler onderhandeld. Elke drie jaar koos de bond een onderneming als voorbeeld – vaak na een staking of tenminste de dreiging ervan – en werkte dan een overeenkomst uit die model stond voor de anderen.

Onderhandelingen voor een modelovereenkomst hebben het leven voor iedereen gemakkelijk gemaakt. Eén voordeel was dat geen onderneming de concurrentie via de lonen kon voeren. Aan de andere kant kon deze onderhandelingswijze ertoe bijdragen dat het management inschikkelijk werd als er met de bonden moest worden onderhandeld. Als dezelfde overeenkomst per slot van kracht was voor alle vier de autobedrijven (American Motors nam deel aan deze regeling) had het management minder aanleiding een gunstiger overeenkomst in de wacht te slepen.

In de jaren zeventig was ik betrokken bij een aantal onderhandelingen toen ik president van Ford was. In die jaren heb ik altijd het gevoel gehad dat de ondernemingen in het onderhandelen met de bond in het nadeel waren. De Union had ons in zijn macht. Tot het arsenaal van de bond behoorde immers het uiterste wapen: het recht om te staken. De dreiging het werk neer te leggen, was het afschrikwekkendste wat we ons konden voorstellen.

Iedereen in Detroit herinnert zich nog levendig de staking van 1970 bij General Motors, die in de Verenigde Staten 60 dagen duurde en in Canada 95. Het was een ramp zowel voor de vakbond als voor het management. De 400.000 man die niets uitvoerde verloor 760 miljoen dollar aan lonen. De stakingskas van de bond was al snel uitgeput en de arbeiders moesten leven van hun spaargeld.

GM maakte een even beroerde tijd door. Hun inkomsten van 1970 waren 64 procent lager dan het voorafgaande jaar. Als gevolg van de staking stokte bij GM de produktie van minstens 1,5 miljoen auto's en vrachtwagens die waren gepland, hetgeen resulteerde in een daling van de omzet van meer dan 5 miljard dollar. Ik herinner me dat ik toen heb gedacht: een bond die de macht heeft GM op de knieën te dwingen, moet heel sterk zijn.

In 1950 moest Chrysler een staking van 104 dagen doorstaan. Het was toen dat Ford Chrysler voorbijstreefde en in een bepaald opzicht worden de gevolgen van die staking ook vandaag nog gevoeld. Bij Ford kregen we eveneens ons deel van de stakingen en in die tijd liepen onze verliezen op tot 100 miljoen dollar per week. Met zo'n tempo praat je al gauw over groot geld.

Omdat de stakingen zo'n verwoestende uitwerking hadden, stelden de captains of industry praktisch alles in het werk om een staking te voorkomen. In die tijd konden we het ons veroorloven royaal te zijn; we beheersten de markt en konden dus voortdurend meer geld aan lonen uitgeven. De toegenomen kosten werden aan de klant doorberekend in de vorm van prijsverhogingen.

Een uitsluiting was een beter antwoord geweest: een omgekeerde staking dus, waarbij het management de fabrieken sluit. Dat was natuurlijk kostbaar geweest, maar wie weet hadden we dan het onderste uit de kan kunnen halen. Het is niet onmogelijk dat we dan de gebruikelijke gang van zaken tussen bond en management hadden veranderd voor het te laat was.

Er is in de auto-industrie echter nooit een uitsluiting geweest. Toen ik bij Ford was, heb ik aangedrongen op die oplossing. Maar GM was altijd een voorstander van het zich schikken naar de vakbonden, omdat voor hen geld niet het probleem was. Chrysler wilde ook toegeven, maar dan om de tegenovergestelde reden – als een speler die op het randje van de afgrond balanceert, zou Chrysler als eerste bankroet gaan in het geval van een langdurige staking.

Voor iedere onderhandelingsronde, wanneer de leiders van de Grote Drie bijeenkwamen om een strategie vast te stellen, werd altijd de mogelijkheid van een uitsluiting geopperd. De moties werden besproken, maar we waren onder elkaar altijd te verdeeld voor een gemeenschappelijk optreden. Ford, GM en Chrysler konden het het hele jaar door over niets eens worden. Er was dus geen reden om aan te nemen dat ze een uitzondering zouden maken als het om zoiets belangrijks ging. De bond had absoluut niets te vrezen.

27
De Japanse uitdaging

Kort nadat ik bij Chrysler kwam, vloog ik naar Japan voor een aantal ontmoetingen met de topmensen van Mitsubishi Motors. In 1971 had Chrysler 15 procent van de aandelen van Mitsubishi gekocht en was overeengekomen dat ze enkele van hun uitstekende, kleine auto's zouden importeren – onder de namen Dodge en Chrysler. Sindsdien zijn we partners geweest.

De gesprekken werden gevoerd in de tempelstad Kyoto. Tijdens een van de onderbrekingen maakte ik een wandeling met dr. Tomio Kubo, de dynamische voorman van Mitsubishi. Al wandelend door de heiligdommen en tempeltuinen van de stad, vroeg ik mijn nieuwe vriend waarom zijn onderneming deze gigantische fabriek in zo'n landelijke omgeving had neergezet.

Lachend antwoordde Kubo: 'Eigenlijk is ons Kyoto-bedrijf begonnen als Japans voornaamste vliegtuigfabriek en dit is de plek waar we tijdens de oorlog onze bommenwerpers bouwden.'

'Maar waarom juist hier?' vroeg ik. 'Temidden van al deze pracht en praal?'

'Juist daarom,' was zijn antwoord. 'U moet weten dat uw president Roosevelt en mevrouw Roosevelt voor de oorlog tijdens een vakantie een bezoek aan Kyoto hebben gebracht. Ze werden verliefd op deze stad en toen de oorlog uitbrak, gaf Mr. Roosevelt het bevel dat Kyoto niet mocht worden gebombardeerd. Zodra onze militaire inlichtingendienst kennis kreeg van dat bevel besloten we onze vliegtuigfabriek te bouwen op een plek waarvan de veiligheid bij voorbaat was gegarandeerd.'

Toen ik dat verhaal hoorde, heb ik mijn hoofd geschud en alleen gezegd: 'In oorlog en liefde is alles geoorloofd, vermoed ik.'

Na instemmend te hebben geknikt, vroeg Kubo: 'Wat zou u hebben gedaan? In Japan letten we op ons eigenbelang. Wat ik niet begrijp is waarom uw land niet altijd hetzelfde doet.'

Dat begrijp ik evenmin. Precies op dit ogenblik zitten we in een andere grote oorlog met Japan. Dit keer geen oorlog waarin wordt geschoten en ik vind dat we daarvoor dankbaar moeten zijn. Het huidige conflict is een handelsoorlog, maar omdat onze regering weigert de ernst van deze oorlog in te zien, zijn we al een flink eind op weg naar een nederlaag.

Vergis u niet; onze economische worsteling met de Japanners is bepalend voor onze toekomst. We staan tegenover een formidabele concurrent en, onder overigens overeenkomstige omstandigheden, mogen we van geluk spreken als we ons op gelijk niveau handhaven.

Er zijn echter geen overeenkomstige omstandigheden. Het terrein waarop dit spel wordt gespeeld is niet geëffend, integendeel het loopt steil omhoog ten voordele van de Japanners. Als gevolg hiervan spelen we met één hand op de rug gebonden. Geen wonder dat we de oorlog verliezen!

Om te beginnen: de Japanse industrie speelt dit spel niet alléén, maar wordt tot het uiterste gesteund door zijn nauwe relatie met de Japanse regering in de gedaante van MITI, het Ministerie voor Internationale Handel en Industrie. Het is MITI's taak vast te stellen welke industrieën van essentieel belang zijn voor Japans toekomst en hulp te verlenen bij de research en de ontwikkeling.

Voor Amerikaanse oren klinkt MITI als een bemoeizuchtige verzameling ambtenaren op laag niveau, maar dat is niet het geval. In Japan trekt de overheid veel van de knapste en beste jonge mensen aan. En als u dan ook nog denkt dat de Ministeries van Handel, Economie en Financiën het grootste aanzien hebben binnen de regering, dan krijgt u enig idee van het talent dat MITI aantrekt. MITI heeft een paar klassieke blunders gemaakt, maar over het algemeen is zijn invloed op de Japanse industrie formidabel geweest.

Toen Japan na de oorlog aan de wederopbouw begon, bestempelde de regering auto's, staal, chemie, scheepsbouw en machinebouw als de essentiële industrieën. Met andere woorden: het economisch lot van Japan werd niet overgelaten aan het vrije spel der maatschappelijke krachten. Nu is Japan geen Rusland met zijn allesomvattende plan-economie. Verre van dat. Japan heeft wel een systeem van doeleinden en prioriteiten, dat de regering en de industrie in staat stelt samen te werken om hun nationale doelen te verwezenlijken.

Als gevolg daarvan is de Japanse auto-industrie gewikkeld in een omhulsel van protectie: staatsleningen, versnelde afschrijvingen, bescherming tegen import en een verbod tegen buitenlandse investeringen. Deze gezamenlijke inspanning heeft ervoor gezorgd dat de Japanse autoproduktie van 100.000 voertuigen in 1950 is gestegen tot 11 miljoen vandaag.

Ongeacht de hulp die de Japanse fabrikanten kregen, verdienen ze ook ons respect en onze bewondering. Ze hebben bewezen verstandige planners en technici te zijn. Ze verscholen zich niet achter hun grenzen om alleen maar dik te worden.

In plaats daarvan werkten management, aandeelhouders, overheid, bankiers en leveranciers allemaal samen. De ontworpen produkten waren, met gebruikmaking van de modernste technologie, van wereldklasse. Ze bouwden zuinige auto's, gemotiveerd door een nationale energiepolitiek van hoge belastingen op benzine als schaarse grondstof. Geen wonder dat de Japanners voorbereid waren op de Arabisch-Israëlische oorlog van 1973 en het overhaast vertrek van de sjah in 1980.

Een ander voordeel voor de Japanners is dat hun belastingen het laagst zijn van alle industrielanden ter wereld. Dat ze niet zoveel geld aan defensie uitgeven, is een van de redenen waarom ze zich zulke belastingen kunnen veroorloven. Sinds het einde van de Tweede Wereldoorlog hebben wij hen die last van de schouders genomen. Nadat zij zich hadden overgegeven, kregen ze van ons te horen: 'Jullie moeten geen wapens maken, jongens. Waar dat op is uitgelopen, hebben jullie kunnen zien. Maak je geen zorgen, wij verdedigen jullie land wel. Wij willen dat jullie voor de verandering nu eens mooie, vredelievende dingen gaan maken... zoals auto's. Wij gaan jullie zelfs laten zien hoe je dat doen moet. De mensen in Detroit zullen jullie wel een handje helpen.'

En dat deden we; al doende baarden we een monster. Vandaag is dat monster vijfendertig jaar oud, volledig uitgegroeid met sterke spieren. Hij maakt amok op de Amerikaanse automarkt en zal dat blijven doen, tenzij wij hem een halt toeroepen.

Hoe kunnen wij echter concurreren met een land dat jaarlijks niet meer dan 80 dollar per hoofd van de bevolking aan defensie uitgeeft, wanneer wij daaraan meer dan tien keer zoveel besteden? Terwijl wij druk bezig zijn beide landen te beschermen, zijn de Japanners vrij om hun geld te spenderen aan research en ontwikkeling.

Nog een voordeel voor de Japanners is de kunstmatig in stand gehouden zwakte van de yen. Hun koersmanipulaties zijn al voldoende om je op de knieën te brengen. Hun banken en hun industrie hebben samengespannen om de yen zwak te houden zodat de prijs van hun exportgoederen aantrekkelijk kan blijven voor de Westerse markten.

Helaas is de manipulatie van de yen moeilijk te bewijzen. Als ik er in Washington over klaag, vraagt de regering steevast om bewijzen. Iedereen zou graag willen weten hoe de Japanners het klaarspelen.

Ik heb er geen flauw idee van en ik heb geen ambassade in Tokio, Londen of Zürich om me aan een antwoord te helpen. Het Amerikaanse Ministerie van Financiën heeft 126.000 employés: laten die het maar uitzoeken.

Het enige dat ik weet is, dat als het loopt als een eend en kwaakt als een eend... er een goeie kans is dat het een eend is. En als onze laagste rentevoet van 10 naar 22 procent oploopt en weer terug naar 10 procent – en de yen tijdens al die schommelingen op 240 voor de dollar blijft staan – dan weet je dat er in Tokio iets mis is.

De yen is op z'n minst 15 procent ondergewaardeerd. Dat mag misschien niet veel lijken, maar het komt wel neer op een kostenvoordeel van meer dan 1000 dollar op een nieuwe Toyota. Hoe kan men in 's hemelsnaam van ons verwachten dat wij in Detroit daartegen kunnen concurreren?

Als dit onderwerp ter sprake komt, zijn het altijd de Japanners die zeggen dat de yen niet te zwak is, maar de dollar te sterk. Er schuilt zeker enige waarheid in die beschuldiging en onze recente, fiscale politiek heeft niet veel geholpen. De Reagan-regering treft enige blaam omdat haar politiek van krap geld en hoge rentetarieven onze dollar te aantrekkelijk heeft gemaakt voor buitenlands kapitaal.

Een van mijn grootste zorgen is, dat als wij over tien jaar bij Chrysler een onvoorstelbaar efficiënte werkwijze hebben met een verbeterde winstmarge van 1000 dollar per auto – de yen plotseling een reuzezwaai maakt en het hele voordeel waarvoor wij zo hard hebben gewerkt, van tafel veegt.

Wij kunnen zo niet doorgaan. Het wordt tijd dat onze regering de jongen na schooltijd bij zich roept en hem vraagt een verklaring te geven voor zijn gedrag. Zijn excuses zijn niet langer overtuigend en zijn daden brengen onze economie in de vernieling. We zouden de Japanners negentig dagen moeten geven om ons te vertellen waarom de yen is ondergewaardeerd – en wat ze van plan zijn daaraan te doen.

Ten slotte is er het probleem van de vrijhandel, misschien moet ik zeggen: de mythe van de vrijhandel. Zover ik weet is vrijhandel slechts vier keer in de geschiedenis in praktijk gebracht. De eerste keer stond het in leerboeken. De drie echte wereldvrijhandelslanden waren Holland, voor korte tijd; Engeland bij het begin van de industriële revolutie en de Verenigde Staten na de Tweede Wereldoorlog.

Tweehonderd jaar geleden konden de Engelsen het doen omdat ze geen echte concurrentie hadden. Zodra andere industriële economieën tot ontwikkeling kwamen, schafte Engeland de vrijhandel af.

Op dezelfde manier had Amerika één keer de wereld voor zichzelf. In de loop der jaren is onze overmacht uitgehold, maar met ons denken zitten we nog steeds gevangen in 1947.

Vrijhandel is mooi – zolang een ieder zich aan dezelfde regels houdt. Japan heeft echter zijn eigen regels en dus zijn wij constant in het nadeel.

Zo werkt het: Als een Japanse auto op de boot naar de V.S. wordt gezet, geeft de regering ongeveer 800 dollar terug aan de fabrikant. Dat is een belastingteruggaaf op handelswaar en het is volstrekt legaal onder de Algemene Overeenkomst inzake Tarieven en Handel (GATT). Met andere woorden: een huisvrouw in Tokio betaalt meer voor een Toyota in Tokio dan ze in San Francisco zou moeten betalen.

Wat zou onze reactie moeten zijn? Welnu, in Europa leggen ze met een routinegebaar grensbelasting op als compensatie voor de korting die de Japanners aan hun exportgoederen geven.

Is dat vrijhandel? Natuurlijk niet. Is dat verstandig? Nou, reken maar.

Neem een Toyota die in Japan voor 8000 dollar wordt verkocht. Zodra hij in San Francisco aankomt zakt de prijs tot 7200 dollar. Gaat diezelfde auto echter naar Frankfurt, dan stijgt de prijs naar 9000 dollar. Gaat hij naar Parijs dan wordt hij verkocht voor 10.500 dollar. Omdat wij onszelf zien als het laatste bastion van de vrijhandel, worden we in het ootje genomen.

Hoe kunnen wij de importauto's 25 procent geven van een markt van 12 miljoen auto's en dan bij hen bepleiten dat ze geen 35 procent marktaandeel nemen? Het is in de annalen van de geschiedenis ongehoord dat wij onze produktie van goederen zouden opofferen en dan tegen de Japanners zeggen: Neem zoveel als je wilt. Laat de zorgen voor de sociale gevolgen maar aan ons over.

Tot er enig evenwicht op onze nationale handelsbalans is, zouden we het Japanse aandeel in onze auto-thuismarkt moeten beperken door aan te kondigen: 'Jullie kunnen 15 procent krijgen, jongens – en dat is het.'

Europa is veel ouder dan wij en heeft veel meer ervaring. Als de vrijhandel zo belangrijk is, waarom stellen zij dan beperkingen aan hun import?

Italië zegt dat 2000 Japanse auto's per jaar het hoogste aantal is dat ze willen toelaten. Frankrijk vindt dat 3 procent de limiet is. En wat zegt Duitsland, de grote vrijhandelskampioen? Daar houden ze niet van zulke strenge limieten, maar toen de Japanners een marktaandeel van 11 procent in Duitsland bereikten, wat gebeurde er toen? 10 Procent en niet meer,' zeiden de Duitsers. Engeland deed hetzelfde.

Helaas kan onze regering zich deze handelwijze moeilijk voorstellen. Veel van onze leiders schijnen te denken dat wij nog steeds de enige producenten ter wereld zijn en dat we edelmoedig moeten zijn. Sinds de Tweede Wereldoorlog zijn er echter inmiddels veertig jaar verstreken en het wordt tijd om te erkennen dat de situatie is veranderd.

Spelen de Japanners eigenlijk eerlijk spel met de geïmporteerde goederen uit Amerika? In de verste verte niet! Kortgeleden hadden enkele van onze handelsvertegenwoordigers een ontmoeting met de Japanners om te praten over onbillijke toestanden. Onze mensen wilden het hebben over rundvlees en citrusprodukten die in Japan worden beschermd en tevens over het openen van nieuwe markten voor onze export.

De Japanners beweerden echter dat over niets van dit alles kon worden onderhandeld. Zonder een spier te vertrekken zeiden ze bereid te zijn de invoerrechten op tomatenpuree af te schaffen. Let wel... geen tomaten – alleen tomatenpuree! Geweldig. Dat zou ons handelstekort met Japan van 30 miljard dollar met pakweg 1000 dollar verminderen.

Intussen beperkt Japan de verkoop van Amerikaanse produkten. Ze houden onze telecommunicatie-apparatuur tegen en onze optische artikelen. Ze hebben een netwerk gecreëerd van bijna vijfhonderd door de regering beschermde kartels die twee soorten prijzen vaststellen en aanbestedingen in besloten kring houden. De Japanse markt wordt beschermd door een festival van waanzinnige keuringseisen en door een bureaucratie die het praktisch onmogelijk maakt daar Amerikaanse goederen te verkopen.

Hun systeem van produktklassificatie is het toppunt van bedrog. Neem de aardappelchips waar de Japanners dol op zijn: oorspronkelijk waren deze ingedeeld bij kant-en-klare voedingsmiddelen waarop een tarief van 16 procent rustte. Toen een Amerikaanse fabrikant een belangrijk aandeel dreigde te krijgen op de Japanse markt, raad eens wat toen gebeurde? Aardappelchips werden opeens als 'confituer' omschreven en daarop wordt een tarief van 35 procent geheven. Mijn geliefde voorbeeld is sigaretten. Ze staan toe dat onze sigaretten in Japan worden verkocht – maar slechts in 8% van de sigarenwinkels. Bovendien wordt er een invoerrecht van 15 dollarcent per pakje geheven. Klinkt dat als vrijhandel?

Tot 1981 was het Amerikaanse sigarettenfabrikanten niet toegestaan in Japan te adverteren, uitgezonderd in het Engels. Om de score gelijk te houden, zouden we Datsun een Toyota misschien kunnen dwingen hier alleen in het Japans te adverteren. U kunt zich wel de verontwaardige kreten voorstellen als we dat deden, maar zou u dat in het Japans onder woorden kunnen brengen?

Als mensen me vragen of ik een voorstander ben van vrijhandel of protectionisme dan luidt mijn antwoord: 'Van geen van beiden.' Ik ben tegen protectionisme en ik ben ook tegen eenzijdige wetgeving. De Verenigde Staten zijn het enig overgebleven industrieland ter wereld dat geen verlichte, moderne handelspolitiek heeft. Wij zijn het land dat de vrijhandel bijna volledig in praktijk brengt – en we worden in de pan gehakt.

Ik bewandel de middenweg die ik fair-handel noem. Fair-handel houdt in het opleggen van enige selectieve – en tijdelijke – beperkingen aan dat ene land in de wereld dat zo'n eenzijdig negatieve handelsbalans met ons heeft.

Laten we eens kijken wat hier werkelijk aan de hand is. Wij verschepen naar Japan: tarwe, graan, soyabonen, steenkool en hout. En wat sturen zij naar ons? Auto's, vrachtwagens, motorfietsen, uitrustingen voor de olieboringen en elektronika.

Vraag: Hoe noem je een land dat grondstoffen exporteert en afgewerkte produkten importeert?

Antwoord: Een kolonie.

Is dat nu de relatie die wij met Japan willen onderhouden? We zaten al een keer eerder in een dergelijke situatie en het einde was dat we grote hoeveelheden thee in de haven van Boston hebben gesmeten.

Dit keer zitten we er echter stilzwijgend bij en kijken toe hoe de Japanners de ene industrie na de andere onder schot nemen.

De markt voor elektronika hebben ze al veroverd, net als voor sportartikelen, kopieerapparaten, camera's en een kwart van de automobielindustrie.

Tussen de bedrijven door hebben ze ook nog een kwart van de staalindustrie in handen. De Japanners leggen het slim aan om hun staal de V.S. binnen te smokkelen. Ze spuiten er verf op, zetten er vier wielen onder en noemen het een auto!

De Japanners sturen ons niet alleen Toyota's, ze exporteren tegelijkertijd iets dat veel belangrijker is dan auto's. Ze sturen ons werkeloosheid en hun politiek werkt. Hun werkeloosheidspercentage bedraagt 2,7 procent. Het onze is drie à vier keer zo hoog.

Wat is er nu aan de beurt? Dat is geen geheim, ze zijn vriendelijk genoeg het ons te vertellen: vliegtuigen en computers.

Ik wil bij niemand een verkeerde indruk wekken wat mijn houding tegenover de Japanners betreft. Ja, ik ben boos over het ongelijke speelterrein en ik ben boos omdat wij er passief bij zitten terwijl dit aan de gang is. Maar Japan doet niets verkeerds; het is zoals Kubo zei: ze handelen eenvoudig in hun eigenbelang. Het is aan ons om ook in ons eigenbelang te handelen.

Omdat ik me hardop uit over deze onrechtvaardigheden, terwijl veel van mijn collega's zwijgen, krijgen de mensen de indruk dat ik anti-Japans ben.

In dit land doet zelfs een verhaal de ronde over een leraar die in de derde klas een quiz houdt tijdens geschiedenis.

De leraar vraagt: 'Wie heeft gezegd het te betreuren dat hij maar één leven heeft om aan zijn land te geven?'

Een klein meisje op de eerste rij staat op en antwoordt: 'Nathan Hale, 1776.'

'Prima,' zegt de leraar. 'En wie zei dat hij alleen maar de vrijheid of de dood wilde?'

Weer staat het Japanse meisje op. 'Patrick Henry, 1775.'

'Mooi,' vindt de leraar. 'Ik vind het prachtig, jongens en meisjes, dat Kiko de antwoorden weet, maar jullie zouden je moeten schamen. Vergeet niet dat jullie Amerikanen zijn en dat zij een Japanse is.'

Op dat ogenblik mompelt een jongen achterin de klas: 'Ach, laten de Japanners doodvallen.'

'Hela,' snauwt de leraar. 'Wie zei dat?'

Waarop een stem roept: 'Lee Iacocca, 1982.'

Een grappig verhaal, maar in werkelijkheid ben ik een groot bewonderaar van de Japanners! Waarom? Omdat zij weten waar ze zijn begonnen, waar ze zich nu bevinden en waar ze heen willen. En het allerbelangrijkste... ze hebben een nationale strategie om hun doel te bereiken.

Ze weten ook hoe ze goede auto's moeten maken. In de jaren zeventig waren hun auto's feitelijk beter dan de onze. Dat is nu niet meer zo, maar veel Amerikanen geloven het nog steeds.

Hoe kwam het dat die Japanse auto's zo goed waren? Het begint bij de arbeiders. De loonkosten zijn daar veel lager dan bij ons. Japanse arbeiders verdienen ongeveer 60% van wat hun Amerikaanse vakbroeders mee naar huis nemen. Ze kennen geen automatische prijscompensatie die is gebonden aan de Consumenten Prijs Index, zoals Amerikaanse arbeiders hebben. En ze hebben niet het hele pakket door de onderneming betaalde medische voorzieningen, dat de consument ettelijke honderden dollars per auto kost.

Japanse arbeiders zijn ook produktiever dan de onze. Ik bedoel niet dat ze beter zijn, alleen dat ze volgens andere regels te werk gaan.

Er zijn eigenlijk in Japan maar twee klassificaties: geschool en ongeschoold. Afhankelijk van wat er op een bepaalde dag moet worden gedaan, verricht een arbeider daar een verscheidenheid aan taken. Als de vloer vuil is, pakt hij een bezem en gaat vegen zonder zich af te vragen of dat wel deel uitmaakt van zijn taakomschrijving. Natuurlijk leidt een dergelijk verantwoordelijkheidsgevoel tot een veel grotere efficiëntie.

Zo'n systeem zou in Detroit ondenkbaar zijn; elke arbeider heeft hier een uitgestippeld aantal plichten. Vergeleken met de eenvoud en het gezond verstand dat in een Japanse fabriek voorhanden is, lijkt ons systeem van vakbondsregels en voorschriften nogal lachwekkend.

De UAW heeft nu ongeveer 150 werkklassificaties. De houding van de Japanse werknemer is: 'Hoe kan ik helpen?' De houding van zijn Amerikaanse evenknie is echter maar al te vaak: 'Dat is mijn taak niet!'

De Japanse vakbonden werken nauw samen met het management. Beide kanten beseffen dat hun lot hand in hand gaat met het succes van de ander. De verhouding tussen arbeid en management is er een van samenwerking en wederzijds respect. Dat is ver verwijderd van de tegenstelling en het wederzijdse wantrouwen die in dit land al heel lang een traditie zijn.

De Japanse arbeider is zeer gedisciplineerd. Wanneer er iets scheef gaat, maakt hij het in orde. Ontstaat er een mankement aan de lopende band dan zet hij hem stil tot de zaak is hersteld.

Het zijn kerels met veel eergevoel die hun werk als een roeping zien. In Japan hoor je geen verhalen over arbeiders die met een kater op het werk komen. Er is geen industriële sabotage en geen zichtbare vervreemding van de arbeid.

Ik heb gelezen dat er Japanse ondernemingen zijn die hun opzichters moesten beboeten omdat velen van hen erop stonden tijdens hun vakantie en op vrije dagen te werken. Kunt u zich voorstellen dat dit in Michigan of Ohio gebeurt?

Het Japanse management werkt volgens regels die ons vreemd voorkomen, maar die wel bijdragen tot hun succes. De typische, Japanse topfunctionaris verdient in de verste verte niet wat zijn tegenhanger in Detroit ontvangt. Hij krijgt evenmin aandelenopties of een compensatie achteraf.

In een bepaalde periode van zijn loopbaan kan hij in een produktielijn hebben gewerkt. Amerikaanse managers zouden waarschijnlijk geschokt zijn als ze hoorden dat de hoogste baas bij Mitsu eens aan het hoofd stond van de vakbond van zijn onderneming. Anders dan zijn tegenhanger in Detroit leeft de Japanse topfunctionaris in dezelfde wereld als de arbeiders, niet in een afgezonderd milieu.

Alles komt er eigenlijk op neer dat in Japan regering, arbeid en industrie aan dezelfde kant staan. In ons land zijn industrie en arbeid traditioneel elkaars tegenstanders. En anders dan wat het publiek denkt, werken regering en particuliere ondernemingen hier niet samen.

Ook wat dit betreft, geef ik de schuld aan de ideologen die schijnen te denken dat elke overheidsinmenging in de nationale economie op de een of andere manier ons vrije-marktsysteem ondermijnt. Zeker, er kan sprake zijn van teveel inmenging, maar als we achter blijven bij Japan, zal het steeds duidelijker worden dat er ook sprake kan zijn van te weinig.

We moeten tot actie overgaan. We moeten vrijhandel vervangen door fair-handel. Als Japan – of welke andere natie dan ook – zijn markten beschermt, moeten wij hetzelfde doen. Als zij hun industrie aanmoedigen, moeten wij op dezelfde manier reageren. En als zij gemene spelletjes spelen met hun valuta, zouden wij stappen moeten ondernemen om de wisselkoers in evenwicht te brengen.

Ik weet niet wanneer we wakker zullen worden, maar ik hoop wel dat het heel gauw zal zijn. Anders zal binnen enkele jaren ons economisch arsenaal bestaan uit niet veel meer dan: drive-in banken, hamburgertenten en pijpeladen met video speelautomaten.

Is dat nu heus waar we willen dat Amerika aan het eind van de twintigste eeuw zal zijn?

28
Laten we Amerika weer groot maken

Tegenwoordig heeft iedereen het over ons overheidstekort. Omdat we enkele jaren geleden Chrysler bijna hadden verloren, was voor mij echter de twijfelachtige eer weggelegd me al eerder dan de meeste mensen zorgen te maken over dit probleem. We werden vermoord door de hoge rentestand en het was duidelijk dat zolang de regering beslag zou leggen op meer dan 50 procent van de nationale besparingen, de rente niet veel kon zakken.

In de zomer van 1982 schreef ik voor *Newsweek* een artikel waarin ik een eenvoudige manier voorstelde om het overheidstekort tot de helft terug te brengen. Op dat ogenblik bedroeg het tekort slechts – let wel: slechts! – 120 miljard dollar. Mijn plan omvatte een besparing van 30 miljard dollar op de overheidsuitgaven en een verhoging van de belastingen met 30 miljard.

Uit de eerste hand had ik al geleerd dat Chrysler alleen nog in leven was dankzij een gecombineerde inspanning van het management, arbeiders, leveranciers en regering. Waarom zou het beginsel van 'gelijke offers' niet ook kunnen worden toegepast bij het overheidstekort.

Mijn plan was eenvoudig. Ten eerste wilde ik 5 procent per jaar bezuinigen op het defensiebudget. Dat zou neerkomen op 15 miljard dollar en daarbij zou geen enkel produktieprogramma voor de bewapening worden aangetast.

Vervolgens zouden de democraten te horen krijgen: 'Oké, jongens, ik wil dat jullie deze bezuiniging van 15 miljard beantwoorden met een gelijke besparing op de sociale programma's die jullie de laatste veertig jaar hebben ingevoerd.'

Dan komt het moeilijke deel. Is er eenmaal 30 miljard bespaard op de uitgaven dan evenaren we dat dollar voor dollar aan de belastingkant. Om te beginnen heffen we een extra belasting van 15 miljard dollar op geïmporteerde olie, met de bedoeling de OPEC te helpen hun olieprijzen op 34 dollar per barrel te handhaven. We verhogen de belasting op de benzine aan de pomp met 15 dollarcent en dat brengt nog eens 15 miljard op.

Zelfs met deze nieuwe belasting zijn de Amerikaanse benzine en olie nog steeds goedkoper dan waar ook buiten de Arabische wereld. Naast deze belastingverhogingen zouden we eindelijk een energiepolitiek in het leven moeten roepen: wanneer de OPEC dan de volgende keer toeslaat, zijn we paraat.

Bij elkaar geteld zouden die vier 'vijftiens' ons overheidstekort terugbrengen met 60 miljard dollar per jaar. Het fraaie van dit programma is dat het de offers verspreidt over al onze mensen – over republikeinen zowel als democraten, over de zakenwereld en over de arbeiders.

Toen ik dit plan opperde, wendde ik me tot elke topman in Wall Street die ik kende met de vraag: 'Wat zou er gebeuren als de President op de televisie verscheen met de aankondiging het federale overheidstekort tot de helft te zullen terugbrengen?' Ze waren het er allemaal over eens dat die aankondiging de stoot zou geven tot de grootste investeringswoede in onze geschiedenis. Het zou de geloofwaardigheid van ons land herstellen. Het zou bewijzen dat we wisten wat we aan het doen waren.

Overbodig te zeggen dat we het niet deden, al was het niet zo dat er niemand luisterde. Duizenden lezers van *Newsweek* schreven me om te zeggen dat ze mijn plan goed vonden. Ik kreeg zelfs een telefoontje van het Witte Huis waarin ik werd uitgenodigd voor een ontmoeting met de President.

Toen ik het ovale vertrek, de kamer van de President, binnenstapte, begroette President Reagan me met het *Newsweek*-artikel in de hand. 'Lee, ik vind het goed wat je hier schrijft,' zei hij. 'Ik maak me ook zorgen over de omvang van het overheidstekort. Richard Wirthlin, mijn opinieonderzoeker, zegt me echter dat een benzinebelasting de onpopulairste maatregel is die ik kan treffen.'

Ik dacht: Hoho, laten we dit land besturen door opinie-onderzoekers? Is dat leiderschap?

Over het defensiebudget wilde de President het ook hebben. 'Onder Carter hebben we er te weinig geld aan besteed,' zei hij. 'Voor onze nationale veiligheid moeten we veel meer geld opbrengen. Je begrijpt het niet helemaal.'

'Dat is waar,' zei ik. 'Ik begrijp het niet allemaal en ik wil ook niet eigenwijs zijn, maar het defensiebudget beloopt nu meer dan 300 miljard dollar. Ik ben een zakenman en geloof me, ik kan op alles 5 procent besparen en dat zult u niet eens merken. Ik heb in feite mijn hele leven niets anders gedaan.'

Akkoord, we brachten in augustus 1982 het overheidstekort niet omlaag en nu is het tot boven de 200 miljard gestegen. Terwijl ik deze woorden in het voorjaar van 1984 schrijf, zijn we ons nog steeds handenwringend aan het afvragen wat we moeten doen.

Helaas is het overheidstekort slechts het topje van de ijsberg. Als er nog iemand aan mocht twijfelen dat we iets hebben verloren van onze economische grootheid, laten we dan de volgende vragen eens in overweging nemen.

Waarom heeft het land dat Walther Chrysler, Alfred Sloan en de eerste Henry Ford voortbracht zoveel moeite met het concurrerend produceren en verkopen van auto's?

Waarom heeft het land van Andrew Carnegie zoveel moeite met het concurreren in staal?

Waarom moet het land van Thomas Edison de meeste grammofoons, radio's, televisietoestellen, videorecorders en andere elektronika voor de consument importeren?

Waarom heeft het land van John D. Rockefeller olieproblemen?

Waarom moet het land van El Whitney zoveel werktuigen importeren?

Waarom moet het land van Robert Fulton en de gebroeders Wright zoveel concurrentie ondervinden op het terrein van transportmiddelen?

Wat is er terechtgekomen van het industriële apparaat dat eens een bron van jaloezie en hoop was voor de rest van de wereld?

Hoe hebben we het voor elkaar gekregen in minder dan veertig jaar het 'arsenaal van de democratie' te ontmantelen en te blijven zitten met een economie die op vele essentiële gebieden zwak is?

Ons verlies van het leiderschap is niet van de ene dag op de andere ontstaan. De geleidelijke uitholling van onze kracht en macht begon in die voorspoedige jaren na de Tweede Wereldoorlog. In geen enkele periode van onze geschiedenis heeft Amerika zich echter kwetsbaarder getoond dan in de afgelopen tien jaar.

Eerst ontdekten we op een ochtend bij het wakker worden dat er iets als OPEC de macht bezat Amerika op de knieën te dwingen. Evenals Pavlov een bel luidde om het gewenste resultaat te krijgen, trok OPEC aan de bel en wij gaven antwoord. Nu, meer dan tien jaar later, hebben we nog steeds geen programma om op dit dreigend economisch gevaar te reageren.

Ten tweede kijken we, in naam van de vrijhandel, rustig toe hoe Japan systematisch onze industriële en technologische basis verovert. Door een combinatie van vaardigheden en efficiëntie in hun cultuur plus een horde aan unfaire, economische voordelen blijkt Japan in staat onze markten straffeloos te roven.

In Washington staat dit bekend als een laissez faire-economie en daar zijn ze dol op. In Tokio noemen ze het een veni vidi vici-economie en geloof me, daar zijn ze er nog doller op. De Japanners kwamen, keken en behaalden de overwinning. Onze afhankelijkheid van Japan zal gestadig toenemen, tenzij we een paar praktische belemmeringen opwerpen tegen hun profiteren van onze markten.

Ten derde, de Sovjet-Unie heeft ons in de greep van een alzijdige, nucleaire macht. Amerika heeft niet langer een beslissende, militaire voorsprong. We hebben nu een programma afgekondigd om die voorsprong terug te krijgen, maar de overheersende rol van dit programma in het nationale bestel is zo totaal dat ik me begin af te vragen wat al die nieuwe wapens eigenlijk gaan beschermen. Zonder een sterke, vitale industriële infrastructuur zijn we een natie vol raketten, opgesteld rondom lege fabrieken, werkeloze arbeiders en in verval zijnde steden. Welke wijsheid gaat er schuil achter deze politiek?

Ten slotte dit: Amerika heeft in het recente verleden het zicht verloren op de ware bronnen van zijn macht en grootheid. Van een natie die haar kracht ontleende aan investeringen in de produktie en consumptie van goederen, zijn we op de een of andere wijze veranderd in een natie die onder de bekoring is gekomen van een investering in papieren.

Onze grootste ondernemingen stoppen reusachtige geldbedragen in het opkopen van de aandelen van andere ondernemingen. Waar blijft al dat kapitaal? In nieuwe fabrieken? In nieuwe produktiemiddelen? In produktvernieuwing?

Een beetje wel, maar niet veel. Het meeste van dat geld komt terecht bij banken en andere financiële instellingen die het op hun beurt uitlenen aan landen als: Polen, Mexico en Argentinië. Dat biedt Amerika geen hulp. Toen die landen bankroet gingen en de banken alarm sloegen, brachten ze in ieder geval tot stand wat Chrysler, International Harvester en de woningbouw nooit voor elkaar hadden gekregen: ze wisten de Federale Reserve Bank te overtuigen de krap-geldpolitiek op te geven.

Elke maand wordt er een nieuw soort financieel instrumentarium geschapen met het doel de koopkracht van de consument weg te zuigen en de effectenkantoren rijk te maken. Ik kan het niet helpen, maar ik geloof dat nog nooit eerder in de geschiedenis zo veel kapitaal zo weinig van blijvende waarde heeft voortgebracht. Onze voornaamste, industriële werkgevers bewegen zich op dit ogenblik op het terrein van de auto's, staal, elektronika, vliegtuigbouw en textiel. Zij zijn degenen die de markt scheppen, zowel voor de dienstensector als voor de hoogwaardige technologie. Zij zijn eveneens essentieel voor ons nationaal belang. Kunnen we werkelijk de ruggegraat van ons defensiesysteem handhaven zonder een sterke staal-, machine- en auto-industrie?

Zonder een sterke, industriële basis kunnen we onze nationale veiligheid wel gedag zeggen en ook afscheid nemen van het grootste deel van onze hooggewaardeerde extra-banen. Neem Amerika's met 10 tot 15 dollar per uur betaalde industriële banen weg en je ondermijnt onze hele economie. Hup, daar gaat de middenklasse.

We moeten dus enkele fundamentele beslissingen nemen en als we niet spoedig handelen, zullen we tegen het jaar 2000 zowel de staal- als de auto-industrie aan Japan kwijtraken. Het ergste is nog dat we het zullen hebben opgegeven zonder ervoor te hebben gevochten.

Er zijn mensen die schijnen te denken dat die nederlaag onvermijdelijk is. Ze geloven zelfs dat we dit proces moeten verhaasten door onze industriële basis prijs te geven en ons in plaats daarvan te concentreren op hoogwaardige technologie.

Nu wil ik geen ogenblik twisten over het belang van hoogwaardige technologie voor Amerika's industriële toekomst. Hoogwaardige technologie alleen kan ons echter niet redden, hoe belangrijk die ook is, omdat zoveel andere takken van de Amerikaanse industrie de afnemers zijn.

Vooral de auto-industrie. Wij zijn het die al deze robots gebruiken.

Wij hebben meer door computers gestuurde apparatuur dan wie ook. Wij benutten computers om brandstofbesparing te verkrijgen, om uitlaatgassen schoner te maken en om precisie en kwaliteit aan te brengen in de wijze waarop we auto's bouwen.

Niet veel mensen weten dat de drie grootste klanten van de computerindustrie (uitgezonderd defensie) GM, Ford en Chrysler zijn. Er kan geen Silicon Valley bestaan zonder een Detroit. Als iemand siliconenchips produceert, moet iemand anders ze gebruiken, en dat doen wij. Er is nu minstens één computer aangebracht in elke auto die we fabriceren. Sommige van onze meer exotische modellen hebben er zelfs acht.

Je kunt siliconen-chips niet in een bruinpapieren zakje aan een ijzerhandel verkopen. Ze moeten kunnen worden gebruikt en Amerika's basisindustrieën zijn de gebruikers. Zet ons stop en je sluit de markt. Hef de autofabrieken op en je sluit staal en rubber – en dan is er ongeveer een op de zeven arbeidsplaatsen in dit land verloren.

Waar zouden we dan blijven? We zouden een land zijn waar de mensen elkaar hamburgers serveerden en siliconen-chips aan de rest van de wereld leverden.

Begrijp me niet verkeerd: hoogwaardige technologie is essentieel voor onze economische toekomst. Maar hoe belangrijk de technologie ook is, ze zal nooit hetzelfde aantal mensen werk verschaffen als onze basisindustrieën vandaag in dienst hebben. Het is een les die we zouden geleerd moeten hebben uit het ter ziele gaan van de textielindustrie. Tussen 1957 en 1975 werden 674.000 textielarbeiders ontslagen in Nieuw Engeland en ondanks de opkomst van de industrieën voor hoogwaardige technologie vonden slechts 18.000 van deze arbeiders werk in de computerbranche.

Bijna vijfmaal zoveel mensen kwamen terecht in de lager betalende detailhandel en de dienstverlening. Met andere woorden: wie zijn baan verloor in een textielfabriek in Massachusetts liep vijfmaal zoveel kans terecht te komen bij K-Mart of McDonald dan dat hij werd aangesteld bij Digital Equipment of Wang. Je kunt nu eenmaal geen veertigjarige pijpfitter uit Detroit, Pittsburgh of Neward een witte jas aantrekken en verwachten dat hij een computer programmeert bij Silicon Valley.

Dus is het antwoord niet gelegen in het stimuleren van hoogwaardige technologie ten koste van de basisindustrieën. Het antwoord is beide te stimuleren. Er is plaats voor ons allen in het rijk van de overvloed, maar er is een gemeenschappelijke, nationale inspanning voor nodig om dit mogelijk te maken.

Anders gezegd: Ons land heeft een nationale industriepolitiek nodig.

Tegenwoordig is industriepolitiek een beladen begrip. Het is net alsof je 'brand' roept in een overvol theater. Veel mensen raken in paniek als ze dat woord horen.

Willen zij dan niet dat Amerika gezond en sterk wordt? Natuurlijk willen ze dat. Maar ze willen dat het gebeurt zonder planning; ze willen dat Amerika vanzelf weer groot wordt.

De ideologen beweren dat een industriepolitiek het einde zou betekenen van het vrije ondernemingssysteem zoals wij dat kennen. Wel, dit prachtige systeem houdt nu o.a. in: een overheidstekort van 200 miljard dollar, een uitgavenprogram dat niet meer in de hand kan worden gehouden en een tekort op de handelsbalans van 100 miljard dollar. De naakte waarheid is dat de markt niet altijd efficiënt werkt. We leven in een complexe wereld. Zo nu en dan moet de pomp worden aangezwengeld.

Ik bedoel niet, zoals sommige mensen die het over industriepolitiek hebben, dat de overheid de winnaars en verliezers moet aanwijzen. De regering heeft steeds opnieuw bewezen daar niet slim genoeg voor te zijn.

Ik wil trouwens ook niet dat de regering zich bemoeit met de werkwijze van mijn onderneming – of welke andere onderneming dan ook. Geloof me, de bestaande voorschriften zijn al erg genoeg.

Zoals ik het zie, betekent industriepolitiek de herstructurering en het opnieuw tot leven brengen van onze zogeheten zonsondergangindustrieën, oudere industrieën die in moeilijkheden verkeren. De regering moet meer actief worden in het helpen van de Amerikaanse industrie om de uitdaging van de buitenlandse concurrentie in een zich veranderende wereld te weerstaan.

Bijna iedereen bewondert de Japanners om hun heldere kijk op de toekomst, om de samenwerking tussen hun banken, de regering en de vakbeweging en om de manier waarop ze met hun sterkste troeven uitkomen. Wanneer iemand echter voorstelt dat wij hun voorbeeld zouden moeten volgen, worden ze steevast afgeschilderd als de Sovjets met hun vijfjarenplannen.

Regeringsplanning hoeft nog geen socialisme te betekenen. Het betekent alleen dat men een spelplan heeft, een doel. Het betekent coördineren van alle brokjes economische politiek in plaats van een verbrokkeling die ontstaat in donkere achterkamers, dank zij mensen die alleen aan hun eigen gevestigde belangen denken.

Is planning on-Amerikaans? Bij Chrysler doen wij heel wat aan planning en zo doet iedere andere succesvolle onderneming. Voetbalteams, universiteiten, vakbonden en banken maken plannen. Regeringen alom ter wereld doen aan planning – behalve de onze.

Wij zullen geen vooruitgang boeken tenzij we de lachwekkende idee opgeven dat iedere planning op regeringsniveau een aanval betekent op het kapitalistische systeem. Dank zij deze vrees zijn wij het enige ontwikkelde land in de wereld zonder industriepolitiek.

Eigenlijk is dit niet helemaal waar. Amerika heeft al een industriepolitiek, maar het is een slechte. Niemand die bekend is in Washington kan beweren dat de regering het vrije ondernemingssysteem schendt als zij de Amerikaanse industrie helpt. Washington is Subsidiestad en elke subsidie komt neer op industriepolitiek.

Laten we beginnen met de federale loongaranties. (Op dat gebied ben ik een expert.) Chrysler was niet de eerste; voor wij aanklopten, waren er al 409 miljard dollar aan loongaranties verstrekt. Dat bedrag is inmiddels opgelopen tot 500 miljard dollar en het gaat nog steeds omhoog. Dat is industriepolitiek.

Verder hebben we defensie. Eisenhower waarschuwde ons hiervoor toen hij sprak over het militair-industriële complex. Dat complex laat ons 300 miljard dollar per jaar uitgeven. Het is de enige beschermde industrie die we nog over hebben in dit land. Het is de enige industrie waarin het de Japanners – bij wet – niet wordt toegestaan te concurreren.

Dit is waarom veel mensen, toen we bij Chrysler de tank-division aan General Dynamics verkochten, de vraag stelden: 'Waarom verkopen jullie de auto-business niet en houden de tanks? De tanks bezorgen jullie een winst van 60 miljoen dollar per jaar, gegarandeerd en onder protectie!'

Dan hebben we de NASA en het ruimtevaartprogramma. Dat is ook industriepolitiek. De reis naar de maan zette onze computer-industrie in de hoogste versnelling.

Er is de Export-Import Bank. 80 Procent van wat deze bank doet, is het ondersteunen van vier vliegtuigmaatschappijen. Ik kan dat begrijpen, maar wat me dwars zit is hun lening van 93 miljoen dollar van de belastingbetalers aan Freddie Laker. Om wat te doen? Om voor 95 miljoen DC 10's te kopen zodat hij onder de prijs kan gaan van Pan Am en TWA, twee Amerikaanse maatschappijen op de Atlantische route. Freddie Laker ging echter failliet en de 95 miljoen dollar zijn verdwenen. Wat voor soort industriepolitiek was dat dan wel? En wat te zeggen van het Internationale Monetaire Fonds? Dat deelt geld uit aan vreemde landen die boven hun krachten hebben geleend en hun verplichtingen niet kunnen nakomen. Nog niet zo lang geleden gaf Paul Volcker aan Mexico nog eens één miljard dollar om de solvabiliteit van dat land in stand te houden en, in de eerste plaats, om verlichting te bieden aan ettelijke grote Amerikaanse banken die al eerder geld hadden uitgeleend. Volcker verstrekte die lening van de ene dag op de andere, zonder een enkele hoorzitting. Om 1,2 miljard voor Chrysler los te krijgen – een Amerikaanse onderneming – moesten we echter weken lang de tijd van het Congres in beslag nemen. Wat is dat voor een industriepolitiek?

In het verleden heeft Amerika leningen verstrekt aan Polen tegen 8 procent, terwijl we van Poolse Amerikanen vragen huizen te kopen tegen 14 procent. Als de democraten daar geen slaatje uit weten te slaan, verdienen ze het te verliezen. (Bij de volgende verkiezingen, vert.)

En wat moeten we zeggen van de belasting-politiek? De auto-industrie als geheel betaalt 50 procent van zijn inkomsten aan belastingen. De bankindustrie betaalt slechts 2 procent. Dat is ook een vorm van industriepolitiek.

We hebben dus een industriepolitiek – nauwkeuriger gezegd we hebben honderden industriepolitieken. Het probleem is de verbrokkeling en dat er weinig of niets wordt gedaan voor onze basisindustrieën.

Is industriepolitiek een radicaal nieuw idee? Welnee, we hadden in Amerika al een industriepolitiek zelfs voor we nog een natie hadden gevormd. In 1643 verleende Massachusetts aan een nieuw hoogovenbedrijf het exclusieve recht eenentwintig jaar lang ijzer te produceren teneinde deze industrie in opkomst aan te moedigen.

Meer recent, in de negentiende eeuw, omvatte onze industriepolitiek uitgebreide regeringssteun aan de spoorwegen, aan het Erie Kanaal en zelfs aan de universiteiten.

In de twintigste eeuw hebben we regeringssteun gezien voor onze snelwegen, synthetische rubber, modern luchtverkeer, ruimtevaart, industrieën in geïntrigeerde circuits voor hoogwaardige technologie en voor nog veel meer.

Gedurende de laatste tiental jaren hadden we een fenomenaal succesrijke industriepolitiek – voor de landbouw. 3 Procent van onze bevolking voedt niet alleen de overige landgenoten – ze voeden eveneens de rest van de wereld, om hulp te verlenen. Dat is nog eens produktiviteit.

Hoe kon dat? Wel, er is hier meer loos dan een goed klimaat, een vruchtbare bodem en hardwerkende boeren. Veerig jaar geleden hadden we dat ook allemaal en alles wat we toen kregen, waren verdroogde landstreken en rampen.

Het verschil zit hem in een uitgebreid pakket aan door de overheid gesteunde projecten. Er zijn federale giften voor research, districtsagenten om de bevolking voor te lichten, experimentele staatsboerderijen, elektrificatie van het platteland en irrigatieprojecten, zoals de Tennessee Valley Authority (de TVA); er zijn oogstverzekeringen, exportkredieten, prijsondersteuningen en ruilverkaveling. We kennen nu ook uitbetalingen aan boeren om bepaalde gewassen *niet* te verbouwen. Alleen dat programma kost ons al 20 miljard dollar per jaar.

Met al die regeringshulp (sommigen zouden zeggen: bemoeienis) hebben we een wonder teweeggebracht. Onze agrarische industriepolitiek heeft ons de afgunst van de hele wereld bezorgd.

Maar als we een agrarische industriepolitiek hebben en een militair-industrieële politiek, waarom kunnen we dan, verduiveld, geen industriële industriepolitiek hebben?

Ik denk dat mijn houding tegenover een industriepolitiek dezelfde is als die van Abraham Lincoln toen iemand hem vertelde dat Ulysses S. Grant vaak dronken was. 'Zoek uit welk merk whisky hij drinkt en stuur die dan naar mijn andere generaals,' was Lincolns reactie.

Hier is mijn programma in zes punten dat de basis kan vormen voor een nieuwe industriepolitiek.

Ten eerste: We moeten in 1990 voor onze energie volledig onafhankelijk zijn door belasting op buitenlandse energie, zowel in de havens als bij de pomp, teneinde een conserveringsethiek te herstellen en investeringen in alternatieve energiebronnen aan te wakkeren. We moeten ons niet in slaap laten sussen door de huidige, verminderde vraag. OPEC zal altijd in zijn eigenbelang handelen en het best zijn gediend met hoge prijzen en krappe leveranties. Het Amerikaanse volk is bereid een prijs te betalen voor energie-onafhankelijkheid. Men beseft dat dit niet zonder offers kan worden bereikt.

Ten tweede: We zouden moeten zorgen voor duidelijke beperkingen van het Japanse marktaandeel voor bepaalde, essentiële industrieën. We zouden een economische noodsituatie moeten afkondigen voor die industrieën en eenzijdig de beperkende GATT-bepalingen gedurende die periode naast ons moeten neerleggen. We hoeven onze verontschuldigingen niet aan te bieden voor deze verstandige benadering van de handel met Japan. We zijn aangeland op een punt in onze geschiedenis waarop we ons geen handelspartner kunnen veroorloven die het recht opeist te verkopen, doch weigert te kopen.

Ten derde: Als natie moeten we de realiteit onder ogen zien met betrekking tot de kosten en financiering van federale programma's voor het recht op uitkeringen. In Washington wordt hierover tot in den treure gestudeerd omdat het politiek een heet hangijzer kan worden genoemd, maar de oplossing heeft altijd vlak voor onze neus gelegen. We kunnen niet doorgaan meer uit te geven dan er binnenkomt en dat zal een aantal zeer pijnlijke aanpassingen met zich meebrengen.

Ten vierde: Amerika heeft behoefte aan meer ingenieurs, wetenschapsmensen en technici. In verhouding tot de bevolkingsaantallen studeren er in Japan viermaal zoveel ingenieurs af dan bij ons (bij ons studeren er vijftien maal zoveel juristen af). Speciale studiebeurzen en leningen zouden de studie van hoogwaardige technologie kunnen bevorderen. De Sovjets en de Japanners wijden zich aan de opbouw van hun technologisch kunnen – en wij houden geen gelijke tred met hen.

Ten vijfde: We hebben nieuwe stimulansen nodig om de research en de ontwikkelingsinspanning in de particuliere sector op te voeren en om de modernisering van fabrieken en produktiemethoden in de essentiële industrieën te versnellen. Een mogelijke aanpak kan zijn: het verlenen van belastingvoordelen aan investeringen en het versneld afschrijven van investeringen die in verband staan met verbeteringen van de produktiviteit.

·Tenslotte: We moeten een programma op lange termijn opstellen om de levensaderen van onze handel te vernieuwen – onze wegen, bruggen, spoorlijnen en waterwegen. Onze infrastructuur, die van vitaal belang is voor de versterking en uitbreiding van onze industriële macht, verslechtert in een alarmerend tempo! Daar moet iets aan worden gedaan. Zo'n program zou ten dele kunnen worden gefinancierd uit de OPEC-energiebelasting. Het zou tevens kunnen dienen als een buffer voor de vermindering van de werkgelegenheid die onvermijdelijk het gevolg zal zijn van produktiviteitsstijging en automatisering.

Om al deze programma's te verwezenlijken, zouden we een Commissie voor essentiële industrieën kunnen instellen – een forum waar regering, vakbeweging en management samenkomen om een uitweg te vinden uit de troep waarin we ons bevinden. We moeten leren hoe we met elkaar kunnen praten voor we gezamenlijk tot actie kunnen overgaan.

Deze drievoudige coalitie dient speciale maatregelen aan te bevelen om onze vitale industrieën te versterken en hun concurrentiekracht op de internationale markt te herstellen en te vergroten.

Voor de duidelijkheid: ik stel geen welzijnssysteem voor voor iedere onderneming die in moeilijkheden raakt. We hebben een programma nodig dat alleen in werking treedt wanneer Amerikaanse ondernemingen die in moeilijkheden verkeren, instemmen met het brengen van gelijke offers door management, vakbeweging, leveranciers en financiële bronnen. Het heeft gewerkt voor Chrysler en het kan dus werken voor de rest van Amerika.

Als een industrietak of onderneming hulp zoekt, zoals ik vijf jaar geleden in Washinton heb gedaan, zou de commissie ten bate van de belastingbetaler moeten vragen wie het risico zullen dragen. Wat zit er voor ons in? Wat zit erin voor de bevolking? Met andere woorden: welke bijdragen leveren management en vakbeweging?

Ik heb het meegemaakt en het is eenvoudig genoeg. Het is het management dat bereid moet zijn iets te doen, vóór de regering ook maar iets doet aan loongaranties, importbeperkingen, belastingaftrek voor investeringen, enzovoort.

Misschien moet het management bereid zijn de winsten terug te beleggen in werkgelegenheidscheppende investeringen – in dit land. Misschien moet het management bereid zijn tot winstdeling met zijn employés; misschien moet het zelfs een stop op de prijzen aanvaarden.

De vakbeweging zou de Middeleeuwen de rug moeten toekeren, moeten instemmen met veranderingen in de arbeidsvoorwaarden die de produktiviteit belemmeren – zoals het hebben van 114 werkklassificaties in lopende band-ondernemingen waar er 6 prima zouden voldoen. De vakbonden zouden misschien zelfs akkoord moeten gaan met een beperking van de medische kosten die nu de pan uitrijzen en in het systeem zijn ingebouwd.

Wanneer noch het management, noch de vakbeweging bereid is om offers te brengen, kan de vergadering naar huis gaan. Je kunt geen overheidshulp verwachten als je niet bereid bent in eigen huis orde op zaken te stellen. Er wordt geen gratis lunch aangeboden. Wie om hulp vraagt, dient te begrijpen dat de teugels zullen worden aangehaald.

Indien dit alles een beetje klinkt als het Marshall plan voor Europa, dan is dat precies was het is. Als Amerika na de Tweede Wereldoorlog West-Europa op de been kon helpen, als we een Internationaal Monetair Fonds in het leven konden roepen, alsmede een dozijn internationale ontwikkelingsbanken om te helpen de wereld weer op te bouwen, dan zouden we vandaag in staat moeten zijn ons eigen land te herbouwen.

Als de Wereld Bank – wat een winstgevende instelling is – met succes onderontwikkelde landen kan helpen, waarom zou dan een nieuwe, nationale ontwikkelingsbank de in moeilijkheden verkerende Amerikaanse industrieën niet kunnen helpen? Misschien hebben we een Amerikaans Monetair Fonds nodig. Wat is er tegen een nationale ontwikkelingsbank met 5 miljard dollar om onze basisindustrieën weer concurrerend te maken?

In het begin van 1984 vroeg de Commissie Kissinger 8 miljard dollar voor de ontwikkeling van Centraal-Amerika. Nu heb ik altijd gedacht dat Centraal-Amerika plaatsen inhield als Michigan, Ohio en Indiana. (Dat bewijst hoe naïef ik ben.) Hoe zit het met ons eigen Centraal-Amerika? Hoe kunnen we 8 miljard dollar uitgeven om de economieën van andere landen te versterken, terwijl we de kwijnende industrieën in onze eigen achtertuin verwaarlozen?

Veel mensen zeggen dat industrie-politiek niets anders is dan limonadesocialisme. Als dat zo is, geef mij dan maar een krat vol – tenzij we snel handelen, is ons industriële centrum immers bezig te veranderen in een industrieel afvalland.

Elke realistische industriepolitiek voor Amerika moet tevens een fiscale en monetaire politiek omvatten.

We kunnen geen stabiele, gezonde economie hebben met hoge rentetarieven – of met rentetarieven die iedere tien minuten veranderen. Hoge rentetarieven zijn door mensen veroorzaakte rampen. En wat de mens maakt, kan de mens herstellen.

Ik kijk terug op de zesde oktober 1979 als op een dag van schande voor dit land. Dat was de dag waarop Paul Volcker en de Federal Reserve Board de rentevoet lieten fluctueren. Dat was de dag waarop de monetaristen verkondigden: 'De enige manier om de inflatie te doorbreken is de geldhoeveelheid te controleren – en laat de rentetarieven dan maar waaien.'

Zoals we allemaal door een harde les hebben geleerd, ontketende die beslissing een vloedgolf aan economische ontwrichting. Er moet een betere manier zijn om de inflatie in te dammen dan over de ruggen van de arbeiders in de auto-industrie en de woningbouw. Als toekomstige historici terugkijken op onze manier van inflatie genezen en op de pijnlijke nawerking die dat geneesmiddel veroorzaakte, zullen ze het waarschijnlijk vergelijken met het aderlaten uit de Middeleeuwen.

Detroit werd als eerste getroffen. We kregen te lijden aan de langdurigste depressie in de autoverkoop van de laatste vijftig jaar. Daarna was de woningbouw aan de beurt en uiteindelijk werd bijna iedereen in dit land getroffen.

Voor de rentevoet werd losgelaten, waren de rentetarieven al tot 12 procent gestegen, hetgeen slechts één keer in onze hele geschiedenis was voorgevallen en dat gebeurde tijdens de Burgeroorlog. Nu, nadat de 12 procent was bereikt, bleef de rente echter stijgen. Op een gegeven ogenblik zelfs tot 22 procent. Dat noem ik gelegaliseerde woeker. Er zijn staten die ingrijpen bij 25 procent, een dergelijke rente wordt als misdadig beschouwd. Ook de mafia noemt het woeker.

Maar hoe schandelijk 20 procent ook mag zijn, nog erger is het jo-jo-effect. Van 6 oktober 1979 tot oktober 1982 ging de rente 68 maal omhoog (of omlaag) wat neerkomt op één keer per 13,8 dagen. Hoe kan daarbij nog iets worden gepland?

Als de rente hoog staat, bestemmen de consumenten veel geld voor beleggingen op korte termijn. Geld verdienen met geld is echter niet produktief. Het schept geen banen. En degenen onder ons die wel banen scheppen, die investeren in produktiviteit, die willen uitbreiden en bereid zijn hun eerlijk aandeel aan belasting te betalen, wachten stroomafwaarts op een paar miezerige druppeltjes krediet, zodat ze een handjevol mensen meer aan werk kunnen helpen.

Een hoge rentestand moedigt de hoge heren aan hun nieuwe spelletje te spelen door geld met geld te verdienen. Als het geld duur is, is investeren in research en ontwikkeling riskant. Is de rente hoog dan is het goedkoper een onderneming te kopen in plaats van er een te bouwen.

Van de tien grootste fusies in de Verenigde Staten hebben er negen plaatsgevonden onder de Reagan-regering. U.S. Steel was betrokken bij een van de grootste fusies. Beschermd door aanlokkelijke prijzen (die ons bij het kopen van Amerikaans staal per auto 100 dollar extra kostten), betaalde U.S. Steel 4,3 miljard dollar om Marathon Oil te kopen. Het merendeel van dat geld was geleend. Het had gebruikt moeten worden om moderne, met zuurstof aangeblazen hoogovens en gieterijen te kopen om met de Japanners te kunnen concurreren.

Toen de staalarbeiders merkten wat er gaande was, werden ze zo kwaad dat ze eisten dat alle loonconceessies die ze deden, ten goede zouden komen aan de staal-business. Het is bijna niet te geloven dat het Amerikaanse management van de arbeiders moet leren hoe ons systeem werkt.

En wat te zeggen van Dupont die Conoco kocht voor 7,5 miljard dollar en daarbij zijn schuld verdrievoudigde tot 4 miljard dollar? Het kost Dupont jaarlijks 600 miljoen dollar aan rente alleen. Zouden we allemaal niet beter zijn afgeweest als Dupont dat geld had gebruikt om nieuwe, vernuftige produkten te maken waarmee ze in het verleden wereldfaam hebben verworven?

Bendix, United Technologies en Martin Marietta leenden 3,6 miljard dollar om hun kannibalisme in ondernemingsland te financieren – zonder daarmee een enkele nieuwe baan te scheppen. Dat circus met drie pistes kwam alleen aan zijn eind toen Allied alles in één tent onderbracht en het hele zaakje tot staan werd gebracht.

Denkt u eens over het volgende na: In de tien jaar tussen 1972 en 1982 liep het aantal tewerkgestelden bij Amerika's vijfhonderd grootste, industriële ondernemingen in feite terug. Alle nieuwe banen – aanzienlijk meer dan tien miljoen – ontsproten uit twee andere bronnen. De ene was de groep van kleine ondernemingen en de andere – het spijt me dat ik het moet zeggen – was de overheid die waarschijnlijk de enig overgebleven groei-industrie was.

Waarom maken we geen wet waarin staat dat wanneer je een ander opkoopt om hem op te eten, de rente voor die lening niet aftrekbaar is? Dat zou heel vlug een eind maken aan de excessen van dit systeem.

Op het ogenblik kun je over het algemeen geen concurrent opkopen als je dat wilt. Dat is in strijd met de anti-trust-wetten. Wil je echter een onderneming opkopen die iets heel anders doet, dan is daar niets tegen.

Wat heeft dat voor zin? Waarom moet een knaap die in de staal-business zit opeens een olieman worden? Dat is immers een totaal andere wereld. Het zal de man jaren kosten het bedrijf te leren kennen en het belangrijkste zal zijn dat het niet produktief is.

Indien we de rente omlaag brachten en een eind maakten aan die fusiewaanzin, zouden we de geldwisselaars uit de tempel van onze nationale economie verdrijven. We zouden kunnen terugkeren naar de Amerikaanse wijze van zaken doen door herinvestering en concurrentie in plaats van elkaar op te kopen. Door meer banen te scheppen, zouden we zoveel mensen meer kunnen laten deelnemen aan onze economische groei. De kosten voor de sociale zorg voor de lokale, staats- en federale overheden zouden omlaag gaan. Het kapitaal zou zich weer vermeerderen en de fabrieken zouden zich weer uitbreiden.

Zoals iedereen weet is de manier om de rente te verlagen het verminderen van het overheidstekort. Het wordt tijd dat iemand het betaalpasje van de overheid afpakt. Washington gebruikt meer dan de helft van al het beschikbare krediet (54 procent om precies te zijn) om de staatsschuld te financieren.

Ondanks alle verkiezingsbeloften van President Reagan is de staatsschuld uit de hand gelopen. In 1835 bedroeg het overheidstekort niet meer dan 38.000 dollar. In 1981 doorbrak het jaarlijkse tekort, voor de eerste keer in de geschiedenis, de grens van 100 miljard dollar. Vandaag is het 200 miljard. Men verwacht dat het tekort over vijf jaar meer dan één triljoen dollar zal bedragen.

Het overheidstekort steeg van 1776 tot 1981 tot recordhoogte. Denk daar eens over na. Het duurde 206 jaar met acht oorlogen, twee omvangrijke depressies, een twaalftal recessies, twee ruimtevaartprogramma's, het openleggen van het Westen en de ambtstermijnen van 39 presidenten om dat te bereiken. Nu gaan we dat record in vredestijd verveelvoudigen in slechts vijf jaar – en tijdens een zogenaamd economisch herstel.

Om het anders te formuleren: er zijn 61 miljoen families in dit land en die zadelen we allemaal op met een schuld welke jaarlijks 3000 dollar opeist – let wel: zonder hun toestemming! Het is alsof Uncle Sam uw kredietpasje gebruikt zonder het te vragen. Als gevolg daarvan verhypothekeren we de toekomst van onze kinderen en kleinkinderen. Aangezien de meesten van hen niet kunnen stemmen, hebben ze ons een volmacht gegeven en die gebruiken we niet bepaald goed. De heren in Washington krijgen van mij een slecht cijfer.

We moeten het overheidstekort bestrijden voor het ons volledig overweldigt. Natuurlijk zul je om grote problemen op te lossen impopulaire dingen moeten doen. Als kind van de Grote Depressie ben ik altijd een verwoede fan van F.D.R. geweest. Hij deed veel voor dit land, ook al ondervond hij bij elke stap tegenwerking van de ideologen. Hij maakte van het land een grote smeltkroes. Hij betrok degenen erbij die waren uitgestoten en hij had de vermetelheid mensen van de straathoeken te plukken die appels stonden te verkopen en hen aan het werk te zetten.

Hij was bovenal pragmatisch. Wanneer hij werd geconfronteerd met grote problemen, deed hij iets – en dat vraagt altijd meer moed dan niets doen. Roosevelt bestreed de problemen van de Depressie niet met statistieken en grafieken, of met theorieën uit de Harvard Business School. Hij handelde concreet. Hij was altijd geneigd iets nieuws te proberen en werkte dat niet, dan was hij bereid iets anders te proberen.

Vandaag hebben wij in Washington iets van die mentaliteit nodig. Onze problemen zijn gigantisch en gecompliceerd, maar er zijn oplossingen. Die zijn niet altijd gemakkelijk en niet altijd aangenaam. Maar ze bestaan.

De grote problemen die ons heden in het gezicht staren, zijn geen republikeinse of democratische kwesties. De politieke partijen kunnen debatteren over de middelen, maar beide moeten het einddoel omhelzen en dat is: Amerika weer groot maken.

Zullen we kunnen slagen in deze enorme onderneming? Iemand heeft beweerd dat zelfs in het falen van een grootse onderneming nog eer schuilt. We moeten het dus proberen en doen we dat, dan geloof ik dat we zullen slagen.

We zijn per slot als het erop aankomt een vindingrijk volk en een natie die is gezegend met overvloed. Met doelgerichtheid, leiderschap en de steun van het Amerikaanse volk, kunnen we niet mislukken. Ik ben ervan overtuigd dat dit land weer een lichtend, stralend symbool van macht en vrijheid kan worden – door niemand uitgedaagd, door een ieder benijd.

Epiloog
De grote dame

Toen President Reagan me vroeg voorzitter te worden van de 'Statue of Liberty – Ellis Island Centennial Commission', zat ik tot over mijn oren in mijn werk bij Chrysler, maar ik nam het toch aan. Van alle kanten werd me gevraagd: 'Waarom heb je dat aangenomen? Heb je nog niet genoeg te doen?'

Maar dit was werk uit liefde voor mijn moeder en vader die me vaak over Ellis Island vertelden. Mijn ouders waren immigranten die de taal niet kenden toen ze hier kwamen en niet wisten wat ze moesten gaan doen. Ze waren arm en bezaten niets. Het eiland is een deel van mezelf – niet de plek, maar de betekenis die het vertegenwoordigde met zijn bittere ervaring.

Mijn betrokkenheid bij de restauratie van deze grote symbolen, is echter meer dan alleen een eerbewijs aan mijn ouders. Ik kan me heel goed identificeren met hun ervaringen. Nu ik erbij ben betrokken, heb ik ontdekt dat vrijwel iedere Amerikaan hetzelfde voelt.

De 17 miljoen mensen die de poorten van Ellis Island passeerden, hadden heel wat kleine kinderen bij zich. Ze gaven Amerika honderd miljoen afstammelingen, hetgeen wil zeggen dat bijna de helft van ons volk zijn wortels hier heeft. En het zijn wortels waarnaar dit land smacht. De mensen verlangen intens naar de terugkeer tot de fundamentele waarden. Hard werken, de waardigheid van arbeid, het gevecht voor de rechtvaardige zaak – dat zijn de dingen die het Vrijheidsbeeld en Ellis Island vertegenwoordigen.

Behalve de Amerikaanse Indianen zijn we allemaal immigranten of de kinderen van immigranten. Het is dus belangrijk dat we de opvattingen volgens welke we leefden, doorbreken. De Italianen brachten naar dit land meer mee dan de pizza en spaghetti. De joden brachten meer mee dan ongedesemd brood en de Duitsers brachten meer mee dan braadworst en bier. Al deze etnische groepen brachten hun eigen cultuur mee, hun muziek, hun literatuur. Ze gingen op in de Amerikaanse smeltkroes – maar op de een of andere manier slaagden ze er ook in hun eigen cultuur te bewaren in de omgang met elkaar.

Onze ouders kwamen hier en ze hadden een aandeel in de industriële revolutie die het aangezicht van de wereld veranderde. Nu is er een revolutie in hoogwaardige technologie aan de gang en iedereen is doodsbenauwd. Als je in een overgansperiode zit – zoals wij nu – wordt gevreesd dat mensen verwondingen oplopen – en dat jij wel eens een van hen kunt zijn. Daarom zijn veel mensen zo benauwd. Ze vragen zich af: 'Zullen we even goed zijn als onze ouders in het doorstaan van die veranderingen of zullen we in de kou blijven staan?' En onze kinderen gaan zich afvragen: 'Moeten we onze verwachtingen omlaag schroeven en met minder genoegen nemen?'

Tegen hen zou ik willen zeggen: 'Dat hoeft niet. Als onze grootouders het te boven kwamen, kunnen jullie dat waarschijnlijk ook. Jullie hebt er misschien nog nooit over nagedacht, maar ze zijn door de hel gegaan. Ze gaven heel veel op omdat ze wilden dat jullie het beter kregen dan zij.'

Als het ons slecht ging, zag mijn moeder er niets verkeerds in om in een atelier te gaan werken zodat ik geld voor de lunch op school kon meenemen. Ze deed wat ze moest doen. Toen ik bij Chrysler kwam, trof ik daar een geweldige puinhoop aan, maar ik deed wat ik moest doen.

Denk erover na. De afgelopen vijftig jaren kunnen je een visie meegeven voor de volgende vijftig. Wat de laatste vijftig jaar ons hebben geleerd, was het verschil tussen goed en kwaad, dat alleen hard werken succes garandeert, dat er geen gratis maaltijden bestaan en dat je produktief moet zijn. Dit zijn de waarden die ons land groot hebben gemaakt.

En het zijn de waarden die het Vrijheidsbeeld vertegenwoordigt. Het Vrijheidsbeeld is niets anders dan een prachtig symbool van wat het betekent om vrij te zijn. De realiteit, dat is Ellis Island! Vrijheid is alleen het toegangskaartje, maar wil je overleven en succes hebben dan moet ervoor worden betaald.

Ik had een geweldige carrière en dit land heeft me daartoe de kans gegeven. Ik heb de gelegenheid aangegrepen, maar het was geen wonder dat zich in dagen voltrok. Het kostte me bijna veertig jaar van hard werken.

Van de mensen krijg ik te horen: 'Jij bent een laaiend succes! Hoe heb je het klaargespeeld?' Ik denk terug aan wat mijn ouders me leerden. Ontwikkel jezelf, leer zoveel je maar kunt, en dan... bij God... doe iets! Blijf niet aan de kant staan, zorg dat er iets gebeurt. Ga aan de slag. Het is verbazingwekkend dat je in een vrije samenleving net zo ver kunt komen als je wilt. En natuurlijk: dank God voor de dingen waarmee Hij je heeft gezegend.

Aangezien het grootste gedeelte van mijn leven bestaat uit 'verkopen' – verkopen van produkten, of ideeën of waarden – lijkt het me misplaatst dit boek te beëindigen zonder om een bestelling te vragen. Hier komt hij dan:

Help me, alstublieft, bij de restauratie van Ellis Island en het Vrijheidsbeeld. Stuur uw, voor de belasting aftrekbare, bijdrage aan: Statue of Liberty – Ellis Island Foundation, Box 1986, New York 10018. Laat de vlam op het Vrijheidsbeeld niet uitgaan en bedenk: al was het alleen maar opdat Christoffel Columbus, mijn vader en ik u voor eeuwig dankbaar zullen zijn.

Register